LABIRYNT

Kate Mosse
LABIRYNT

Przełożyła
Agnieszka Barbara Ciepłowska

Prószyński i S-ka

Tytuł oryginału:
LABYRINTH

Copyright © Mosse Associates Ltd 2005
All Rights Reserved

Projekt okładki:
Emma Wallace

Ilustracja na okładce (hieroglif):
Laura Brett

Redakcja:
Magdalena Koziej

Redakcja techniczna:
Małgorzata Kozub

Korekta:
Bronisława Dziedzic-Wesołowska

Łamanie komputerowe:
Ewa Wójcik

ISBN 83-7469-263-4

Wydawca:
Prószyński i S-ka SA
02-651 Warszawa, ul. Garażowa 7

Przygotowalnia: Notus, Warszawa, tel. (0-prefiks-22) 654-36-06
Druk i oprawa: Drukarnia Naukowo-Techniczna – oddział PAP SA
ul. Mińska 65, 03-828 Warszawa

Mojemu ojcu, Richardowi Mosse, człowiekowi prawemu,
współczesnemu *chevalier*

I Gregowi – jak zwykle – za wszystko,
co było, jest i będzie.

OD AUTORKI

Notka historyczna

W marcu roku 1208 papież Innocenty III zarządził krucjatę przeciwko chrześcijanom zamieszkującym południowe tereny dzisiejszej Francji, znanym współcześnie jako katarzy. Sami siebie nazywali oni *bons chrétiens*, czyli „dobrymi chrześcijanami", znakomity teolog Bernard z Clairvaux określał ich mianem albigensów, a w rejestrach inkwizycji figurują jako – heretycy. Innocenty III postawił sobie za cel usunięcie katarów z obszaru Langwedocji i przywrócenie w tym rejonie autorytetu Kościoła katolickiego. Wsparli go w tych dążeniach francuscy baronowie, którzy liczyli na możliwość zdobycia nowych ziem, bogactwa oraz osiągania niebagatelnych korzyści z handlu po ujarzmieniu niepodległej szlachty Południa.

Choć wyprawy krzyżowe jako takie były istotnym elementem średniowiecznego życia chrześcijańskiego od schyłku jedenastego wieku i choć już w roku 1204, podczas czwartej krucjaty, w czasie oblężenia Zary chrześcijanie zwrócili się przeciwko chrześcijanom, to właśnie za sprawą krucjaty przeciw albigensom święta wojna przeniosła się na obszar Europy. Prześladowania katarów doprowadziły bezpośrednio do powstania w roku 1231 świętej inkwizycji pod auspicjami dominikanów, zwanych także „psami Pana" (*Domini canes*).

Niezależnie od religijnych motywów działań Kościoła katolickiego oraz niektórych przywódców wypraw krzyżowych, takich jak na przykład Szymon de Montfort, krucjata przeciw albigensom była w rzeczywistości wojną okupacyjną i okazała się punktem zwrotnym w historii ziem wchodzących w skład dzisiejszej południowej Francji. Była końcem niepodległości europejskiego Południa i spowodowała upadek wielu tradycji, ideałów oraz zmianę sposobu życia.

Ani słowo „katar", ani wyraz „krucjata" nie zaistniały nigdy w średniowiecznych dokumentach. Armia Kościoła katolickiego w języku *d'oc* nazywana była *l'Ost*. Ponieważ jednak wyżej wymienione terminy, w średniowieczu zakazane, obecnie znajdują się w powszechnym użyciu, pozwoliłam sobie na ich stosowanie.

Notka lingwistyczna

W okresie średniowiecza język oksytański, *langue d'oc*, od którego wywodzi się nazwa Langwedocja, był mową całego Południa dzisiejszej Francji, od Prowansji po Akwitanię. Był to także język chrześcijańskiej Jerozolimy oraz obszarów zajętych w następstwie krucjat od roku 1099. Używano go również na niektórych terenach północnej Hiszpanii, a także w północnych Włoszech. Jest zbliżony do prowansalskiego i katalońskiego.

W trzynastym wieku na północnych obszarach dzisiejszej Francji dominował *langue d'oïl*, poprzednik współczesnego języka francuskiego.

W czasie ekspansji Północy na Południe, która rozpoczęła się w roku 1209, francuscy baronowie narzucili swoją mowę podbitym regionom, ale już od połowy wieku dwudziestego rozpoczęło się odrodzenie języka oksytańskiego, używanego przez pisarzy, poetów i historyków, takich jak René Nelli, Jean Duvernoy, Déodat Roché, Michel Roquebert, Anne Brenon, Claude Marti i innych. Powstała dwujęzyczna szkoła oc-francuska, zlokalizowana w La Cité, sercu średniowiecznej warowni Carcassonne. Oksytańska pisownia nazw miast i regionów występuje na drogowskazach jednocześnie z francuską.

W „Labiryncie", dla rozróżnienia mieszkańców Pays d'Oc – Okcytanii – oraz francuskich najeźdźców, używam odpowiednio języka oksytańskiego i francuskiego. Dla przykładu: Carcassona i Carcassonne, Tolosa i Tuluza, Besièrs i Béziers.

Wyjątki z poezji oraz przysłowia zostały zaczerpnięte z „Proverbes & Dictons de la langue d'Oc", zebranych w tym dziele przez opata Pierre'a Trinquiera oraz z „33 Chants Populaires du Languedoc".

Oczywiście istnieją różnice pomiędzy średniowieczną pisownią języka oksytańskiego oraz współczesnymi zapisami. Dla uzyskania pewnej jednolitości opierałam się na „La Planqueta", słowniku oksytańsko-francuskim autorstwa André Lagarde'a. Krótki słowniczek zamieściłam na końcu tej książki.

I poznacie prawdę, a prawda was wyzwoli.

Ewangelia według św. Jana 8,32*

L'histoire est un roman qui a été, le roman est une histoire qui aurait pu être.
Historia jest opowieścią o tym, co się zdarzyło, a opowieść – historią o tym, co mogłoby się zdarzyć.

E. i J. de Goncourt

Tên përdu, jhamâi së rëcôbro.
Utraconego czasu nic nie wróci

Średniowieczne przysłowie oksytańskie

---

* Biblia Tysiąclecia, wyd. IV (wszystkie przypisy pochodzą od tłumaczki)

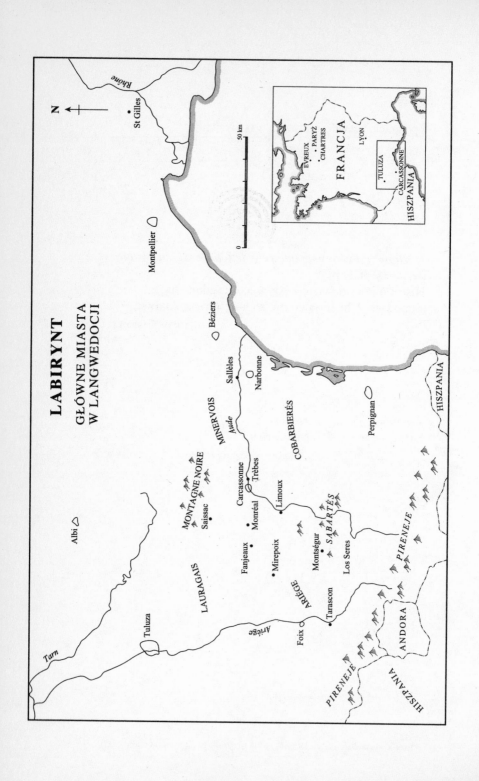

PROLOG

I
Południowo-zachodnia Francja
Montagnes du Sabarthès
Pic de Soularac

Po wewnętrznej stronie przedramienia płynie strużka krwi. Jak cienki czerwony szew na białym rękawie. Alice nie zwraca uwagi na delikatne łaskotanie, uznaje, że to kolejna mucha. Owady stanowią element ryzyka zawodowego przy wykopaliskach, a z niewyjaśnionych przyczyn jest ich znacznie więcej tutaj, wysoko w górach, niż w okolicach obozu.

Kropla spada na gołą stopę, rozpryskuje się jak fajerwerk na niebie w noc Guy Fawkesa.

Tym razem Alice spogląda na rękę. Znowu się otworzyło rozcięcie po wewnętrznej stronie łokcia. Rana jest głęboka, nie chce się zagoić. Alice wzdycha, przyciska opatrunek i poprawia plastry. A potem, ponieważ w pobliżu nie ma nikogo, zlizuje czerwoną plamę z nadgarstka.

Kilka pasm włosów w kolorze karmelu wyślizgnęło się spod czapki. Wsuwa je za uszy, ociera czoło chusteczką, potem związuje koński ogon w ciasny węzeł na karku.

Skoro już i tak skupienie przepadło, wstaje i rozprostowuje nogi – szczupłe, lekko opalone. Ma na sobie krótko obcięte dżinsy i obcisłą białą koszulkę bez rękawów. Wygląda prawie jak nastolatka. Kiedyś jej to przeszkadzało. Teraz, w miarę upływu czasu, dostrzega korzyści płynące z tego, że nie wygląda na swoje lata. Jedyną ozdobą, jaką ma na sobie, są delikatne srebrne kolczyki w kształcie gwiazdek, błyszczące jak cekiny.

Odkręca butelkę, łapczywie pociąga kilka dużych łyków. Woda jest ciepła, trudno. W dole gorące powietrze zamazuje migoczącą warstwą łuk drogi. W górze – nieskończony błękit nieba. Cykady ukryte w cieniu zeschłej trawy koncertują niezmordowanym chórem.

Choć jest w Pirenejach po raz pierwszy, czuje się tu jak w domu. Powiedziano jej, że postrzępione szczyty górskiego pasma Montagnes du Sabarthès zimą pokrywa śnieg. Wiosną pojawiają się delikatne kwiatki, białe i bladoróżowe. Wychylają główki ze szczelin pomiędzy skałami. Wczesnym latem pastwiska powlekają się zielenią i obsypują żółtymi jaskrami. Teraz rządzi słońce. Spaliło zieleń na brąz.

Piękny zakątek, myśli Alice, tylko jakiś niegościnny. Ten szczyt, Pic de Soularac, to miejsce tajemnicze, które było świadkiem zbyt wielu zdarzeń i za dużo skrywa, by dojść ze sobą do ładu.

W obozowisku rozłożonym niżej na stoku widzi innych, stojących pod płóciennym zadaszeniem. Od jasnego tła wyraźnie odcina się Shelagh, jak zwykle ubrana w czarne firmowe ciuchy. Dziwne, że już przerwali pracę. Jeszcze za wcześnie. W końcu w zespole nie ma pracoholików, wszyscy trochę się obijają.

Praca jest nużąca i monotonna, polega głównie na wykopywaniu i obskrobywaniu, zapisywaniu i katalogowaniu, a najczęściej znaleziska okazują się niezbyt znaczące, więc nie rekompensują wysiłku włożonego w ich wydobycie. Zdobyli kilka fragmentów garnków oraz mis z okresu wczesnego średniowiecza i dwa groty strzał z końca dwunastego lub początku trzynastego wieku, ale żadnych dowodów na istnienie w tym regionie osad z okresu paleolitycznego, co było celem wykopalisk.

Kusi ją, by zejść na dół, do przyjaciół, poprosić o zmianę opatrunku. Skaleczenie boli, nogi jej ścierpły od kucania, barki są nieprzyjemnie spięte. Jednocześnie jednak zdaje sobie sprawę, że jeśli teraz przerwie pracę, straci impet.

A może szczęście się do niej uśmiechnie? Jakiś czas temu dostrzegła coś błyszczącego pod głazem opartym o górski stok równo, jakby go postawił jakiś olbrzym. Chociaż nie potrafiła określić, co to za przedmiot, nie umiała nawet odgadnąć jego wielkości, kopała cały ranek i miała nadzieję niedługo się do niego dostać.

Powinna kogoś wezwać. Albo przynajmniej powiedzieć Shelagh, najlepszej przyjaciółce, a jednocześnie kierowniczce wykopalisk. Nie jest przecież zawodowym archeologiem, jedynie wolontariuszką, która postanowiła część wakacji spędzić pożytecznie. Dziś kończy się jej czas. Dlatego tym bardziej chce się sprawdzić. Jeśli zejdzie do obozowiska i powie, że się na coś natknęła, wszyscy się tu zbiegną i odkrycie już nie do niej będzie należało.

A ona pragnie zachować ten moment we wspomnieniach. Pamiętać kąt padania światła, metaliczny smak krwi w ustach, wszechobecny pył, zastanawiać się, co by to było, gdyby odeszła, a nie została. Gdyby przestrzegała reguł.

Osusza butelkę do dna, wrzuca ją do plecaka.

Przez następną godzinę słońce wspina się po niebie, temperatura rośnie, a Alice pracuje. Słychać tylko drapanie metalu o kamień, brzęczenie owadów, czasem odległy warkot silnika samolotu. Czuje kropelki potu na górnej wardze i między piersiami, ale nie ustaje w wysiłkach, aż w końcu szczelina pod głazem jest na tyle szeroka, że można tam wsunąć dłoń.

Klęka, ramieniem i policzkiem opiera się o skałę. Podekscytowana wpycha palce głęboko w ziemię. Instynkt jej podpowiada, że to nie byle jakie znalezisko. Jest gładkie, lekko śliskie. Metal, nie kamień. Chwyta mocno i powtarzając sobie w duchu przypomnienie, że nie wolno oczekiwać zbyt wiele, powolutku wyciąga tę rzecz na światło dzienne. Wydaje jej się, że ziemia drgając, sprzeciwia się oddaniu skarbu.

Ciężka, bogata woń gleby wypełnia nozdrza i gardło Alice, lecz ona niczego nie zauważa. Już jest zagubiona w przeszłości, już ją porwała cząstka historii, czule ujęta w dłonie. To ciężka, okrągła brosza, czas i ziemia wyryły na niej ślad – zostawiły czarne i zielonkawe plamy. Alice przeciera ją delikatnie opuszkami palców, uśmiecha się, odsłaniając miedziane i srebrne zdobienia. Na pierwszy rzut oka to także przedmiot z okresu średniowiecza: brosza, używana do przytrzymania płaszcza lub sukni. Widywała już takie.

Wie, jak niebezpieczne jest wyciąganie pochopnych wniosków albo poddanie się pierwszemu wrażeniu, ale i tak nie może się oprzeć pokusie i już widzi oczyma wyobraźni właściciela tego przedmiotu, człowieka, który zmarł przed wiekami, ale kiedyś chodził po tych ścieżkach. Obcego, którego historię musi poznać.

Jest tak zatopiona w myślach, że nie zauważa, iż głaz drgnął w posadach. Jakiś szósty zmysł każe jej podnieść wzrok. Na ułamek sekundy czas staje w miejscu. Patrzy zahipnotyzowana, jak kamienna płyta z gracją zaczyna się ku niej pochylać.

W tej chwili na jej twarz pada światło. Pryska czar. Alice rzuca się do tyłu, potyka, ześlizgując się po zboczu, ucieka przed toczącym się głazem i ledwie unika zmiażdżenia. Wielki kamień uderza w ziemię z głuchym łoskotem, podnosi chmurę brązowawego pyłu i toczy się w dół, jak w zwolnionym tempie, aż w końcu zatrzymuje na stoku.

Alice chwyta gałązki jakichś krzewów, by nie zsunąć się niżej. Jakiś czas leży płasko, oszołomiona i zdezorientowana. Gdy wreszcie pojmuje, że otarła się o śmierć, robi jej się zimno ze strachu.

Mało brakowało, myśli.

Robi kilka głębokich wdechów. Czeka, aż świat przestanie wirować.

Stopniowo łomotanie w głowie ucicha. Mijają mdłości, wszystko zaczyna wracać do normalnego stanu. Może usiąść i przeprowadzić rachunek strat. Kolana ma podrapane do krwi, nadgarstek boli po niezgrabnym upadku, bo nie wypuściła z dłoni broszy, ale poza kilkoma siniakami nie ma szczególnych obrażeń.

Nic mi nie jest, myśli.

Wstaje, otrzepuje się z kurzu. Czuje się jak ostatnia idiotka. Jak mogła popełnić tak podstawowy błąd? Nie zabezpieczyła głazu. Spogląda w stronę obozowiska. Niesamowite! I fantastyczne. Najwyraźniej nikt niczego nie widział ani nie słyszał. Podnosi rękę, już ma zawołać, obwieścić o swoim znalezisku, ale jeszcze zerka w górę, na miejsce swojej chwały. Dostrzega tam wąską szczelinę, pęknięcie zbocza, jeszcze przed chwilą zasłonięte głazem. Niczym przejście wykute w skale.

Wiadomo, że te góry są podziurawione tysiącem jaskiń, grot i korytarzy, więc nie jest zdziwiona. A jednocześnie ma nieodparte wrażenie, iż spodziewała się tam tego wejścia, chociaż z zewnątrz wcale nie było go widać. Po prostu wiedziała. Odgadła.

Waha się. Wie, że powinna kogoś zawiadomić. Byłoby głupio, wręcz niebezpiecznie, wchodzić tam bez żadnej eskorty, nawet bez wsparcia. Zdaje sobie sprawę z tego, czym to się może skończyć. Ale z drugiej strony – przecież w ogóle nie powinna była kopać sama. Shelgah o niczym nie wie... Coś ją tam ciągnie. Wzywa. Właśnie ją. To jej odkrycie.

Na chwileczkę.

Wspina się z powrotem. U wejścia do jaskini, w miejscu, gdzie stał głaz na straży, zieje w ziemi głęboka dziura. Wilgotna gleba żyje, porusza się za sprawą licznych owadów gwałtownie zalanych słonecznym blaskiem. Czapka leży tuż obok, tam, gdzie upadła. Motyka również.

Alice zagląda w ciemność. Szpara ma najwyżej półtora metra długości, nie więcej niż metr szerokości. Brzegi są nieregularne, zębate. Raczej stworzona przez naturę niż ręką człowieka, ale gdy dziewczyna przesuwa dłonią po jej brzegu, odkrywa w miejscu połączenia z głazem zadziwiająco gładkie powierzchnie.

Jej wzrok powoli przywyka do mroku. Aksamitna czerń zmienia się w węglastą szarość, otwiera długi wąski tunel. Alice czuje ciarki na plecach, jakby ostrzeżenie, że jest tam coś, co lepiej zostawić w spokoju. Ale to tylko dziecinne lęki, więc odsuwa je od siebie. Nie wierzy ani w duchy, ani w przeczucia.

Ściskając w dłoni broszę, jak potężny talizman, robi głęboki wdech i wchodzi do tunelu. Od razu spowija ją stęchlizna podziemnej pieczary, wdziera się do nosa, gardła i płuc. Powietrze jest chłodne i wilgotne, nie czuć w nim trujących gazów powstających w suchych zamkniętych jaskiniach, przed którymi ją ostrzegano, wobec czego z pewnością jakoś dociera tu świeże powietrze. Na wszelki wypadek jednak wyciąga z kieszeni spodni zapalniczkę. Jakiś czas pozwala jej się palić, by się upewnić, że w tunelu jest tlen. Płomień chybocze się, trącany podmuchem, ale nie gaśnie.

Trochę zdenerwowana i z lekkim poczuciem winy Alice zawija broszę w chusteczkę i chowa do kieszeni spodni. Potem ostrożnie rusza tunelem. Płomień zapalniczki jest słaby, rzuca na nierówne szare ściany niespokojne cienie, lecz mimo to natychmiast odsłania przed nią ścieżkę.

Już po kilku krokach zimne powietrze zaczyna jej się ocierać o gołe nogi i ramiona jak spragniony pieszczot kot. Droga prowadzi w dół. Alice czuje pod stopami nierówny, żwirowaty grunt. W tym miejscu podobnym do grobowca, gdzie od niepamiętnych czasów króluje cisza, każdy poruszony kamyk jest źródłem hałasu. Światło dzienne z wolna gaśnie za plecami.

Nagle nie chce iść dalej. Nie chce w ogóle tutaj być. Tyle że jej wola nie ma żadnego znaczenia, bo coś ją wciąga dalej we wnętrzności góry.

Po następnych dziesięciu metrach tunel się kończy. Alice staje w progu jaskini, na naturalnej kamiennej platformie. Kilka szerokich, niewysokich stopni prowadzi na środek, gdzie podłoga jest płaska i gładka. Jaskinia ma jakieś dziesięć metrów długości i może pięć szerokości, wyraźnie została stworzona ludzkimi rękami. Strop znajduje się nisko, jest sklepiony, jak w krypcie.

Alice podnosi wyżej samotny płomyk zapalniczki. Nie może się pozbyć dziwacznego wrażenia, że skądś zna to miejsce. Już ma zejść ze schodów, gdy na najwyższym dostrzega litery. Pochyla się, próbuje odczytać napis. Zachowały się tylko pierwsze trzy słowa i ostatnia litera – nie wiadomo: N czy może H? Resztę zatarł czas. Dziewczyna odgarnia dłonią pył, głośno wymawia kolejne głoski. Echo powtarza dźwięk brzmiący wrogo w zastałej ciszy.

– P-A-S A P-A-S... *Pas à pas.*

Krok za krokiem? Co: krok za krokiem? Blade wspomnienie przenika do świadomości, niczym dawno zapomniana pieśń. I natychmiast przepada.

– *Pas à pas* – szepce.

Nic to nie znaczy. Modlitwa? Ostrzeżenie? Bez ciągu dalszego nie ma żadnego sensu.

Lekko podenerwowana wstaje i powoli schodzi ze schodów. Ciekawość walczy z ostrożnością i złym przeczuciem, na szczupłych ramionach dziewczyny pojawia się gęsia skórka – czy ze strachu, czy od chłodu – trudno powiedzieć.

Alice podnosi zapalniczkę wysoko, uważa, by niczego nie potrącić, nie przesunąć. Na poziomie posadzki jaskini przystaje. Nabiera głęboko powietrza i wstępuje w mahoniową ciemność. Ledwo widzi skalną ścianę przed sobą.

Z tej odległości nie sposób stwierdzić z całkowitą pewnością, czy to nie złudzenie albo dziwny cień, ale zdaje jej się, że widzi duży kolisty wzór złożony z linii prostych i półkoli wymalowanych lub wyrzeźbionych w skale. Przed nim stoi kamienny stół, wysokości mniej więcej metra, przypomina ołtarz.

Dla dodania sobie odwagi Alice wbija wzrok w symbol. Idzie naprzód. Teraz widzi go wyraźniej. Przypomina labirynt, choć pamięć jej podpowiada, że to jednak coś innego. Niezupełnie labirynt. Droga nie wiedzie, jak powinna, do środka. Dziwaczny wzór, chybiony. Alice nie potrafi wyjaśnić, skąd ma tę pewność, ale swoje wie.

Podchodzi coraz bliżej. Nagle trąca stopą coś twardego. Rozlega się głuche stuknięcie i odgłos toczenia się jakiegoś poruszonego przedmiotu.

Dziewczyna patrzy w dół.

Nogi zaczynają jej się trząść. Blady płomień w ręku drży. Alice wstrzymuje oddech. Stoi na brzegu płytkiego grobu, ledwie zagłębienia. Nad dwoma ludzkimi szkieletami o kościach wybielonych przez czas. Puste oczodoły jednej czaszki patrzą na nią z wyrzutem. Druga, kawałek dalej, leży na boku, jakby odwracała od niej wzrok.

Ciała zostały złożone obok siebie, twarzami w kierunku ołtarza, jak rzeźby nagrobne. Leżą symetrycznie, idealnie równo, ale nie ma w nich śladu spokoju. Brakuje tu wrażenia spoczynku. Kość policzkowa jednej z czaszek jest pokruszona, wgnieciona do środka, wygląda jak maska z papier mâché. W drugim szkielecie kilka żeber sterczy dziwacznie, niczym kruche gałązki martwego drzewa.

Oni ci nie zrobią krzywdy.

Alice, zdecydowana pokonać strach, kuca powoli. Uważa, by przy tym już nic nie poruszyć. Ogląda uważnie cały grób. Pomiędzy zmarłymi leży kilka strzępów tkaniny, sztylet o ostrzu zmatowionym przez czas oraz skórzana sakwa ściągana rzemieniami. Można by w niej zmieścić książkę lub niezbyt dużą szkatułkę. Alice marszczy brwi. Jest pewna, że już widziała coś takiego, ale nic więcej nie pamięta.

Okrągły biały przedmiot zaklinowany między szponiastymi palcami mniejszego szkieletu jest tak mały, że omal umyka jej uwagi. Dziewczyna bez namysłu wyciąga z kieszeni szczypczyki. Pochyla się i ostrożnie uwalnia tę rzecz, następnie ogląda ją w nikłym blasku gazowego płomyka, zdmuchnąwszy kurz.

To kamienny pierścień, zwykły, bez żadnych ozdób, o gładkiej powierzchni. On także wydaje się dziwnie znajomy. Alice przygląda mu się bliżej. Jest jednak wzór – wydrapany od wewnątrz. Z początku zdaje się, że to jakiś rodzaj pieczęci. Aż nagle go rozpoznaje. Podnosi spojrzenie na ścianę za ołtarzem, przenosi wzrok z powrotem na pierścień.

Identyczny symbol.

Alice nie jest wierząca. Nie wierzy w niebo ani w piekło, w Boga ani w szatana. Ani w istoty, które ponoć nawiedzają te góry. Ale po raz pierwszy w życiu odnosi wrażenie, że obcuje z czymś ponadnaturalnym, niewytłumaczalnym, przerastającym jej doświadczenie i zdolność pojmowania. Wyczuwa wrogość. Całym ciałem.

Odwaga ją opuszcza. Robi jej się zimno. Strach łapie ją za gardło, ściska żołądek. Dziewczyna wstaje. Nie powinna była tu wchodzić. Chce wyjść jak najszybciej, uciec od dowodów gwałtu, zapachu śmierci, wrócić do bezpiecznego, jasnego słońca.

Za późno.

Gdzieś nad nią, a może za nią – nie potrafi ocenić – słychać kroki. Dźwięk niesie się w grobowcu głuchym echem, odbija od skały i kamienia. Ktoś nadchodzi.

Alice obraca się przerażona, upuszcza zapalniczkę. Jaskinia pogrąża się w ciemności. Dziewczyna próbuje biec, ale w smolistej czerni traci orientację i nie potrafi znaleźć wyjścia. Potyka się o coś. Traci równowagę.

Upada. Pierścień ucieka jej z dłoni i spada na kości. Tam, gdzie jego miejsce.

II
Południowo-zachodnia Francja
Los Seres

Kilka kilometrów na wschód wrona krąży nad zagubionym między szczytami Montagnes du Sabarthès miasteczkiem. Wysoki szczupły mężczyzna w jasnym garniturze siedzi sam przy stole z ciemnego drewna. Powała w tym wnętrzu jest niska, podłoga wyłożona terakotą w kolorze górskiej ziemi. Bije od niej miły chłód, choć na zewnątrz panuje skwar. Okiennicę na jedynym oknie zamknięto, mrok rozprasza tylko krąg żółtego światła padający z niewielkiej oliwnej lampki ustawionej na stole. Obok niej połyskuje szklanica niemal po brzegi napełniona czerwonym płynem.

Na blacie leży kilka arkuszy kremowego papieru, wszystkie pokryte są gęsto rzędami zwartych liter naniesionych czarnym atramentem. Słychać tylko skrzypienie pióra, od czasu do czasu, gdy mężczyzna upija łyk, kostki lodu uderzają o szkło. Czuć subtelną woń alkoholu i wiśni. Gdy piszący przerywa swoją czynność, upływ czasu znaczy tykanie zegara.

Podejmuje pisanie na nowo:

Zostawiamy za sobą wspomnienie o tym, kim byliśmy i co zrobiliśmy. Tylko ślad. Wiele się nauczyłem. Zmądrzałem. Ale czy coś zmieniłem? Nie potrafię ocenić. Pas à pas, se va luènh.

Patrzyłem, jak wiosenna zieleń ustępuje przed złotem pełni lata, jak miedziana jesień usuwa się przed bielą zimy. Siedziałem i czekałem, aż zblednie światło. Ciągle na nowo zadawałem sobie pytanie o przyczynę. Gdybym wiedział, jak się żyje z samotnością, jaki jest los jedynego świadka nieskończonego cyklu narodzin i śmierci, czy postąpiłbym tak samo? Alaïs, samotność jest dla mnie zbyt wielkim brzemieniem. Tak długo żyłem z pustką w sercu, iż chyba już nie mam serca.

Starałem się dotrzymać złożonych ci obietnic. Jednej dotrzymałem, drugiej nie spełniłem. Aż dotąd nie zdołałem. Od jakiegoś czasu czuję cię, całkiem blisko. Prawie nadszedł nasz wspólny czas. Wszystko na to wskazuje. Wkrótce jaskinia zostanie otwarta. Czuję tę prawdę, ja ją znam. A wówczas księga, tak długo bezpiecznie ukryta, zostanie odnaleziona.

Mężczyzna sięga po szklankę. Spojrzeniem błądzi we wspomnieniach. Dopiero mocny, słodki guignolet* przywraca go rzeczywistości. *Znalazłem ją. W końcu znalazłem. I zastanawiam się, co poczuje, gdy włożę jej księgę w dłonie? Czy wyda jej się znajoma? Czy ma przeszłość zapisaną w duszy i w sercu? Czy będzie pamiętała połyskliwą okładkę? Potem rozwiąże rzemienie, ostrożnie przewróci karty cienkiego pergaminu, kruchego i wyschłego na wiór. Czy przypomni sobie słowa wracające echem przez wieki?*

Teraz, gdy mój długi czas dobiega końca, modlę się, by dane mi było naprawić to, co kiedyś uczyniłem źle. Chcę wreszcie poznać prawdę. Prawda mnie wyzwoli.

Mężczyzna prostuje się w krześle, dłonie poznaczone ze starości brązowymi plamami kładzie płasko na lśniącym blacie. Pragnie tylko jednego: szansy, by się wreszcie dowiedzieć, jak wyglądał koniec.

Niczego więcej.

---

* likier wiśniowy

III
Północna Francja
Chartres

Nieco później tego samego dnia, siedemset kilometrów na północ, w mrocznym korytarzu pod ulicami Chartres, inny mężczyzna czeka na rozpoczęcie ceremonii.

Dłonie ma wilgotne od potu, w ustach sucho, krew pulsuje mu w skroniach. Trochę mąci mu się w głowie, trudno powiedzieć, czy to efekt podniecenia i niecierpliwości, czy wina. Nie przywykł też do białej lnianej szaty ani ciężkiego konopnego sznura na biodrach. Zerka na boki, na dwie milczące postacie o twarzach skrytych pod kapturami. Nie potrafi ocenić, czy ci ludzie są równie mocno poruszeni, nie wie, czy wcześniej zdarzyło im się odprawiać ten rytuał. Ubrani są prawie tak samo jak on, tylko ich szaty mają złotawy połysk. Ach, no i obaj mają buty. On stoi na zimnej kamiennej posadzce boso.

Wysoko nad ukrytą siatką tuneli rozległ się pierwszy ton dzwonów ogromnej gotyckiej katedry. Dwaj mężczyźni drgnęli. Na ten sygnał czekali. Natychmiast spuścił głowę i skupił się na tym, co miało nastąpić.

– *Je suis prêt** – mamrocze pod nosem, bardziej dla dodania sobie pewności niż wyrażając rzeczywistą gotowość. Żaden z mężczyzn nie reaguje.

Gdy cichnie ostatni pogłos dzwonów, akolita po lewej występuje do przodu i kamieniem częściowo ukrytym w dłoni uderza w masywne drzwi pięć razy. Z wnętrza dobiega odpowiedź: *Dintrar*. Wejść.

Mężczyzna odnosi wrażenie, iż głos kobiety nie jest mu obcy, ale nie ma czasu zgadywać, gdzie albo kiedy go słyszał, bo już drzwi się otwierają i odsłaniają komnatę, do której tak bardzo chciał trafić.

Równym krokiem trzy postacie powoli ruszają naprzód. Mężczyzna odbywał próby, dlatego wie, czego się spodziewać i jak ma się zachować. Mimo to nie czuje się pewnie na własnych nogach. W komnacie jest gorąco i prawie ciemno. Jedyne światło dają świece ustawione we wnękach i na ołtarzu. Podłogę ożywiają tańczące cienie.

---

* franc.: Jestem gotowy.

Czuje przypływ adrenaliny, choć jednocześnie zdaje się dziwnie oderwany od przebiegu zdarzeń. Na dźwięk niegłośnego trzaśnięcia zamykanych drzwi wzdryga się zaskoczony.

W każdym z czterech rogów pomieszczenia stoi jeden starszy pomocnik. Mężczyznę korci, by podnieść wzrok, przyjrzeć im się dokładniej, lecz idzie z pochyloną głową, tak jak go nauczono. Szóstym zmysłem wyczuwa dwa rzędy nowicjuszy stojących pod dłuższymi ścianami, sześciu z każdej strony. Czuje ciepło bijące od ich ciał, uświadamia sobie oddech ożywiający ciała, choć nikt się nie porusza ani nie odzywa.

Zna kształt tego wnętrza z dokumentów, jakie mu dano. Idąc ku środkowi komnaty, gdzie znajduje się grób, czuje na plecach wzrok obecnych. Zastanawia się, czy jest między nimi ktoś znajomy. Kolega z pracy? Żona przyjaciela? Każdy może zostać członkiem stowarzyszenia. Na ustach mężczyzny pojawia się lekki uśmiech, może pozwolić sobie na chwilę fantazji. Oczyma wyobraźni widzi, jak teraz się zmieni jego pozycja towarzyska.

Nagle potyka się i omal upada na kamienny stopień u podstawy grobu. Natychmiast wraca do rzeczywistości. Wnętrze jest mniejsze, niż sądził z rysunku, ciaśniejsze, bardziej klaustrofobiczne. Spodziewał się większej odległości pomiędzy drzwiami a tym występem.

Gdy klęka, słyszy, że ktoś niedaleko gwałtownie zaczerpnął tchu. Ciekaw jest dlaczego. Serce bije mu szybciej. Opuszcza wzrok, widzi swoje pobielałe kłykcie. Zakłopotany składa ręce, ale zaraz sobie przypomina, że powinny być luźno spuszczone po bokach.

Pośrodku zimnego kamienia wyczuwa niewielkie wgłębienie. Przesuwa się, tak jest wygodniej. Trudno mu się skoncentrować, nadal nie może zebrać myśli, ze zdenerwowania niełatwo mu spamiętać porządek zdarzeń, choć powtarzał go z pamięci wiele razy.

Ciszę w komnacie przerywa jasny brzęk dzwonka. Wtóruje mu niski ton pieśni, z początku ledwo słyszalnej, lecz coraz głośniejszej w miarę jak dołączają kolejne głosy. Do świadomości mężczyzny docierają poszczególne słowa: *montanhas*, czyli góry, *noblesa* – to arystokracja, *libres* – książki, a *graal* – Graal.

Kapłanka zstępuje z ołtarza. Mężczyzna ledwie słyszy miękkie kroki, wyobraża sobie, jak połyskuje i migocze jej złota szata w blasku świec. Długo czekał na ten moment.

– *Je suis prêt* – powtarza z bijącym sercem. I tym razem naprawdę jest gotowy.

Kapłanka staje przed nim bez ruchu. Dobiega go jej zapach, subtelny i ulotny, ledwo wyczuwalny pod ciężką wonią kadzideł. Wstrzymuje oddech, gdy kobieta pochyla się i bierze go za rękę. Ma chłodne palce, ładnie utrzymane paznokcie. Przeszywa go dreszcz, jak porażenie prądem, jak fizyczne pożądanie. Ona wciska mu w dłoń okrągły przedmiot, nieduży. Chciałby spojrzeć jej w twarz. Pragnie tego ponad wszystko na świecie, lecz mimo to patrzy w ziemię, jak mu nakazano.

Czterech starszych pomocników zbliża się do kapłanki. Ktoś delikatnie odchyla mu głowę do tyłu, wlewa w usta słodki gęsty płyn. To także część ceremonii, więc mężczyzna nie stawia oporu. Gdy ciepło rozpływa mu się po ciele, podnosi ręce, a jego dwaj towarzysze zakładają mu na ramiona złotą opończę. Choć odprawiają ten rytuał nie pierwszy raz, są wyraźnie zdenerwowani.

Nagle mężczyzna zaczyna się dusić, jakby mu ktoś zaciskał na szyi żelazną obręcz, miażdżącą tchawicę. Chwyta się za gardło, walczy o oddech. Chce krzyczeć, ale z jego ust nie wychodzi żaden dźwięk. Znów budzi się przenikliwy dzwonek, bezlitośnie zalewa uszy wysokim, świdrującym dźwiękiem. Pojawiają się nudności. Mężczyzna jest o krok od omdlenia, skupia się na okrągłym przedmiocie w dłoni, ściska go z całej siły, aż paznokcie kaleczą dłoń. Ostry ból pozwala mu zachować przytomność. Teraz dopiero zaczyna pojmować, że dłonie kompanów spoczywają na jego ramionach nie po to, by mu dodać otuchy. Nie mają przynosić mu ulgi, mają go przytrzymać. Zalewa go kolejna fala mdłości, kamień przy grobowcu zdaje się śliski jak żywy.

Mąci mu się wzrok, obraz się rozmywa. Mimo to dostrzega w ręku kapłanki błyszczący nóż, choć nie ma pojęcia, skąd się tu wzięło owo srebrne ostrze. Próbuje się podnieść, ale narkotyk zrobił swoje, zawładnął nim całkowicie, odebrał mu siły. Mężczyzna nie jest już panem samego siebie, nie ma władzy nad własnym ciałem.

– Nie! – Krzyk więźnie mu w gardle.

Zresztą i tak jest już za późno.

W pierwszej chwili ma wrażenie, że ktoś go huknął pięścią w plecy. Nic więcej. Tępy ból rozchodzi się między łopatkami. Ciepła strużka gładko spływa po plecach.

Raptem puszczają go obce dłonie. Składa się wpół, jak szmaciana lalka, podłoga wychodzi mu na spotkanie. Uderza głową w kamienną posadzkę, ale nie czuje bólu, tylko przyjemny chłód. Milknie hałas, znika strach. Mruga, zamyka oczy. Już nie dociera do niego nic poza głosem kapłanki, który zdaje się dobiegać z bardzo daleka.

– *Une leçon. Pour tous**. – Tak chyba mówi, choć nie ma to żadnego sensu.

W ostatnim przebłysku świadomości człowiek oskarżony o zdradę i skazany za to, że mówił, gdy powinien był milczeć, ściska w dłoni upragniony przedmiot. Dopiero śmierć rozluźnia mu palce. Wypada spomiędzy nich niepozorna krągła płytka, nie większa niż moneta. Toczy się po podłodze.

Po jednej stronie ma litery NV. Po drugiej – labirynt.

---

* Nauczka. Dla wszystkich.

IV
Montagnes du Sabarthès
Pic de Soularac

Na chwilę zapada całkowita cisza.

Potem ciemności zaczynają rzednąć. Alice nie znajduje się już w jaskini. Leci przez biały świat pozbawiony siły ciążenia, jasny i spokojny. Jest wolna. Bezpieczna.

Ma wrażenie, jakby się ześlizgnęła ze ścieżki czasu, spadła do innego wymiaru. Linia łącząca przeszłość z teraźniejszością blednie, zanika w bezczasowej, bezkresnej przestrzeni.

Nagle, jakby się otworzyła zapadnia pod szubienicą, Alice traci wszelkie oparcie. Zaczyna spadać, coraz szybciej, mknie w dół, ku lesistym górskim stokom. Wiatr gwiżdże jej w uszach, a ona pędzi na spotkanie zagłady.

Nie dochodzi do uderzenia. Nie rozbryzgują się kości na szarych kamieniach. Teraz biegnie stromym zboczem, wąską ścieżką między drzewami. Rosną gęsto i wysoko, poza nimi nie widzi nic.

Za szybko.

Wyciąga ręce do gałęzi, może ją zatrzymają, może choć wyhamują ten pęd w nieznane? Nie potrafi ich uchwycić, przenikają jej przez dłonie, jakby była duchem. W palcach zostają tylko młode listki. Podnosi je do twarzy, chce wciągnąć w płuca subtelną zieloną woń. Nic z tego. Nie czuje zapachu.

Kolka kłuje ją w boku, ale teraz nie chce się zatrzymać, bo coś ją goni i jest coraz bliżej. Dróżka prowadzi ostro w górę. Już nie ma na niej miękkiej ziemi, mchu i zielonych gałązek. Teraz są kamienie i wyschnięte łodygi. Nadal panuje całkowita cisza. Nie słychać ptasich treli, żadnego wołania. Alice ma w uszach tylko własny oddech. Drożyna skacze na boki, wije się i zapętla, aż w pewnej chwili odsłania bezdźwięczną ścianę ognia. Pożoga zwija się w wirujący filar, biały, przetykany złotem i czerwienią, rozedrgany, jak żywy.

Alice instynktownie osłania rękami głowę, ale nie czuje gorąca. Dostrzega twarze uwięzione wśród tańczących płomieni, wykrzywione śmiertelną udręką, pieszczone ogniem i spalane.

Chce się zatrzymać. Musi. Poranione stopy krwawią, długie mokre spódnice pętają nogi.

Lecz prześladowca jest coraz bliżej. Jakaś nieznana siła wiedzie ją wprost w zgubne objęcia płomieni.

Nie ma wyjścia: skacze przez ogień. Leci wysoko w powietrze, spiralą, jak smużka dymu. Daleko w dole została parząca czerwień przeplatana złotem i pomarańczem. Wiatr niesie dziewczynę w dal, uwalniając od ziemi.

Woła ją jakaś kobieta. Dziwnie wymawia jej imię.

Alaïs.

Jest bezpieczna. Wolna.

Nagle czuje na kostce znajomy uścisk zimnych palców. Ściągną ją na ziemię. To nie palce, to kajdany. Teraz dopiero zauważa, iż ściska coś w dłoniach. To księga związana rzemieniami. On tego właśnie chce. Im właśnie o to chodzi. Są wściekli, bo stracili księgę.

Gdyby mogła mówić, może by się jakoś porozumieli. Niestety, w głowie ma pustkę, a usta nie potrafią utworzyć żadnego słowa. Wyrywa się, kopie, lecz została pochwycona. Nie uwolni nogi ze stalowego uchwytu. Ciągną ją na dół, w ogień. Krzyczy, ale jej krzyk jest ciszą.

Jeszcze raz próbuje krzyknąć, bo czuje, że gdzieś w głębi jej ciała głos usiłuje przybrać swój kształt. I nagle wraca prawdziwy świat: dźwięk i światło, zapach i dotyk. Metaliczny smak krwi. Jeszcze na ułamek sekundy przebija się tamten przejrzysty obraz... To nie jest znajomy chłód jaskini, ten oślepia i przejmuje do szpiku kości. Tam Alice dostrzega blady zarys twarzy – pięknej, choć niewyraźnej. Ten sam głos raz jeszcze woła ją po imieniu.

– Alaïs!

Głos jest przyjazny. Ta osoba nie chce jej skrzywdzić. Alice próbuje rozewrzeć powieki. Wie, że jeśli zobaczy, wszystko zrozumie.

Nie może. Nie potrafi.

Sen blednie, uwalnia ją z objęć.

Muszę się obudzić. Najwyższy czas.

Teraz słyszy inny głos. Wraca jej czucie w rękach i nogach, odzywają się podrapane kolana, siniaki powstałe przy upadku. Ktoś potrząsa ją za ramię.

– Alice! Otwórz oczy! Alice!

MIASTO NA WZGÓRZU

ROZDZIAŁ 1
Carcassona

Alaïs obudziła się nagle, szeroko otworzyła oczy. Strach wychodził z niej przyśpieszonym oddechem, jak u ptaka schwytanego w sieć. Przycisnęła dłonie do serca, żeby jej się nie wyrwało z piersi.

Przez chwilę trwała zawieszona między jawą a snem. Jakby się unosiła w powietrzu, patrząc na siebie samą z wysoka, spomiędzy gargulców, które wykrzywiały się do przechodniów z dachu katedry Sant-Nasari.

Wreszcie ściany komnaty wróciły na swoje miejsce. Była bezpieczna, we własnym łóżku, w zamku książęcym, w *château comtal*. Stopniowo jej wzrok przywykał do ciemności. Już nie zagrażali jej ci wiotcy ciemnoocy ludzie, którzy prześladowali ją przez całą noc, gonili, chwytali szponiastymi palcami.

Teraz już mnie nie dosięgną.

Ten lud i jego język wyryty w kamieniu, bardziej w obrazach niż słowach, dla niej całkiem niezrozumiały, zniknął niczym dymy z jesiennych ognisk. Płomienie także zbladły, zostawiły po sobie jedynie niewyraźne wspomnienie.

Czy to proroctwo? Czy tylko nocny koszmar?

Nie miała jak się dowiedzieć. I bała się poznać prawdę.

Sięgnęła do zasłony związanej przy wezgłowiu. Dotyk grubej tkaniny pozwolił jej poczuć się mniej przejrzystą, bardziej materialną. Przesunęła między palcami szorstką kotarę, przesyconą kurzem i znajomymi woniami zamku.

Noc w noc ten sam sen. Przez całe dzieciństwo budziła się przerażona, z twarzą mokrą od łez. Wtedy ojciec siadywał przy jej łóżku, jakby była synem. Stawiał kolejne świece w miejsce wypalonych i szeptem opowiadał jej swoje przygody z Ziemi Świętej. Mówił o piaszczystych morzach pustyni, rysował słowami krągłości meczetów, wspominał nawoływanie wiernych Saracenów do modlitwy. Wracał do aromatycznych przypraw, żywych kolorów i pikantnych potraw. Do oślepiającego blasku krwistoczerwonego słońca zachodzącego nad Jerozolimą.

Przez wiele lat te bezsenne godziny między zmrokiem a świtem wyglądały tak samo: siostra Alaïs spała tuż obok, a ojciec przeganiał demony. Nie wezwał mnichów w czarnych kapturach ani zabobonnych katolickich księży uzbrojonych w fałszywe symbole.

Ocalił ją własnymi słowami.

– Guilhem? – szepnęła.

Mąż jednak spał głęboko. Rozrzuciwszy szeroko ramiona, objął w posiadanie większą część łóżka. Na poduszce rysowały się wachlarzem jego ciemne długie włosy, pachnące dymem, winem i stajniami. Przez otwarte okno zaglądał księżyc. W jego bladym świetle Alaïs widziała świeży zarost na policzkach męża. Łańcuch na jego szyi połyskiwał unoszony oddechem.

Cudownie byłoby, gdyby Guilhem się obudził, zapewnił ją, że wszystko będzie dobrze i nie ma czego się bać. Niestety, ani drgnął, a jej nie przyszło do głowy, by mu przerywać sen. Nie była strachliwa, lecz ponieważ brakowało jej doświadczenia i biegłości w sprawach małżeńskich, nie czuła się przy swoim wybranku całkowicie swobodnie. Gdy przypomniało jej się, co robili we wczesnych godzinach nocnych, spłonęła rumieńcem, choć przecież nikt ich nie widział. Przesunęła wzrokiem po jego mocnych, opalonych rękach i szerokich ramionach. Pod gładką skórą pulsowało życie. Długie godziny spędzał na doskonaleniu sztuki władania mieczem oraz przygotowaniach do turnieju.

Gubiła się w uczuciach, jakie w niej wzbudzał Guilhem. Serce pęczniało jej ze szczęścia, gdy na niego spoglądała, a gdy się do niej uśmiechał, świat wirował jej przed oczami. Z drugiej strony jednak nie podobało jej się wrażenie bezsilności, jakie ją zwykle przy nim ogarniało. Obawiała się, że miłość przemieni ją w istotę słabą i rozbitą. Nie wątpiła w swoją miłość do męża, lecz jednocześnie starała się zachować rezerwę.

Westchnęła ciężko. Pozostawała jej tylko nadzieja, że z czasem będzie łatwiej.

Czerń nocy nabrała szarawego odcienia, od czasu do czasu odzywał się jakiś ptak. Nadchodził świt. Nie da się już spać.

Alaïs usiadła i spuściła nogi z łóżka. Od kamiennej podłogi, zarzuconej szorstkimi matami, tchnęło chłodem.

Na palcach podeszła do kufra stojącego w rogu komnaty. Podniosła wieko, przełożyła woreczek z lawendą leżący na ubraniach. Wyjęła ciemnozieloną suknię bez żadnych ozdób i dygocąc lekko, weszła w nią, wsunęła ręce w wąskie rękawy. Podciągnęła do góry chłodną tkaninę, ciasno zasznurowała gorsecik na bieliźnie.

Miała siedemnaście lat i prawie rok była mężatką, ale jej ciało jeszcze nie rozkwitło kobiecymi krągłościami. Sukienka wisiała na niej luźno, wyglądała na własność starszej siostry. Alaïs wsparła się dłonią o stół i wsunęła stopy w miękkie skórzane pantofle. Na oparciu krzesła leżał jej ulubiony czerwony płaszcz. Brzegi miał lamowane haftem ułożonym w zawiły wzór niebieskich i zielonych kwadratów oraz rombów przeplatanych maleńkimi żółtymi kwiatuszkami. Sama je wyszywała, na dzień ślubu. Ślęczała z igłą w dłoni przez długie tygodnie, cały sierpień i wrzesień. Palce ją bolały, nieraz drętwiały od wieczornego chłodu, ale zdążyła na czas.

Obok kufra stał na podłodze jej *panièr*, wiklinowy koszyk z woreczkiem na zioła i czystymi kawałkami płótna do zawijania poszczególnych części roślin oraz narzędziami ogrodniczymi.

Zawiązała płaszcz pod szyją, do pochwy przy pasie wsadziła nóż, naciągnęła na głowę kaptur, zasłaniając rozpuszczone włosy, i z koszykiem w ręku cicho wymknęła się na pusty korytarz. Drzwi zamknęły się za nią z głuchym łoskotem.

* * *

Jeszcze nie minęła prima, więc wszyscy spali. Alaïs żwawo maszerowała korytarzem, kraniec płaszcza sunął miękko po kamiennej posadzce. Przeszła nad chłopcem śpiącym pod drzwiami komnaty, którą jej siostra Oriane dzieliła ze swoim mężem, i wkrótce dotarła do wąskich schodów.

Dobiegły ją odgłosy krzątaniny z kuchni mieszczącej się w podziemiach. Służba już dawno była na nogach. W pewnej chwili rozległo się suche klaśnięcie i zaraz po nim krótki krzyk – najwyraźniej jakiś nieszczęsny kuchcik naraził się kucharzowi, a ten miał ciężką rękę.

W jej stronę szedł chłopiec dźwigający ceber, zaledwie do połowy napełniony wodą dopiero co wyciągniętą ze studni.

– *Bonjorn* – uśmiechnęła się do niego Alaïs.

– *Bonjorn,* pani – odpowiedział chłopiec i spiekł raka.

– Przytrzymam ci drzwi. – Alaïs wyprzedziła go przed schodami.

– *Mercé*, pani – odezwał się chłopiec nieco śmielej. – *Grand mercé.*

W kuchni było gwarno i rojno. Z *payrola*, wielkiego kotła wiszącego nad paleniskiem, buchały kłęby pary. Któryś ze starszych służących wlał wodę do kotła i bez słowa oddał ceber chłopcu. Mały westchnął, spojrzawszy na Alaïs, przewrócił oczami i powędrował z powrotem do studni.

Na wielkim stole zajmującym środek kuchni stały zapieczętowane gliniane słoje z kapłonami i soczewicą oraz barweną, węgorzem i szczupakiem, leżały płócienne torby z puddingiem *fogaca*, pasztet z gęsi i solona wieprzowina. Na tace wysypano rodzynki, pigwę, figi i wiśnie. Jakiś chłopiec, dziewięcio-, może dziesięciolatek oparł łokcie na stole i z naburmuszoną miną przyglądał się zapasom. Stanowczo nie cieszyła go perspektywa spędzenia kolejnego dnia w gorącej kuchni przy kołowrocie obracającym rożen. Tuż przy otwartym palenisku, w sklepionym na kształt kopuły piecu chlebowym, żywym ogniem paliły się cienkie gałązki krzewów. Pierwszy wypiek *pan de blat*, białego chleba, stygł na blacie. Od jego zapachu ślinka ciekła do ust.

– Mogę dostać trochę chleba? – spytała Alaïs.

Kucharz podniósł na nią wściekłe spojrzenie. Kobieta w kuchni?! Ale gdy ujrzał, kto pyta, jego twarz rozjaśniła się uśmiechem, odsłaniającym rząd zepsutych zębów.

– Pani Alaïs! – Otarł ręce fartuchem. – *Benvenguda*. Co za zaszczyt! Dawno pani do nas nie zaglądałaś. Brakowało nam pani odwiedzin.

– Nie chciałam zawadzać.

– Pani miałabyś zawadzać! Coś podobnego! To niemożliwe! – Jako dziecko Alaïs spędzała w kuchni wiele czasu, obserwowała i pilnie się uczyła. Była jedyną dziewczynką, której kucharz, Jacques, pozwalał przekraczać próg swojego królestwa. – Czym mogę służyć, pani?

– Chciałabym trochę chleba. I może odrobinę wina.

– Pani, zechciej mi wybaczyć – Jacques zmierzył ją uważnym, pełnym troski spojrzeniem – czy aby przypadkiem nie wybierasz się nad rzekę? O tej porze? Bez towarzystwa? Taka wielka dama? Przecież jeszcze ciemno! Ludzie gadają...

Alaïs położyła mu rękę na ramieniu.

– Doceniam, że się o mnie troszczysz, ale martwisz się niepotrzebnie. Nic złego mi się nie przytrafi. Przyrzekam. Wkrótce będzie świtać. Drogę znam. Wrócę, zanim ktokolwiek zauważy moje zniknięcie.

– Czy pan Pelletier wie o tej wycieczce?

– Oczywiście, że ojciec o niczym nie wie. – Z uśmiechem położyła palec na ustach. – I niech tak zostanie. Będę ostrożna.

Jacques nie wyglądał na przekonanego, ale więcej, niż zrobił, zrobić nie mógł. Zawinął w lnianą szmatkę grubą pajdę chleba i rozkazał kuchcikowi przynieść dzban wina.

Alaïs patrzyła na niego ze ściśniętym sercem. Kucharz poruszał się wolniej niż kiedyś, wyraźnie utykał.

– Czy noga ciągle ci dokucza?

– Eee tam, nie ma o czym mówić – skłamał.

– Opatrzę ci ją, jak wrócę. Coś mi się zdaje, że nie bardzo chce się goić.

– Nie jest tak źle, jak wygląda.

– Smarowałeś tą maścią na skaleczenia, którą ci zrobiłam? – Z wyrazu jego twarzy od razu odgadła odpowiedź.

Jacques rozpostarł wielkie dłonie.

– Jest co robić, pani. Tylu gości zjechało, setki gąb do wyżywienia, jeśli policzyć całą tę służbę, *écuyers** i dworzan, i damy dworu... nie mówiąc już o konsulach z rodzinami. A i niełatwo dzisiaj o dobre zaopatrzenie! Nie dalej jak wczoraj posłałem...

– Wszystko rozumiem – Alaïs wpadła mu w słowo – ale noga sama z siebie nie wydobrzeje. Cięcie było za głębokie.

Nagle zdała sobie sprawę, że w kuchni wyraźnie przycichło. Wszyscy obecni starali się słuchać ich rozmowy. Młodsi chłopcy, do tej pory dosypiający przy stole, patrzyli z otwartymi ustami, jak ich srogi mistrz jest strofowany. I to przez kobietę!

Alaïs udała, że niczego nie dostrzegła, ale ściszyła głos.

– Pozwól, że w podziękowaniu za chleb i wino opatrzę ci nogę po powro-

---

* giermków

cie. I to także utrzymamy w tajemnicy, *oc*? Tak będzie sprawiedliwie. – Nie miała pewności, czy nie posunęła się zbyt daleko, czy nie za bardzo spoufaliła się z kucharzem, ale ten po chwili uśmiechnął się i zgodnie pokiwał głową.

– *Ben*. Dobrze.

– Wobec tego przyjdę, kiedy słońce będzie już wysoko na niebie i zajmę się twoją nogą. *Dins d'abord*. Do zobaczenia.

Gdy wyszła z kuchni i wspięła się na schody, usłyszała, jak Jacques donośnym głosem przypomina wszystkim, że czas ucieka i nie ma co się gapić bez pożytku, pora brać się do roboty. Uśmiechnęła się w duchu. Życie toczyło się swoim torem. Tak jak powinno.

* * *

Alaïs pociągnęła ciężkie drzwi prowadzące na główny dziedziniec i wyszła tam, gdzie już objawił się nowy dzień.

Liście wiązu rosnącego na samym środku zamkniętego podwórca, pod którego gałęziami wicehrabia Trencavel wymierzał sprawiedliwość, rysowały się czarniejszym cieniem na tle blednącej nocy. Między konarami pełno było gniazd skowronków i strzyżyków, ich szczebiot niósł się w świeżym powietrzu poranka.

Château comtal postawił sto lat temu z okładem dziadek Raymonda Rogera Trencavela. Z tego miejsca sprawował władzę nad swoimi rosnącymi terytoriami. Jego ziemie ciągnęły się od Albi na północy po Narbonne na południu i od Besièrs na wschodzie po Carcassonę na zachodzie.

Budowla stanęła wokół prostokątnego dziedzińca, w jej zachodniej części wykorzystano ruiny dawniejszej cytadeli. Ten fragment umocnień zamykał kamiennym pierścieniem cały gród, otoczony murem obronnym, wzniesionym wysoko nad rzeką Aude i moczarami.

Donjon, gdzie spotykali się konsulowie, gdzie podpisywano najważniejsze dokumenty i porozumienia, znajdował się w południowo-zachodnim narożniku dziedzińca i był doskonale strzeżony. W niepewnym świetle poranka rysował się pod murem nieokreślony kształt. Przyjrzawszy się dokładniej, Alaïs rozpoznała w nim zwiniętego w kłębek psa. Dwóch chłopców, przycupniętych jak kruki na żerdzi na skraju wybiegu dla gęsi, rzucało w niego kamieniami. W szarawej ciszy głośno niosły się stuknięcia kamyków o ziemię i głuche dudnienie pięt o drewniane belki zagrody.

Z zamku można było wyjść na dwa sposoby. Szeroką, łukowato sklepioną bramą zachodnią, która prowadziła wprost na trawiaste zbocze i zwykle była zamknięta, lub dużo węższą bramą wschodnią, nieledwie przesmykiem pomiędzy dwiema wysokimi basztami, przez którą wychodziło się prosto na ulice *ciutat*, samego grodu. Między piętrami wież można się było przemieszczać wyłącznie dzięki drabinom i zręcznie rozmieszczonym klapom w podłodze. Jako dziecko Alaïs uwielbiała tu myszkować z chłopcami kuchennymi. Wygrywał ten, kto nie dał się złapać strażnikom. Alaïs była szybka. I zawsze najlepsza.

Owinęła się szczelnie płaszczem, żwawym krokiem przecięła dziedziniec. Gdy przebrzmiał wieczorny dzwon, bramę ryglowano, a nocna straż nie przepuszczała nikogo bez pozwolenia wicehrabiego. Bertrand Pelletier, ojciec Alaïs, choć nie był konsulem, zajmował wyjątkową pozycję wśród mieszkańców zamku. Mało kto ośmielał się okazać mu nieposłuszeństwo. Nie podobał mu się zwyczaj córki. Uważał, że samotne wycieczki poza mury grodu są dla niej niebezpieczne. Zwłaszcza w ostatnich dniach. Alaïs podejrzewała, iż jej mąż podziela zdanie ojca, choć nigdy głośno go nie wyraził. Niestety, ona tylko w tej bezimiennej zastygłej w bezruchu porze dnia czuła się wolna: jeszcze niezwiązana codziennymi obowiązkami, nieobciążona rolami córki, siostry i żony. W głębi ducha sądziła, iż może liczyć na zrozumienie ojca. I tak, choć łamanie jego zaleceń sprawiało jej przykrość, nie potrafiła się wyrzec tych kilku chwil swobody.

Większa część nocnej straży przymykała oko na jej wycieczki. W każdym razie do niedawna. Natomiast odkąd zaczęły krążyć niepokojące plotki, garnizon znacznie wzmógł czujność. Z pozoru życie toczyło się bez większych zmian. Chociaż w grodzie od czasu do czasu zjawiali się uciekinierzy, ich opowieści o napaściach i prześladowaniach religijnych nie wydawały się bardziej alarmujące niż zwykle. Najeźdźcy pojawiający się znikąd, jak grom z jasnego nieba, byli od zawsze nieodłącznym elementem egzystencji poza murami ufortyfikowanych miast.

Guilhem nie wydawał się szczególnie przejęty wieściami o najnowszym konflikcie, a w każdym razie Alaïs nic podobnego nie dostrzegała. Nigdy zresztą nie rozmawiał z nią o takich sprawach. Oriane tymczasem twierdziła, że francuska armia krzyżowców i siły Kościoła przygotowują się wspólnie do ataku na ziemie Okcytanii. Jej zdaniem krucjatę wspierał papież i król francuski. Alaïs wiedziała z doświadczenia, że starsza siostra najczęściej opowiada takie historie po to, by ją zdenerwować, ale też musiała przyznać, iż Oriane często pierwsza w zamku znała najnowsze wieści. Nie dało się także nie zauważyć stale rosnącej liczby posłańców codziennie przybywających do zamku i ruszających w świat z pilnymi przekazami. Alaïs widziała również zmarszczki na twarzy ojca. Coraz głębsze i wyraźniejsze.

Sirjans d'arms przy bramie wschodniej czuwali dzielnie, choć oczy mieli czerwone ze zmęczenia. Srebrzyste hełmy o płaskiej górnej części dzwonu podsunęli wysoko. Zbroje kolcze w niemrawym świetle brzasku zdawały się matowe. Jeśli się do tego dodało zwisające z ramion tarcze i miecze ukryte w pochwach, straż wyglądała na gotową bardziej do spania niż do obrony.

Z bliska Alaïs rozpoznała w jednym z żołnierzy Bérengera. Uśmiechnął się na jej widok szeroko i nisko skłonił głowę.

– *Bonjorn*, pani Alaïs. Wcześnie wstałaś.

– Nie mogłam spać – odparła pogodnie.

– Jej mąż najwyraźniej nie wie, do czego jest noc – odezwał się żołnierz stojący nieopodal. Minę miał obleśną, twarz zeszpeconą znakami po ospie i paznokcie obgryzione do krwi. Jego oddech cuchnął nieświeżym jadłem oraz kwaśnym piwem.

Alaïs udała, że go nie słyszy.

– Jak się czuje twoja żona? – spytała Bérengera.

– Coraz lepiej, pani. Szybko wraca do siebie.

– A syn?

– Rośnie w oczach. Ale i tak lepiej go ubierać niż karmić!

– Jednym słowem, wdał się w tatusia! – Szturchnęła go w wystający brzuch.

– To samo mówi moja żona.

– Pozdrów ją ode mnie, dobrze?

– Pozdrowię, oczywiście. Ucieszy się na pewno. – Umilkł. – Jak się domyślam, chcesz pani wyjść z zamku?

– Tylko do *ciutat*, może na chwilę nad rzekę. Niedługo wrócę.

– Mamy nikogo nie wypuszczać – warknął drugi strażnik.

– Nikt cię nie pytał o zdanie! – uciszył go Bérenger. – To nic nowego – powiedział, zniżając głos – ale sama wiesz, pani, jak się rzeczy mają. Jeśli coś ci się stanie i do twojego ojca dotrze wieść, kto cię wypuścił...

– Wiem, wiem – przerwała mu Alaïs miękko. – Ale naprawdę nie ma powodu do niepokoju. Nie urodziłam się wczoraj. Zresztą... – zerknęła na drugiego żołnierza, który właśnie dłubał w nosie i z zapamiętaniem wycierał palec w rękaw – nad rzeką nie spotka mnie nic gorszego niż ciebie tutaj!

Bérenger roześmiał się szczerze.

– Obiecujesz mi, pani, że będziesz ostrożna, *è*?

Alaïs pokiwała głową i lekko rozchyliła płaszcz, pokazując myśliwski nóż przy pasie.

– Będę ostrożna. Daję słowo.

Do przejścia miała dwoje drzwi. Bérenger kolejno odsunął rygle, na końcu dźwignął dębową belkę zamykającą zewnętrzne skrzydło i uchylił je tylko na tyle, by Alaïs mogła się prześlizgnąć. Podziękowała mu uśmiechem, zanurkowała pod jego ramieniem i zniknęła.

ROZDZIAŁ 2

Alaïs wyszła z cienia pomiędzy basztami przy bramie wschodniej jak nowo narodzona. Była istotą wolną. Przynajmniej na jakiś czas.

Bramę z kamiennym mostem prowadzącym z *château comtal* na ulice Carcassony łączył drewniany mostek zwodzony. Trawa w suchej fosie błyszczała od rosy odbijającej szkarłatny blask wschodzącego słońca. Księżyc jeszcze wisiał na niebie, ale już bladł i ustępował przed brzaskiem. Alaïs szła szybkim krokiem, płaszcz zostawiał w pyle zawiły wzór. Miała nadzieję, że uda jej się uniknąć pytań strażników po drugiej stronie mostu – i rzeczywiście, szczęście jej dopisało. Żołnierze drzemali, w ogóle jej nie zauważyli. Szybko pokonała otwartą przestrzeń i zanurkowała w plątaninę wąskich uliczek. Skierowała się ku Tour du Moulin d'Avar, wieży w najstarszej części murów. Przez bramę w tej baszcie wychodziło się na ogrody warzywne oraz *faratjals*, pastwiska otaczające gród i podgrodzie Sant-Vicens. O tej porze była to najszybsza dyskretna droga ku rzece.

Zebrała i podciągnęła spódnice, ostrożnie mijając pozostałości rozpustnej nocy w *taberna* Sant Joan dels Evangèlis. Poobijane jabłka, nadgryzione gruszki, kości oraz porozbijane garnce po piwie. Kilka kroków dalej w przejściu spał jakiś żebrak, z ramieniem przerzuconym przez wielkiego, skudłaconego psa. Przy studni trzech mężczyzn chrapało tak głośno, że zagłuszali ptasie trele.

Wartownik przy bramie nie wyglądał najlepiej, kasłał, zawinięty w płaszcz tak dokładnie, że nad brzeg wystawał tylko czubek nosa oraz krzaczaste brwi. Nie życzył sobie żadnych atrakcji. W ogóle nie chciał zauważyć Alaïs. Podsuniętą monetę chwycił brudną ręką, sprawdził zębami, a potem otworzył rygle i uchylił bramę, by się pozbyć intruza.

* * *

Ścieżka prowadząca w dół, do barbakanu, była stroma i kamienista. Biegła między dwoma wysokimi palisadami z drewna, gdzie wiecznie panował półmrok, a teraz nie widać było prawie nic. Alaïs jednak znała tę drogę na pamięć, więc pokonała ją bez trudu. Okrążyła podnóże przysadzistej drewnianej wieży, podążając wzdłuż wartkiej strugi.

Podrapała sobie nogi o jeżyny, kolce czepiały się sukni. Zanim dotarła na sam dół, krawędź płaszcza pociemniała od wilgoci, a na czubkach pantofli pojawiły się mokre ciemne plamy.

Gdy tylko wyszła z cienia palisady na otwartą przestrzeń, odetchnęła pełną piersią. W dali, nad ciemnymi szczytami łańcucha Montagne Noire zawisł jasny obłoczek lipcowej mgiełki. Niebo na horyzoncie poróżowiało.

Czas jakiś stała, przyglądając się doskonałemu rysunkowi pól jęczmienia, pszenicy i owsa oraz lasom, ciągnącym się jak okiem sięgnąć. Czuła wokół obecność przeszłości. Przemawiały do niej wrogie i przyjazne duchy, opowiadały o minionych istnieniach, dzieliły się z nią sekretami. Łączyły ją z każdym, kto kiedyś stał na tym wzgórzu, i z każdym, kto kiedyś na nim stanie, zastanawiając się, co dla niego życie chowa w zanadrzu.

Nigdy nie odbyła podróży poza granice ziem wicehrabiego Trencavela. Trudno jej było sobie wyobrazić szare miasta północy – Paryż, Amiens czy choćby Chartres, gdzie przyszła na świat jej matka. Były dla niej tylko nazwami, pustymi dźwiękami, pozbawionymi ciepła i barw. Mieszkali tam ludzie posługujący się szorstkim językiem, *langue d'oïl*. Choć jednak nie miała możliwości porównać swoich stron z innymi zakątkami świata, trwała w niezachwianym przekonaniu, iż nie ma na świecie drugiego miejsca tak pięknego jak trwające ponad czasem okolice Carcassony.

Między gęstymi zaroślami i kolczastymi krzewami dotarła na moczary na południowym brzegu rzeki Aude. Mokre spódnice lepiły jej się do łydek, więc od czasu do czasu musiała je odklejać. W pewnej chwili uświadomiła sobie, że jest niespokojna i idzie szybciej niż zwykle. Na pewno nie z powodu troski Jacques'a i Bérengera! Po prostu akurat tego dnia czuła się osamotniona i słabsza niż zazwyczaj.

Pewien kupiec utrzymywał, jakoby w zeszłym tygodniu dostrzegł po drugiej stronie rzeki wilka. Wszyscy sądzili, że mu się przywidziało. O tej porze roku był to zapewne lis albo zdziczały pies. Teraz jednak, poza murami miasta, opowieść wydawała się bardziej prawdopodobna. Alaïs odruchowo podniosła dłoń do noża. Chłodny metal dodał jej odwagi.

Przez chwilę kusiło ją, by zawrócić.

To byłoby tchórzostwo.

Ruszyła dalej przed siebie. Raz i drugi obejrzała się przez ramię, wystraszona jakimś niespodziewanym dźwiękiem, ale to tylko ptak zerwał się z gniazda albo węgorz plusnął na płyciźnie. Stopniowo się uspokajała.

Aude była szeroka i płytka, razem z dopływami przypominała wyglądem żyły na przedramieniu. Tuż nad powierzchnią wody unosiła się połyskująca mgiełka. Zimą rzeka toczyła swe wody szybko i gniewnie, napęczniała od lodowatych strumieni schodzących z gór, ale teraz, latem, płynęła wolno i spokojnie. Młynki solne, powiązane grubymi linami, obracały się niemrawo. Tworzyły na powierzchni grubą krechę sięgającą środka nurtu.

Muchy i komary jeszcze się nie zbudziły, dopiero za jakiś czas miały zawisnąć nad kałużami w kształcie czarnych chmur, toteż Alaïs poszła skrótem przez nadbrzeżne błota. Ścieżkę znaczyły białe kamienie, które wskazywały właściwą drogę, by idący nie ześliznęli się w zdradliwe bagna. Szła, uważając na każdy krok, aż dotarła do lasu, kończącego się tuż pod zachodnimi murami grodu.

Zdążała na polankę ukrytą między wysokimi pniami, w miejscu, gdzie drzewa schodziły na sam brzeg rzeki. Tam, na zacienionych płyciznach, rosły najlepsze zioła.

Gdy tylko weszła do lasu, zwolniła kroku. Swobodnym gestem odgarniała pędy bluszczu zarastającego ścieżkę, z rozkoszą wdychała upajający zapach liści i mchu.

W gęstwinie nie widać było śladów człowieka, ale tętniła ona życiem, pulsowała barwami i dźwiękami, rozbrzmiewała świergotem ptaków. Odzywały się szpaki, strzyżyki i makolągwy, tu i tam trzasnęła gałązka lub zaszeleścił liść pod stopą. Pośród krzewów przemykały króliki, a ich białe ogonki podskakiwały między żółtymi, fioletowymi i niebieskimi letnimi kwiatami. Wysoko, na rozłożystych gałęziach sosen, harcowały rude wiewiórki, rozgryzały szyszki, a ze strącanych przez nie igieł dobywał się balsamiczny aromat.

Zanim Alaïs dotarła na polankę, bezdrzewną wysepkę w oceanie lasu schodzącego na brzeg rzeki, była już bardzo zgrzana. Z ulgą odstawiła *panièr*, roztarła przedramię, gdzie rączka wpiła jej się w skórę i wreszcie zdjęła ciężki płaszcz. Powiesiła go na niskiej gałęzi wierzby, twarz i szyję otarła chusteczką. Dzban z winem wstawiła do jamy między korzeniami, żeby się trunek nie zagrzał.

Wysoko na niebie rysowały się mury *château comtal* z charakterystyczną smukłą sylwetką La Tour Pinte. Ciekawe, czy ojciec już się obudził, czy już jest z wicehrabią w jego prywatnych komnatach? Jej wzrok zbłądził w lewo od wieży strażniczej, szukała okna własnej komnaty. Czy Guilhem jeszcze śpi? Czy już się ocknął i spostrzegł jej nieobecność?

Zawsze ją zdumiewało, gdy tak spoglądała przez zielony baldachim liści, że miasto jest tak blisko. Dwa zupełnie różne światy, a jeden tuż obok drugiego. Tam, na ulicach grodu i w korytarzach zamku, panował gwar i ruch. Tutaj, w leśnym królestwie zwierząt, trwał odwieczny spokój.

Właśnie tutaj czuła się u siebie.

Zsunęła z nóg skórzane pantofle. Źdźbła trawy, cudownie chłodne i delikatne, ciągle jeszcze wilgotne od porannej rosy, łaskotały ją między palcami. W takiej chwili łatwo było zapomnieć o wszystkich obowiązkach czekających w grodzie.

Z narzędziami w ręku stanęła nad wodą. Niedaleko, na płyciźnie, ujrzała kępkę dzięgielu. Mocne proste łodygi sterczały jak zastęp żołnierzy ustawionych na straży rzecznego błota. Jasnozielone liście, niektóre większe niż dłoń Alaïs, rzucały na wodę ruchomy cień.

Nie było na świecie lepszego środka, gdy chodziło o oczyszczenie krwi i ochronę przed zakażeniem. Przyjaciółka i nauczycielka Alaïs, Esclarmonde, powtarzała jej zawsze, iż należy zbierać pożyteczne rośliny przy każdej nadarzającej się okazji. Nawet jeśli dziś nie było w grodzie żadnej choroby, kto wie, co przyniesie jutro? Człowiek nie zna dnia ani godziny. Jak wszystkie rady Esclarmonde, również i ta zasługiwała na uwagę.

Alaïs podwinęła rękawy, przesunęła pochwę z nożem na plecy, splotła włosy w warkocz, żeby jej przy pracy nie spadały na twarz, w końcu zatknęła spódnice za gorsecik i weszła do wody. Z zimna dostała gęsiej skórki i straciła oddech. Po chwili jednak zaczęła się przyzwyczajać. Zanurzyła w wodzie kawałki płótna, rozłożyła je w równym rzędzie na brzegu i zaczęła ostrożnie wykopywać dzięgiel motyczką. Wkrótce miała w ręku pierwszą roślinę. Podzieliła ją na części, korzenie zawinęła w szmatkę i ułożyła na dnie koszyka, w następnej ukryła drobne żółtozielone kwiatki roztaczające charakterystyczną ostrą woń i włożyła do skórzanej sakwy. Łodygę oraz liście wyrzuciła. Wróciła na brzeg i zaczęła wykopywać następną roślinę. Nie minęło wiele czasu, a dłonie miała całe w zielonych plamach i ręce po łokcie umazane błotem. Za to dzięgiel został zebrany. Rozejrzała się dookoła, w poszukiwaniu innych przydatnych roślin. Nieco dalej w górę rzeki dostrzegła żywokost o szorstko włochatych, lancetowatych liściach i różowofioletowych dzwonkowatych kwiatach. Doskonały środek na siniaki, trudno gojące się rany i połamane kości. Postanowiła odłożyć zjedzenie śniadania jeszcze na kilka chwil. Wzięła narzędzia i ponownie zabrała się do pracy.

Skończyła dopiero, gdy *panièr* był pełny i nie zostało już ani kawałka czystego płótna.

Zabrała koszyk i wróciła na polanę, usiadła pod drzewem i z rozkoszą rozprostowała nogi. Plecy ją bolały, barki i palce zesztywniały, ale za to mogła się z czystym sumieniem pochwalić zbiorami. Sięgnęła po dzban wina. Korek ustąpił z cichym pyknięciem, nabrała w usta zimnego płynu. Odwinęła chleb, oderwała od pajdy spory kęs. Smakował dziwnie: trochę pszenicą i solą, ale też błotnistą rzeką i ziołami, był jednak wyśmienity. Dawno nie jadła czegoś tak dobrego.

Niebo przyoblekło się w delikatny błękit, kolor niezapominajek. Na pewno minęło już sporo czasu. Patrząc jednak na złoty słoneczny blask tańczący na powierzchni wody, gładzona podmuchem wiatru, nie umiała się zmusić do powrotu na zatłoczone, hałaśliwe ulice Carcassony, nie potrafiła się jeszcze wtopić w tłum mieszkańców zamku. Obiecując sobie solennie, że zbierze się za kilka chwil, położyła się na wznak i na moment zamknęła oczy.

* * *

Obudził ją głośny skrzek jakiegoś ptaka.

Usiadła gwałtownie. Nie wiedziała, gdzie jest. Spojrzała w górę, na nakrapianą złotem narzutę zielonych liści. Wtedy sobie przypomniała.

Zerwała się na równe nogi. Słońce stało już wysoko na bezchmurnym niebie. Za długo trwała jej nieobecność w zamku. Do tej pory na pewno ktoś zwrócił na to uwagę.

Rzuciła się do pakowania rzeczy. Pośpiesznie obmyła narzędzia i spryskała wodą kawałki płótna, żeby rośliny nie wyschły. Właśnie miała biec z powrotem, gdy kątem oka dostrzegła jakiś dziwny kształt w szuwarach. Przypominał gruby konar albo nawet pień... Osłoniła oczy przed słońcem, zadziwiona, że nie spostrzegła go wcześniej.

Nie, jednak nie. Kołysał się na powierzchni zbyt miękko, zbyt płynnie jak na kawał drewna.

Podeszła bliżej.

Teraz widziała zupełnie wyraźnie ciężką ciemną tkaninę wzdętą przez wodę. Zawahała się, lecz tylko na moment – ciekawość zwyciężyła. Weszła do wody, tym razem głębiej, aż za mielizny, bliżej głównego nurtu, który szybko toczył się ciemnym strumieniem. Im głębiej wchodziła, tym zimniejszy prąd ją zagarniał. Z coraz większym trudem utrzymywała równowagę. Wczepiła się stopami w śliski muł, woda zawirowała wokół jej białych ud, zmoczyła spódnice. Serce waliło dziewczynie jak młotem, dłonie spociły się ze zdenerwowania, ale wreszcie zobaczyła dokładnie.

– *Payre Sant!* Ojcze Święty – wyrwało jej się z głębi serca.

Na powierzchni wody unosiło się ciało mężczyzny, zwrócone twarzą do dołu. Wokół niego dryfował wzdęty płaszcz. Topielec ubrany był w kurtę z brązowego aksamitu, z wysokim kołnierzem, obszytym czarną jedwabną taśmą, a na brzegach zdobionym złotą nicią. Na szyi połyskiwał gruby złoty łańcuch i coś jeszcze, jakby purpurowa wstęga? Ponieważ nie miał nakrycia głowy, czarne kręcone włosy, przetykane nitkami siwizny, utworzyły w wodzie kolistą wyspę.

Zbliżyła się jeszcze o krok. Na pewno poślizgnął się w ciemności, wpadł do wody i utonął. Już miała do niego sięgnąć, gdy uświadomiła sobie, że głowa trupa porusza się jakoś dziwnie. Alaïs znieruchomiała. Nie pierwszy raz widziała topielca. Ten miał skórę poznaczoną niebieskawymi i fioletowymi plamami, przywodzącymi na myśl sińce. Coś tu się nie zgadzało.

Najwyraźniej stracił życie, zanim znalazł się w wodzie. Ramiona rozrzucił szeroko, jakby chciał płynąć. Lewa ręka znalazła się bliżej Alaïs. Wzrok młodej kobiety przyciągnęło coś jasnego, barwnego, tuż pod powierzchnią wody. Jakieś uszkodzenie, nieregularne i nierówne, może znamię? Czerwone na brzegach, pośrodku białe.

Miejsce po kciuku.

Pod Alaïs ugięły się nogi. Mężczyźnie obcięto kciuk. Mało tego. Ten nierówny czerwony szlak na jego szyi to nie była wstęga, lecz głęboka cięta rana. Biegła od lewego ucha przez gardło, omal nie oddzieliła głowy od ciała. Strzępy skóry tańczyły wokół rozcięcia, powleczone zielonkawymi refleksami. W ranie ucztowały drobne srebrzyste rybki oraz czarne pijawki, już wielkie i napuchnięte.

Alaïs serce zamarło w piersi. Ogarnęło ją przerażenie. Gdy odzyskała zdolność ruchu, obróciła się i najszybciej jak zdołała ruszyła do brzegu. Stopy uciekały spod niej w śliskim mule, rzeka hamowała jej ruchy, ale ona brnęła, byle dalej od trupa. Mokra była już do pasa. Przemoczona suknia krępowała jej ruchy, wciągała do rzeki.

Droga powrotna wydała jej się dwukrotnie dłuższa niż w przeciwną stronę, ale wreszcie wydostała się na suchy ląd. Zwymiotowała gwałtownie, żołądek zwrócił i wino, i chleb, i rzeczną wodę. Na czworaka wdrapała się wyżej, w cień drzew – tam bez siły upadła na ziemię. W głowie jej się kręciło, w ustach zaschło, nogi odmówiły posłuszeństwa. Nie chciała krzyczeć ani płakać, tylko otarła usta grzbietem drżącej dłoni. Wspierając się o szorstki pień wierzby, zdołała dźwignąć się na nogi. Ściągnęła płaszcz z gałęzi, wepchnęła ubłocone stopy w pantofle i nie dbając o resztę, pobiegła przez las, jakby ją goniło zło wcielone.

* * *

Gdy wypadła z lasu na moczary, uderzyła ją fala gorąca. Obudziły się już owady, muchy i komary sinymi obłokami zawisły nad kałużami po obu stronach ścieżki, gotowe zaatakować intruza.

Nogi miała jak z waty, oddech palił ją w piersiach, lecz mimo to biegła bez ustanku, opanowana jedną myślą: uciec jak najdalej i o wszystkim opowiedzieć ojcu.

Odruchowo skierowała się ku Porte de Rodez, bramie łączącej podgrodzie Sant-Vicens z samą Carcassoną.

Na ulicach było już tłoczno, więc z trudem torowała sobie drogę. Gwar rósł omal z chwili na chwilę, przybierał na sile w miarę, jak zbliżała się do wejścia do grodu. Usiłowała nie słyszeć wrzawy, myśleć tylko o dotarciu do bramy, rozpaczliwie przedzierała się przez ludzką ciżbę.

Jakaś kobieta dotknęła jej ramienia.

– Pani, twoja głowa – odezwała się cicho. Jej głos zdawał się dochodzić z daleka.

Dopiero teraz uświadomiła sobie, że włosy ma znów rozpuszczone i w nieładzie. Narzuciła płaszcz na ramiona i naciągnęła kaptur na głowę. Była jeszcze w szoku i krańcowo wyczerpana, ale ostatnim przytomnym gestem otuliła się płaszczem, zakrywając poplamioną suknię.

Ludzie przepychali się, sprzeczali, pokrzykiwali. Alaïs kręciło się w głowie, obawiała się, że zemdleje. Zdołała przedrzeć się do ściany, oparła się o nią, pragnąc chwili wytchnienia.

Wartownicy przy Porte de Rodez przepuszczali większość mieszkańców grodu bez zbędnych formalności, ale zatrzymywali żebraków, Cyganów, Saracenów i Żydów, żądając odpowiedzi na pytanie o cel ich przybycia do Carcassony. Przeszukiwali bagaże podróżnych znacznie pilniej, niż nakazywała potrzeba i tak długo, aż kilka dzbanów z piwem lub parę monet zmieniło właściciela. Wtedy przechodzili do następnej ofiary.

Alaïs przepuścili bez słowa.

Na wąskich uliczkach grodu panował tłok i ścisk. Kogo tu nie było? Domokrążcy, kupcy i żołnierze, kowale i cyrulicy, *jongleurs*, żony konsulów oraz ich służba, kaznodzieje i żywy inwentarz. Szła ze spuszczoną głową, pochylona, jakby walczyła z kąśliwym północnym wiatrem. Miała nadzieję, że nikt jej nie rozpozna.

Wreszcie ujrzała znajome sylwetki Tour du Major oraz Tour des Casernes – dwóch wież strzegących bramy wschodniej, zaraz potem jej oczom ukazał się *château comtal* w całej krasie.

Odczuła ogromną ulgę, gorące łzy napłynęły jej do oczu, a jednocześnie przepełniała ją złość na własną słabość. Zagryzła wargi aż do krwi. Wstyd jej było, że tak się dała ponieść emocjom, nie chciała płakać przy ludziach, okazać im dowody swojego braku odwagi.

Musiała koniecznie znaleźć ojca.

ROZDZIAŁ 3

Intendent Pelletier znajdował się w jednym z piwnicznych magazynów, niedaleko kuchni. Właśnie skończył cotygodniowy przegląd ziarna i mąki. Z przyjemnością stwierdził, iż zapasy były w doskonałym stanie, nie znalazł nawet śladu pleśni.

Bertrand Pelletier służył wicehrabiemu Trencavelowi już niemal szesnaście lat. Wrócił do Carcassony w zimnych początkach roku 1194, by objąć w zamku stanowisko rządcy i gospodarza, a jednocześnie doradcy Raymonda Rogera, dziedzica rodu Trencavelów. Oczekiwał tego wezwania i zgłosił się z ochotą, przywożąc ze sobą swą francuską żonę w odmiennym stanie oraz dwuletnią córeczkę. Nigdy nie polubił chłodnego i wilgotnego klimatu Chartres, więc tym chętniej powrócił na południe. W *château comtal* zastał dziewięcioletniego chłopca, nad wiek poważnego, pogrążonego w żałobie po stracie rodziców, borykającego się z odpowiedzialnością złożoną na jego młode barki.

Nigdy go nie opuścił. Najpierw zamieszkał z nim w zamku jego nauczyciela, Bertranda de Saissac, potem u hrabiego de Foix. Gdy Raymond Roger osiągnął pełnoletność i powrócił do *château comtal*, by zająć należne mu miejsce wicehrabiego Carcassony, Besièrs i Albi, nadal stał u jego boku.

Jako rządca był odpowiedzialny za właściwe funkcjonowanie zamku. Zajmował się administracją, wymiarem sprawiedliwości oraz pilnował ściągania podatków w imieniu wicehrabiego. Co więcej, był jego powiernikiem, doradcą i przyjacielem. Nikt nie miał na młodego arystokratę większego wpływu.

W *château comtal* roiło się od szlachetnych gości i codziennie przybywali nowi. *Seigneurs* z najważniejszych zamków ziem rodu Trencavel z żonami oraz najdzielniejsi, najznamienitsi *chevaliers* Południa. Najzdolniejsi minstrele i trubadurzy zostali zaproszeni na tradycyjny letni turniej w święto Sant-Nasari, obchodzone pod koniec lipca. Ponieważ nad Okcytanią już od ponad roku wisiała groźba wojny, wicehrabia postanowił, iż będą to najhuczniejsze obchody za jego panowania.

Pelletier miał dopilnować, by wszystko szło jak po maśle. Zamknął skład ziarna na jeden z wielkich kluczy przypiętych do metalowej obręczy w pasie i ruszył dalej piwnicznym korytarzem.

– Teraz do składu win – zwrócił się do swojego służącego imieniem François. – W ostatniej beczułce był kwaśny trunek.

Po drodze zaglądał do innych pomieszczeń. Magazyn płócien pachniał tymiankiem i lawendą. Wszystkie półki świeciły pustkami, jakby piwnica zamarła, w oczekiwaniu na zmartwychwstanie.

– Rozumiem, że obrusy wyprane i gotowe do rozłożenia?

– *Oc, messire.*

Tuż przy schodach, naprzeciwko magazynu win, solono mięsa. Tusze zwisały z sufitu na potężnych hakach, inne czekały na swoją kolej w beczkach. W kącie jakiś człowiek przygotowywał do suszenia grzyby nawleczone na nitkę, czosnek oraz cebulę.

Gdy Pelletier wszedł do pomieszczenia, zapadła pełna respektu cisza. Kilku młodszych ze służby z szacunkiem wstało. Bertrand nie powiedział słowa, tylko potoczył wzrokiem dookoła, a uważnemu spojrzeniu nie umknął żaden szczegół. Wreszcie z zadowoleniem kiwnął głową i wyszedł.

Akurat gdy otwierał ciężkie drzwi do piwnicy z winem, z parteru dobiegły jakieś krzyki i pośpieszne kroki.

– Idź, zobacz, co tam się dzieje – rzucił zirytowany. – Nie sposób pracować w takim hałasie.

– *Messire.* – François obrócił się na pięcie i biegiem ruszył po schodach.

Pelletier natomiast wszedł do chłodnego, mrocznego pomieszczenia i pełną piersią wciągnął znajomy zapach wilgotnego drewna z kwaśną nutką rozlanego wina i piwa. Wolnym krokiem szedł wzdłuż naw, aż znalazł beczki, których szukał. Z tacy ustawionej na stole wziął gliniany kufel, ostrożnie poluzował szpunt. Delikatnie, by nie wstrząsnąć trunku, nalał kilka łyków.

Ktoś zawołał go głośno. Pelletier odstawił kufel, przestraszony. To Alaïs. Stało się coś złego.

W mgnieniu oka znalazł się przy drzwiach.

* * *

Alaïs gnała po schodach, jakby ją goniła sfora wściekłych psów, tuż za nią biegł François.

Dostrzegłszy ojca między beczkami z winem i piwem, wydała okrzyk ulgi. Padła mu w ramiona, a jego znajomy zapach nieodmiennie kojarzący się z bezpieczeństwem, otworzył tamę przed strumieniem łez.

– Na świętą Fides! – wykrzyknął Pelletier. – Co ci się stało? Czy ktoś cię skrzywdził? Mów.

Odsunęła się odrobinę, szukała słów, lecz głos uwiązł jej w gardle.

– Ojcze...

Obrzucił pytającym spojrzeniem poplamioną suknię, brud na rękach i twarzy, potargane włosy. Podniósł wzrok na sługę, od niego oczekując wyjaśnień.

– Napotkałem panią Alaïs w takim stanie, *messire*.

– Nie powiedziała nic na temat... przyczyn?

– Nie, *messire*. Powtarzała jedynie, że musi się z panem widzieć bez zwłoki.

– Rozumiem. Zostaw nas samych. Zawołam cię, jeśli będziesz potrzebny.

Alaïs usłyszała zamknięcie drzwi. Ojciec objął ją ramieniem, podprowadził do ławy stojącej pod ścianą i posadził.

– *Filha*, ja cię nie poznaję. – Odgarnął jej z twarzy kosmyk włosów. – Powiedz mi, co się stało.

Alaïs usiłowała wziąć się w garść. Nie chciała martwić ojca. Otarła chusteczką twarz i zaczerwienione oczy. Nie mogła się jednak opanować.

Pelletier nalał wina do kubka.

– Masz, dziecko, wypij. – Wetknął jej naczynie w dłonie i usiadł obok córki. Stare drewno skrzypnęło ostrzegawczo. – François już wyszedł. Jesteśmy sami. Powiedz mi, co się takiego stało. Płaczesz przez Guilhema? Jeśli tak, to daję ci słowo...

– Nie, nie, to nie przez niego, *paire* – zaprzeczyła Alaïs pośpiesznie. – To nie ma nic wspólnego... – Podniosła spojrzenie na ojca, ale szybko spuściła wzrok, zawstydzona, że pokazuje mu się w takim stanie.

– Więc o co chodzi? – naciskał. – Córko, jak mam ci pomóc, skoro nie wiem, co się wydarzyło?

Z trudem przełknęła ślinę. Czuła się winna. Nie wiedziała, jak zacząć.

Pelletier wziął ją za ręce.

– Alaïs, cała drżysz – powiedział zafrasowany. – Masz poplamioną suknię. – Ujął w palce rąbek spódnicy. – Jesteś mokra. I ubłocona.

Alaïs widziała jego troskę i niepokój. Był wstrząśnięty jej stanem, choć starał się to ukryć. Na czole rysowały mu się głębokie bruzdy. Był wyraźnie zmęczony. Jak mogła nie zauważyć srebrnych nitek na skroniach?

– Nie wiedziałem, że potrafisz tak długo wytrwać bez słowa – uśmiechnął się nieznacznie. – No już, powiedz mi, co się stało.

Tyle miał miłości w oczach, tyle wiary w młodszą córkę, że stopniało jej serce.

– Obawiam się, że cię rozgniewam, *paire*. Masz prawo być na mnie zły.

Wzrok mu stwardniał, ale uśmiech nie opuścił warg.

– Obiecuję, że nie będę cię łajał – rzekł. – A teraz słucham.

– Nawet jeśli powiem, że poszłam nad rzekę?

Zawahał się.

– Nawet wówczas – odparł pewnym głosem.

No trudno, trzeba skakać na głęboką wodę, uznała Alaïs.

Złożyła ręce na kolanach.

– Dzisiaj rano, tuż przed świtem, poszłam nad rzekę, w miejsce, gdzie często zbieram zioła.

– Sama?

– Tak, sama. – Udało jej się spojrzeć ojcu w oczy. – Wiem, pamiętam, że dałam ci słowo, *paire*, i błagam cię o wybaczenie.

– Pieszo?

Skinęła głową i w milczeniu czekała, aż ojciec każe jej mówić dalej.

Uczynił zachęcający gest ręką.

– Nad rzeką nie było nikogo. Spędziłam tam jakiś czas. Gdy zbierałam się do powrotu, zauważyłam w wodzie jakieś ubranie... bogate szaty... – zamilkła ponownie, krew odpłynęła jej z twarzy. – To było ciało. Mężczyzny, posuniętego w latach. Miał ciemne, kręcone włosy. Z początku myślałam, że się utopił, nie było go dobrze widać. Ale potem zobaczyłam, że ma podcięte gardło.

Pelletier zesztywniał.

– Dotknęłaś ciała?

– Nie – Alaïs pokręciła głową – ale... – spuściła oczy zawstydzona – przestraszyłam się, straciłam głowę i uciekłam. Zostawiłam tam narzędzia i koszyk... Myślałam tylko o tym, żeby uciec jak najdalej i o wszystkim ci opowiedzieć.

– Nikogo nie spotkałaś?

– Nie było tam żywej duszy. Tylko... kiedy zobaczyłam ciało, przestraszyłam się, że morderca nadal jest blisko... – Głos odmówił jej posłuszeństwa. – Czułam na sobie jego wzrok, wydawało mi się, że mnie obserwuje.

– Ale nikt cię nie skrzywdził – upewnił się Pelletier, starannie dobierając słowa. – Nikt cię nie zranił ani nie... zbrukał?

Wtedy nareszcie zrozumiała, o co jej ojciec pyta, i kolory wystąpiły jej na twarz.

– Ucierpiała jedynie moja duma... I straciłam twoje zaufanie.

Pelletier odetchnął z wyraźną ulgą. Uśmiechnął się i tym razem, po raz pierwszy od spotkania z córką, uśmiech sięgnął jego oczu.

– Cóż... – Zamknął drobne ręce Alaïs w uścisku wielkich dłoni. – Jeśli zapomnę na chwilę o twojej lekkomyślności i nieposłuszeństwie, przyznam, że dobrze zrobiłaś, przychodząc do mnie z tą wiadomością.

Uśmiechnęła się, wdzięczna za łagodne potraktowanie.

– Wybacz mi, *paire*. Miałam szczery zamiar dotrzymać obietnicy, tylko jakoś tak...

Odgonił jej słowa jak natrętną muchę.

– Nie będziemy do tego wracać. A jeśli chodzi o tego nieszczęśnika... nikt mu już nie pomoże. Rabusie z pewnością dawno zniknęli. Nie przypuszczam, by czekali blisko miejsca zbrodni, aż ktoś ich odkryje.

Alaïs ściągnęła brwi w zastanowieniu. Słowa ojca obudziły w niej jakieś skojarzenie. Zamknęła oczy, odmalowała w wyobraźni obraz siebie samej stojącej obok ciała, zmienionej w słup soli. Przyjrzała się tej scenie.

– Ojcze – odezwała się cicho. – Nie zabili go rabusie, jak sądzę. Nie zabrali mu płaszcza, a był piękny i z pewnością kosztowny. Biżuterii także nie tknęli. Miał złoty łańcuch i pierścienie... Rabusie zostawiliby nagie ciało.

– Powiedziałaś, że go nie dotknęłaś – przypomniał Pelletier ostro.

– Powiedziałam prawdę. Ale widziałam jego dłoń tuż pod powierzchnią wody. Szlachetne kamienie błyszczały w słońcu. Miał bransoletę taką samą jak łańcuch na szyi, ze splecionych złotych linek. – Znów miała przed oczami wyciągniętą ku niej dłoń nieboszczyka, krwawy ślad po kciuku z dobrze widoczną białą plamą kości. Zakręciło jej się w głowie, poczuła mdłości. Oparła się o chłodną ścianę, skierowała myśli na inne tory: zimny kamień, twarde drewno ławy, kwaśny zapach rozlanego trunku. Udało się. Zawroty głowy minęły. – Nie krwawił. – Dodała dzielnie. – Rana wyglądała jak cięcie w czerwonym mięsie. Nie miał kciuka i to było...

– Jak to?! – przerwał jej ojciec. – Co to znaczy: nie miał kciuka?

Alaïs podniosła na niego wzrok, zdziwiona zmianą tonu.

– Nie zabrali mu kosztowności, ale odcięli kciuk.

– Od której ręki? – W głosie ojca słychać było wyraźne napięcie. – Zastanów się, proszę. To bardzo ważne.

– Od lewej.

– Na pewno?

– Tak, jestem pewna. Lewa ręka była bliżej mnie. Leżał twarzą do dołu, głową zwrócony w górę rzeki.

Pelletier w dwóch krokach znalazł się przy drzwiach i gromkim głosem wezwał François. Alaïs także zerwała się na równe nogi. Nie rozumiała tej nagłej zmiany nastroju.

– Co się stało, ojcze? Błagam cię, powiedz mi, co się dzieje? Dlaczego jest tak ważne, czy brakowało mu kciuka u prawej, czy u lewej dłoni?

– François, natychmiast przygotuj konie – huknął Pelletier. – Mojego gniadosza, dla pani Alaïs siwą klaczkę i swojego wierzchowca.

François przyjął rozkazy ze zwykłym, nieodgadnionym wyrazem twarzy.

– Tak jest, *messire*. Czy jedziemy daleko?

– Tylko nad rzekę. – Odprawił służącego gestem. – Prędzej, prędzej! Przynieś też mój miecz i czysty płaszcz dla pani Alaïs. Spotkamy się przy studni.

Gdy tylko François się oddalił, wrócił do rzędu beczek i nie patrząc na córkę, drżącymi rękami nalał sobie wina. Czerwony płyn wylał się z kamionkowego kubka, plamiąc stół.

– *Paire* – odezwała się Alaïs. – Nic nie rozumiem. Dlaczego chcesz jechać nad rzekę? Przecież nie musisz się zajmować tą sprawą. Niech jedzie François. Powiem mu, jak dotrzeć we właściwe miejsce.

– Nie o to chodzi.

– Możesz mi zaufać.

– Muszę sam zobaczyć ciało. Przekonać się, czy...

– Tak?

– Nic, nic. – Potrząsnął głową. – Ty nie powinnaś... – Nie dokończył zdania.

– Ale...

Uciszył ją podniesieniem ręki. Znów był panem sytuacji.

– Dosyć, Alaïs. Musisz mnie tam zaprowadzić. Chciałbym ci tego oszczędzić, ale nie mogę. Nie mam wyboru. – Wcisnął jej w ręce kufel. – Wypij. Trunek cię wzmocni i doda odwagi.

– Nie boję się! – zaprotestowała, oburzona, iż jej niechęć odebrał jako tchórzostwo. – Nie przeraża mnie widok zmarłych. Przestraszyłam się żywych. – Zamilkła. – Błagam cię, *messire* – podjęła – zdradź mi, dlaczego...

– Powiedziałem: dosyć!

Alaïs zatoczyła się do tyłu, jakby ją uderzył.

– Wybacz mi – zmitygował się natychmiast. – Nie powinienem był... – Pogładził ją po policzku. – Jesteś najwspanialszą córką na świecie.

– Dlaczego więc nie chcesz mi zaufać?

Już nabrała wiary, że go przekonała, bo wyraźnie się zawahał, ale szybko na jego twarz wrócił ten sam co przed chwilą nieprzenikniony wyraz.

– Tylko mi pokaż, gdzie znaleźć ciało – rzekł pustym głosem. – Reszta do mnie należy.

* * *

Dzwony Sant-Nasari obwieszały tercję, gdy wyjechali z *château comtal* bramą zachodnią.

Pelletier jechał pierwszy, na końcu François, Alaïs w środku. Czuła się winna, bo jej postępowanie spowodowało w ojcu groźną przemianę, było jej przykro, że nie rozumiała, co się dzieje.

Najpierw zjechali ze zbocza wąskim zygzakowatym traktem prowadzącym od murów grodu. Na równinie puścili konie cwałem. Podążyli w górę rzeki. Na odsłoniętych mokradłach bezlitosne słońce paliło ich w plecy. Roje komarów i czarnych bagiennych much, stale wiszące nad błotnistymi kałużami, natychmiast dostrzegły okazję, więc konie, bijąc ogonami, z trudem odganiały się od chmar owadów, przed których ukąszeniami nie chroniły cienkie, letnie czapraki.

Na ocienionych płyciznach po drugiej stronie rzeki kobiety prały ubrania. Stojąc po pas w wodzie, biły kijankami w tkaniny rozłożone na płaskich szarych kamieniach. Od drewnianego mostu łączącego wsie i mokradła leżące na północ od Carcassony z podgrodziami, dobiegał jednostajny turkot kół. To okoliczni mieszkańcy przybywali na targ. Jedni wozami, inni pieszo. Niektórzy pokonywali rzekę w bród. Do miasta napływał strumień wieśniaków, drobnych rzemieślników i kupców. Ten i ów niósł dziecko na ramionach, któryś poganiał stado kóz czy mułów, a wszyscy ciągnęli na rynek.

Troje ludzi na koniach w milczeniu zdążało ku lasowi. Gdy wjechali w cień wierzb, Alaïs zatonęła w myślach. Uspokojona znajomym, rytmicznym krokiem konia, śpiewem ptaków i wiecznym szeptem cykad w trzcinach, na czas jakiś zapomniała o celu wyprawy.

Przecknęła się, gdy dotarli do lasu. Ojciec odwrócił się do niej z uśmiechem. Wdzięczna mu była za tę chwilę uwagi, bo zaczynała się denerwować. Wytężała wzrok i słuch, by na wypadek kłopotów zareagować w porę. Miała wrażenie, że spomiędzy konarów śledzą ją ukryte w głębokim cieniu wrogie spojrzenia. Każdy szelest w podszyciu, każdy trzepot ptasiego skrzydła sprawiał, że serce podchodziło jej do gardła.

Nie bardzo wiedziała, czego właściwie należało oczekiwać, lecz gdy znaleźli się na polance, przywitała ich cisza i spokój. *Panièr* leżał pod drzewem, tam, gdzie go zostawiła, z płóciennych szmatek wyglądały zebrane rośliny. Zsiadła z konia, oddała cugle służącemu i ruszyła ku wodzie. Ogrodnicze narzędzia leżały na brzegu, nietknięte.

Ktoś dotknął jej łokcia, aż podskoczyła ze strachu.

A to był jej ojciec.

– Gdzie on jest? – zapytał.

Bez słowa poprowadziła go brzegiem na właściwe miejsce. Nie od razu dostrzegła trupa, więc przemknęło jej przez myśl, iż być może cała przygoda była jedynie wytworem jej wyobraźni. Nie, jednak go znalazła. Unosił się na wodzie, nieco dalej niż wcześniej, uwięziony w trzcinach.

– Tam – pokazała go ojcu. – Obok żywokostu.

Ku jej zdumieniu Pelletier nie wezwał sługi, nawet nie zdjął płaszcza, tylko tak jak stał, wszedł do wody.

– Nie idź za mną – rzucił przez ramię.

Usiadła więc na brzegu, podciągnęła kolana pod brodę i patrzyła, jak ojciec brnie po płyciźnie, nie zważając, że woda wlewa mu się do butów. Wreszcie dotarł do ciała. Wyciągnął miecz. Na chwilę zamarł w bezruchu, jakby się przygotowywał na najgorsze, aż wreszcie czubkiem ostrza ostrożnie wypchnął lewą rękę nieboszczyka nad powierzchnię. Okaleczona dłoń, napuchnięta i zsiniała, przez krótki moment unosiła się nad wodą, po czym ześlizgnęła się po gładkim srebrnym ostrzu w stronę rękojeści, jak żywa. W końcu z głuchym pluśnięciem wpadła na powrót w toń.

Pelletier schował miecz do pochwy, pochylił się i jednym silnym ruchem obrócił ciało na plecy. Podskoczyło na wodzie, głowa niechętnie podążyła za korpusem, jakby wolała się od niego uwolnić.

Alaïs szybko odwróciła wzrok. Nie chciała widzieć piętna śmierci na twarzy nieboszczyka.

* * *

W drodze powrotnej Bertrand Pelletier miał zupełnie inny humor. Wyraźnie mu ulżyło, jak gdyby ktoś zdjął z jego barków ogromny ciężar. Rozmawiał swobodnie z François i uśmiechał się do córki za każdym razem, gdy spotkały się ich spojrzenia.

Alaïs, choć była zmęczona i nadal nic nie rozumiała, także czuła się znacznie lepiej. Zupełnie jak za dawnych dobrych czasów, gdy zdarzało im się niekiedy wypuścić gdzieś tylko we dwoje.

Długo biła się z myślami, bo jedno pytanie nie dawało jej spokoju od chwili, gdy skierowali się ku *château comtal*. W końcu ciekawość zwyciężyła.

– Czy znalazłeś odpowiedź na swoje wątpliwości, *paire*?

– Tak.

I nic więcej. Stało się jasne, iż będzie musiała wyciągnąć z niego wyjaśnienie słowo za słowem.

– Więc to nie był on.

Pelletier obrzucił córkę bacznym spojrzeniem.

– Z mojego opisu domyśłałeś się – ciągnęła – że to mógł być ktoś znajomy. Dlatego chciałeś sam obejrzeć ciało. – Po błysku w oczach ojca odgadła, że się nie myliła.

– Przypuszczałem, że mógł to być ktoś znajomy – odrzekł w końcu Pelletier. – Jeszcze z Chartres. Człowiek wyjątkowo mi drogi.

– On był Żydem.

– Zaiste.

– Żydem... a mimo to przyjacielem? – drążyła Alaïs.

Odpowiedziała jej cisza. Dziewczyna nie miała zamiaru rezygnować.

– Nie był to jednak on.

Tym razem Pelletier uśmiechnął się zadowolony.

– Nie on.

– Wobec tego kto?

– Nie wiem.

Alaïs umilkła na czas jakiś. Ojciec z pewnością nigdy nie wspominał o przyjacielu Żydzie. Był człowiekiem tolerancyjnym, więc taką znajomość należało uważać za jak najbardziej prawdopodobną, ale gdyby wspomniał o zaprzyjaźnionym Żydzie z Chartres, na pewno by o tym pamiętała. Wiedziała, że nie ma sensu drążyć tematu, którego ojciec nie miał ochoty poruszać, więc spróbowała z innej strony.

– Ten człowiek nie padł ofiarą rabusiów.

– Z całą pewnością nie – odpowiedział Pelletier, z wyraźną ochotą zmieniając temat. – Napastnicy chcieli go zabić. Rana jest głęboka. Zresztą zostawili przy nim prawie wszystkie cenne przedmioty.

– Prawie? – powtórzyła Alaïs. Ojciec milczał. – Może ktoś im przeszkodził?

– Nie przypuszczam.

– Albo szukali czegoś określonego?

– Dosyć już tego dochodzenia. Ani na to miejsce, ani czas.

Otworzyła usta, zdecydowana nie poddać się łatwo, ale nic nie powiedziała. Dyskusja rzeczywiście się skończyła. Niczego więcej się nie dowie. Lepiej zaczekać na lepszy moment, gdy ojciec będzie w nastroju do pogaduszek.

Reszta drogi minęła im w ciszy. Gdy znaleźli się pod zachodnią bramą, François pojechał pierwszy.

– Rozsądnie będzie nie wspominać nikomu o naszej porannej eskapadzie – zwrócił się Pelletier do córki.

– Nawet Guilhemowi?

– Nie przypuszczam, by mąż był zachwycony wiadomością o twojej samotnej wyprawie nad rzekę – odrzekł sucho. – A plotki szybko się rozchodzą. Odpocznij, postaraj się o tym wszystkim zapomnieć.

– Oczywiście, *paire*. Postąpię wedle twojego życzenia. – Spojrzała mu w oczy z niewinną miną. – Nie będę o tych zdarzeniach rozmawiała z nikim prócz ciebie.

Pelletier przyjrzał się córce spod oka, jakby wietrzył jakiś podstęp. W końcu się jednak uśmiechnął.

– Jesteś posłuszną córką, Alaïs. Wiem, że mogę ci ufać.

Alaïs, wbrew sobie, spłonęła rumieńcem.

ROZDZIAŁ 4

Na dachu tawerny siedział chłopiec o oczach barwy bursztynu i ciemnoblond włosach. Obrócił się, ciekaw źródła niespodziewanego zamieszania.

Jakiś posłaniec galopował zatłoczonymi uliczkami grodu. Pędził od Bramy Narbońskiej, nie zważając wcale na tych, którzy stali mu na drodze. Mężczyźni krzyczeli, by zsiadł, kobiety zabierały dzieci sprzed dudniących kopyt. Dwa psy, których nikt nie upilnował, skoczyły za koniem, warczały, szczekały i chwytały go za zadnie pęciny. Jeździec na nic nie zwracał uwagi.

Wierzchowiec błyszczał od potu. Nawet z daleka Sajhë widział strużki białej piany wokół pyska. Posłaniec skręcił ostro w stronę mostu prowadzącego do *château comtal*.

Sajhë stanął, balansując zręcznie na ostrej krawędzi dachówek, i wyciągnął szyję. Między dwiema wieżami przy bramie dojrzał intendenta Pelletiera na potężnym gniadoszu, a tuż za nim Alaïs na siwej klaczce. Ostatni jechał sługa. Alaïs wyglądała na wzburzoną, ciekawe, co też się takiego stało i dokąd podążali. Z pewnością nie na polowanie, nie byli stosownie ubrani.

Sajhë lubił Alaïs. Kiedy przychodziła w odwiedziny do babki, Esclarmonde, zawsze znajdowała dla niego kilka chwil, w przeciwieństwie do innych dam z dworu. Tamte go w ogóle nie zauważały. Zajęte były tylko wywarami, które im przygotowywała *menina*, lekami na gorączkę, opuchliznę, łatwy poród albo sprawy sercowe.

Nigdy dotąd nie widział Alaïs w takim stanie, choć obserwował ją z uwielbieniem od zawsze.

Ześlizgnął się zgrabnie po ciemnych płytkach na krawędź dachu, zwisnął na rękach i zeskoczył na ziemię z miękkim tupnięciem. Prawie wpadł na kozę przywiązaną do przechylonego wózka.

– Co to ma być! – zawołała jakaś kobieta ze zgrozą. – Co ty wyprawiasz?!

– Nawet jej nie dotknąłem! – odkrzyknął chłopiec, uskakując poza zasięg miotły.

Gród kipiał barwami, zapachami i dźwiękami dnia targowego. W każdym przejściu trzaskały o mury drewniane okiennice – to służba i miesz-

52

kańcy śpieszyli się z wietrzeniem domów, zanim słońce wzejdzie wysoko na nieboskłon i z nieba spłynie żar. Bednarz pilnował czeladnika toczącego beczki po bruku, ścigał się z innymi z tego samego fachu, bo kto pierwszy, ten lepszy. Wozy podskakiwały na nierównym gruncie, koła skrzypiały i trzeszczały, od czasu do czasu klinując się między kocimi łbami, ale zaraz na nowo rozpoczynała się jazda na rynek.

Chłopiec znał w grodzie każdy zaułek. Zgrabnie przemykał w tłumie, nurkując między kopytami kóz i owiec, osłów i mułów obładowanych koszami z wszelkim dobrem. Bez trudu wymijał leniwe świnie wolno sunące ulicą. Jakiś pastuch, nieco starszy od niego, ze złym wyrazem twarzy poganiał niesforne stado gęsi. Ptaki gęgały wniebogłosy, szczypały się wzajemnie i kąsały dwie bosonogie dziewczynki stojące nieopodal. Sajhë mrugnął do dziewcząt porozumiewawczo i ustawiwszy się za najbrzydszym ptakiem w stadzie, zaczął machać łokciami jak gęś skrzydłami. Krzywił się przy tym przeraźliwie. Dziewczynki zaczęły chichotać.

– Ej, a ty tam czego! – rozzłościł się pastuch. – Nie pchaj się, gdzie cię nie proszą!

Sajhë zagęgał przeraźliwie. Akurat w tej chwili paskudny szary gąsior obrócił się i ze złością syknął mu prosto w twarz.

– I dobrze ci tak! – wrzasnął chłopak. – *Pèc!*

Sajhë odskoczył przed kłapiącym pomarańczowym dziobem.

– Te twoje gęsi robią, co chcą.

– Tylko dzieci boją się gęsi – prychnął chłopak. – Malutki chłopczyk przestraszył się ptaszka? *Nenon.*

– Nie boję się gęsi – odparł Sajhë z mocą. – Ale one, owszem. – Wskazał palcem dwie dziewczynki. – Pilnuj swojego stada.

– A tobie co do tego, *è*?

– Ja tylko mówię, żebyś pilnował stada.

Chłopak podszedł bliżej, uniósł przed twarzą pasterski kij.

– A kto mi każe? – wycedził. – Może ty? – Był o głowę wyższy od Sajhë, cały w czerwonych i fioletowych siniakach. Sajhë cofnął się, podnosząc ręce. – Pytałem, kto mi każe! – powtórzył chłopak, gotów do bójki.

Z pewnością od słów przeszliby do czynów, gdyby nie jakiś stary pijak siedzący pod ścianą. Otworzył jedno oko i rozeźlonym głosem przegonił chłopców, którzy zakłócali mu spokój. Sajhë skorzystał z okazji i zniknął.

Słońce właśnie wspięło się nad najwyższe dachy, zalewając ulice strumieniami jasnego światła. Zapalało błyski w końskich podkowach i w narzędziach kowala. Sajhë z ciekawością zajrzał do kuźni. Palenisko grzało mocniej niż słońce. Wokół czekali mężczyźni, kilku młodszych *écuyers* z hełmami, tarczami i kolczugami swoich panów, a każdy przekonany, iż jego sprawa jest najwyższej wagi. Kowal w zamku pewnie także miał pełne ręce roboty.

Niskie urodzenie nie pozwalało chłopakowi zostać choćby czeladnikiem, ale mimo to marzył, że kiedyś będzie *chevalier* we własnych barwach. Uśmiechnął się do jednego z dwóch giermków mniej więcej w jego wieku, ale obaj nadal patrzyli przez niego w siną dal. I tak im zapewne zostanie na zawsze.

Poszedł dalej.

Większa część kupców przybywała na rynek nie po raz pierwszy. Rozkładali się zwykle w tych samych miejscach. Od razu przy wejściu na rynek uderzał w nozdrza zapach tłuszczu. Chłopiec obserwował przez chwilę mężczyznę smażącego pączki. Wtedy doleciała go woń gęstej zupy fasolowej i ciepłego pszenno-jęczmiennego chleba *mitadenc*. Mijał stragany, na których wystawiono klamry i sprzączki, wiadra i garnki, ubrania z wełny i skóry, pasy i sakwy, wyroby miejscowe i towary egzotyczne, choćby z Córdoby, a nawet z miejsc jeszcze bardziej odległych. Zatrzymał się przy straganie z nożycami do strzyżenia owiec i nożami, następnie ruszył w róg rynku, gdzie sprzedawano zwierzęta. Zawsze pełno tam było kurcząt i kapłonów w drewnianych klatkach, czasami trafiały się skowronki oraz strzyżyki. Ale najbardziej uwielbiał króliki o miękkiej sierści, brązowe, czarne i białe.

Minął handlarzy sprzedających ziarno, sól, białe mięso, piwo i wino, aż dotarł do kramu z ziołami i egzotycznymi przyprawami. Sprzedawca, człowiek niewiarygodnie wysoki, ubrany był w długą niebieską szatę połyskującą w słońcu, błyszczący jedwabny turban oraz czerwono-złote pantofle z długimi czubami. Skórę miał ciemniejszą niż Cyganie przybywający z Navarry i Aragonii, odległej zagórskiej krainy. Właściwie całkiem czarną. Pewnie był to Saracen.

Ułożył swoje towary w koło: zieleń sąsiadowała z różem, obok pysznił się pomarańcz, brąz, czerwień w różnych odcieniach i ochra. Na przedzie leżały rozmaryn i pietruszka, czosnek, nagietek oraz lawenda. Dalej natomiast kosztowniejsze przyprawy: kardamon, gałka muszkatołowa i szafran. Sajhë nie wszystkie potrafił nazwać, ale i tak był dumny z odkrycia; musiał koniecznie powiedzieć o nim babci.

Zrobił krok naprzód, by się przyjrzeć lepiej, gdy nagle Saracen ryknął niczym ranny bawół. Jego czarna dłoń śmignęła jak błyskawica i chwyciła kościsty blady nadgarstek złodziejaszka, który zamierzał skraść monetę z haftowanej sakiewki kupca, wiszącej mu u pasa na czerwonym sznurze. Mężczyzna przyłożył chłopcu od serca, aż ten zatoczył się na jedną z kobiet w tłumie. Ta podniosła głośny lament i natychmiast zaczęło przybywać gapiów.

Sajhë dyskretnie zniknął. Nie chciał się pakować w żadne kłopoty.

* * *

Z rynku poszedł w stronę *taberna* Sant Joan dels Evangèlis. Ponieważ nie miał przy sobie ani grosza, pozostała mu nadzieja, iż dostanie miskę *brout* w zamian za jakąś posługę.

Nagle usłyszał swoje imię.

Machała do niego jedna z przyjaciółek babki, *na* Marti. Była tkaczką, jej mąż gręplarzem, co tydzień rozkładali towary w tym samym miejscu, przędli i czesali wełnę oraz przędziwo. Ona, podobnie jak babka Sajhë, była wyznawczynią nowego Kościoła. On, *sénher* Marti, nie wstąpił w szeregi wiernych, ale towarzyszył żonie w czasie wizyt u Esclarmonde, gdy w święto Pięćdziesiątnicy *bons homes* zbierali się na modlitwę.

Zmierzwiła chłopakowi włosy.

– Ależ ty wyrosłeś, młody człowieku! Ledwo cię poznałam! Jak ci się wiedzie?

– Wszystko dobrze, bardzo dziękuję – odpowiedział grzecznie. Odwrócił się do mężczyzny, który zwijał wełnę w motki. – *Bonjorn, sénher.*

– A co tam u Esclarmonde? – pytała dalej *na* Marti. – Zdrowie jej dopisuje? Pewnie jak zwykle nikt się bez niej obejść nie może?

– Jak zwykle – zgodził się Sajhë z szerokim uśmiechem.

– *Ben, ben.* To dobrze.

Chłopiec usiadł po turecku przy stopach kobiety i z ciekawością obserwował miarowy ruch kołowrotka.

– *Na* Marti? – odezwał się po chwili. – Dlaczego już nie przychodzisz się z nami modlić?

Sénher Marti zastygł w bezruchu. Wymienili z żoną zatrwożone spojrzenia.

– Ech, sam wiesz, jak to jest – odpowiedziała *na* Marti, unikając spojrzenia chłopca. – Ostatnio tyle mamy zajęć... Nie możemy przyjeżdżać do Carcassony tak często, jak byśmy chcieli. – Mocniej nadepnęła pedał i turkot kołowrotka zapełnił przykrą ciszę.

– *Menina* za wami tęskni.

– Mnie też jej brakuje, ale przyjaciele nie zawsze mogą być razem.

Sajhë zmarszczył brwi w zamyśleniu.

– Rozumiem, ale dlaczego...

– Nie gadaj tak głośno! – *Sénher* Marti stuknął go w ramię. – Takie sprawy lepiej zachować dla siebie.

– Jakie? – spytał chłopiec zdumiony. – Ja tylko...

– Słyszeliśmy, Sajhë – przerwał mu *sénher* Marti, oglądając się przez ramię. – Słychać cię było na drugim końcu grodu. Dosyć już. Ani słowa o modlitwach, *è*?

– A ty czego chcesz od chłopaka? – syknęła *na* Marti rozeźlona. – Przecież to jeszcze dziecko!

Sajhë wstał. Nie miał bladego pojęcia, czym rozzłościł przyjaciela babki. Chciał się pożegnać i odejść, ale tamci dwoje całkiem o nim zapomnieli.

– Dziecko, nie dziecko, za długi język jeszcze nikomu nie wyszedł na zdrowie! Nie ma potrzeby kusić losu! Słowo do słowa i wezmą nas za heretyków...

– Heretyków, dobre sobie! My tylko rozmawiamy z chłopcem!

– Ale z jakim! Przecież to wnuk Esclarmonde. Wszyscy go znają, wiedzą, że do nich należy. A jak się wyda, że chodziliśmy na mody do jej domu, uznają, że też jesteśmy *bons homes* i dopiero się zacznie!

– I dlatego mamy się wypierać przyjaciół? Bo ty się plotek przestraszyłeś?!

Sénher Marti zniżył głos.

– Ja tylko mówię, że trzeba być ostrożnym. Sama wiesz, co ludzie gadają. Ponoć zbliża się wielka armia. Ma zwalczać heretyków.

– Gadają to gadają. Nie pierwszy raz i nie ostatni. A ty w to wierzysz! Ci papiescy legaci, ci „słudzy boży" włóczą się po kraju też nie od dziś. Niech tam się biskupi sprzeczają o wiarę między sobą, a ludzie mają własne sprawy. – Odwróciła się od męża. – Wcale się nim nie przejmuj – rzekła, kładąc dłoń na ramieniu Sajhë. – Nic złego nie zrobiłeś.

Chłopiec spuścił głowę, skrył oczy pełne łez.

– Aha, przypominam sobie – podjęła nienaturalnie wesołym tonem – któregoś dnia wspomniałeś, że chciałbyś kupić jakiś prezent dla Alaïs, prawda? Może wyszukamy dla niej jakąś włóczkę?

– Nie mam czym zapłacić – powiedział chłopiec z zakłopotaniem.

– Nie przejmuj się. Tym razem nie będziemy sobie zawracać głowy zapłatą. No chodź, zobacz. – *Na* Marti przesunęła opuszkami palców po rzędzie kolorowych motków. – Może ta? Jak uważasz? Będzie się jej podobała? Pasuje do jej oczu?

Sajhë dotknął miękkiej włóczki w odcieniu miedzi.

– Sam nie wiem.

– Moim zdaniem jest doskonała. Zawinę ci ją. – Sięgnęła po płócienną szmatkę.

Chłopiec czuł, że musi coś powiedzieć, żeby nie okazać się niewdzięcznikiem.

– Widziałem ją rano.

– Alaïs? No i jak? Co tam u niej?

– Właściwie nie wiem... ale nie wyglądała na bardzo szczęśliwą.

– Cóż, tak to już w życiu bywa. Raz na wozie, raz pod wozem. Ale wiesz co? W takim razie tym bardziej powinieneś dać jej prezent. Od razu odzyska humor! Alaïs zawsze przychodzi na targ, prawda? Więc jeśli będziesz miał oczy szeroko otwarte, pewnie zaraz ją znajdziesz.

Ucieszył się, że może odejść. Wetknął paczuszkę za pazuchę i grzecznie się pożegnał. Po kilku krokach jeszcze się odwrócił i pomachał ręką. Oboje patrzyli za nim bez słowa.

* * *

Słońce stało wysoko na niebie. Sajhë wędrował po targu, pytając o Alaïs. Jak dotąd, nikt jej nie widział.

W końcu głód zaczął mu dokuczać tak mocno, że postanowił wracać do domu. Akurat wtedy ją dostrzegł – przy straganie z kozimi serami. Podkradł się od tyłu i znienacka objął w pasie.

– *Bonjorn*!

Alaïs obróciła się i na jego widok promiennie uśmiechnęła.

– Sajhë! Aleś mnie zaskoczył!

– Szukałem cię. – Przechylił głowę jak zaciekawiony szczeniak. – Widziałem cię wcześniej i wyglądałaś na nieszczęśliwą.

– Kiedy wcześniej?

– Wracałaś do zamku z ojcem. Zaraz po tym, jak przybył posłaniec.

– Ach, *oc*! Już wiem. Nie przejmuj się, nie stało mi się nic złego. Po prostu miałam za sobą męczący ranek. – Uśmiechnęła się do chłopca ciepło.

– Cieszę się, że cię widzę. – Cmoknęła go w czubek głowy, nie zauważając, że poczerwieniał jak rak. – Pomożesz mi wybrać jakiś dobry ser?

Gładkie krągłe gomuły wyłożono na drewnianych tacach, ustawionych w przemyślny wzór na słomie. Jedne sery, podsuszone, miały żółtawą skórkę i mocniejszy zapach, a więc były starsze, nawet dwutygodniowe. Inne, uformowane później, miękkie i młode, błyszczały od wilgoci. Alaïs wypytała dokładnie o ceny, poradziła się Sajhë i wreszcie kupiła odpowiedni kawałek. Włożyła chłopcu w dłoń monetę, prosząc, by zapłacił sprzedawcy, a sama w tym czasie wyjęła deskę do przeniesienia sera.

Sajhë, dostrzegłszy wzór na drewnie, wytrzeszczył oczy. Skąd on u Alaïs? Ze zdumienia upuścił monetę. Znów poczerwieniał, dał nurka pod blat i nie śpieszył się z wyjściem, choć pieniądz znalazł od razu. Gdy w końcu pojawił się znowu, stwierdził z ulgą, że Alaïs najwyraźniej nie dostrzegła niczego nadzwyczajnego. Wobec tego przestał myśleć o sprawie. Zajął się rzeczą dużo ważniejszą.

– To dla ciebie – powiedział, wciskając jej w ręce niepozorny pakunek.

– Ooo...! Cudownie! Od Esclarmonde?

– Nie. Ode mnie – przyznał odważnie.

– Bardzo mi miło. Mogę otworzyć od razu?

Pokiwał głową z poważną miną. Oczy mu błyszczały.

Alaïs ostrożnie rozwinęła płótno.

– Och, Sajhë! Piękna! – Przyjrzała się włóczce pod słońce. – Prześliczna!

– Nie ukradłem jej – zastrzegł się chłopiec szybko. – *Na* Marti mi dała. Chyba chciała mnie udobruchać. – Pożałował tych słów już w chwili, kiedy je wypowiedział.

– A dlaczego?

Nie usłyszała odpowiedzi, bo nagle rozległy się krzyki. Jakiś człowiek wskazał palcem niebo. Wszyscy podnosili głowy, patrzyli w górę.

Na tle błękitu pokazało się stado czarnych ptaków. Leciały nisko, tuż nad grodem, z zachodu na wschód, w szyku na kształt strzały. Słońce odbijało się od czarnych gładkich piór, sypiąc blaski jak kowadło iskry. Ktoś zawołał, że to omen, z pewnością jakiś znak – i wszyscy mu przyklasnęli, ale nie potrafili się zgodzić, czy dobry czy też zły.

Sajhë nie wierzył w przesądy, ale tym razem przeszły mu ciarki po plecach. Alaïs, też najwyraźniej przejęta, objęła go za ramiona i przyciągnęła do siebie.

– Co się dzieje? – spytał.

– *Res* – odpowiedziała zbyt szybko. – Nic.

Wysoko nad nimi leciały ptaki obojętne na ludzkie losy. Oddalały się coraz bardziej, aż w końcu zmieniły w niewyraźną smugę na niebie.

ROZDZIAŁ 5

Zanim Alaïs rozstała się z chłopcem i wróciła do *château comtal*, dzwony katedry Sant-Nasari obwieszczały już południe.

Była zmęczona, kilka razy potknęła się na schodach, które wydawały jej się wyższe niż zazwyczaj. Pragnęła jedynie położyć się na kilka chwil.

Ze zdumieniem spostrzegła, iż drzwi od komnaty są zamknięte, chociaż w środku powinna się krzątać służba. Zasłony na łóżku zaciągnięto, zamknięto okiennice... W półmroku dostrzegła, że François przyniósł jej *panièr* i postawił na niskim stoliku obok paleniska. Tak jak prosiła.

Położyła deskę z serem na nocnej szafce i poszła otworzyć okiennice. Powinny zostać otwarte już dawno, w południe trudno wywietrzyć komnatę. Wnętrze zalał słoneczny blask, wydobył na światło dzienne kurz na meblach i smugi rzadszej przędzy w baldachimie, w miejscach, gdzie tkanina zaczęła się przecierać.

Alaïs podeszła do łóżka, odciągnęła zasłony.

Zdumiała się po raz wtóry, ponieważ ujrzała w pościeli Guilhema, który spał głębokim snem sprawiedliwego, tak samo jak przed świtem. Aż wstrzymała oddech. Wyglądał... cudownie. Nawet Oriane, która rzadko kiedy miała cokolwiek dobrego do powiedzenia o kimkolwiek, przyznawała, iż mąż jej siostry jest jednym z najprzystojniejszych *chevaliers* wicehrabiego Trencavela.

Usiadła na łóżku i przeciągnęła palcami po złotej skórze ukochanego. Wiedziona nagłym impulsem, z niewiadomego źródła czerpiąc odwagę, wcisnęła palec w miękki kozi ser i rozsmarowała smakołyk na ustach męża. Guilhem mruknął coś i poruszył się niemrawo. Nawet nie otworzył oczu, ale uśmiechnął się i wyciągnął przed siebie rękę.

Alaïs z zapartym tchem pozwoliła się przygarnąć. Powietrze iskrzyło od obietnic.

Nagle w korytarzu zadudniły ciężkie kroki.

– Guilhemie! – huknął znajomy głos, pełen gniewu.

Alaïs odskoczyła od męża, przerażona, iż ojciec mógłby stać się świadkiem intymnej sceny. Guilhem otworzył szeroko oczy, w tym samym momencie, w którym drzwi, pchnięte z ogromną siłą, wyrżnęły o ścianę. Do komnaty wkroczył Pelletier, tuż za nim wsunął się François.

– Jesteś spóźniony, du Mas! – zagrzmiał intendent wicehrabiego.

Chwycił płaszcz przewieszony przez oparcie krzesła i rzucił zięciowi. – Wstawaj. Wszyscy już czekają w sali narad.

Guilhem usiadł niezdarnie.

– W wielkiej sali?

– Wicehrabia Trencavel wzywa swoich *chevaliers*, a ty leżysz w łóżku. Czy ciebie rozkazy nie dotyczą? – Stanął nad Guilhemem. – Co masz na swoje usprawiedliwienie?! – Pelletier nagle dostrzegł córkę stojącą w nogach łoża. – Wybacz mi, *filha*. Nie zauważyłem cię. Lepiej się czujesz?

Skłoniła głowę.

– Dziękuję, *messire*. Czuję się zupełnie dobrze.

– Jak to: lepiej? – zdziwił się Guilhem. – Chorowałaś? Co się stało?

– Wstawaj! – krzyknął Pelletier. – Masz być w wielkiej sali, zanim ja tam dotrę! – Obrócił się na pięcie i opuścił komnatę. Towarzyszył mu wierny sługa.

W strasznej ciszy, jaka zapadła po jego wyjściu, Alaïs stała jak słup soli, znieruchomiała ze wstydu. Nie wiedziała jedynie, czy wstydzi się za siebie, czy za swojego małżonka.

– Jak on śmie tak wpadać do cudzej komnaty?! – wybuchnął Guilhem. – Za kogo on się uważa? – Ze złością zrzucił okrycia na podłogę, zerwał się z łóżka. – Obowiązek wzywa! – wykrzywił się ironicznie. – A wielki pan Pelletier nie może zaczekać ani chwili!

Alaïs miała przykre wrażenie, że cokolwiek powie, jedynie pogorszy sytuację. Pragnęła opowiedzieć mężowi o wydarzeniach nad rzeką. Może by oderwała w ten sposób jego myśli od przykrej sceny? Nie mogła jednak skorzystać z tego wyjścia. Obiecała ojcu zachować milczenie.

Guilhem już się ubierał, zwrócony do niej plecami. Był wyraźnie zdenerwowany. Narzucił tunikę, zapiął pas.

– Może są jakieś wieści... – odezwała się Alaïs.

– To go nie usprawiedliwia! – warknął rycerz. – O niczym nie wiedziałem.

– No tak... – zająknęła się Alaïs.

Co powinna powiedzieć?

Podała mężowi płaszcz.

– Długo cię nie będzie? – spytała cicho.

– Skąd mam wiedzieć? Przecież nawet nie mam pojęcia, dlaczego mnie wzywają na radę! – Nagle cały gniew z niego uleciał. – Wybacz mi. Nie jesteś winna zachowania ojca. – Pogładził ją po policzku. – Pomóż mi z tym płaszczem. – Pochylił się, ale i tak musiała stanąć na palcach, by sięgnąć do srebrno-miedzianej broszy na jego ramieniu. – *Mercé, mon còr.* – Stanął prosto. – No dobrze. Czas się dowiedzieć, o co ten raban.

– Gdy wracaliśmy rano do grodu, przybył jakiś posłaniec – powiedziała Alaïs, nie zastanawiając się nad własnymi słowami. Nie zdążyła ugryźć się w język.

Fatalnie. Teraz Guilhem z pewnością zapyta, dokąd to się wybrała z samego rana, w dodatku w towarzystwie ojca.

Nie, jednak nie. Zajęty był wyciąganiem miecza spod łóżka i nie zwrócił uwagi na jej słowa. Z przeraźliwym zgrzytem wsunął ostrze do pochwy. Ten dźwięk zawsze, dobitniej niż jakiekolwiek inne oznaki, świadczył o jego przejściu ze świata Alaïs do świata mężczyzn.

Obrócił się energicznie i ruszył do drzwi. Brzegiem płaszcza zawadził o deskę z serem. Runęła na kamienną posadzkę.

– Nic nie szkodzi – odezwała się Alaïs szybko. Byle tylko się nie spóźnił. – Służba posprząta. Idź już, idź. Wróć jak najszybciej.

Guilhem uśmiechnął się i zniknął.

* * *

Kroki męża ucichły w korytarzu. Alaïs objęła spojrzeniem bryłowate kawałki sera poprzyklejane do słomy wyściełającej podłogę. Z westchnieniem schyliła się po deskę.

Leżała bokiem, oparta o nogę łóżka. Alaïs wyczuła dłonią jakiś wzór od spodu. Odwróciła deskę i na ciemnej, gładkiej powierzchni ujrzała wyrzeźbiony labirynt.

– *Meravelhòs* – szepnęła. Piękny.

Zauroczona pogładziła doskonałe kręgi. Osoba, która wycięła wzór, włożyła w swoją pracę wiele serca.

Alaïs znała skądś ten symbol, nie potrafiła jednak odnaleźć w pamięci żadnej wskazówki. Nie pamiętała nawet, skąd się u niej wziął ten kawałek drewna.

W końcu dała spokój próżnym rozmyślaniom i wezwała służącą, Severine. Dziewczyna zajęła się sprzątaniem, a Alaïs, by oderwać myśli od posłańca i rady – roślinami zebranymi rano nad rzeką. Już i tak zbyt długo czekały na jej uwagę. Płótna wyschły, więc korzenie stały się łamliwe, a liście straciły prawie całą wilgoć. Postanowiwszy uratować, co się da, spryskała *panièr* wodą i zabrała się do pracy. Mełła korzenie, zaszywała pachnące kwiaty w saszetki, przygotowywała lekarstwo dla Jacques'a, a jej spojrzenie ciągle wędrowało ku desce na sery leżącej przed nią na stole. Uparty kawałek drewna nie chciał zdradzić swojej tajemnicy.

* * *

Guilhem biegiem przeciął dziedziniec, przeklinając pod nosem krępujący ruchy płaszcz i pechowy zbieg okoliczności.

Chevaliers nieczęsto byli wzywani na radę. Na dodatek fakt, że mieli radzić w wielkiej sali, nie w *donjon,* sugerował, iż sprawa była wyjątkowo poważna.

Czy rzeczywiście Pelletier przysłał po niego sługę? Trudno powiedzieć. Może François przyszedł z rozkazem – i nikogo nie zastał? Co na to Pelletier w takim razie?

Wszystko jedno. Tak czy inaczej – siedział w bagnie po uszy.

Ciężkie drzwi prowadzące do wielkiej sali stały otworem. Guilhem wbiegł po schodach, pokonując po dwa stopnie naraz. Gdy wzrok mu przywykł do półmroku panującego w korytarzu, ujrzał charakterystyczną postać swojego teścia. Wziął głęboki oddech i spuścił głowę, ale nie zwolnił.

Pelletier zagrodził mu drogę wyciągniętym ramieniem.

– Dlaczego nie byłeś gotów na czas? – spytał cicho, mrużąc oczy.

– Wybacz mi, *messire*. Nie otrzymałem polecenia...

Pelletier poczerwieniał.

– Jak śmiesz?! – wycedził zimno. – Uważasz, że ciebie rozkazy nie dotyczą? Takim jesteś wielkim *chevalier*, że sam decydujesz, kiedy się stawisz przed swoim panem?

– *Messire*, przysięgam na honor, gdybym tylko wiedział...

– Twój honor! – Pelletier zaśmiał się ironicznie. Pchnął Guilhema otwartą dłonią w klatkę piersiową. – Nie rób z siebie błazna, du Mas. Posłałem do ciebie sługę. A potem musiałem przyjść sam. I zastałem cię w łóżku!

Guilhem otworzył usta i zaraz je zamknął.

– O! Gdzie to się teraz podziała twoja buta?! – zagrzmiał Pelletier. – Zapomniałeś języka w gębie? Ostrzegam cię, du Mas, nie będę się oglądał na to, żeś się ożenił z moją córką.

– *Sire*, ja...

Intendent uderzył Guilhema pięścią w brzuch. Nie był to mocny cios, ale zaskoczony rycerz zatoczył się na ścianę. Wtedy Bertrand Pelletier chwycił go za szyję i przycisnął do muru.

Du Mas kątem oka spostrzegł, jak *sirjan* stojący w drzwiach wielkiej sali z zaciekawieniem wyciąga szyję.

– Rozumiemy się? – wysyczał mu w twarz Pelletier. Ścisnął mocniej. – Nie słyszę cię, *gojat*.

– *Oc, messire* – zdołał wykrztusić Guilhem. Czuł, że robi się purpurowy. Krew tętniła mu w uszach.

– Ostrzegam cię, du Mas. Mam na ciebie oko. I czekam. Wystarczy jeden fałszywy krok, a dopilnuję, byś gorzko pożałował, że się urodziłeś. Rozumiemy się?

Guilhem się dusił. Cudem jakimś udało mu się kiwnąć głową, szorując policzkiem po kamieniu.

Pelletier ostatni raz przycisnął go do muru, aż żebra zatrzeszczały – i puścił. Nie poszedł do wielkiej sali. Jak burza ruszył w przeciwną stronę, na dziedziniec.

Du Mas złożył się wpół, kaszląc, rozcierał gardło. Chwytał powietrze szeroko otwartymi ustami, jak niedoszły topielec. W końcu otarł krew z wargi. Starannie poprawił ubranie. Już miał tysiąc pomysłów, jak się Pelletierowi odwdzięczyć za poniżenie. Dwa razy w ciągu jednego dnia! Takiej zniewagi nie wolno puścić płazem.

Szmer głosów dobiegających z sali narad uświadomił mu, że powinien się przyłączyć do obecnych, zanim wróci intendent wicehrabiego.

Strażnik nie ukrywał wesołości.

– Co cię tak bawi? – naskoczył na niego Guilhem. – Lepiej trzymaj język za zębami, bo pożałujesz.

Nie była to próżna groźba. Wartownik natychmiast odwrócił spojrzenie i odstąpił na bok.

– Tak lepiej – uznał Guilhem łaskawie.

Groźby Pelletiera nadal brzmiały mu w uszach. Wślizgnął się do sali możliwie najdyskretniej. Już tylko zaczerwieniona twarz i przyśpieszone bicie serca zdradzały, że cokolwiek się stało.

ROZDZIAŁ 6

Wicehrabia Raymond Roger Trencavel stał na podwyższeniu. Od razu zauważył wkradającego się do sali du Masa, lecz nie na niego czekał, tylko na Pelletiera.

Miał na sobie strój dyplomaty, a nie wojownika. Czerwoną tunikę z długimi rękawami sięgającą kolan, przybraną złotymi zdobieniami wokół szyi i mankietów. Niebieski płaszcz przytrzymywała duża złota klamra. Połyskiwały na niej promienie słońca, wpadające przez strzeliste okna na zachodniej ścianie, wysoko pod sufitem. Nad głową miał wielką tarczę z herbem Trencavelów, tuż pod godłem wisiały dwie ukośnie skrzyżowane lance. Ten sam symbol widniał na sztandarach, uroczystych szatach i uzbrojeniu. Wisiał też nad kratą głównej bramy, Porte Narbonnaise – witając przyjaciół i przypominając im o historycznych więziach pomiędzy rodem Trencavelów oraz jego wasalami. Po lewej stronie tarczy od pokoleń wisiał kobierzec przedstawiający tańczącego jednorożca.

Z boku podwyższenia mieściły się, wbite głęboko w gruby mur, niepozorne drzwi prowadzące do prywatnych komnat wicehrabiego, mieszczących się w Tour Pinte, wieży należącej do najstarszej części *château comtal*. Zakryte były one długimi niebieskimi kotarami haftowanymi w takie same jak na godle trzy rzędy gronostajów. Zasłony chroniły w pewnym stopniu przed niemiłymi przeciągami hulającymi po wielkiej sali, zwłaszcza w zimie. Dziś zostały odsunięte na bok, podtrzymane pojedynczym złotym sznurem.

Raymond Roger Trencavel spędził w tych murach swoje lata dziecięce, po czym odebrawszy stosowne nauki poza granicami Carcassony, powrócił wraz z żoną Agnès de Montpelhièr oraz dwuletnim synem i dziedzicem. Modlił się w tej samej kaplicy co jego rodzice, spał w dębowym łożu, w którym przyszedł na świat. A w letnie dni, takie jak dziś, przez łukowate okna patrzył, jak zachód słońca powleka czerwienią niebo nad Okcytanią.

Z daleka wydawał się emanować niezmąconym spokojem. Jasnobrązowe, gładko zaczesane włosy swobodnie opadały mu na ramiona, ręce założył za plecami. Z bliska jednak można było dostrzec na twarzy władcy niepokój. Jego wzrok stale zwracał się ku głównemu wejściu.

* * *

Pelletier zgrzał się z pośpiechu, koszula przylepiła mu się do pleców. Czuł się stary, stanowczo za stary na wypełnienie czekającego nań zadania. Miał nadzieję, iż świeże powietrze rozjaśni mu w głowie, ale nadzieja ta okazała się próżna. Wciąż był na siebie wściekły za scenę urządzoną zięciowi. Powinien był się opanować i przyłożyć do własnych obowiązków. Nawet nie może sobie pozwolić na luksus roztrząsania tego zajścia. Policzy się z du Masem później, jeśli będzie trzeba. A teraz jego miejsce było u boku wicehrabiego.

Myślał także o Simeonie. Nadal czuł zimny strach, który chwycił go za gardło, gdy odwracał ciało topielca. I ulgę na widok napuchniętej twarzy obcego człowieka.

W sali narad panowała duchota. I nic dziwnego, gdyż zgromadziła się w niej ponad setka mężczyzn, sług Kościoła, rycerzy i mężów stanu. Słychać było stłumiony gwar rozmów, przyciszone głosy zaniepokojonych ludzi.

Służący przy drzwiach skłonili się na widok Pelletiera, któryś natychmiast skoczył po wino. Na wprost wejścia, po przeciwnej stronie wielkiej sali, stał rząd ciemnych krzeseł o wysokich oparciach, podobnych do tych, które zdobiły chór w katedrze Sant-Nasari. Na nich zasiadła arystokracja Południa: *seigneurs* Mirepoix i Fanjeaux, Coursan oraz Termenès, Mazamet i Albi. Wszyscy oni zostali zaproszeni do Carcassony z okazji święta Sant-Nasari, a w efekcie zamiast się bawić, mieli zasiadać w radzie. Nic dziwnego, iż na ich twarzach malowało się napięcie.

Pelletier szedł między grupami mężczyzn, konsulami z Carcassony, rycerstwem i najważniejszymi mieszkańcami grodu oraz podgrodzi: Sant-Vicens i Sant-Miquel. Doświadczenie pozwalało mu dostrzec każdy istotny szczegół. W mroku pod północną ścianą skryli się słudzy Kościoła oraz kilku mnichów o twarzach przesłoniętych czarnymi kapturami i dłoniach ukrytych w szerokich rękawach.

Chevaliers z Carcassony, między nimi Guilhem du Mas, zebrali się po drugiej stronie sali, przed wielkim kamiennym paleniskiem sięgającym od podłogi do sufitu. Przy wysokim biurku, niedaleko wicehrabiego, siedział *escrivan* Jehan Congost, jego pisarz oraz mąż starszej córki Pelletiera, Oriane.

Intendent zatrzymał się przed podwyższeniem i z szacunkiem złożył ukłon.

Wicehrabia Trencavel nieznacznie odetchnął z ulgą.

– Wybacz mi, *messire*.

– Nic nie szkodzi, Bertrandzie. – Gestem zaprosił go, by zajął miejsce u jego boku. – Ważne, że jesteś.

Przyciszonym głosem wymienili kilka zdań. Potem, na znak Trencavela, Pelletier wystąpił o krok.

– Panowie! – zagrzmiał. – Proszę was o ciszę, przemówi wasz *seigneur*, Raymond Roger Trencavel, wicehrabia Carcassony, Besièrs i Albi.

Wtedy wystąpił Trencavel. Rozłożył szeroko ramiona, witając obecnych. W sali narad zapadła cisza. Nikt się nawet nie poruszył.

– *Benvenguda*, panowie, moi wierni przyjaciele – odezwał się wicehrabia. Głos miał mocny jak dzwon, dźwięczny i pewny. – *Benvenguda a Carcassona*. Dziękuję wam za przybycie i za cierpliwość. Jestem wam głęboko wdzięczny.

Pelletier objął wprawnym spojrzeniem morze twarzy, oceniając nastroje panujące w tłumie. Widział ciekawość, podniecenie, zaintrygowanie i niepewność. Rozumiał każde z tych uczuć. Póki ludzie nie dowiedzą się, dlaczego zostali wezwani i – co ważniejsze – czego wicehrabia Trencavel od nich oczekuje, będą pełni wątpliwości.

– Żywię głęboką nadzieję – ciągnął Trencavel – że turniej i wszelkie świąteczne przyjęcia odbędą się pod koniec tego miesiąca, zgodnie z planem. Dziś jednak doszły nas wieści tak ważne, iż uznałem za słuszne podzielić się nimi z wami wszystkimi, ponieważ nas wszystkich dotyczą. Dla dobra tych, którzy nie brali udziału w naszej ostatniej radzie przypomnę, jak wygląda sytuacja. Otóż jego świątobliwość, papież Innocenty III, rozczarowany działaniami swoich wysłanników i kaznodziejów, którzy mieli za zadanie nawrócić mieszkańców naszych ziem na wiarę Kościoła rzymskiego, wiosną zeszłego roku zarządził krucjatę, mającą uwolnić chrześcijaństwo od herezji szerzącej się w Okcytanii. Takie były jego słowa. Owi heretycy, *bons homes*, są, jego zdaniem, gorsi nawet niż Saraceni. Tymczasem jego nawoływania, choć żarliwe i pełne pasji, nie znalazły posłuchu. Król Francji pozostał niewzruszony. Wsparcie nadciągało powoli i okazało się nieskuteczne. Za cel ataków obrano Raymonda VI, brata mojej matki, hrabiego Tolosy. Bezpośrednią przyczyną takiego stanu rzeczy było nieumiarkowane postępowanie jego ludzi, którym zarzucono zamordowanie legata papieskiego, Piotra z Castelnau. Z tego właśnie powodu jego świątobliwość zwrócił uwagę na Okcytanię. Brat mojej matki został oskarżony o tolerowanie herezji na swoich ziemiach... między którymi znajdują się i nasze. – Trencavel zastanowił się chwilę. – Został oskarżony nie tyle o tolerowanie herezji – poprawił się – ile o zachęcanie *bons homes* do osiedlania się w jego włościach.

Jakiś ascetycznie wyglądający mnich, stojący na przedzie, podniósł rękę, sygnalizując, że chce zabrać głos.

– Święty bracie – odezwał się Trencavel szybko – bardzo cię proszę o jeszcze chwilę cierpliwości. Gdy powiem wszystko, co powiedzieć muszę, każdy zyska okazję do wyrażenia zdania. Rozpocznie się debata.

Nachmurzony mnich opuścił rękę.

– Granica pomiędzy tolerowaniem a zachęcaniem jest, jak wszyscy wiemy, bardzo cienka – podjął Trencavel spokojnie. Pelletier z uznaniem kiwnął głową. – Dlatego też, choć brat mojej matki mógłby się cieszyć lepszą reputacją w kwestiach pobożności... – zrobił pauzę, by słuchający dopowiedzieli sobie w duchu krytyczne słowa – i choć przyznaję, że jego postępowanie trudno uchronić przed krytyką, nie do nas należy rozpatrywanie sedna sprawy. – Uśmiechnął się do zebranych. – Niech się duchowni spierają o sprawy nieba, a nam pozwolą żyć na ziemi. – Przerwał, na jego twarzy pojawił się cień, z głosu zniknęły wszelkie ślady wesołości. – Suwerenność i niepodległość naszych ziem już nieraz stawała wobec zagrożenia nadciągającego z Północy. Mimo wszystko byłem przekonany, iż tym razem nie ma prawdziwego niebezpieczeństwa, nie wierzyłem, by mogło dojść do rozlewu chrześcijańskiej krwi w chrześcijańskich krainach z błogosławieństwem Kościoła katolickiego. Brat mojej matki, hrabia Tolosy, nie podzielał mojego optymizmu. Od samego początku żywił przekonanie, iż zagrożenie inwazją jest całkowicie realne. Dbając o ochronę swoich ziem, o ich niepodległość, zaproponował nam przymierze. Pamiętacie z pewnością, co mu wtedy odrzekłem: my, mieszkańcy Pays d'Oc, żyjemy w zgodzie z sąsiadami, czy to są *bons homes*, Żydzi czy nawet Saraceni. Dopóki przestrzegają naszych praw, szanują nasz sposób życia i tradycję, należą do naszego ludu. Tak wtedy odpowiedziałem wujowi. – Zrobił pauzę. – I tak samo odpowiedziałbym dzisiaj.

Pelletier w pełni aprobował te słowa. Z zadowoleniem patrzył na falę potakujących głów, sięgającą nawet biskupów i księży. Tylko ten samotny mnich, sądząc po kolorze habitu dominikanin, pozostał niewzruszony.

– Mamy całkowicie różne pojęcie o tolerancji – mruknął z silnym hiszpańskim akcentem.

– *Messire* – odezwał się mocny głos z głębi sali – wybacz mi śmiałość, ale przecież mówisz o sprawach, które wszyscy znamy. Powiedz, co się stało nowego? Dlaczego zostaliśmy wezwani na radę?

Pelletier rozpoznał jednego z pięciu synów Bérengera de Massabraca. Butnego i najbardziej nieokrzesanego. Byłby mu odpowiedział w ostrym tonie, gdyby wicehrabia nie powstrzymał go, kładąc uspokajająco rękę na jego ramieniu.

– Thierry de Massabrac – odezwał się Trencavel zwodniczo dobrotliwym tonem – jesteśmy ci ogromnie wdzięczni za zadanie pytania. Zwłaszcza ci, którzy są w mniejszym stopniu niż ty obyci ze skomplikowanymi obyczajami dyplomacji.

Kilku mężczyzn zaśmiało się głośno, Thierry poczerwieniał.

– Masz prawo pytać – ciągnął wicehrabia. – Wezwałem was dzisiaj na radę, gdyż sytuacja uległa zmianie. – Nikt się nie odezwał, napięcie rosło. Wicehrabia nie dał jednak po sobie poznać, że zauważył tę zmianę. Mówił dalej z taką samą swadą. – Dziś rano dotarły do nas wieści, iż zagrożenie z Północy jest zarówno większe, jak i bliższe, niż się uprzednio spodziewaliśmy. *L'Ost*, a więc armia poddańcza – jak chcą się nazywać te bezbożne zastępy, zgromadziła się w dniu świętego Jana Chrzciciela w Lyonie. Przypuszczamy, iż do miasta zjechało dwadzieścia tysięcy *chevaliers*, a wraz z nimi idące w dziesiątki tysięcy rzesze kapłanów, stajennych, cieśli, kleryków i kowali. Armia Północy wyruszyła z Lyonu pod wodzą białego wilka, Arnalda Amalrica, opata Cîteaux. – Przerwał, potoczył wzrokiem po zgromadzonych. – Wiem, że to imię budzi najgorsze uczucia w niejednym sercu. – Starsi mężowie stanu przytaknęli ze smutkiem. – Są z nim katoliccy arcybiskupi z Reims, Sens i Rouen oraz biskupi z Autun, Clermont, Nevers, Bayeux, Chartres i Lisieux. Choć król Francji, Filip, nie wezwał rycerzy, nie dał też takiego prawa swojemu synowi, jednak wielu najpotężniejszych baronów i książąt Północy chwyciło za broń. Congost, bardzo proszę.

Escrivan, słysząc swoje nazwisko, teatralnym gestem odłożył gęsie pióro. Rzadkie włosy spadły mu na twarz. Ciało miał białe, skórę gąbczastą, nieomal przezroczystą, jak to u człowieka, który niewiele czasu spędza na świeżym powietrzu. Z wielką powagą sięgnął do skórzanej torby i wydobył z niej zwój pergaminu, który zdawał się mieć własną wolę, przeciwną tej, jaką wyrażały zwilżone potem dłonie pisarza.

– Prędzej, człowieku! – mruknął Pelletier przez zęby.

Congost wypiął zapadniętą klatkę piersiową, odchrząknął kilkakroć i wreszcie zaczął czytać.

– Eudes, książę Burgundii, Hervé, hrabia Nevers, hrabia Saint-Pol, hrabia Auvergne, Pierre d'Auxerre, Hervé de Genève, Guy d'Evreux, Gaucher de Châtillon, Szymon de Montfort... – Głos miał piskliwy i pozbawiony emocji, lecz mimo to każde nazwisko zdawało się budzić między ścianami sali potężne echo. Ludzie ci byli groźnymi przeciwnikami. Wpływowi baronowie Wschodu i Północy mieli pieniądze, ludzi oraz solidne zaplecze. Nie sposób było ich lekceważyć.

W miarę jak padały kolejne słowa, armia ciągnąca na Południe nabierała kształtu. Nawet Pelletierowi, który wcześniej sam czytał listę, przeszły ciarki po plecach. W sali zaczął narastać szmer, zebrani coraz głośniej wyrażali zdumienie, niedowierzanie, gniew. Intendent wzrokiem wyłowił z tłumu katarskiego biskupa Carcassony. Dostojnik słuchał uważnie, twarz miał pozbawioną wyrazu. Otaczało go kilku katarów, zwanych *parfaits**. Po przeciwnej stronie sali wyróżniały się spośród tłumu postacie Bérengera de Rochefort, katolickiego biskupa Carcassony, stojącego z założonymi na piersiach rękami, oraz księży z katedry Sant-Nasari i z Sant-Cernin. Pelletier zakładał, że Rochefort dochowa tym razem wierności wicehrabiemu Trencavelowi, a nie papieżowi. Jak długo jednak potrwa ten stan? Nie sposób ufać człowiekowi służącemu dwóm panom. W końcu zwróci się on przeciwko arystokracie, to pewne jak wędrówka słońca po niebie. Może lepiej byłoby teraz podziękować za obecność ludziom Kościoła, by nie usłyszeli niczego, co musieliby donieść swoim zwierzchnikom?

– Damy im radę, choć jest ich wielu! – rozległ się okrzyk z tłumu. – Carcassona jest niepokonana!

– Lastours także! – odezwał się inny głos.

---

* Katarzy dzielili się na *parfaits* (doskonałych) i *credentes* (wierzących). „Doskonali" odrzucali małżeństwo, utrzymywali się wyłącznie z jałmużny, przyjmowali tzw. sakrament pociechy (*consolamentum*). „Wierzący" przyjmowali *consolamentum* na łożu śmierci.

Przyłączyły się do nich kolejne i wkrótce powędrowały echem przez wielką salę niczym grzmot po wąwozach i dolinach Montagne Noire.

– Niech spróbują wejść w góry! – zagroził ktoś z mocą. – Pokażemy im, jak się walczy.

Raymond Roger uniesieniem dłoni podziękował za wsparcie.

– Panowie, przyjaciele moi – odezwał się głośno. – Podziwiam waszą odwagę, dziękuję wam za lojalność. – Przerwał, poczekał na ciszę. – Baronowie Północy nie są z nami sprzymierzeni, nas także nie wiąże z nimi żaden sojusz poza tym, który łączy wszystkich ludzi na tym bożym świecie. Nie sposób jednak było się spodziewać zdrady po tym, który zarówno ze względu na więzi pokrewieństwa, jak i obowiązki wynikające z jego urodzenia i pozycji, miał za zadanie chronić nasze ziemie i lud. Mówię o moim wuju, seniorze lennym, Raymondzie, hrabim Tolosy.

Zapadła martwa cisza.

– Kilka tygodni temu dotarły do mnie wieści, że brat mojej matki poddał się rytuałowi tak poniżającemu, iż wstyd mnie ogarnia na samą myśl o tym wydarzeniu. Zażądałem sprawdzenia tych nowin. Okazały się prawdziwe. Otóż w wielkiej katedrze Sant-Gilles, w obecności legata papieskiego, hrabia Tolosy ponowił przysięgę na wierność Kościołowi katolickiemu. Obnażony do pasa, ze sznurem pokutnym na szyi korzył się, na kolanach błagając o wybaczenie, chłostany przez księży. – Zamilkł, by zebrani pojęli cały sens jego słów. – Przez to hańbiące upodlenie stanął w szeregach obrońców jedynego prawdziwego Kościoła. – W sali rozległ się pomruk wyrażający pogardę. – To jednak nie wszystko, przyjacielu. Nie wątpię, iż ten nikczemny ceremoniał miał na celu udowodnienie siły jego wiary oraz sprzeciwu wobec herezji. Tymczasem jednak najwyraźniej nie okazał się wystarczający, by zapobiec nadciągającemu niebezpieczeństwu. Brat mojej matki oddał władzę nad swoimi włościami legatom jego świątobliwości papieża. Dzisiaj dowiedziałem się... – przerwał. – Dzisiaj dowiedziałem się – podjął z mocą – że Raymond, hrabia Tolosy, jest niecały tydzień drogi stąd, w Valence, z kilkoma setkami swoich ludzi. Czeka na rozkaz, by w Beaucaire poprowadzić najeźdźców z Północy przez rzekę na nasze ziemie. – Umilkł znowu. – Przyjął znak krzyżowców. Panowie, jest gotów nas zaatakować.

Sala wybuchła okrzykami gniewu.

– *Silenci*! – krzyknął Pelletier. – Cisza! – wołał. – Proszę o ciszę! – Na próżno. Nawet on nie zdołał opanować chaosu. Przegrywał tę nierówną walkę, jego żądania ginęły w zalewie oburzonych głosów.

Wicehrabia wystąpił do przodu. Znalazł się dokładnie pod herbem Trencavelów. Twarz miał zaczerwienioną, w oczach ogień. Rozłożył szeroko ramiona, jakby chciał objąć wielką salę i wszystkich obecnych. Tym gestem uciszył zebranych.

– Dlatego staję przed wami, moi przyjaciele i sojusznicy i w pradawnym duchu honoru i zjednoczenia, który łączy nas z naszymi braćmi, prosząc was o radę. My, mieszkańcy Południa, mamy tylko dwa wyjścia i niewiele czasu do namysłu. *Per Carcassona! Per lo Miègjorn.* – Dla dobra Carcassony i ziem Południa. – Czy mamy się poddać? Czy też powinniśmy walczyć? – Gdy usiadł, zmęczony przemową, w sali zapanował hałas i zamieszanie.

Pelletier nie zdołał się powstrzymać. Pochylił się i położył dłoń na ramieniu młodego człowieka.

– Świetna mowa, *messire* – powiedział cicho. – Doskonała.

ROZDZIAŁ 7

Mijała godzina za godziną, a debata trwała.

Służba nosiła kosze pełne chleba i winogron, półmiski z mięsem oraz białym serem, bez końca napełniała dzbany winem. Zebrani jedli z umiarem, lecz trunku sobie nie żałowali, więc gniew się w nich rozpalał, a rozsądek przemawiał coraz cichszym głosem.

Poza murami *château comtal* życie toczyło się swoją koleją. Dzwony kościelne wzywały na modlitwę, mnisi i zakonnice, otuleni kokonem katedry Sant-Nasari śpiewali i zanosili modły. Na ulicach Carcassony mieszczanie zajmowali się swoimi sprawami, w podgrodziach ulice rozbrzmiewały śmiechem bawiących się dzieci, poza murami miasta kobiety krzątały się jak co dzień. Kupcy, wieśniacy, członkowie gildii jedli, pracowali, rozmawiali, grali w kości.

W sali narad zamiast rzeczowych argumentów coraz częściej słychać było kłótnie, wyzwiska i obelgi. Jedni chcieli stawiać opór za wszelką cenę, inni woleli się układać, zawierać sojusz z hrabią Tolosy, przekonani, iż nawet połączone siły wszystkich zebranych w wielkiej sali nie wystarczą do pokonania potężnego przeciwnika, jeśli zebrał on w Lyonie armię tak wielką, jak powiadano.

Wszyscy wiedzieli, że nadciąga wojna. Jedni widzieli ją w barwach glorii i chwały, na polu walki słyszeli brzęk stali uderzającej o stal. Drudzy dostrzegali wzgórza i doliny spływające krwią, rzesze wywłaszczonych i rannych, błąkających się na ziemiach trawionych pożogą.

Pelletier krążył po sali, wypatrywał oznak opozycji czy sprzeciwu wobec autorytetu wicehrabiego. Nie znajdował jednak powodów do zmartwień. Zyskał natomiast przekonanie, iż *seigneur* zdołał wzmocnić lojalność swoich ludzi do tego stopnia, iż niezależnie od ostatecznej decyzji wszyscy panowie Pays d'Oc pójdą za nim ramię w ramię.

Linia niezgody zarysowywała się raczej w zależności od geografii niż ideologii. Posiadacze ziem leżących na otwartych równinach skłonni byli większą ufność pokładać w sile rokowań. Właściciele górskich twierdz rozmieszczonych u podnóża Montagne Noire, w paśmie Sabarthès oraz w Pirenejach, woleli przeciwstawić się wrogiej armii i walczyć.

Pelletier doskonale zdawał sobie sprawę, że z nimi właśnie był sercem Trencavel, ponieważ wicehrabia został ulepiony z tej samej gliny, co arystokraci z gór, płonął w nim ten sam niepokorny duch niepodległości. Wiedział jednak także, iż rozum podsuwa władcy przykrą prawdę: jedynie przełknięcie dumy i rozpoczęcie negocjacji dawało szansę na ochronę ziem i ludu.

* * *

Późnym popołudniem zebranych ogarnęło zmęczenie, gorące kłótnie zaczęły przycichać. Pelletier był znużony. Miał dość wytężania uwagi, prowadzących donikąd wzniosłych ogólników, nadstawiania ucha i pustych frazesów. Rozbolała go głowa. Był zesztywniały i czuł się stary. Obracał pierścień, który zawsze nosił na kciuku, aż stwardniała skóra pod obrączką poczerwieniała.

Nadszedł czas na podjęcie decyzji.

Gdy służący przyniósł mu wodę, zmoczył w niej kawałek płótna i podał wicehrabiemu.

– Proszę, *messire*.

Trencavel z wdzięcznością ujął wilgotną szmatkę, przetarł nią czoło i kark.

– Jak sądzisz, czy obradują dość długo? – spytał.

– Moim zdaniem tak, *messire*.

Wicehrabia przez cały czas siedział w swobodnej pozie, z rękami wspartymi na podłokietnikach, wyglądał na równie spokojnego jak w chwili, gdy skierował do rady pierwsze słowa. Wielu starszych, bardziej doświadczonych mężów miałoby kłopoty z zachowaniem zimnej krwi podczas takiego spotkania. Jemu jednak siła charakteru dawała odwagę niezbędną do wytrwania.

– Czy nasze ustalenia są aktualne, *messire*?

– Tak – potwierdził Trencavel stanowczo. – Choć nie wszyscy są jednej myśli, sądzę, iż mniejszość podporządkuje się w tych kwestiach woli większości... – Zamilkł. A kiedy się odezwał ponownie, po raz pierwszy jego słowa zabarwiły niezdecydowanie i żal. – Bertrandzie, chciałbym znaleźć inne wyjście.

– Wiem, *messire*. Ja także wolałbym postąpić inaczej. Nie mamy jednak wyboru. Musimy zapomnieć o dumie i honorze. Naszą jedyną szansą na ochronę ziem i ludu jest negocjowanie rozejmu.

– Być może brat mojej matki w ogóle nie zechce mnie przyjąć – rzekł Trencavel cicho. – Ostatnim razem usłyszał ode mnie słowa, które nie powinny były paść między nami. Rozstaliśmy się w gniewie.

Pelletier położył dłoń na ramieniu władcy.

– Musimy podjąć to ryzyko. – Sam żywił podobne obawy. – Minęło od tamtej pory nieco czasu... A rzeczywistość nie daje nam wyboru. Jeśli armia Północy jest tak wielka, jak mówią... a nawet jeśli jest o połowę mniejsza, nie mamy innego wyjścia. My w grodzie będziemy bezpieczni, ale kto obroni lud żyjący poza murami? Skoro hrabia przyjął znak krzyża, zostawił nas... ciebie, *messire*, jako jedyny cel dla wrażych sił. Armia musi mieć jakiegoś wroga. – Pelletier widział na twarzy Raymonda Rogera żal i smutek. Bardzo chciał go pocieszyć, powiedzieć coś, co by go podniosło na duchu, ale nie wiedział co. Musieli wybrać odpowiednie wyjście. Nie wolno im było okazać słabości ani zwątpienia. Od decyzji wicehrabiego zależało więcej, niż on sam podejrzewał. – Uczyniłeś wszystko, co leżało w twojej mocy, *messire*. Musisz trwać przy swoim. Doprowadzić sprawy do końca. Ludzie zaczynają się niecierpliwić.

Trencavel spojrzał na herb wiszący nad jego głową, potem wrócił wzrokiem do Pelletiera. Długą chwilę bez słowa patrzyli sobie w oczy.

– Uprzedź Congosta – zlecił wicehrabia.

Pelletier szybkim krokiem podszedł do biurka, przy którym czekał *escrivan*, masując zesztywniałe palce. Pisarz gwałtownie uniósł głowę. Bez jednego słowa ujął pióro, gotów zapisać decyzję rady.

Raymond Roger Trencavel wstał po raz ostatni w czasie tego spotkania.

– Zanim obwieszczę swoją decyzję – zaczął – chcę wam wszystkim podziękować. Panowie Carcassès, Razès, Albigeois oraz dalszych jeszcze ziem. Doceniam waszą odwagę, hart ducha i lojalność. Długie godziny roztrząsaliśmy sprawę, wykazaliście się ogromną cierpliwością. Zrobiliśmy wszystko, co w naszej mocy. Jesteśmy ofiarami wojny, którą nie my wywołaliśmy. Niektórzy z was będą rozczarowani tym, co za chwilę usłyszą, inni odbiorą moje słowa z zadowoleniem. Obyśmy wszyscy, z bożą pomocą, znaleźli odwagę, by wzajemnie się wspierać, jak dotąd. – Odetchnął głęboko. – Dla dobra nas wszystkich oraz mając na względzie bezpieczeństwo naszego ludu, poproszę o audiencję u mojego wuja, seniora lennego Raymonda, hrabiego Tolosy. Nie sposób przewidzieć, co z tego wyniknie. Nie mamy nawet pewności, czy wuj zechce mnie przyjąć, a czas nie jest naszym sprzymierzeńcem. Dlatego też jest rzeczą istotną, byśmy nikomu nie zdradzali naszych intencji. Plotki roznoszą się szybko i jeśli jakieś wieści o naszych planach dotrą do uszu brata mojej matki, będziemy mieli słabszą pozycję w negocjacjach. Co za tym idzie, przygotowania do turnieju będą przebiegały zgodnie z planem. Zamierzam powrócić jeszcze przed dniem święta, oby z dobrymi wieściami. – Przerwał. – Chcę wyjechać jutro, o pierwszym brzasku, z niewielkim oddziałem *chevaliers* i przedstawicieli wielkich rodów z Cabaret, Minerve, Foix, Quillan...

– Oddaję miecz na twoje rozkazy, *messire*! – zawołał któryś *chevalier*.

– Ja także! – krzyknął drugi.

Jeden po drugim rycerze w wielkiej sali padali na kolana.

Trencavel z uśmiechem uniósł dłoń.

– Wasza odwaga przynosi zaszczyt nam wszystkim – oznajmił. – Intendent Pelletier zawiadomi tych, którzy pojadą. Teraz, przyjaciele, zechciejcie pozwolić mi odejść. Wszyscy powinniśmy odpocząć. Spotkamy się przy kolacji.

W zamieszaniu, jakie towarzyszyło wyjściu wicehrabiego Trencavela z wielkiej sali, nikt nie zwrócił uwagi na samotną postać w długim błękitnym płaszczu, z twarzą ukrytą w kapturze, która wyślizgnęła się z cienia i chyłkiem podążyła ku drzwiom.

ROZDZIAŁ 8

Zanim Pelletier opuścił Tour Pinte, było już dawno po dzwonach na nieszpory. Czuł w kościach wszystkie swoje pięćdziesiąt dwa lata. Odsunąwszy kotarę, wszedł do wielkiej sali. Potarł skronie, ale niewiele to pomogło, ból nadal rozsadzał mu głowę.

Wicehrabia Trencavel zaraz po radzie spotkał się ze swoimi najwierniejszymi sojusznikami i w ścisłym gronie ustalał najlepsze sposoby negocjowania z hrabią Tolosy. Mijały kolejne godziny. Zapadały ważkie decyzje, z *château comtal* wyruszali cwałem posłańcy, wiozący listy nie tylko do Raymonda VI, lecz także do legatów papieskich, do opata Cîteaux oraz konsulów i namiestników w Besièrs. Zawiadomiono *chevaliers*, którzy mieli jechać z wicehrabią. W stajniach i kuźniach trwały gorączkowe przygotowania, z pewnością nie miały skończyć się przed świtem.

W komnacie zaległa wreszcie pełna oczekiwania cisza. Ze względu na wczesny wyjazd zrezygnowano z wystawnego bankietu na rzecz mniej formalnego posiłku. Rozstawiono blaty wsparte na kozłach. Nie było białych obrusów ani wykwintnej zastawy. Przez środek każdego stołu biegł rząd migoczących świec, a w wąskich uchwytach na ścianach płonęły pochodnie ożywiające cienie.

Służba wnosiła pełne półmiski, wynosiła puste. Jadło nie było zbyt wykwintne, lecz smaczne i sycące. Podano dziczyznę, kurczaki z papryką, gliniane misy pełne fasoli oraz wszelakich kiełbas, świeżo pieczony biały chleb, wielkie fioletowe śliwy zapiekane w miodzie, różowe wino z winnic Corbières i antałki piwa dla tych, którym trunek prędzej uderzał do głowy.

Pelletier rozglądał się wokół z aprobatą. Nie krył zadowolenia. François dobrze się spisał pod jego nieobecność. Zadbał o należyte ugoszczenie przybyłych, dostali wszystko, czego się mogli spodziewać od wicehrabiego Trencavela.

François był dobrym służącym, mimo niefortunnego startu w życie. Jego matka, swego czasu służka żony Pelletiera, Marguerite, została powieszona za kradzież. Osierociła chłopca, który nawet nie znał swojego ojca. Dziewięć lat temu, po śmierci Marguerite, Pelletier najął François, przyuczył go i dał mu zajęcie. Najwyraźniej uczynił właściwy krok.

Wyszedł na przestronny dziedziniec powitalny, *cour d'honneur*. Owiało go chłodniejsze powietrze. Nareszcie.

Przy studni swawoliła grupka dzieci. Od czasu do czasu, jeśli któreś stawało się nieznośne, rozlegało się miękkie plaśnięcie. To niania przywoływała niesfornego berbecia do porządku. Nieco starsze dziewczęta spacerowały parami, ujmując się pod ramię, szeptem powierzając sobie w zapadającym zmierzchu ważne tajemnice.

Z początku nie zauważył niewysokiego ciemnowłosego chłopca, który siedział po turecku na murku pod kaplicą.

– *Messire*! – krzyknął mały, zrywając się na równe nogi. – *Messire*! Mam coś dla pana.

Pelletier nadal nie zwracał na niego uwagi.

– *Messire*! – Chłopiec nie dawał za wygraną. Pociągnął go za rękaw. – Intendencie, mam do pana ważną sprawę. – Wepchnął mu coś w rękę.

Był to gruby, żółtawy pergamin. List. Intendentowi serce zamarło w piersiach. Jego imię wypisane zostało dobrze znajomym charakterem pisma. Dawno temu przekonał siebie, że więcej go nie ujrzy.

Chwycił malca za kołnierz.

– Skąd to masz? – zapytał. – Mów! – Chłopak wił się jak piskorz. – No już, gadaj!

– Dał mi jakiś pan! – pisnął mały. – Przy bramie. Puść mnie, panie! Przecież nic złego nie zrobiłem!

Pelletier potrząsnął nim jak workiem.

– Co za „pan"?

– Zwykły pan.

– Muszę wiedzieć więcej – rzucił Pelletier. – Jak mi powiesz wszystko, dostaniesz *sol*. Czy był stary, czy młody? Może żołnierz? Albo... Żyd?

Wypytywał chłopca dotąd, aż wyciągnął z niego wszystkie informacje. Nie było ich wiele. Mały miał na imię Pons. Bawił się z kolegami w suchej fosie. Starali się przedostać z jednego końca mostu na drugi, tak by ich nie złapał wartownik. Ledwo zaczęło się ściemniać, podszedł do nich jakiś człowiek i spytał, czy ktoś zna intendenta Pelletiera. Gdy Pons się zgłosił, obcy dał mu list i *sol* za fatygę. Powiedział, że wiadomość jest ważna i pilna. Mężczyzna niczym się nie wyróżniał, nie miał żadnych charakterystycznych znaków. Był w średnim wieku, ani młody, ani stary. Nie miał specjalnie ciemnej skóry ani bardzo jasnej. Żadnych śladów na twarzy po ospie czy walce. Chłopiec nie widział u niego pierścieni, ponieważ dłonie obcy skrywał pod płaszczem.

W końcu Pelletier puścił nieszczęsnego posłańca.

– Masz – wcisnął mu w dłoń monetę. – Znikaj.

Ponsowi nie trzeba było tego powtarzać dwa razy. Zakręcił się – i już go nie było.

* * *

Pelletier wrócił do *château comtal*, przyciskając list do piersi. Dotarł do swojej komnaty, nie napotkawszy nikogo po drodze.

Drzwi zastał zamknięte. Przeklinając swoje zamiłowanie do ostrożności, zaczął szukać kluczy, a pośpiech nie ułatwiał mu zadania. Wreszcie otworzył zamek i wszedł. François już zapalił lampę oliwną, *calèlh* i, jak co wieczór, przygotował na miedzianej tacy dzban wina oraz dwa puchary.

Pelletier nalał sobie trunku. Zbudziły się odległe wspomnienia Ziemi Świętej, długich czerwonych cieni na pustyni i trzech ksiąg, na których kartach uwieczniono pradawną tajemnicę.

Choć wino wydało mu się cierpkie, napełnił puchar po raz drugi. Wiele razy wyobrażał sobie, jak będzie się czuł w tej chwili. A teraz, gdy nadeszła, zawładnęło nim odrętwienie.

Usiadł, położył list na stole. Wiedział, co w nim znajdzie. Pergamin niósł mu przesłanie, na które czekał od lat i którego się obawiał od dnia, gdy przybył do Carcassony. W tamtych latach, w czasach tolerancji i dobrobytu, Południe wydawało się całkowicie bezpieczną kryjówką.

W miarę jak mijały kolejne pory roku, coraz mniej żarliwie oczekiwał wezwania. Wciągnęła go codzienność. Przestał myśleć o księgach. W końcu nieomal zapomniał, że czeka.

Ponad dwadzieścia lat minęło od czasu, gdy po raz ostatni widział autora listu. Nie wiedział nawet, czy jego ukochany mistrz i nauczyciel jest jeszcze pomiędzy żywymi. Harif nauczył go czytać w cieniu oliwkowych gajów na wzgórzach pod Jerozolimą. To on pokazał mu świat wspanialszy i świetniejszy od marzeń. I on także uświadomił mu, że wszyscy ludzie: Saraceni, żydzi i chrześcijanie zdążają do tego samego Boga, choć różnymi ścieżkami. I otworzył mu oczy na fakt, że za całą wiedzą, którą ludzie posiedli, kryje się prawda znacznie starsza, pradawna i absolutna. Nieporównywalna z niczym, co oferuje współczesny świat.

Pelletier pamiętał noc wstąpienia w szeregi Noublesso de los Seres, jakby to było wczoraj. Połyskujące złotem szaty i śnieżnobiały obrus na ołtarzu, lśniący jak szron na wzgórzach nad Aleppo między cyprysami i gajami pomarańczowymi. Zapach kadzidła, falowanie głosów szepczących w ciemności. Oświecenie.

Tamtej nocy, chyba w innym życiu, spojrzał w serce labiryntu i przysiągł chronić tajemnicę, nawet jeśli przyjdzie mu za nią zginąć.

Przysunął bliżej świecę. Nie musiał oglądać pieczęci, by zyskać absolutną pewność, że list był od Harifa. Na końcu świata rozpoznałby to pismo, charakterystyczną elegancję poszczególnych liter, doskonałe proporcje wyrazów.

Potrząsnął głową, uwolnił się od wspomnień. Westchnął głęboko i wsunął czubek noża pod pieczęć. Wosk pękł z cichym pyknięciem. Pelletier wygładził pergamin.

List był krótki. Na górze arkusza znajdowały się symbole, które intendent pamiętał ze ścian jaskini labiryntu znajdującej się we wzgórzu, niedaleko Świętego Miasta. Głosiły one swoją prawdę w zapomnianym języku przodków Harifa i miały znaczenie tylko dla tych, którzy zostali przyjęci do Noublesso.

Na początku czasu

W ziemi Egiptu

Pan tajemnic

Dał słowo i pismo

Pelletier wypowiedział głośno znajome wyrazy. Wsłuchał się w ich uspokajające brzmienie. Dopiero potem zaczął czytać list.

Bracie,
czas nadszedł. Nad ziemie Południa nadciąga mrok. Wiele zła jest do-
okoła, ma zginąć wszystko, co tchnie dobrocią. Pisma nie są już bezpieczne
na równinach Pays d'Oc. Trylogia musi zostać połączona. W Besièrs czeka
na ciebie brat, siostra w Carcassonie. Ty zaniesiesz księgi w bezpieczniejsze
miejsce.
Śpiesz się. Letnie przejścia do Navarre będą zamknięte przed Toussaint,
może nawet dużo wcześniej przed dniem Wszystkich Świętych, jeśli spadnie
śnieg. Czekam cię przed świętym Mikołajem.
Pas à pas, se va luènh".

Niczego innego się nie spodziewał. Polecenia były zupełnie jasne. Harif nie żądał więcej, niż Pelletier obiecał. Niestety, czasy się zmieniły.

Przysięgę, iż będzie strzegł trzech ksiąg, złożył ochoczo i z pasją właściwą młodości. Teraz, gdy był w wieku dojrzałym, sprawy się skomplikowały. Wiódł w Carcassonie zupełnie inne życie. Miał odmienne zobowiązania, nowego władcę, innych ludzi kochał i innym służył.

Dopiero teraz uświadomił sobie, jak całkowicie był przekonany, że wezwanie nigdy nie nadejdzie, że nie będzie zmuszony wybierać pomiędzy wiernością wicehrabiemu Trencavelowi a zobowiązaniami wobec Noublesso.

Żaden człowiek nie może dobrze służyć jednocześnie dwóm panom.

Jeśli posłucha wezwania Harifa, będzie musiał opuścić wicehrabiego, kiedy ten najbardziej go potrzebuje. Z drugiej strony, zostając u boku Raymonda Rogera, zaniedbałby swoje obowiązki wobec Noublesso.

Przeczytał list raz jeszcze.

„W Besièrs czeka na ciebie brat". Harif mógł mieć na myśli jedynie Simeona. Ale w Besièrs?

Uniósł puchar do ust, upił łyk wina, ale smaku trunku nie poczuł. Aż dziwne, ostatnio ciągle miał przed oczami Simeona... Po tylu latach.

Zrządzenie losu? Przypadek? Nie wierzył ani w jedno, ani drugie. Ale w takim razie, jak wytłumaczyć strach, który nim zawładnął, gdy Alaïs opisała topielca? Nie miał żadnego powodu, by sądzić, iż to Simeon został zamordowany, a przecież był tego pewien.

I ten drugi fragment: „siostra w Carcassonie".

Pelletier w zamyśleniu naszkicował palcem wzór na lekko przykurzonym blacie. Labirynt.

Czy Harif rzeczywiście wyznaczył na strażniczkę księgi kobietę? I ta osoba znajdowała się cały czas tutaj, w Carcassonie, tuż pod jego nosem?

Pokręcił głową.

Niemożliwe.

ROZDZIAŁ 9

Alaïs, wyglądając przez okno, czekała na Guilhema. Niebo nad Carcassoną przybrało głęboki, aksamitny odcień błękitu, okrywając ziemię miękkim płaszczem. Suchy wieczorny wiatr z północy, *cers*, sfrunął lekko z gór, trącając liście na drzewach i gładząc trzciny na brzegu rzeki Aude. Przyniósł obietnicę świeżości.

W obu podgrodziach, Sant-Miquel i Sant-Vicens zapalały się pierwsze płomyki świec. Brukowane ulice grodu ożywały. Ludzie zasiadali do zakrapianej kolacji, opowiadali sobie najróżniejsze historie, śpiewali o miłości, męstwie i o przegranej. Tuż obok rynku, zaraz za rogiem, nadal buzował ogień u kowala.

Czekanie. Wieczne czekanie.

Alaïs przetarła zęby ziołami. Będą bielsze. Do brzegu sukni na karku przyczepiła maleńką saszetkę z cudownie pachnącymi niezapominajkami. Komnatę wypełniał słodki aromat lawendy.

Obrady skończyły się już jakiś czas temu, więc oczekiwała, iż Guilhem się zjawi lub przynajmniej prześle wiadomość. Z dziedzińca dolatywały ją strzępy rozmów, niewyraźne jak smużki dymu. W pewnej chwili dostrzegła męża swojej siostry, Jehana Congosta, idącego śpiesznym krokiem. Naliczyła siedmiu czy ośmiu miejscowych *chevaliers* w towarzystwie *écuyers*, zdążających żwawo do kuźni. Nieco wcześniej zauważyła ojca, wypytującego o coś jakiegoś chłopca, który przedtem kręcił się przy kaplicy.

Po Guilhemie jednak nie było śladu.

Westchnęła zrezygnowana. Niepotrzebnie przesiedziała tyle czasu sama w komnacie.

Przeszła znów od stołu do krzesła, szukając jakiegoś zajęcia. Zatrzymała się przed swoim niewielkim warsztatem tkackim, przyjrzała kilimowi, który tkała dla pani Agnès. Był to dość skomplikowany obraz, przedstawiający dzikie zwierzęta i ptaki z rozpostartymi ogonami, które szły w górę po zamkowym murze. Zwykle gdy pogoda lub obowiązki zatrzymywały Alaïs w zamku, chętnie poświęcała się tej pracy wymagającej uwagi i cierpliwości.

Dziś jednak nie mogła się skupić. Igły tkwiły w ramie, włóczka od Sajhë leżała tuż obok, nawet nierozwinięta. Napary z dzięgielu i żywokostu, starannie oznaczone, stały w równych rzędach na półce w najciemniejszym i najchłodniejszym kącie komnaty. Wzięła do ręki deskę, na której przyniosła kozi ser. Przyglądała jej się długo, palec rozbolał ją od przesuwania po wyrytym na niej labiryncie. Czekanie.

– *Es totjorn lo meteis* – mruknęła. Wiecznie to samo.

Podeszła do lustra, przyjrzała się swojemu odbiciu. Drobna twarzyczka w kształcie serca, mądre brązowe oczy i blade policzki. Ani ładna, ani brzydka. Ułożyła dekolt sukni, tak jak robiły to inne dziewczęta, pragnące nadążać za modą. Może by przyszyć kawałek koronki do...

Rozległo się głośne pukanie.

Perfin. Nareszcie.

– Jestem! – zawołała. – Wejdź! – Gdy drzwi się otworzyły, uśmiech spełzł jej z twarzy. – François... Co się stało?

– Intendent Pelletier prosi cię do siebie, pani.

– O tej porze?

François przestąpił z nogi na nogę.

– Czeka na ciebie, pani, w swojej komnacie. Alaïs, powinnaś się pośpieszyć.

Córka Pelletiera spojrzała na sługę zdziwionym wzrokiem. Nigdy dotąd nie pozwalał sobie na taką poufałość, nie zwracał się do niej po imieniu.

– Czy wiesz, o co chodzi? – zapytała. – Mam nadzieję, że ojcu nic nie dolega...

– Jest bardzo... – przez chwilę szukał odpowiedniego słowa – skonfundowany, pani. Ucieszy go twoja obecność.

– Nic się dzisiaj nie układa – westchnęła Alaïs.

– Pani? – François był wyraźnie zdumiony.

– Nie przejmuj się. Widać, taki dzień. Skoro ojciec wzywa, pójdę, oczywiście. Chodźmy.

* * *

W komnacie na drugim końcu korytarza Oriane siedziała na piętach na środku wielkiego małżeńskiego łoża. Spod wpółprzymkniętych powiek lśniły oczy zielone jak u kota. Na twarzy miała rozanielony uśmiech. Przez jej gęste czarne loki gładko przesuwał się grzebień. Od czasu do czasu kościane zęby dotykały skóry. Delikatnie, wyzywająco.

– Mmm... Cudownie. Zaraz usnę.

Mężczyzna klęczący za nią był nagi do pasa. Jego potężny tors powlekła cieniutka warstwa potu.

– Zamierzasz spać, pani? – rzucił lekkim tonem. – Nie miałem zamiaru cię usypiać. Raczej przeciwnie... – Odgarnął jej włosy z twarzy. – Jesteś piękna – szepnął.

Zaczął masować jej ramiona i barki, najpierw lekko, potem coraz mocniej. Oriane pochyliła głowę, poddała się zręcznym dłoniom mężczyzny. A on, jak człowiek niewidomy, który uczy się rysów ukochanej na pamięć, gładził jej twarz i śnieżnobiałą delikatną szyję. Oriane oparła się o niego i natychmiast poczuła dowód jego pożądania. Mężczyzna obrócił ją do siebie, kciukiem rozdzielił jej wargi i zaczął całować.

Żadne z nich nie zwróciło uwagi na kroki w korytarzu. Oprzytomnieli dopiero, gdy rozległo się walenie do drzwi.

– Oriane! – odezwał się piskliwy głos pełen irytacji. – Jesteś tam?

– To Jehan! – Oriane była bardziej rozzłoszczona niż przestraszona. Otworzyła oczy. – A mówiłeś, że nieprędko wróci.

– Tak sądziłem. Wszystko wskazywało na to, że wicehrabia zatrzyma ich na dłużej. Drzwi zamknięte?

– Oczywiście.

– Nie będzie czegoś podejrzewał?

– Ma przynajmniej tyle rozumu, żeby nie wchodzić bez zaproszenia. –Wzruszyła ramionami. – Mimo wszystko powinieneś się ukryć. – Wskazała niewielką alkowę za gobelinem wiszącym przy łóżku. – Nie martw się, mój panie! – dodała, widząc jego minę. – Pozbędę się go jak najszybciej.

– A jak tego dokonasz?

Objęła go za szyję, pociągnęła ku sobie tak blisko, że rzęsami połaskotała go w policzek.

– Oriane! – zaskowyczał Congost. – Otwórz natychmiast!

– Cóż, zaczekaj, a zobaczysz – szepnęła, całując mężczyznę. – Ukryj się. Nawet on nie będzie stał pod drzwiami do końca świata.

Gdy kochanek zniknął w ukryciu, Oriane na palcach podkradła się do drzwi, bezszelestnie zwolniła zamek i jednym susem wskoczyła do łóżka. Szykowała się wspaniała zabawa.

– Oriane!!! Otwieraj!

– Mężu – odezwała się z wyraźnym rozdrażnieniem w glosie. – Po co ten hałas? Przecież drzwi są otwarte. – Usłyszała, że odskoczyły z hukiem, potem zamknęły się z głośnym trzaskiem. Następnie dobiegł ją brzęk metalu uderzającego o drewno, gdy Congost postawił świecę na stole.

– Gdzie jesteś? – spytał zirytowany. – Dlaczego tu tak ciemno? Nie mam ochoty na takie zabawy.

Oriane z uśmiechem poprawiła się na poduszkach. Rozsunęła nogi, nagie gładkie ramiona ułożyła nad głową. Nie zamierzała nic pozostawić leniwej wyobraźni małżonka.

– Jestem tutaj, mężu.

– Na początku drzwi były zamknięte. – Congost odsunął kotarę i zaniemówił.

– A może... za słabo popchnąłeś?

Jehan Congost zbladł jak śmierć, a zaraz potem poczerwieniał. Oczy wyszły mu z orbit, szczęka opadła. Bez słowa gapił się na pełne piersi żony, ciemne sutki, burzę włosów rozrzuconych na poduszce jak kłąb węży, wcięcie w talii, lekko wypukły brzuch i czarny trójkąt między nogami.

– Czyś ty oszalała?! – zaskrzeczał. – W tej chwili się okryj!

– Spałam, mężu... Rozbudziłeś mnie...

– Rozbudziłem cię? Rozbudziłem...?! Spałaś... tak? Bez niczego?

– Noc jest ciepła... Chyba wolno mi spać tak, jak mi wygodnie? Przecież jestem w swojej własnej komnacie.

– Mógł cię ktoś zobaczyć! Siostra, służąca... Nigdy nie wiadomo!

Oriane usiadła powoli, nawijając kosmyk włosów na palec, obrzuciła małżonka wyzywającym spojrzeniem.

– Nigdy nie wiadomo? – powtórzyła z krzywym uśmiechem. – Służącą odprawiłam – oznajmiła. – Jej usługi nie są mi już potrzebne.

Congost chciał odwrócić wzrok, lecz nie mógł. Jego ostygłą krew burzyły w tym samym stopniu odraza i pożądanie.

– Nigdy nie wiadomo – upierał się przy swoim, choć z mniejszym przekonaniem.

– Cóż... chyba masz rację, mężu. Rzeczywiście, nigdy nie wiadomo. Wiadomo jedynie, że ty na mnie nie patrzysz. – Uśmiechnęła się, zadowolona jak kot, który właśnie wypatrzył mysz. – A teraz, skoro jednak przyszedłeś, czy powiesz mi, gdzie byłeś tak długo?

– Doskonale wiesz, gdzie byłem – burknął. – Na radzie.

– Na radzie? – zdziwiła się Oriane ostentacyjnie. – Do tej pory? Przecież rada skończyła się na długo przed zmierzchem.

Congost poczerwieniał jak rak.

– Kobieto! Nie masz prawa żądać ode mnie wyjaśnień!

Oriane zmrużyła oczy.

– Na świętą Fides, aleś ty napuszony, mój drogi. „Nie masz prawa...!" – Tak okrutnie dokładnie naśladowała mimikę męża, iż obaj patrzący na nią mężczyźni się skrzywili, choć każdy z innego powodu. – Powiedz no mi, najmilszy Jehanie, zdradź, gdzie byłeś? Może rozprawiałeś o racji stanu? A może byłeś u kochanki, *è*? Czy masz kochanicę?

– Jak śmiesz odzywać się do mnie w ten sposób! Ja...

– Inni mężowie mówią swoim żonom, gdzie bywają i co porabiają. A ty – nie... Chyba masz po temu jakiś powód!

– Ci „inni mężowie" – wrzasnął Congost – powinni trzymać języki za zębami! Sprawy państwa nie interesują kobiet!

Oriane przesunęła się kocim ruchem na brzeg łóżka.

– Nie? – powiedziała cicho, groźnie.

Congost oczywiście rozumiał, że się z niego naigrawa, ale nie pojmował reguł tej dziwacznej gry. Jak zwykle zresztą.

Błyskawicznym ruchem chwyciła niedwuznaczną wypukłość pod tuniką męża. Z satysfakcją dojrzała w jego oczach zaskoczenie i lęk.

– Co wobec tego – odezwała się, przesuwając dłonią rytmicznie w dół i w górę – interesuje kobiety? Może miłość? – Mocniej zacisnęła palce. – A może to? Jak to nazwiesz, drogi małżonku?

Nadworny pisarz oczywiście spodziewał się jakiegoś podstępu, ale stał jak zahipnotyzowany, nie wiedząc, co zrobić lub powiedzieć. Odruchowo pochylał się ku żonie. Usta dygotały mu w dziwacznych drgawkach jak u ryby wyjętej z wody, wywracał nieprzytomnie oczami. Nawet jeśli nienawidził Oriane, to jednak był mężczyzną, więc bez trudu potrafiła wzbudzić w nim pożądanie. Jak w każdym innym, choć uważał siebie za kogoś lepszego, skoro umiał pisać i czytać. Gardziła nim z całego serca. Niespodziewanie cofnęła dłoń.

– Skoro nie potrafisz wytłumaczyć swojej nieobecności – rzekła zimno – lepiej będzie, jeśli odejdziesz. Nic tu po tobie!

Coś się w nim załamało, jakby go przygniotły wszystkie naraz życiowe rozczarowania i zawiedzione nadzieje. Podniósł rękę wysoko i z całej siły uderzył ją w twarz, aż padła na łóżko.

Ze zdumienia odebrało jej głos.

Congost natomiast zastygł w bezruchu, z niedowierzaniem patrząc na własną dłoń, jakby nie do niego należała.

– Oriane, ja...

– Jesteś żałosny! – krzyknęła. Na wargach czuła smak krwi. – Wynoś się! Zejdź mi z oczu!

W pierwszej chwili odniosła wrażenie, że będzie ją przepraszał, jednak gdy wbiła wzrok w jego źrenice, zobaczyła w nich nienawiść i ani śladu wstydu. Odetchnęła z ulgą. Wszystko szło zgodnie z planem.

– Brzydzę się tobą, moja pani! – wrzasnął Congost. Cofnął się o krok. – Jesteś jak zwierzę! Jesteś gorsza niż zwierzę, bo wiesz, co robisz. – Podniósł z ziemi rzucony niedbale płaszcz żony i cisnął go jej w twarz. – Okryj się! Nie chcę cię tak więcej widzieć! Lafirynda! – Obrócił się na pięcie i wypadł z komnaty jak burza.

Oriane leżała bez ruchu wstrząśnięta, lecz jednocześnie prawdziwie uszczęśliwiona. Po raz pierwszy w ciągu czterech długich lat małżeństwa ten głupi staruch, którego ojciec wybrał jej na męża, zdołał ją zaskoczyć. Oczywiście miała zamiar go sprowokować, ale nie podejrzewała, że jest zdolny do takiego zachowania! Uderzył ją! I to mocno. Musnęła palcami obolałą twarz. Chciał ją skrzywdzić. Mmm... Interesujące. Może zostanie jakiś ślad? To dopiero byłaby prawdziwa gratka! Będzie można pokazać ojcu, do czego doprowadziła jego decyzja...

Zaśmiała się gorzko. Nic z tego. Gdyby była Alaïs... O tak, wtedy ojciec by się przejął, bo dla niego liczyła się tylko młodsza córeczka. Oriane była, jak na jego gust, stanowczo za bardzo podobna do matki. Pod każdym względem. Nie kiwnąłby palcem, nawet gdyby Jehan zatłukł ją na śmierć. Zapewne doszedłby do wniosku, że zasłużyła sobie na taki los.

Z twarzy młodej kobiety opadła codzienna maska nieprzeniknionego piękna. Wyjrzała zza niej zazdrość, skrywana przed wszystkimi prócz Alaïs, uraza, złość i oburzenie, że pozbawiono ją dostępu do władzy, do jakichkolwiek wpływów. Jaką wartość miała jej młodość i uroda, skoro przymioty te zostały oddane mężczyźnie bez żadnych ambicji i perspektyw? Starcowi, który nigdy w życiu nie miał w ręku miecza? Natomiast Alaïs, młodsza siostra, miała wszystko, czego starsza pragnęła i czego nie dane jej było skosztować. Dostała wszystko to, co wedle wszelkich praw, ludzkich i boskich, powinno przypaść w udziale Oriane.

Z całej siły zacisnęła palce na niebieskiej tkaninie. Szkoda, że to nie chude, blade ramię Alaïs. Brzydkiej Alaïs, rozpuszczonej do granic możliwości. Oczami wyobraźni już widziała wielki siniec rosnący na jasnej skórze siostry.

Myśli przerwał jej głos kochanka.

– Niepotrzebnie mu urągałaś, pani.

Prawie zapomniała o jego obecności.

– Dlaczego?

Pogładził ją po policzku.

– Boli? Masz siniaka – zauważył stroskany.

Uśmiechnęła się leciutko. Jak on mało o niej wiedział! Dostrzegał tylko to, co chciał zobaczyć – obraz kobiety stworzony we własnej wyobraźni.

– Nic mi nie będzie.

Gdy się nad nią pochylił, zalśniło srebro, które nosił na szyi. Pachniał pożądaniem. Oriane poruszyła się lekko, niebieski płaszcz spłynął z niej jak woda. Przesunęła dłonią po udach mężczyzny, bladych w porównaniu ze złotą skórą na piersiach i ramionach. Podniosła wzrok nieco wyżej i ujrzała wyraźny dowód, iż czekał już dość długo. Pochyliła się, chciała wziąć członek do ust, ale kochanek pchnął ją na wznak i ukląkł obok.

– Jak mogę dziś służyć mojej pani? – spytał. Pochylił się i pocałował ją w usta. – W ten sposób? Czy może inaczej? – Zsunął się niżej, drażniąc jej skórę językiem i zębami. Dotarł tak aż do miejsca, gdzie łączą się uda. Oriane wstrzymała oddech. – Albo w ten sposób? – Chwycił ją mocno w talii i przyciągnął do siebie. Oplotła go nogami. – A najlepiej będzie tak – szepnął głosem stężałym od pożądania i wtargnął w nią cały. Jęknęła z rozkoszy, wbiła mu paznokcie w plecy. – Twój mąż uważa cię za lafiryndę...? Niechże ma rację!

ROZDZIAŁ 10

Pelletier krążył po komnacie. Czekał na Alaïs.

Chociaż skwar już ustąpił, na jego szerokim czole perliły się kropelki potu, twarz miał zaczerwienioną. Powinien być w kuchni, pilnować służby, sprawdzać, czy wszystko idzie gładko. Tymczasem stał na rozdrożu. Całe jego życie zależało od decyzji, którą musiał podjąć właśnie teraz.

Gdzie ona się podziewa?

Ścisnął w dłoniach list. Znał już na pamięć każde słowo.

Odwrócił się od okna. Kątem oka dostrzegł jakiś błyszczący przedmiot w pyle przy framudze. Podniósł go. Była to ciężka srebrna brosza z miedzianymi ozdobami. Duża, najpewniej od płaszcza.

Dziwne. Nie do niego należała, więc skąd się tu wzięła?

Przyjrzał jej się uważniej, zbliżając do płomienia świecy. Nie miała żadnych znaków szczególnych. Dziesiątki takich oferowano co tydzień na targu. Obrócił ją w dłoniach. Rzecz dobrej jakości, więc właściciel zapewne nie należał do biednych.

Musiała się tu znaleźć niedawno, bo François sprzątał komnatę codziennie rano; z pewnością by ją zauważył. Nikt inny tutaj nie wchodził, drzwi były stale zamknięte na klucz.

Rozejrzał się wokół, szukając innych śladów obecności intruza. Poczuł się nieswojo. Czy rzeczywiście niektóre przedmioty na stole zostały poruszone? Czy ktoś szukał czegoś w pościeli?

Wszystko go dzisiaj niepokoiło.

– *Paire*?

Wzdrygnął się na dźwięk głosu córki, choć odezwała się cicho. Śpiesznie wetknął zapinkę do sakwy.

– Ojcze? – powtórzyła Alaïs. – Wzywałeś mnie?

– Tak, tak. – Pelletier nareszcie wziął się w garść. – Rzeczywiście. Wejdź.

– Czy coś jeszcze, *messire*? – spytał François, także stojący w progu.

– Nie, ale bądź w pobliżu, mogę cię później potrzebować.

Poczekał, aż służący zamknie za sobą drzwi. Wtedy poprosił córkę, by zajęła miejsce przy stole. Nalał jej wina, dopełnił własny puchar, ale sam nie usiadł.

– Wyglądasz na zmęczoną.

– Tylko troszkę.

– Co ludzie mówią o radzie?

– Nikt nie wie, co myśleć, *messire*. Krąży wiele domysłów... Wszyscy mają nadzieję, iż nie będzie tak źle, jak się zapowiada. Ponoć wicehrabia wyrusza jutro do Montpelhièr w towarzystwie niewielkiego oddziału prosić o audiencję u swojego wuja, hrabiego Tolosy. – Uniosła wyżej głowę. – Czy to prawda? Pelletier przytaknął.

– Ale turniej podobno ma się odbyć, jak było ustalone?

– To także prawda – przyznał intendent. – Wicehrabia chce wypełnić zadanie i powrócić do domu w ciągu dwóch tygodni. Jeszcze przed końcem lipca.

– Czy jego misja się powiedzie?

Pelletier nie odpowiedział. Niespokojnym krokiem przemierzał komnatę w tę i z powrotem. Jego nastrój był zaraźliwy.

Alaïs pociągnęła łyk wina.

– Czy Guilhem jedzie z wicehrabią?

– Nie masz od niego wiadomości?

– Nie wrócił po zakończeniu rady – przyznała.

– Na świętą Fides! Gdzie on się podziewa!

– Proszę, *paire*, powiedz mi: tak czy nie?

– Guilhem du Mas został włączony do oddziału, choć muszę przyznać, wbrew mojej woli. Wicehrabia ceni sobie jego towarzystwo.

– Nie bez przyczyny, *paire* – rzekła cicho. – Jest zręcznym *chevalier*.

Pelletier dolał córce wina.

– Powiedz mi, Alaïs, czy ty mu ufasz?

Choć pytanie wytrąciło ją z równowagi, odpowiedziała bez wahania:

– Powinnością żony jest ufać mężowi.

– Tak, tak, bezsprzecznie. Nie oczekiwałem od ciebie innej odpowiedzi... – Odgonił jej słowa jak natrętną muchę. – Czy zapytał cię, co się stało dziś rano nad rzeką?

– Nakazałeś mi z nikim nie rozmawiać o tych wypadkach – rzekła. – A ja, naturalnie, byłam ci posłuszna.

– Wiedziałem, że dotrzymasz słowa. Nie odpowiedziałaś jednak na moje pytanie. Czy Guilhem pytał cię, gdzie spędziłaś ranek?

– Nie było ku temu okazji – odparła. – Jak już wspomniałam, do tej pory go nie widziałam.

Pelletier podszedł do okna.

– Boisz się wojny? – spytał, odwrócony do córki plecami.

Zaskoczyła ją nagła zmiana tematu, jednak odpowiedziała od razu.

– Tak, *messire*. Ale do tego chyba nie dojdzie?

– Miejmy nadzieję.

Oparł dłonie na parapecie, pozornie zatopiony w myślach. Całkiem jakby zapomniał o córce.

– Alaïs – odezwał się wreszcie. – Zadaję ci pytanie, które może ci się wydać zbyt zuchwałe. Proszę jednak, zajrzyj w swoje serce i starannie rozważ odpowiedź. Czy ufasz swojemu mężowi? Czy jesteś przekonana, że możesz liczyć na jego ochronę i wsparcie?

Oczywiście prawdziwy sens pytania pozostał ukryty, ale i tak obawiała się odpowiedzi. Nie chciała okazać się nielojalna w stosunku do Guilhema. A jednocześnie nie potrafiła okłamać ojca.

– Wiem, że nie darzysz go sympatią, *messire* – zaczęła z przekonaniem – choć nie jest mi wiadome, co takiego zrobił, by zasłużyć na twoją niełaskę...

– Doskonale wiesz, czym na nią zasłużył – przerwał jej ojciec niecierpliwie. – Mówiłem ci o tym niejeden raz. W tym wypadku jednak moje nastawienie do tego człowieka nie ma żadnego znaczenia. Można kogoś nie lubić, ale doceniać. Alaïs, proszę, odpowiedz na moje pytanie. Wiele zależy od tego, co usłyszę.

Guilhem śpiący z włosami rozrzuconymi na poduszce. Jego oczy, ciemne jak magnetyt. Pełne usta, dotykające wnętrza jej nadgarstka. Oszałamiające sceny, przyprawiające o zawrót głowy.

– Nie potrafię odpowiedzieć na to pytanie – wyznała w końcu.

– Ach... – odetchnął Pelletier. – Rozumiem. Dobrze. Wszystko jasne.

– Z całym szacunkiem, *paire* – zaprotestowała – przecież nic nie powiedziałam!

– Czy Guilhem wie – Pelletier odwrócił się do córki – że po ciebie posłałem?

– Jak już mówiłam, nie widziałam go po radzie... Nie chcę być dłużej wypytywana w ten sposób. Nie chcę wybierać pomiędzy lojalnością w stosunku do niego i ciebie. – Alaïs wstała. – Dlatego, jeśli nie jestem już potrzebna, *messire*, proszę, byś pozwolił mi odejść. Zrobiło się późno.

– Nie uciekaj, siadaj – poprosił ojciec spokojniej. – Nie chciałem ci zrobić przykrości. Wybacz mi. Nie miałem takich intencji. – Wyciągnął rękę do córki, a ona po chwili podała mu dłoń. – Nie zamierzałem przemawiać zagadkami... Wahałem się, ponieważ muszę uporządkować własne sprawy. Dziś wieczorem otrzymałem bardzo ważną wiadomość. Od kilku godzin biję się z myślami, usiłując podjąć jakąś decyzję. Gdy sądziłem, iż jestem na właściwej drodze, posłałem po ciebie, ale wątpliwości jednak powróciły...

– A teraz?

– Teraz już wyraźniej widzę ścieżkę prowadzącą w przyszłość. Tak... Jestem przekonany, iż wiem, co powinienem uczynić.

Alaïs pobladła.

– Będzie wojna – powiedziała cicho.

– Tak. Moim zdaniem nie da się jej uniknąć. Świadczą o tym wszystkie znaki na niebie i na ziemi. – Usiadł wreszcie. – Dostaliśmy się w tryby wielkiej machiny, której nie możemy zatrzymać, choćbyśmy z całą mocą wierzyli, iż może być inaczej. – Zamilkł. – Jest jednak coś ważniejszego – podjął po chwili. – A jeśli sprawy w Montpelhièr potoczą się dla nas niekorzystnie... Może już nigdy nie nadarzy się okazja, by... by ci powiedzieć prawdę.

– Co może być ważniejszego od wojny?

– Zanim ci powiem, musisz dać mi słowo, że wszystko, co tu dzisiaj usłyszysz, pozostanie między nami.

– Dlatego pytałeś o Guilhema?

– Po części – przyznał. – Po części. Ale nie była to wyłączna przyczyna. Obiecaj, że żadne moje słowo nie wydostanie się poza te cztery ściany.

– Daję ci słowo, ojcze.

Pelletier odetchnął z ulgą. Kości zostały rzucone. Dokonał wyboru. Teraz należało robić swoje, bez względu na konsekwencje.

Alaïs przysunęła się bliżej. Płomyk lampki oliwnej zatańczył w jej brązowych oczach.

– Historia, którą ci opowiem – zaczął Pelletier – miała początek kilkaset lat temu, w Egipcie. Jest to prawdziwa historia Graala.

* * *

Mówił długo. W lampce wypalił się olej, a na podwórzu dawno już zapadła cisza, bo wszyscy biesiadnicy udali się na spoczynek.

Alaïs była wyczerpana. Knykcie miała białe od ściskania dłoni, pod oczami wykwitły jej fioletowe sińce.

Pelletier także był już zmęczony.

– Od razu odpowiem na pytanie, jakie na pewno chciałabyś mi zadać. Nie musisz nic robić. Może nigdy nie będziesz musiała. Jeśli negocjacje odniosą pożądany skutek, zyskam czas i możliwość, by zabrać księgi w bezpieczne miejsce, bo do mnie to należy.

– A jeśli nie, *messire*? Co będzie, jeżeli stanie ci się coś złego...? – Urwała, strach chwycił ją za gardło.

– Miejmy nadzieję, że wszystko dobrze się ułoży – odparł, ale ton głosu przeczył słowom.

– A co w przeciwnym razie? – naciskała Alaïs. – Jeżeli nie wrócisz, skąd będę wiedziała, kiedy zacząć działać?

Ojciec zajrzał córce głęboko w oczy, po czym wyciągnął z sakiewki niewielkie zawiniątko, skrawek materiału koloru kości słoniowej.

– Jeśli coś mi się stanie, ujrzysz taki symbol. – Położył zawiniątko na stole, przesunął w jej stronę. – Obejrzyj.

Rozwinęła kilka warstw tkaniny, aż w końcu ujrzała niewielki krąg z jasnego kamienia. Na jego powierzchni wyryto dwie litery. Delikatnie ujęła znak w palce, nachyliła go do światła.

– NS?

– Noublesso de los Seres.

– Co to za kamień?

– *Merel*, sekretny znak rozpoznawczy. Trzyma się go zawsze między kciukiem a palcem wskazującym. Odgrywa jeszcze inną, znacznie ważniejszą rolę, choć teraz nie musisz jej znać. Pomoże ci zdecydować, czy wierzyć posłańcowi.

Alaïs pokiwała głową.

– Obejrzyj drugą stronę – poprosił ojciec.

Na drugiej stronie znajdował się rysunek labiryntu, identyczny ze wzorem wyrytym na desce od sera.

– Znam ten symbol!

Pelletier zdjął pierścień z kciuka.

– Tak, mogłaś go widzieć na moim sygnecie – przyznał spokojnie. – Spójrz, jest wygrawerowany po wewnętrznej stronie. Każdy opiekun Trylogii ma taki.

– Nie, nie. Widziałam ten znak na desce do sera.

– Niemożliwe. Musiało ci się coś pomylić.

– Przysięgam!

– A skąd ta deska wzięła się u ciebie? Zastanów się, to ważne. Ktoś ci ją dał? Dostałaś w prezencie?

Alaïs pokręciła głową.

– Nie wiem. Nie mam pojęcia. Cały dzień się nad tym głowiłam – przyznała – ale nie pamiętam. Najdziwniejsze, że mam ten wzór w pamięci, widziałam go kiedyś dawno, tylko nie potrafię sobie przypomnieć, skąd go znam.

– Gdzie teraz jest ta deska?

– Zostawiłam ją w komnacie, na stole. Dlaczego pytasz, *paire*? Jakie to ma znaczenie?

– Czyli na widoku – mruknął Pelletier do siebie. – Każdy mógł zobaczyć. Służba, Guilhem, goście...

Alaïs opuściła wzrok na sygnet. Nagle rozjaśniło jej się w głowie.

– Myślałeś, że w rzece znajdziesz Simeona – rzekła powoli. – Czy on także jest opiekunem trylogii?

Ojciec pokiwał głową.

– Nie miałem powodu sądzić, że to jego tam znajdę, a jednak byłem o tym przekonany...

– Czy znasz innych opiekunów? Wiesz, gdzie ich szukać?

Pochylił się nad córką, zamknął jej palce na merelu.

– Nie pytaj mnie już o nic, Alaïs. Pilnuj tego drobiazgu jak oka w głowie. I schowaj deskę z labiryntem w takim miejscu, gdzie jej nie wypatrzą żadne ciekawskie spojrzenia. Zajmę się tym po powrocie.

– Nie rozumiem jej znaczenia.

– Zastanowię się nad tą sprawą, *filha*. – Pelletier uśmiechnął się lekko, rozczulony uporem córki.

– Czy powinnam przyjąć, że w zamku jest ktoś jeszcze, kto wie o istnieniu ksiąg?

– Nikt o nich nie wie – zapewnił z przekonaniem. – Gdybym miał co do tego jakiekolwiek wątpliwości, powiedziałbym ci od razu. Uwierz. – Słowa brzmiały pewnie, lecz wyraz twarzy zadawał im kłam.

– Ale jeśli...

– *Basta* – rzekł cicho, unosząc ręce. – Dosyć. – Zamknął córkę w niedźwiedzim uścisku. Łzy zakręciły jej się w oczach. – Dasz sobie radę – zapewnił ją z przekonaniem. – Bądź dzielna. Rób to, co ci nakazałem, nic więcej. – Pocałował ją w czoło. – Przyjdź nas pożegnać o świcie.

Alaïs tylko pokiwała głową, nie mogła wydobyć z siebie głosu.

– *Ben, ben.* – Pelletier jeszcze raz uścisnął córkę. – No już, uciekaj. Niech cię Bóg ma w swojej opiece.

* * *

Alaïs pobiegła ciemnym korytarzem, szybko znalazła się na dziedzińcu. Z trudem łapała oddech, widziała zjawy w każdym cieniu. W głowie jej się kręciło. Całe dotychczasowe życie, cały znajomy dotąd świat został wywrócony do góry nogami. Przypominał lustrzane odbicie. Niby ten sam, a całkiem inny. Pakuneczek ukryty pod suknią parzył jak rozżarzone żelazo.

Noc była chłodna. Większość mieszkańców zamku ułożyła się już na spoczynek, choć w niektórych oknach wychodzących na *cour d'honneur* pobłyskiwały jeszcze żółte płomyki. Któryś ze strażników przy bramie zaśmiał się głośno i Alaïs mało nie wyskoczyła ze skóry. Wydało jej się, że dostrzega ciemną postać w jednej z komnat na którymś z wyższych pięter. Na chwilę oderwała od niej wzrok, bo przeleciał jej przed twarzą nietoperz, a kiedy ponownie spojrzała w tamtym kierunku, okno spowijała ciemność.

Przyśpieszyła kroku. W głowie kołatały jej słowa ojca, nasuwały jej się dziesiątki pytań, które powinna była zadać.

Nagle odniosła wrażenie, iż ktoś się za nią skrada. Obejrzała się przez ramię.

– Kto tam?

Odpowiedziała jej cisza. W mroku czaiło się jakieś zło, coś groźnego. Ruszyła jeszcze szybciej, teraz już pewna, że jest śledzona. Słyszała czyjeś miękkie kroki, ciężki oddech.

– Kto tam! – zawołała raz jeszcze.

Ktoś chwycił ją w stalowy uścisk, nie zdążyła nawet krzyknąć, bo twarda dłoń cuchnąca nieświeżym piwem zatkała jej usta. Mocny cios w tył głowy powalił Alaïs na ziemię.

Zdawało jej się, że upadek trwa całą wieczność. Potem czuła ręce, które jak szczury rozbiegły się po jej ciele, aż znalazły to, czego szukały.

– *Aqui es.* Tu jest.

Wtedy zamknęła się nad nią ciemność.

ROZDZIAŁ 11
Południowo-zachodnia Francja
Montagnes du Sabarthès
Pic de Soularac

PONIEDZIAŁEK, 4 LIPCA 2005

– Alice! Słyszysz mnie?

Zamrugała, otworzyła oczy.

Powietrze było chłodne i wilgotne, jak w nieogrzewanym kościele. Już nie leciała, teraz leżała na czymś twardym i zimnym. Gdzie ja jestem?, pomyślała. Na pewno na ziemi, przejmująco wilgotnej, twardej i nierównej. Kiedy się lekko poruszyła, wyczuła piasek i ostre kamyki. Nie, nie, to nie kościół. Zaczęła jej wracać pamięć. Szła długim, ciemnym tunelem. Trafiła do jaskini, właściwie kamiennej komnaty. I co dalej? Wspomnienia były zamazane, niewyraźne. Spróbowała podnieść głowę. O, nie. To duży błąd. U podstawy czaszki wybuchł fajerwerk bólu, do gardła podeszły nudności.

– Alice, odezwij się.

Ktoś coś mówił. Głos był niespokojny, zatroskany, znajomy.

– Alice! Nie zamykaj oczu.

Jeszcze raz spróbowała podnieść głowę. Tym razem ból nie był aż tak potworny. Powoli i ostrożnie wsparła się na łokciach.

Ktoś pomógł jej usiąść. Wokół panowała ciemność, przewiercona tylko dwoma żółtymi okręgami światła z latarek. Z dwóch latarek. Zmrużyła oczy i rozpoznała Stephena, jednego ze starszych członków zespołu. Stał za Shelagh, żółte krążki odbijały mu się w okularach bez oprawek.

– Alice, powiedz coś. Słyszysz mnie?

To Shelagh.

Nie jestem pewna. Może i słyszę...

Chciała się odezwać, lecz gardło miała ściśnięte i nie mogła z siebie wydobyć głosu. Spróbowała wobec tego potaknąć. Udało się, ale przypłaciła ten sukces zawrotem głowy. Oparła czoło na kolanach. Byle nie zemdleć.

Z pomocą Shelagh i Stephena cofnęła się i usiadła na najwyższym skalnym stopniu. Ręce położyła na kolanach. Cały świat kołysał się do przodu i do tyłu, nie mogła skupić wzroku, jakby oglądała nieostro wyświetlany film.

Shelagh kucnęła przed nią i coś mówiła, lecz Alice jej nie rozumiała. Dźwięk także był rozmyty, jakby ktoś puszczał taśmę magnetofonową z niewłaściwą szybkością. Pojawiła się kolejna fala mdłości i następne strzępy wspomnień: stukot czaszki toczącej się w ciemnościach, dłoń sięgająca po pierścień, świadomość, iż został zakłócony spokój potężnych wrogich mocy drzemiących we wnętrzu góry.

Potem – nic.

Strasznie zimno. Gęsia skórka na rękach i nogach.

Zdawała sobie sprawę, że straciła przytomność najwyżej na kilka minut. Ale zdążyła się przenieść do innego świata. Dziwna niekonsekwencja w upływie czasu...

Zadrżała. I jeszcze jedno wspomnienie. O nawracającym śnie. Z początku wrażenie spokoju, lekkości, bieli i przejrzystości. Gwałtowne i szybkie spadanie przez puste niebo, ziemia gnająca na spotkanie. Nie doszło do uderzenia, nie było upadku, tylko ciemnozielone kolumny drzew nad głową. A w końcu ogień, rycząca ściana płomieni błyszczących czerwienią i złotem.

Objęła się mocno ramionami. Dlaczego powrócił ten sen? Prześladował ją w dzieciństwie, zawsze ten sam, ciągle niewyjaśniony. Rodzice, o niczym nie wiedząc, spali spokojnie po drugiej stronie korytarza, a ona noc w noc wpatrywała się w ciemność, zaciskając ręce na kołdrze, samotnie walcząc z demonami.

Koszmar nie pojawiał się już od lat. A teraz wrócił.

– Podniesiemy cię powolutku, dobrze? – spytała Shelagh.

Nieważne. Raz się pojawił, owszem, ale to nie znaczy, że wróci na dobre.

– Alice? – W głosie Shelagh pojawiło się zniecierpliwienie. – Dasz radę wstać? Trzeba wracać do obozu. Ktoś musi cię zbadać.

– Spróbuję. – Własny głos obco brzmiał w jej uszach. – Kręci mi się w głowie.

– Damy radę. No już, wstawaj.

Alice zobaczyła swój czerwony, spuchnięty nadgarstek.

Cholera. Nie pamiętała, skąd się wzięła rana, i nie chciała sobie przypomnieć.

– Nie bardzo wiem, co się stało... – powiedziała, wyciągając rękę. – Chyba się skaleczyłam.

Shelagh podparła ją z jednej strony, Stephen z drugiej.

– Do góry. Śmiało.

Alice pozwoliła się dźwignąć. Zachwiała się, ale zaraz odzyskała równowagę. Wracało jej czucie w nogach. Rozprostowała palce dłoni, zgięła je mocno. Wyraźnie czuła skórę przesuwającą się po stawach.

– Wszystko w porządku. Tylko muszę oprzytomnieć.

– Co ci w ogóle strzeliło do głowy, żeby się tu pchać solo?

– Ja... – Alice nie wiedziała, co powiedzieć. Kolejny raz złamała reguły. I znowu wpakowała się w kłopoty. – Rozejrzyj się tam dalej. Jest na co popatrzeć.

Shelagh poświeciła w stronę wskazaną przez Alice. Cienie uciekły pod ściany i skłębiły się pod sufitem.

– Niżej.

Obniżyła strumień światła.

– Przed ołtarzem – podpowiedziała Alice.

– Przed jakim ołtarzem?

Mocne światło przecięło atramentową czerń. Przez ułamek sekundy cień ołtarza odcisnął się na labiryncie jak grecka litera *pi*. Szybko zniknął, gdy Shelagh oświetliła grób. Blade kości odcinały się ostro od mrocznego tła.

Shelagh wstrzymała oddech. Jak zahipnotyzowana zrobiła pierwszy, potem drugi i trzeci krok. Całkiem zapomniała o Alice i o całym świecie.

Stephen także ruszył w dół.

– Stój! – rozkazała krótko. – Zostań.

– Chciałem tylko...

– Idź do doktora Braylinga. Powiedz mu, co znaleźliśmy.

Stephen w dalszym ciągu stał w miejscu.

– Rusz się! – krzyknęła.

To podziałało. Stephen wetknął latarkę w dłoń Alice i bez słowa zniknął w skalnym korytarzu. Jakiś czas jeszcze dobiegało cichnące zgrzytanie kamieni pod jego podeszwami, w końcu i ten dźwięk połknęła ciemność.

– Niepotrzebnie krzyczałaś... – zaczęła Alice.

– Dotykałaś czegoś? – przerwała jej Shelagh.

– Właściwie nie, ale...

– Ale co?! – Znów ta sama agresja.

– W grobie jest kilka drobiazgów, zobacz...

– Nie! – krzyknęła Shelagh. – Nie – dodała spokojniej. – Lepiej, żeby nikt tam nie wchodził.

Alice miała zamiar jej uświadomić, że na to już za późno, ale ugryzła się w język. I tak nie miała najmniejszej ochoty po raz drugi zbliżać się do szkieletów. Wystarczyło jej, że obraz pustych oczodołów i długich białych kości miała na stałe wyryty w mózgu.

Shelagh stanęła nad płytkim grobem. Było w jej ruchach coś wyzywającego. Omiotła strumieniem światła mizerne szczątki nieomal z pogardą. Gdy żółty krąg wyłowił z mroku stępione ostrze noża, przykucnęła.

– Skoro niczego nie dotykałaś – odezwała się ostrym tonem, patrząc na Alice przez ramię – to skąd tu twoja pęseta?

Alice spiekła raka.

– Nie skończyłam zdania, bo mi przerwałaś. Chciałam powiedzieć, że podniosłam z ziemi pierścień. Chwyciłam go szczypcami. Upuściłam, kiedy usłyszałam wasze kroki w korytarzu.

– Pierścień... – powtórzyła Shelagh. – Nie widzę pierścienia.

– Może się pod coś wtoczył.

Shelagh wstała.

– Wynosimy się stąd. Trzeba cię opatrzyć.

Alice utkwiła w niej zdumione spojrzenie. Miała przed sobą twarz obcej osoby, nie przyjaciółki. Twarz wykrzywioną gniewem.

– A nie chcesz...

– Jezus Maria! – Chwyciła Alice za ramię. – Jeszcze ci mało? Idziemy!

* * *

Gdy wyłonili się z aksamitnej ciemności jaskini, słoneczne światło zakłuło ich w oczy. Promienie eksplodowały Alice prosto w twarz, jak fajerwerki na listopadowym niebie.

Zasłoniła oczy. Czuła się zdezorientowana, nie potrafiła się odnaleźć ani w czasie, ani w przestrzeni. Ten świat przestał istnieć, gdy była w podziemnej komnacie. Krajobraz wydawał jej się znajomy, ale jakiś odmieniony.

A może widzę go innymi oczami?

Wierzchołki Pirenejów lśniące w oddali straciły ostrość. Drzewa, niebo, nawet sama góra wydawały się mniej materialne, mniej prawdziwe. Alice miała nieodparte wrażenie, iż wszystko, czego dotknie, okaże się kruche i nietrwałe jak dekoracje na planie filmowym. Rozpadnie się, odsłaniając ukryty pod spodem prawdziwy świat.

Shelagh ruszyła w milczeniu. Wybrała jakiś numer w telefonie komórkowym i nawet się nie obejrzała, by sprawdzić, czy przyjaciółka za nią nadąża.

– Zaczekaj... – Alice dogoniła ją i złapała za ramię. – Jest mi okropnie głupio... Wiem, że nie powinnam była tam wchodzić sama. Jakoś się nie zastanowiłam...

Żadnej reakcji. Nawet się nie obejrzała, tylko wyłączyła telefon.

– Zwolnij, proszę cię. Nie nadążam...

– W porządku. – Shelagh stanęła raptownie i odwróciła się do Alice. – Stoję i słucham.

– O co ci chodzi?

– Nie wiesz? Co chcesz ode mnie usłyszeć? Że wszystko jest w porządku? Mam cię pogłaskać po główce?

– No nie, ale...

– Doskonale wiesz, że nic nie jest w porządku. Zachowałaś się jak ostatnia idiotka. Wlazłaś jak słoń do składu porcelany, cholera wie, co nachrzaniłaś. Co ci do łba strzeliło?!

Alice uniosła ręce obronnym gestem.

– Masz rację. Naprawdę, bardzo mi przykro. – Niestety, wiedziała, że przeprosiny nie załatwią sprawy.

– Czy ty sobie w ogóle zdajesz sprawę, w co mnie wpakowałaś? Przecież to ja za ciebie poręczyłam. Ja namówiłam Braylinga, żeby pozwolił ci do nas dołączyć. A przez twoją zabawę w Indianę Jonesa pewnie się skończy na tym, że policja zawiesi nam wykopaliska. Brayling będzie miał pretensje do mnie, bo niby do kogo? A ja na głowie stawałam, żeby tu przyjechać. Tyle czasu... – Urwała, przeczesała palcami krótkie rozjaśnione włosy.

Nie, to jednak nie w porządku.

– Zaraz, chwileczkę – zaprotestowała Alice. Shelagh miała prawo się złościć, ale nie do tego stopnia! – Jesteś niesprawiedliwa. Przyznaję, zachowałam się głupio, nie zastanowiłam się i niepotrzebnie weszłam do tej jaskini, ale chyba trochę przesadzasz! Przecież tak naprawdę nie zrobiłam nic złego. Nie ma po co wzywać policji. Prawie niczego nie ruszałam. Nikomu nic się nie stało.

Shelagh wyrwała rękę z uścisku Alice.

– Brayling zawiadomi władze – wysyczała przez zęby – ponieważ otrzymaliśmy pozwolenie na prowadzenie wykopalisk wbrew radom policji i wyłącznie pod warunkiem, iż odkrycie jakichkolwiek szczątków ludzkich zostanie natychmiast zgłoszone. O czym powinnaś wiedzieć, jeśli byłaś uprzejma wysłuchać tego, co mówiłam na pierwszej odprawie.

Alice poczuła ucisk w żołądku.

– Myślałam, że to tylko takie sobie gadanie... Chyba nikt tego nie potraktował poważnie. Wszyscy sobie żartowali.

– To ty nie potraktowałaś moich słów poważnie! Pozostali, zawodowcy, ludzie odnoszący się z szacunkiem do naszej wspólnej pracy, wyciągnęli odpowiednie wnioski.

To nie ma sensu.

– Dlaczego policja interesuje się pracami archeologicznymi?

– Jezus Maria, czy do ciebie naprawdę kompletnie nic nie dociera?! Nieważne dlaczego. Ważne, że tak jest. A ty nie masz prawa decydować, które zasady ci się tutaj podobają, a które masz w głębokim poważaniu!

– Ja wcale nie...

– Dlaczego ty zawsze musisz wszystko robić po swojemu? Uważasz, że wszystko wiesz najlepiej, łamiesz wszelkie reguły, cholerna indywidualistka!

– Jesteś niesprawiedliwa! – Teraz i Alice zaczęła krzyczeć. – Wcale taka nie jestem i ty dobrze o tym wiesz. Po prostu nie pomyślałam...

– Właśnie. Ty nie myślisz. Z nikim i z niczym się nie liczysz. Idziesz do celu po trupach.

– Shelagh, daj spokój. Po co miałabym ci utrudniać życie? Co ty w ogóle mówisz...? – Alice odetchnęła głęboko, żeby się uspokoić. – Pójdę do Braylinga i powiem mu, że to wszystko moja wina. Normalnie wcale bym tam nie weszła, ale...

– Ale co?

– Głupio to zabrzmi, ale coś mnie tam ciągnęło. Wiedziałam, że znajdę jaskinię. Nie umiem powiedzieć skąd; po prostu wiedziałam. Miałam przeczucie. Déjà vu. Jakbym tu już kiedyś była.

– I co, twoim zdaniem to coś zmienia? – zapytała Shelagh z jadowitą ironią. – Ludzie, uwaga! Ona miała przeczucie! – Ściszyła głos. – Żałosna jesteś.

Alice pokręciła głową.

– To było coś więcej...

– Nieważne. Coś ty tu w ogóle robiła sama? Kopiemy w parach, tak? Ale nie. Alice woli kopać sama, więc ma wszystko gdzieś.

– Nie, nie. To nie tak. Wcale tego nie planowałam. Akurat zostałam sama i zobaczyłam coś pod kamieniem... – przycichła. – Chciałam tylko sprawdzić – podjęła na nowo – czy warto tutaj kopać – dokończyła i za późno uświadomiła sobie swój błąd. – Nie miałam zamiaru...

– Co ja słyszę? Jeszcze w dodatku coś znalazłaś? Cholera, znalazłaś coś i nie byłaś uprzejma podzielić się tą informacją z innymi?

– Ja...

Shelagh wyciągnęła rękę.

– Dawaj.

Alice przez chwilę patrzyła jej w oczy, potem wyciągnęła z kieszeni chusteczkę z broszą i bez słowa podała ją przyjaciółce.

Gdy Shelagh odwinęła tkaninę, brosza rozbłysła w słońcu. Alice bez-wiednie wyciągnęła do niej rękę.

– Śliczna, prawda? Zobacz, tu miedź na krawędziach... – Zawahała się. – Myślę, że należała do którejś z tych osób z jaskini.

Shelagh podniosła na nią spojrzenie. Cały gniew gdzieś się z niej ulotnił.

– Pojęcia nie masz, coś zrobiła – powiedziała. – Bladego. – Zawinęła broszę w chusteczkę. – Zabieram ją.

– Ale...

– Lepiej nic już nie mów. Co się odezwiesz, to nachrzanisz.

* * *

O co w tym wszystkim chodzi?

Alice stała jak wrośnięta w ziemię, zdumiona reakcją przyjaciółki. Kłótnia nie miała najmniejszego sensu, chociaż Shelagh nieraz potrafiła wybuchnąć z błahego powodu. Jednak zwykle długo nie chowała urazy.

Usiadła na jakimś kamieniu, oparła pulsujący nadgarstek na kolanie. Wszystko ją bolało, czuła się bardzo przybita. Wykopaliska były wspierane przez osobę prywatną, a nie z funduszu jakiejś uczelni czy instytucji, więc nie obowiązywały sztywne reguły i ustalenia krępujące wiele innych ekspedycji. Dlatego też od razu powstała ogromna konkurencja przy rekrutacji do zespołu. Gdy zaczął się nabór, Shelagh pracowała w Mas d'Azil, dosłownie parę kilometrów na północny wschód od Foix. Sama przyznawała, że przez półtora roku bombardowała organizatora wyprawy, doktora Braylinga listami, e-mailami, rekomendacjami oraz wszelkimi możliwymi zaświadczeniami. Wreszcie zwyciężyła. Już wtedy Alice zdarzało się zastanawiać, dlaczego przyjaciółce aż tak zależy na przyłączeniu się do tej ekspedycji.

Popatrzyła w dół. Shelagh już prawie zniknęła jej z oczu między krzewami na stoku. Nawet gdyby bardzo chciała, już by jej nie dogoniła.

Westchnęła ciężko. Wszystko na marne. Jak zawsze. Znowu sama. I bardzo dobrze. Wolała być samowystarczalna, nie lubiła się od nikogo uzależniać.

Teraz jednak nie miała pewności, czy znajdzie w sobie dość siły, by wrócić do obozu. Z nieba lał się żar. Obejrzała cięcie w łokciu. Znowu zaczęło krwawić. Mocniej niż poprzednio.

Potoczyła wzrokiem po spieczonym krajobrazie Montagnes du Sabarthès, ciągle zawieszonym w bezczasowym spokoju. Wreszcie poczuła się dobrze. Aż raptem ogarnęło ją inne wrażenie: coś pomiędzy oczekiwaniem a nadzieją. I rozpoznanie.

Tutaj wszystko się kończy.

Głowę wypełniły jej szepty, oderwane dźwięki, pędzące echem przez czas. Wróciły słowa wyryte u szczytu kamiennych stopni. *Pas à pas.* Dźwięczały jej w myślach jak na wpół zapomniana rymowanka z dzieciństwa.

Bez sensu. Kompletna głupota.

Wsparła na kolanach drżące dłonie, wstała z wysiłkiem. Pora wracać do obozu. W przeciwnym razie zaraz dostanie zawału albo umrze z odwodnienia. Trzeba zejść ze słońca i koniecznie się czegoś napić.

Powoli ruszyła w dół zbocza. Każdy krok był udręką. Musiała jednak uciec od kamienia pełnego echa, od mieszkających tam duchów. Nie wiedziała, co się z nią dzieje, wiedziała natomiast z całą pewnością, iż trzeba uciekać.

Przyśpieszyła kroku, potem jeszcze trochę, aż zaczęła biec, potykając się o kamienie wystające z wyschniętej ziemi. Słowa jednak z nią zostały, ponieważ wrosły jej w mózg. Brzmiały głośno i wyraźnie, powtarzane jak mantra: Krok za krokiem idziemy swoją drogą. Krok za krokiem.

ROZDZIAŁ 12

Termometr wskazywał trzydzieści trzy stopnie w cieniu. Zbliżała się godzina trzecia. Alice siedziała pod dachem namiotu z podwiniętymi dwiema bocznymi ściankami, posłusznie siorbiąc oranginę, napój pomarańczowy, który ktoś wcisnął jej w ręce. Ciepłe bąbelki łaskotały ją w gardle, cukier szybko przenikał do krwi.

Rozcięcie po wewnętrznej stronie łokcia zostało zdezynfekowane, opatrunek zmieniony. Czysty biały bandaż widniał także na lewym nadgarstku, który spuchł do rozmiarów piłki tenisowej. Podrapane kolana i pocięte drobnymi skaleczeniami łydki oczyszczono środkiem dezynfekującym.

Sama jesteś sobie winna.

Spojrzała na swoje odbicie w lusterku zawieszonym na słupku namiotu. Ujrzała drobną twarzyczkę w kształcie serca, brązowe oczy o inteligentnym spojrzeniu. Cera, jasna i bez najmniejszej skazy, w czasie wakacji zyskała miodową opaleniznę. Włosy miała brudne, na bluzce smugi zaschniętej krwi.

Marzyła o powrocie do hotelu we Foix. Chciała zrzucić brudne ubranie i na długi czas stanąć pod chłodnym prysznicem. Potem najchętniej poszłaby na rynek, zamówiła butelkę wina i spędziła nad nią czas do wieczora.

Nie myśląc o tym, co się stało.

Choć to akurat byłoby trudne.

Pół godziny wcześniej zjawiła się policja. Na parkingu stanął rząd biało-niebieskich radiowozów, wyglądających, jakby pilnowały citroenów i renówek należących do archeologów – samochodów, które niejedno już przeszły. Prawdziwa inwazja.

Alice sądziła, iż stróże prawa zajmą się przede wszystkim nią, tymczasem poprzestali na ustaleniu, że to właśnie ona znalazła szkielety, poinformowali ją, iż zostanie przesłuchana nieco później, i zostawili ją kompletnie samą. Alice współczuła swoim znajomym. Całe to zamieszanie powstało z jej powodu. Nikt inny nie powie policjantom nic ciekawego. Shelagh zniknęła bez śladu.

Przybycie przedstawicieli prawa zmieniło obóz nie do poznania. Wydawać by się mogło, iż przybyły ich całe dziesiątki: wszyscy w bladoniebieskich koszulach i długich do kolan czarnych butach, z bronią przy pasie. Rozeszli się po całej górze jak mrówki, wszędzie ich było pełno. Kurzyli, hałasowali, wykrzykiwali jakieś ważne instrukcje. Mocno akcentowali wyrazy, jak to na południu Francji, i mówili szybko, przez co trudno ich było zrozumieć. Natychmiast odgrodzili jaskinię, przed wejściem przeciągnęli plastikową taśmę. Trzask zwalnianych migawek i ćwierkanie mechanizmów automatycznie przesuwających negatyw konkurowały z cykadami.

W którymś momencie dobiegły Alice niesione bryzą głosy z parkingu. Odwróciła się i zobaczyła doktora Braylinga. Szedł schodami w górę, w towarzystwie Shelagh i przyciężkiego policjanta, który wyglądał na szefa pozostałych.

– Te dwa szkielety z całą pewnością nie są szczątkami, których szukacie – przekonywał doktor Brayling. – Kości mają co najmniej kilkaset lat. Zawiadamiając władze, doprawdy nie spodziewałem się takiego rezultatu! – Szerokim gestem objął wszystkich przybyszów. – Czy pan ma pojęcie, jakie szkody wyrządzają pańscy ludzie? Zapewniam pana, jestem daleki od zadowolenia.

Alice uważnie przyjrzała się inspektorowi. Był to człowiek w średnim wieku, niski, pulchny, o ciemnej karnacji. Miał duży brzuch i mało włosów. Brakowało mu tchu i najwyraźniej dokuczał mu skwar. Ściskał w dłoni zmiętą chusteczkę, którą bez szczególnego efektu ocierał co chwila twarz i kark. Nawet z daleka widać było okrągłe plamy potu pod pachami.

– Bardzo mi przykro z powodu wszelkich tych niedogodności, *monsieur le directeur* – odparł, posługując się niezbyt płynnym, lecz poprawnym i nieco staroświeckim angielskim. – Ufam, iż bez większego trudu wytłumaczy pan zaistniałą sytuację sponsorom.

– Fakt, iż szczęśliwie jesteśmy wspierani przez osoby prywatne, a nie instytucje, nie ma tutaj nic do rzeczy. Opóźnienie prac tak czy inaczej spowoduje podwyższenie kosztów, nie wspominając już o oczywistych problemach.

– Proszę pana – odezwał się Noubel z ciężkim westchnieniem. Widać było, iż nie pierwszy raz poruszono ten temat. – Mam związane ręce. Prowadzimy dochodzenie w sprawie morderstwa. Pan widział podobizny poszukiwanych osób, *oui*? I tak, niezależnie od wszelkich kłopotów, dopóki nie przekonamy się, iż znalezione tutaj szkielety nie mają nic wspólnego z ludźmi, których poszukujemy, prace wykopaliskowe będą wstrzymane.

– Panie inspektorze! Niechże pan nie będzie głupcem. Przecież nie ma wątpliwości, że szkielety leżą tu od kilkuset lat!

– Badał je pan?

– Nie, nie badałem. – Brayling poczerwieniał na twarzy. – Nie zrobiłem tego za pomocą urządzeń naukowych. Ale zobaczy pan, pańscy fachowcy poprą moje zdanie.

– Jestem tego pewien. Jednak do tego czasu... – Noubel lekko wzruszył ramionami. – Nie potrafię panu pomóc.

W tym momencie do rozmowy włączyła się Shelagh.

– Rozumiemy pana sytuację, inspektorze – zapewniła. – Ale czy mógłby pan, przynajmniej w przybliżeniu, określić, kiedy to się skończy?

– *Bientôt*. Niedługo. Pani wybaczy, ale to nie ode mnie zależy.

– Wobec tego – odezwał się doktor Brayling poirytowany – będę musiał porozmawiać z pańskimi przełożonymi! Niesłychane!

– Jak pan sobie życzy – zgodził się Noubel. – Tymczasem chciałbym dostać listę osób, które weszły do jaskini. Po zakończeniu ustaleń wstępnych usuniemy szczątki, a wówczas będzie pan mógł tam wejść, razem ze swoim zespołem.

Brayling oddalił się z godnością. Shelagh położyła dłoń na ramieniu inspektora, lecz zaraz ją cofnęła. O czymś jeszcze rozmawiali. W którymś momencie oboje popatrzyli w stronę parkingu. Alice podążyła wzrokiem za ich spojrzeniami, lecz nie dostrzegła nic interesującego.

* * *

Minęło pół godziny, a przy niej nadal nikt się nie zjawił.

Sięgnęła do swego plecaka, który najwyraźniej ktoś przyniósł do obozu, i wyjęła z niego ołówek oraz notatnik. Otworzyła go na pierwszej pustej stronie.

Wyobraź sobie siebie stojącą w wejściu, zaglądającą do tunelu.

Zamknęła oczy, przyjrzała się obrazowi podsuniętemu przez pamięć. Dłonie wsparte na krawędziach po obu stronach wąskiego przejścia. Na równych krawędziach. Kamień zadziwiająco gładki. Jak wypolerowany – ludzką ręką lub przez naturę. Teraz krok do przodu, w ciemność.

Podłoże skośne, nachylone w dół.

Zaczęła rysować. Kiedy odtworzyła w pamięci rozmiary korytarza, dalej poszło szybko. Koniec tunelu, skalna komnata. Na drugiej kartce naszkicowała niższy poziom. Przestrzeń między schodami a ołtarzem, szkielety w połowie drogi. Obok szkicu grobu wypunktowała listę znalezionych obiektów: nóż, skórzana sakwa, strzępek ubrania, pierścień. Z wierzchu był prawie całkiem gładki, tylko zaskakująco gruby. W jednym miejscu widniała szczelina. Co zastanawiające, wyryty na nim wzór znajdował się od wewnątrz. Wobec czego jedyną osobą, która wiedziała o jego istnieniu, był właściciel. Labirynt. Maleńka replika symbolu wykutego w ścianie za ołtarzem.

Alice odchyliła do tyłu oparcie płóciennego krzesła. Jakoś nie paliła się do powierzenia obrazu papierowi. Jak duży był ten znak? Miał ze dwa metry średnicy? Więcej? A ile kręgów?

Narysowała koło zajmujące prawie całą stronę. Co dalej? Rozpoznałaby ten symbol na końcu świata, ale pierścień trzymała w ręku tylko kilka sekund, a labirynt na ścianie widziała z pewnej odległości i w mroku, trudno więc było odtworzyć wzór z pamięci.

Musiała odszukać niezbędne informacje w zakamarkach własnego mózgu. Przecież uczyła się w szkole historii i łaciny, skulona na kanapie oglądała z rodzicami filmy dokumentalne na kanale BBC. W sypialni, na półce przy łóżku, trzymała ulubioną książkę: ilustrowaną encyklopedię mitów antycznych. Barwne kartki, niegdyś sztywne i błyszczące, z czasem doczekały się pozaginanych rogów i innych dowodów uwielbienia.

Tam był obraz labiryntu. W wyobraźni otworzyła książkę na odpowiedniej stronie. Ten jest inny.

Ustawiła je sobie przed oczami jak dwa rysunki, gdy trzeba odszukać różniące je szczegóły.

Wzięła do ręki ołówek i spróbowała ponownie. Narysowała drugie koło, we wnętrzu pierwszego, spróbowała je połączyć. Niedobrze. Następna próba okazała się nie bardziej skuteczna od poprzedniej. W pewnej chwili Alice uświadomiła sobie, że to nie tylko kwestia liczby okręgów. Coś było źle u samych podstaw rysunku.

Rysowała nadal, walcząc z zawiedzionymi nadziejami. U jej stóp rosła górka zgniecionych kartek papieru.

– Madame Tanner?

Podskoczyła, ołówek zakreślił na papierze niespokojny zygzak.

– *Docteur* – skorygowała odruchowo. Wstała.

– *Je vous demande pardon, docteur. Je m'appelle Noubel. Police Judiciaire, Département de l'Ariège**. – Podsunął jej pod oczy kartę identyfikacyjną.

Alice udała, że czyta, jednocześnie upychając notatnik do plecaka. Nie chciała pokazywać inspektorowi nieudanych szkiców.

– *Vous préférez parler en anglais?***.

– Chętnie. Tak chyba będzie rozsądniej.

Inspektorowi towarzyszył policjant w cywilu, młody mężczyzna o niespokojnym spojrzeniu. Wyglądał na takiego, co to dopiero opuścił szkolne mury. Nie został Alice przedstawiony.

Noubel wcisnął się w rozkładane krzesło ogrodowe. Nie przyszło mu to łatwo.

– *Et alors, madame.* Poproszę o pełne imię i nazwisko.

– Alice Grace Tanner.

– Data urodzenia.

– Siedemnasty stycznia tysiąc dziewięćset siedemdziesiąt cztery.

– Mężatka?

– A jakie to ma znaczenie? – burknęła.

– Fragment danych osobowych – odpowiedział Noubel spokojnie.

– Nie mężatka – poinformowała go Alice. – Stan wolny.

– Adres.

Podała mu nazwę hotelu we Foix, gdzie się zatrzymała, a także adres domowy, literując wolno obco brzmiące angielskie nazwy.

– Codziennie dojeżdża pani z Foix?

– Nie było miejsca w domu, w którym mieszkają archeolodzy, więc...

– *Bien.* O ile dobrze rozumiem, jest pani wolontariuszką?

– Tak. Shelagh... to znaczy, doktor O'Donnell, jest moją przyjaciółką od lat. Razem studiowałyśmy...

Nie opowiadaj mu swojego życiorysu, tylko odpowiedz na pytanie.

---

* Proszę o wybaczenie. Nazywam się Noubel. Policja departamentu Ariège.
** Woli pani rozmawiać po angielsku?

– Przyjechałam tu z wizytą. Doktor O'Donnell dobrze zna tę część Francji, więc kiedy się okazało, że muszę załatwić sprawy w Carcassonne, Shelagh zaproponowała mi, żebym tu do niej zajrzała na kilka dni. Takie wakacje przy pracy...

Noubel pilnie notował.

– Nie jest pani archeologiem.

– Nie. Ale zatrudnianie ochotników, zapalonych amatorów albo studentów z pokrewnych wydziałów jest powszechną praktyką. Wykonują oni tylko podstawowe zadania.

– Ilu ochotników pracuje przy tych wykopaliskach?

Alice poczerwieniała, jakby została przyłapana na kłamstwie.

– Teraz akurat żaden. Wszyscy poza mną są archeologami lub studentami archeologii.

Noubel podniósł na nią wzrok.

– Jak długo pani tu zostanie?

– Dziś miałam wyjechać.

– A co z Carcassonne?

– Muszę tam być w środę rano, mam ważne spotkanie. Potem chcę zostać kilka dni, pozwiedzać miasto. Wracam do Anglii w niedzielę.

– Carcassonne jest piękne – zapewnił Noubel.

– Nigdy tam nie byłam.

Inspektor westchnął, otarł czerwoną twarz chusteczką.

– A jaki jest charakter tego ważnego spotkania?

– Nie jestem do końca zorientowana. Jakaś moja daleka krewna, mieszkająca we Francji, zostawiła mi coś w testamencie. – Zamilkła niezdecydowana. Nie miała ochoty mówić więcej. – Wszystkiego dowiem się w środę u radcy prawnego.

Noubel znów coś zanotował. Alice próbowała zerkać w jego zapiski, jednak do góry nogami nie mogła rozszyfrować pisma. Na szczęście nie drążył tematu.

– Jest pani lekarzem... – Noubel nie dokończył zdania.

– Nie, nie jestem doktorem medycyny. – Teraz znalazła się na pewniejszym gruncie. – Jestem nauczycielką, mam stopień naukowy z angielskiej literatury średniowiecznej.

Noubel patrzył na nią lekko osłupiałym wzrokiem. Najwyraźniej nic nie zrozumiał.

– *Pas médecin* – wyjaśniła po francusku. – *Pas généraliste. Je suis universitaire.*

Westchnął, pokiwał głową i dopisał coś w notatniku.

– *Bien* – sapnął. – *Aux affaires*.* – Zniknął gdzieś ton miłej pogawędki. – Pracowała pani sama. Czy to przyjęta praktyka?

W Alice natychmiast obudziła się czujność.

– Nie – odparła powoli. – Zostałam sama, ale ponieważ dzisiaj kopa-

---

* Do rzeczy.

łam ostatni dzień, nie chciałam jeszcze kończyć pracy. Miałam przeczucie, że coś znajdę.

– Za kamieniem kryjącym przejście? Dlaczego postanowiła pani kopać akurat w tamtym miejscu?

– Doktor Brayling i Shelagh... to znaczy, doktor O'Donnell, stworzyli plan, w którym wytyczyli poszczególne etapy prac. I zgodnie z nim podzielili teren na odpowiednie fragmenty.

– Więc to doktor Brayling wysłał panią w to miejsce? Czy też doktor O'Donnell?

Przeczucie. Wiedziałam, że coś tam znajdę.

– Niezupełnie. Poszłam wyżej, niż było przewidziane, ponieważ miałam przeczucie, że coś tam jest... – urwała. – Nie mogłam znaleźć doktor O'Donnell, by poprosić ją o pozwolenie, więc... podjęłam samodzielną decyzję.

– Rozumiem. – Noubel zmarszczył brwi. – Pracowała pani, kamień się obsunął i spadł. Co potem?

Alice miała prawdziwe dziury w pamięci, ale chciała pomóc najlepiej jak potrafiła. Noubel, choć posługiwał się bardzo oficjalnym angielskim, pozbawionym naleciałości języka potocznego, zadawał sensowne pytania.

– Kiedy byłam w tunelu, usłyszałam za sobą jakieś odgłosy i...

Nagle słowa zamarły jej na ustach. Powróciło wspomnienie, które spychała w najgłębsze zakamarki pamięci. Kłucie w piersiach, jakby... Jakby co? Znała odpowiedź: Jakby mnie ktoś ugodził sztyletem.

Takie to właśnie było uczucie. Ostrze wbite w ciało, precyzyjnie, czysto. Nie było bólu, tylko to ukłucie, fala zimna i straszna ciemność. A co dalej? Jaskrawe światło, chłód i bezcielesność. Oraz ukryta w zdarzeniach twarz. Kobieca.

Głos inspektora roztrzaskał kruche wizje.

– Doktor Tanner?

Czy ja mam halucynacje?

– Proszę pani, czy kogoś zawołać?

Przez chwilę patrzyła na niego, nic nie rozumiejąc.

– A nie, dziękuję, wszystko w porządku. To tylko tak z gorąca.

– Mówiła pani o odgłosach w tunelu.

Udało jej się skupić uwagę.

– A... tak. Straciłam orientację w ciemnościach, nie wiedziałam, skąd dochodzą te dźwięki, przestraszyłam się. Teraz wiem, że to tylko Shelagh i Stephen...

– Stephen?

– Stephen Kirkland. – Przeliterowała nazwisko.

Noubel odwrócił notatnik w jej stronę, sprawdziła, czy dobrze zapisał.

– Shelagh zwróciła uwagę na kamień ruszony z miejsca i postanowiła sprawdzić, co się stało. Stephen pewnie poszedł za nią. – Umilkła. – Co potem... nie mam pewności. – Tym razem kłamstwo przyszło jej łatwo. – Możliwe, że się poślizgnęłam na schodach. Nadepnęłam na coś? Pamiętam dopiero, jak Shelagh mnie cuciła.

– Doktor O'Donnell powiedziała, że była pani nieprzytomna.

– Ale raczej krótko. Takie w każdym razie mam wrażenie.

– Czy wcześniej zdarzały się pani omdlenia?

Alice pobladła. Pytanie przywiodło jej na myśl koszmarne wspomnienie pierwszej w życiu utraty przytomności.

– Nie – skłamała z przekonaniem.

Noubel nie zauważył zmiany na jej twarzy.

– Powiedziała pani, że było ciemno. I dlatego się pani przewróciła. Ale przedtem miała pani światło?

– Świeciłam zapalniczką. Upadła mi, kiedy usłyszałam hałas. Upuściłam pierścień.

– Pierścień? – Podniósł na nią żywe spojrzenie. – Nic pani nie wspomniała o pierścieniu.

– Leżał między szkieletami – odpowiedziała szybko, zaalarmowana wyrazem jego twarzy. – Podniosłam go pęsetą, chciałam mu się lepiej przyjrzeć, ale zanim...

– Co to był za pierścień? – przerwał. – Z czego był zrobiony?

– Chyba z jakiegoś kamienia. W każdym razie nie ze srebra ani ze złota. Raczej w ogóle nie z metalu. Nie zdążyłam mu się przyjrzeć.

– Było coś na nim wygrawerowane? Jakieś litery? Pieczęć? Wzór?

Alice otworzyła usta, lecz zaraz je zamknęła. Jakoś przestała mieć ochotę dzielić się z tym człowiekiem swoją wiedzą.

– Przykro mi – odezwała się po chwili. – Nie zdążyłam zobaczyć.

Noubel jakiś czas przyglądał jej się z uwagą. Wreszcie strzelił palcami, a na ten znak młody policjant stojący za jego plecami podszedł bliżej. On także wyglądał na podekscytowanego.

– *Biau, on a trouvé quelque chose comme ça?*

– *Je ne sais pas, monsieur l'inspecteur.*

– *Dépêchez-vous, alors. Il faut le chercher... Et informez-en monsieur Authié. Allez! Vite!**

W głowie Alice narastał tępy ból. Najwyraźniej mijało działanie środków znieczulających.

– Czy dotykała pani czegoś jeszcze?

Potarła skronie.

– Trąciłam stopą czaszkę. Zmieniła położenie. Poza tym niczego więcej nie ruszałam. Jak już mówiłam.

– A ta rzecz, którą znalazła pani pod kamieniem?

– Brosza? Po wyjściu z jaskini oddałam ją doktor O'Donnell. Nie wiem, co się z nią dalej stało.

Noubel jej nie słuchał. Co chwila oglądał się przez ramię. W końcu przestał udawać, że jest zainteresowany jej słowami, i zamknął notatnik.

---

* – Biau, znaleźliśmy coś takiego?
– Nie wiem, panie inspektorze.
– To się dowiedz. Trzeba to znaleźć. I poinformuj o tym pana Authié. No już, rusz się.

– Będzie pani tak miła i zaczeka na mnie. Może będę miał do pani jeszcze kilka pytań.

– Nie mam już nic do powiedzenia – zaprotestowała. – Czy mogę przynajmniej wrócić do innych, do obozu?

– Później. Na razie proszę, by została pani tutaj.

* * *

Alice zapadła się w płócienne krzesło. Była zła i bardzo zmęczona. Noubel tymczasem, sapiąc i zipiąc, powędrował w górę, gdzie grupa policjantów w mundurach uważnie oglądała kamień, który jeszcze niedawno zasłaniał wejście do jaskini.

Gdy inspektor się do nich zbliżył, krąg rozstąpił się, by go przepuścić, a wtedy Alice dostrzegła wysokiego mężczyznę w cywilu.

Zmarszczyła brwi.

Miał na sobie doskonale skrojony bladozielony letni garnitur oraz nieskazitelnie białą, wykrochmaloną koszulę. Najwyraźniej był kimś ważnym, emanował pewnością siebie, przyzwyczajony do wydawania rozkazów. Noubel wyglądał przy nim jak siedem nieszczęść.

Alice poczuła ukłucie niepokoju.

Nie tylko ubranie wyróżniało z tłumu tego władczego człowieka. Czuło się siłę jego osobowości, charyzmę. Jego twarz, blada i ponura, odcinała się ostro od ciemnych włosów zaczesanych do tyłu, odsłaniających wysokie czoło. W jakimś sensie przywodził na myśl zakonnika. Było w nim coś znajomego.

Daj spokój. Skąd niby miałabyś go znać?, pomyślała.

Wstała, podeszła do wyjścia z namiotu. Noubel i obcy oddzielili się od grupy policjantów. Rozmawiali. Czy też raczej inspektor mówił, a tamten słuchał. Nie trwało to długo, zaraz się odwrócił i poszedł wyżej, ku wejściu do jaskini. Stojący tam mundurowy podniósł taśmę, obcy schylił się i zniknął w ciemności.

Nie wiedzieć czemu, Alice dłonie zwilgotniały ze strachu. Dostała gęsiej skórki, czuła się podobnie jak wówczas, gdy będąc w jaskini, usłyszała kroki. Oddychała z najwyższym trudem.

To twoja wina. Ty go tu sprowadziłaś.

Alice wzięła się w garść. O czym ty mówisz? Ale napastliwy głos rozbrzmiewający w głowie nie dał się uciszyć.

Ty go tu sprowadziłaś.

Znowu skierowała wzrok na wejście do jaskini, przyciągało ją jak magnes. Nic nie mogła poradzić na to, co się teraz działo, choć tyle zrobiono, by labirynt pozostał ukryty.

Znajdzie go.

– Co znajdzie? – mruknęła pod nosem. Niczego już nie była pewna.

Ale żałowała, że nie zabrała pierścienia, gdy miała po temu okazję.

ROZDZIAŁ 13

Noubel nie wszedł do jaskini. Siedział przed wejściem, w szarym cieniu skał. Twarz miał czerwoną jak rak.

On wie, że coś jest nie w porządku, pomyślała Alice.

Od czasu do czasu wymieniał kilka zdań z policjantem pilnującym wyjścia i palił papierosa. Drugiego odpalił od niedopałka.

Alice dla zabicia czasu słuchała muzyki. Zespół Nickelback zagłuszał wszelkie inne dźwięki.

Po kwadransie mężczyzna w garniturze zjawił się ponownie. Mundurowy i Noubel wyraźnie się spięli. Dziewczyna zdjęła słuchawki, podciągnęła oparcie krzesła do pionu. Podniosła się i stanęła przy słupku.

Obcy i Noubel ruszyli w jej stronę.

– Już myślałam, że pan o mnie zapomniał, inspektorze – odezwała się, gdy podeszli bliżej.

Wymamrotał jakieś przeprosiny, lecz unikał jej wzroku.

– *Je vous présente monsieur Authié**.

Z bliska elegancki mężczyzna robił jeszcze większe wrażenie. Jeszcze mocniej emanowała z niego charyzma. Tyle tylko że jego szare oczy były zimne i pozbawione jakichkolwiek uczuć. Alice odruchowo uznała, iż musi się mieć na baczności. Przezwyciężając niechęć, wyciągnęła rękę na powitanie. Authié po chwili wahania podał jej dłoń. Palce miał zimne, uścisk niechętny. Mało się nie wzdrygnęła.

– Wejdziemy? – spytał.

– Pan także jest z policji?

W oczach mężczyzny zapłonął nikły płomyk, lecz reakcja nie była na tyle żywa, by zaowocowała wyartykułowaniem jakiegoś słowa. Alice czekała, zastanawiając się, czy to możliwe, że monsieur Authié jej nie usłyszał. Niezręczną ciszę przerwał Noubel.

– Monsieur Authié jest z *mairie*, z merostwa. Z Carcassonne.

– Naprawdę? – zdziwiła się Alice. Nie wiedziała, że Carcassonne podlega tej samej jurysdykcji co Foix.

Authié zajął jej krzesło, więc nie mając wyboru, musiała usiąść tyłem do wejścia. Ten człowiek zmuszał ją do najwyższej ostrożności.

---

* Przedstawiam pana Authié.

Błysnął zawodowym uśmiechem polityka: doświadczonym, czujnym i nieszczerym, niesięgającym oczu.

– Mam do pani kilka pytań.

– Nie wiem, co jeszcze miałabym powiedzieć. Wszystko, co pamiętam, przekazałam inspektorowi.

– Inspektor Noubel przedstawił mi w skrócie pani zeznanie, niemniej muszę panią przesłuchać raz jeszcze. Istnieją w pani opowieści pewne niezgodności wymagające wyjaśnienia. Może chodzić o szczegóły, o których pani uprzednio zapomniała, rzeczy, które w danym momencie wydały się pani nieistotne.

Alice ugryzła się w język.

– Powiedziałam inspektorowi wszystko – odparła.

Authié nie zwrócił uwagi na jej protest. Nie uśmiechnął się, w żaden sposób nie dał poznać, iż cokolwiek usłyszał.

– Zacznijmy od momentu, gdy weszła pani do jaskini. Krok za krokiem.

Krok za krokiem? *Pas à pas?* Naigrawał się z niej, czy co? Jego twarz nie wyrażała nic. Alice spojrzała na złoty krzyżyk, który miał na swojej szyi, a potem znów w jego zimne szare oczy, których ani na chwilę z niej nie spuszczał.

Nie miała wyboru, więc zaczęła jeszcze raz od początku. Słuchał uważnie, w milczeniu. Potem zaczęło się właściwe przesłuchanie.

– Czy napis na szczycie schodów jest czytelny? Czy zatrzymała się pani, by go odcyfrować?

– Większość liter zatarł czas – odparła, ciekawa, czy monsieur Authié zada kłam jej słowom. Nie zrobił tego, wygrała. – Zeszłam niżej, na poziom ołtarza. Tam zobaczyłam szkielety.

– Dotykała ich pani?

– Nie.

Żachnął się lekko, sięgnął do kieszeni marynarki.

– Czy to należy do pani? – spytał, pokazując jej niebieską plastikową zapalniczkę.

Alice wyciągnęła po nią rękę, ale on cofnął dłoń.

– Może pan mi ją oddać?

– Czy to jest pani własność?

– Tak.

Kiwnął głową, po czym wsunął zapalniczkę z powrotem do kieszeni.

– Utrzymuje pani, że nie dotykała szkieletów, choć przesłuchiwana przez inspektora Noubela powiedziała pani coś innego.

– To był wypadek! – Alice spłonęła rumieńcem. – Trąciłam stopą jedną z czaszek, ale to nie znaczy, że dotykałam szkieletów.

– Pójdzie nam łatwiej i szybciej, jeśli zechce pani po prostu odpowiadać na moje pytania. – Ciągle ten sam lodowaty głos.

– Nie rozumiem, co takiego...

– Jak wyglądały? – rzucił ostrym tonem.

Wyczuła, że Noubel nie pochwala takiego zachowania, ale też nie zrobił nic, by stanąć w jej obronie. Żołądek jej się skurczył ze strachu.

– Co pani dostrzegła między szkieletami?

– Sztylet... a w każdym razie jakiś nóż. Niewielką sakwę, skórzaną, jak sądzę. – On chce cię onieśmielić. – Nie mam pewności, bo jej nie dotykałam.

Authié zmrużył oczy.

– Zajrzała pani do środka?

– Powiedziałam już panu, że nie dotknęłam niczego...

– Poza pierścieniem, tak, pamiętam. – Nagle pochylił się do przodu, jak wąż przed atakiem. – I to właśnie mnie dziwi, droga pani. Zadaję sobie pytanie, dlaczego pierścień okazał się na tyle interesujący, by go podnieść, a wszystko inne pozostało nietknięte. Oczywiście rozumie pani moje zdziwienie.

– Przyciągnął mój wzrok – odparła, patrząc mu prosto w oczy.

Monsieur Authié uśmiechnął się ironicznie.

– W podziemnej jaskini, w nieomal całkowitych ciemnościach zwróciła pani uwagę na ten jeden konkretny przedmiot? Jak duży? Wielkości monety jednego euro? Trochę większy? Odrobinę mniejszy?

Nic mu nie mów.

– Zakładam, iż potrafi pan określić jego wymiary sam – odrzekła chłodno.

Uśmiechnął się. A ona, z niechęcią, uświadomiła sobie, iż tańczy, jak on jej zagra.

– Chętnie bym to zrobił – odparł Authié cicho. – Tu jednak dochodzimy do sedna sprawy: pierścienia nie ma.

Alice zmartwiała.

– Nie rozumiem.

– Powiedziałem wyraźnie: w jaskini nie ma pierścienia. Jest wszystko inne, mniej więcej w takim stanie, jak pani opisała. Ale nie ma pierścienia. – Położył ręce na podłokietnikach jej krzesła, przysunął do jej twarzy swoją bladą twarz. Cofnęła się odruchowo. – Co z nim zrobiłaś, Alice? – szepnął.

Nie daj się zastraszyć. Nie zrobiłaś nic złego.

– Powiedziałam panu dokładnie, co się stało – rzekła, walcząc ze strachem. – Pierścień wypadł mi z ręki, kiedy upuściłam zapalniczkę. Jeśli go nie ma w jaskini, to znaczy, że ktoś go zabrał. Nie zrobiłam tego ja. – Zerknęła na Noubela. – Gdybym go wzięła, to przecież bym w ogóle o nim nie wspomniała.

– Nikt poza panią nie widział tego tajemniczego pierścienia – oświadczył Authié, jakby nie słyszał komentarza. – Co prowadzi nas do jednego z dwóch wniosków: albo się pani myli i nic takiego nie widziała, albo go pani ukradła.

Tutaj inspektor Noubel wreszcie przypomniał o swoim istnieniu.

– Monsieur Authié, ja myślę...

– Nie płacą panu za myślenie – warknął Authié, nawet nie odwracając wzroku. Noubel poczerwieniał. – Stwierdzam fakty – rzekł Authié, przyszpilając Alice wzrokiem.

Alice miała wrażenie, że bierze udział w jakiejś dziwacznej walce, tyle że nikt nie wyjaśnił jej reguł gry. Mówiła temu człowiekowi prawdę, ale nie miała sposobu go przekonać, iż nie kłamie.

– Po mnie weszło do jaskini sporo osób – odezwała się wreszcie. – Pracownicy sądowi, policja, inspektor Noubel, pan... – Patrzyła na niego wyzywająco. – Pan spędził tam sporo czasu. – Usłyszała, jak Noubel wstrzymał oddech. – Shelagh O'Donnell poprze moje słowa. Niech pan ją spyta.

Monsieur Authié uśmiechnął się lekko, tylko kątem ust.

– Ależ spytałem, oczywiście, jak najbardziej. Utrzymuje, że nic jej nie wiadomo o żadnym pierścieniu.

– Przecież jej powiedziałam! – krzyknęła Alice. – Sama go widziała.

– Twierdzi pani, że doktor O'Donnell badała grób? – spytał ostro.

Strach przeszkadzał jej myśleć. Już nie pamiętała, co powiedziała inspektorowi, a co zatrzymała dla siebie.

– Czy to doktor O'Donnell udzieliła pani zezwolenia na prowadzenie prac w tym miejscu?

– To nie tak... – Ogarniała ją panika.

– W takim razie, czy zrobiła cokolwiek, by zapobiec pani poszukiwaniom w tej części góry?

– To nie takie proste.

Authié cofnął się, usiadł w krześle prosto.

– Obawiam się, że w tej sytuacji nie mam wyboru.

– Nie rozumiem.

Przeskoczył wzrokiem na jej plecak. Alice sięgnęła po swoją własność, ale była za wolna. Authié chwycił go pierwszy i rzucił inspektorowi.

– Nie ma pan do tego prawa! – krzyknęła. Odwróciła się do inspektora. – Tak nie wolno! Niech pan coś zrobi!

– Dlaczego pani się sprzeciwia, jeśli nie ma nic do ukrycia? – odezwał się Authié.

– To kwestia zasad! Nie wolno panu grzebać w moich rzeczach!

– *Monsieur Authié, je ne suis pas certain....**.

– Rób, co ci kazano, Noubel.

Alice usiłowała chwycić plecak, lecz Authié złapał ją za nadgarstek. Tak ją zaskoczył ten bezczelny gest, że zastygła bez ruchu. Zatrzęsła się, choć nie potrafiła ocenić, czy ze strachu, czy z gniewu.

Wyrwała rękę z uścisku i usiadła, patrząc, jak Noubel szpera po kieszeniach plecaka.

– *Continuez. Dépêchez-vous***.

---

* Proszę pana, nie jestem pewien...
** Dalej. Prędzej.

Zaczął przeglądać główną komorę, teraz to już tylko kwestia sekund, nim znajdzie szkicownik. Pochwycił jej spojrzenie. On też nie jest zachwycony.

Niestety, Authié także zauważył wahanie Noubela.

– O co chodzi, inspektorze?

– *Pas de bague**.

– A co pan znalazł? – spytał, wyciągając rękę.

Noubel z ociąganiem podał mu notatnik.

Authié przerzucił kartki z protekcjonalnym wyrazem twarzy. W pewnej chwili oczy mu rozbłysły i zanim przesłoniły je górne powieki, Alice ujrzała w nich szczere zaskoczenie. Zatrzasnął okładki.

– *Merci de votre... collaboration*** – powiedział.

Alice wstała.

– Proszę mi oddać notatnik – zażądała, starając się, by jej głos brzmiał pewnie i władczo.

– Zostanie pani zwrócony w późniejszym terminie – odparł, wsuwając go do kieszeni. – Plecak także. Inspektor Noubel wyda pani pokwitowanie. Dostanie pani od niego także swoje zeznanie do podpisania.

Zaskoczył ją nagły koniec przesłuchania. Zanim wzięła się w garść, Authié zdążył wyjść, zabierając ze sobą jej rzeczy.

– Dlaczego pan mu nie przeszkodził?! – krzyknęła do Noubela. – Nie puszczę tego płazem!

Jego twarz stężała.

– Dopilnuję, żeby odzyskała pani plecak. I radzę pani zapomnieć o tym, co się tu wydarzyło.

– Mowy nie ma! – Ale Noubel już odszedł. Została sama na środku namiotu, wytrącona z równowagi i kompletnie zdezorientowana.

Nie miała pojęcia, co robić. Była wściekła, w takim samym stopniu na ważniaka w garniturze, jak i na siebie, za to, że tak łatwo dała się zahukać.

On jest jakiś inny.

Nigdy dotąd nie reagowała tak silnymi negatywnymi emocjami na czyjąś obecność.

Stopniowo odzyskiwała spokój. Chciała coś zrobić. Cokolwiek. Kusiło ją, by od razu iść ze skargą na aroganta do doktora Braylinga albo nawet do Shelagh. Zrezygnowała jednak. Biorąc pod uwagę fakt, iż chwilowo zyskała status *persona non grata*, trudno było od kogokolwiek oczekiwać współczucia.

Musiała się zadowolić ułożeniem w głowie listu ze skargą. Usiłowała też doszukać się w minionych zdarzeniach jakiegokolwiek sensu.

Jakiś czas później umundurowany policjant przyniósł jej zeznanie do podpisania. Przeczytała je uważnie, a że nie miała do treści żadnych zastrzeżeń, bez wahania podpisała się na dole strony.

---

* Nie ma pierścienia.
** Dziękuję za... współpracę.

Zanim wreszcie wyniesiono z jaskini ludzkie szczątki, Pireneje stały już skąpane w miękkim czerwonym blasku zachodzącego słońca.

Gdy ponura procesja schodziła zboczem na parking, gdzie czekały posłusznie biało-niebieskie wozy policyjne, w obozie zapadła cisza. Jedna z kobiet przeżegnała się, kiedy mijał ją korowód.

Alice dołączyła do innych stojących na szczycie wzgórza i stamtąd przyglądała się, jak ładują znalezisko do karawanu. Nikt nie odezwał się nawet słowem. Drzwi samochodu zamknięto i zabezpieczono, van odjechał z parkingu, zostawiając za sobą chmurę pyłu. Większość jej znajomych wróciła na górę po swoje rzeczy. Spakowali się pod czujnym okiem dwóch policjantów, którzy nadzorowali obóz ekspedycji w czasie, gdy wszyscy przygotowywali się do wyjazdu.

Alice zamarudziła chwilę, by uniknąć kontaktu z ludźmi. Wiedziała, że równie ciężko będzie jej znieść współczucie jak wrogość.

Z wysoka widziała, jak konwój sunął w dół zygzakowatą drogą, coraz mniejszy i mniejszy, aż zmienił się w niewyraźną kreskę na horyzoncie.

W obozie otoczyła ją cisza. Uświadomiła sobie, iż nie może już dłużej zwlekać, i zaczęła się pakować. Wtedy dostrzegła monsieur Authiégo. Jeszcze nie wyjechał. Przyglądała się, jak z wielką uwagą odłożył marynarkę na tylne siedzenie swojego srebrnego wozu, z pewnością wartego fortunę. Zatrzasnął drzwiczki, wyjął z kieszeni telefon komórkowy. Do Alice docierało miękkie stukanie palcami o dach samochodu. Czekał na połączenie.

Przekazał bardzo krótką wiadomość.

– *Ce n'est plus là.*

Tam go już nie ma.

ROZDZIAŁ 14
Chartres

Wielka gotycka katedra Notre Dame w Chartres wznosiła się wysoko nad mozaiką szarych i czerwonych dachówek oraz ścian budynków, w połowie drewnianych, w połowie pobudowanych z wapienia. Tak wyglądało historyczne centrum miasta. Poniżej ciasnego labiryntu krętych uliczek ukrytych w cieniu płynęła rzeka Eure, którą znaczyły cętkowane plamy późnopopołudniowego słońca.

Przy zachodnich drzwiach katedry tłoczyli się turyści z kamerami i aparatami fotograficznymi w rękach, jak z bronią. Skupieni na utrwalaniu obrazu, a nie na wchłanianiu atmosfery. Ślepi na zachwycającą feerię barw wylewającą się z trzech smukłych okien nad portalem królewskim.

Aż do osiemnastego wieku dziewięć wejść prowadzących w bezpośrednie pobliże katedry można było w razie niebezpieczeństwa szczelnie zamknąć. Bramy dawno zniknęły, lecz wrażenie pozostało.

Chartres było miastem podzielonym na dwie części: starą i nową. Najbardziej ekskluzywne ulice znajdowały się na północ od kościoła, tam gdzie stał pałac biskupi. Blade kamienne budynki spoglądały władczo w stronę katedry, spowijała je atmosfera wielosetletnich katolickich wpływów.

Dom rodu de l'Oradore zdominował rue du Cheval Blanc. Przetrwał rewolucję oraz okupację i stał niewzruszony, dając świadectwo zakorzenienia starego majątku. Mosiężna kołatka i skrzynka na listy lśniły ciepłym blaskiem, krzewy rosnące w donicach po obu stronach szerokich schodów prowadzących ku dwuskrzydłowym drzwiom były przycięte w sposób wprost doskonały.

Frontowe drzwi otwierały widok na duży hol o podłodze z ciemnego drewna. Na środku, na owalnym stoliku, stał ciężki szklany wazon ze świeżo ściętymi białymi liliami. Pod ścianami ustawiono dyskretnie, ale skutecznie zabezpieczone gablotki, zawierające bezcenną kolekcję pamiątek egipskich, które znalazły się w posiadaniu rodu de l'Oradore po triumfalnym powrocie Napoleona z północnego Egiptu – na początku dziewiętnastego wieku. Była to jedna z największych prywatnych kolekcji egipskich.

Aktualna głowa rodziny, Marie-Cécile de l'Oradore, handlowała antykami ze wszystkich okresów, ale podzielała zamiłowanie swojego zmarłego dziada do epoki średniowiecza. Naprzeciwko wejścia wisiały na ścianie dwa ogromne arrasy. Oba pozyskała, wraz z resztą majątku, przed pięciu laty. Najcenniejsze rodzinne skarby – obrazy, biżuteria, manuskrypty – tkwiły zamknięte w sejfie.

* * *

Główna sypialnia mieściła się na pierwszym piętrze, jej okna wychodziły na ulicę Cheval Blanc. W wielkim łożu z kolumnami leżał najnowszy kochanek Marie-Cécile, Will Franklin.

Przykryty był do pasa, opalone ramiona założył za głowę, na poduszce rozsypały się jego jasnobrązowe włosy, przetykane blond pasmami, które pojawiły się w czasie wakacji spędzonych w Martha's Vineyard. Na twarzy miał ujmujący uśmiech zagubionego chłopca.

Marie-Cécile siedziała przy kominku, w zdobionym fotelu z epoki Ludwika XIV. Założyła nogę na nogę. Krótka koszulka z połyskliwego jedwabiu pięknie kontrastowała z granatowym aksamitem tapicerki.

Kobieta miała charakterystyczny wyrazisty profil rodu de l'Oradore, bladą karnację, ale usta pełne i zmysłowe, a zielone kocie oczy okolone gęstymi, długimi rzęsami. Doskonale podcięte czarne loki ledwo muskały pięknie rzeźbione ramiona.

– Masz ładną sypialnię – pochwalił Will. – Doskonale do ciebie pasuje. Chłodna, kosztowna, subtelna.

Gdy wyciągnęła rękę po papierosa, w jej uszach zalśniły delikatne brylantowe kolczyki na sztyftach.

– Dawniej była to sypialnia mojego dziadka.

Mówiła po angielsku doskonale, zdradzał ją jedynie ślad francuskiego akcentu. Wstała, podeszła do mężczyzny. Gruby, bladoniebieski dywan wygłuszył jej kroki.

Will uśmiechnął się wyczekująco. Pachniała nieziemsko: seksem, Chanel i niewyraźną nutką gauloise'a.

– Odwróć się – rozkazała, robiąc kolisty ruch palcem wskazującym. – Na brzuch.

Posłuchał od razu. Gdy zaczęła masować mu barki i szyję, odprężenie spłynęło na niego nieomal natychmiast, jak na żądanie.

Żadne z nich nie zwróciło uwagi na dźwięk otwieranych i zamykanych drzwi wejściowych, Will nie usłyszał nawet głosów w holu ani pośpiesznych kroków osoby pokonującej po dwa stopnie naraz i biegnącej po korytarzu. Podniósł głowę dopiero, gdy ktoś zastukał gwałtownie do drzwi sypialni.

– *Maman*!

Will stężał.

– To tylko mój syn – uspokoiła go Marie-Cécile. – *Oui? Qu'est-ce que c'est*?*

---

* – Tak? O co chodzi?

112

– *Maman! Je veux te parler**.

Will uniósł głowę.

– Zdawało mi się, że miał wrócić dopiero jutro.

– I słusznie.

– *Maman!* – François-Baptiste nie dawał za wygraną. – *C'est important***.

– Jeśli przeszkadzam... – odezwał się Will.

– Porozmawiam z nim później. – Podniosła głos. – *Pas maintenant, François-Baptiste****. – I dodała ciszej, po angielsku: – Teraz... nie jest najlepszy moment.

Will przetoczył się na plecy i usiadł. Nie czuł się najlepiej. Znał Marie-Cécile od trzech miesięcy, a nie spotkał jeszcze jej syna. François-Baptiste najpierw był na uniwersytecie, potem wyjechał gdzieś z przyjaciółmi na wakacje... Stale znikał. Teraz przyszło Willowi do głowy, iż kochanka mogła do tego doprowadzić celowo.

– Może jednak z nim porozmawiaj?

– Skoro ma cię to uszczęśliwić... – Zsunęła się z łóżka. Uchyliła drzwi. Doszło do przyciszonej wymiany zdań, z której Will nic nie zrozumiał, potem znów rozległy się kroki w korytarzu. Marie-Cécile przekręciła klucz w zamku.

– Lepiej? – spytała cicho.

Wolnym krokiem wróciła do łóżka, przyglądając mu się zza firanki rzęs. Poruszała się, jakby występowała na scenie, ale Willowi było obojętne, czy Marie-Cécile gra, czy nie.

Pchnęła go na wznak i usiadła na nim okrakiem. Przesunęła dłońmi po szerokich barkach, zostawiając cienkie ślady paznokci. Ścisnęła go udami. Will przeciągnął palcami po jej gładkich ramionach, wnętrzem dłoni trącił piersi ledwo przykryte jedwabiem. Zrzucił cienkie ramiączka. Wykwintna bielizna opadła do talii.

W tej chwili zadzwonił telefon komórkowy leżący na stoliku nocnym.

– Jeśli to coś ważnego, zadzwonią jeszcze raz – powiedział Will schrypniętym głosem.

Marie-Cécile zerknęła na numer na wyświetlaczu i natychmiast humor jej się zmienił.

– Muszę odebrać – oznajmiła.

Usiłował jej przeszkodzić, ale odepchnęła go niecierpliwie.

– Nie teraz.

Jednym ruchem podciągnęła koszulkę, podeszła do okna.

– *Oui. J'écoute*****.

Po drugiej stronie rozległy się trzaski spowodowane złą jakością połączenia.

---

* – Chcę z tobą porozmawiać.
** To ważne.
*** Nie teraz, François-Baptiste.
**** Tak, słucham.

– *Trouve le, alors!** – rzuciła i rozłączyła się. Twarz miała czerwoną z gniewu. Drżącymi rękami zapaliła papierosa.

– Kłopoty?

Odniósł wrażenie, że go nie usłyszała. Wyglądała, jakby w ogóle zapomniała o jego istnieniu. Wreszcie jednak na niego spojrzała.

– Niepomyślne wieści – powiedziała.

Will czekał jeszcze jakiś czas, w końcu jednak zdał sobie sprawę, że więcej wyjaśnień nie otrzyma i powinien zniknąć.

– Nie bądź zły – odezwała się Marie-Cécile pojednawczym tonem. – Wolałabym być z tobą, *mais...*

Wstał, włożył dżinsy. Był rozdrażniony.

– Zobaczymy się przy kolacji?

Pokręciła głową.

– Jestem umówiona. W interesach, przecież wiesz. – Wzruszyła ramionami. – Później, *oui*?

– Kiedy później? O dziesiątej? O północy?

Podeszła do niego, wzięła go za rękę, splotła palce z jego palcami.

– Nie gniewaj się.

Will chciał się odsunąć, ale go nie puszczała.

– Wiecznie to samo – wybuchnął. – Nigdy nie wiem, co jest grane.

Przycisnęła się do niego, poczuł jej miękkie piersi. Mimo gniewu nie mógł okiełznać własnego ciała.

– To tylko interesy – szepnęła. – Nie ma powodu do zazdrości.

– Nie jestem zazdrosny. – Stracił już rachubę, ile razy toczyli taką rozmowę. – To coś ważniejszego...

– *Ce soir* – ucięła, robiąc krok w tył. – A teraz muszę się przygotować.

Nie zdążył zaprotestować, bo już zniknęła w łazience, zamykając za sobą drzwi.

* * *

Wcale by się nie zdziwiła, gdyby po wyjściu z łazienki zastała go w łóżku, z tym chłopięcym uśmiechem przylepionym do twarzy, ale go nie było.

Zaczynał ją irytować. Domagał się od niej coraz więcej czasu i uwagi, a ona nie miała na to najmniejszej ochoty. Nie rozumiał, zdaje się, natury ich związku. Trzeba będzie wyjaśnić tę sprawę.

Na razie jednak wyrzuciła Willa z myśli. Rozejrzała się dookoła. Pokojówka skończyła sprzątanie. Wyjściowy strój leżał przygotowany na łóżku. Obok, na mięsistym dywanie, stały złote, ręcznie szyte pantofle.

Wyjęła kolejnego papierosa. Za dużo, jak na jeden wieczór, ale była podenerwowana. Najpierw kilka razy stuknęła filtrem o wieczko. Ten gest także odziedziczyła po dziadku.

---

* To go znajdź!

Podeszła do lustra i pozwoliła, by jedwabny szlafrok spłynął jej z ramion. Zmienił się w połyskliwą plamę wokół stóp. Przechyliła głowę w jedną stronę, potem w drugą, przyjrzała się sobie krytycznym wzrokiem. Smukłe, szczupłe ciało, niemodnie blade. Pełne, sterczące piersi, skóra bez skazy. Przesunęła dłonią po ciemnych sutkach, potem niżej, po krągłych biodrach i płaskim brzuchu. Wokół oczu i ust zarysowało się kilka zmarszczek, ale poza tym czas nie zostawił na niej żadnych śladów.

Ustawiony na gzymsie kominka zegar ze złotawego stopu miedzi i cyny zaczął wybijać godzinę. Przypomniał jej, że powinna zacząć się szykować. Zdjęła z wieszaka długą, lekko prześwitującą suknię z długim rozcięciem z tyłu i głębokim dekoltem w kształcie litery V. Oczywiście szytą na miarę. Wsunęła ją przez głowę.

Podciągnęła ramiączka – wąskie złote wstążeczki, i usiadła przy toaletce. Przeczesała włosy, a potem zwijała loki w palcach tak długo, aż błyszczały niczym dobrze wypolerowane dżety. Uwielbiała ten moment metamorfozy, gdy przestawała być sobą, a stawała się *navigatairé*. Łączyła się wówczas poprzez minione wieki ze wszystkimi, którzy przed nią odgrywali tę rolę.

Uśmiechnęła się do siebie. Tylko dziadek zrozumiałby, jak się teraz czuła. Niesiona euforią, podniecona, niezwyciężona. Jeszcze nie dzisiaj, ale następnym razem dokona tego w miejscu, gdzie stawali jej przodkowie. Jemu się nie udało. Jaskinia znajdowała się nieprawdopodobnie blisko miejsca, gdzie prowadził wykopaliska przed pięćdziesięciu laty. Miał całkowitą rację. Gdyby szukał parę kilometrów dalej na wschód, to on zmieniłby bieg historii.

Odziedziczyła po nim rodzinne interesy. Taką rolę jej wyznaczył, do takiej roli ją przygotowywał, odkąd pamiętała. Jedyny syn był dla niego źródłem wielkiego rozczarowania. Zdawała sobie z tego sprawę od dzieciństwa. Miała sześć lat, gdy dziadek zajął się jej edukacją: towarzyską, akademicką i filozoficzną. Pasjonowały go piękne przedmioty codziennego użytku, miał świetne oko do kolorów i wyrobów rzemieślniczych, doskonały gust, jeśli chodziło o meble, arrasy, ubiory, obrazy i książki. Wszystkiego, czego warto się było nauczyć, nauczyła się od niego.

Zaznajomił ją także z władzą, pokazał, jak jej używać i jak ją utrzymać. Gdy miała osiemnaście lat, uznał ją za przygotowaną do życia, wydziedziczył własnego syna, a ją ustanowił wyłączną spadkobierczynią.

Raz tylko pojawił się zgrzyt w tej harmonii: nieplanowana i niechciana ciąża. Dziadek, choć całym sercem oddany poszukiwaniu rozwiązania zagadki świętego Graala, był także ortodoksyjnym katolikiem, więc bardzo trudno mu było się pogodzić z narodzinami dziecka pozamałżeńskiego. Aborcja w ogóle nie wchodziła w rachubę. Adopcja także. Dopiero kiedy przekonał się, iż macierzyństwo nie odmieniło zapatrywań wnuczki, że w gruncie rzeczy wyostrzyło jej ambicje i bezwzględność, pozwolił jej wrócić do swojego życia.

Zaciągnęła się głęboko papierosem, dym palił w gardle i w płucach. Od tamtego czasu minęło ponad dwadzieścia lat, a wspomnienia nadal były żywe i przykre. Została wtedy z zimnym wyrachowaniem skazana na psychiczne wygnanie. On to nazywał ekskomuniką.

Dla niej było to jak śmierć.

Pokręciła głową, odtrącając sentymentalne wspomnienia. Dziś nic nie będzie jej psuło nastroju. Nic nie rzuci cienia na dzisiejszy wieczór. Nie będzie żadnych błędów.

Odwróciła się do lustra. Najpierw nałożyła blady podkład i przyprószyła twarz połyskliwym pudrem. Obwiodła oczy czarnym ołówkiem, podkreśliła brwi. Stworzyły jedność z gęstymi czarnymi rzęsami i głęboką czernią źrenic. Na górne powieki nałożyła opalizujący zielony cień. Usta pomalowała metalicznym błyszczykiem w odcieniu miedzi ze złotym połyskiem. Utrwaliła kolor, przyciskając do warg chusteczkę. Na koniec psiknęła w powietrze perfumami i pozwoliła, by wilgotna mgiełka osiadła jej na skórze.

Na toaletce stały trzy szkatuły z błyszczącej czerwonej skóry, zamykane na mosiężne klipsy. Każdy element uroczystej biżuterii miał przynajmniej kilkaset lat, a stworzony został przy wykorzystaniu modelu jeszcze o kilka tysięcy lat starszego. W pierwszej kasecie znajdowało się złote nakrycie głowy przypominające tiarę, w drugiej dwa złote amulety w kształcie węży z błyszczącymi szmaragdowymi oczami, w trzeciej naszyjnik – ciężka złota obręcz z zawieszonym pośrodku symbolem. Błyszcząca powierzchnia emanowała echa wspomnień pełnego kurzu skwaru panującego w starożytnym Egipcie.

Gotowe.

Marie-Cécile podeszła do okna. Ulice Chartres, widoczne jak na dłoni, przywodziły na myśl pocztówkę. Sklepy, samochody i restauracje skupiły się w cieniu dumnej gotyckiej katedry. Wkrótce z tych domów wyjdą kobiety i mężczyźni wybrani na uczestników dzisiejszego rytuału.

Zamknęła oczy, odcinając się od znajomego rysunku ciemniejącego horyzontu. Już nie widziała smukłej iglicy i szarego klasztoru. Widziała cały świat, rozpostarty przed nią jak połyskliwa mapa.

Nareszcie w zasięgu ręki.

ROZDZIAŁ 15
Foix

Alice obudziła się nagle. Dzwoniło jej w uchu.

Gdzie ja jestem, u licha? Beżowy telefon na półce nad łóżkiem zadzwonił ponownie.

Oczywiście. Pokój hotelowy we Foix. Wróciła z obozu archeologów, zaczęła się pakować, wzięła prysznic. I położyła się na pięć minut.

Sięgnęła po słuchawkę.

– *Oui. Allo*?

Właściciel hotelu, monsieur Annaud, miał silny południowy akcent, samogłoski wymawiał płasko, a spółgłoski nosowo. Trudno go było zrozumieć w bezpośredniej rozmowie, natomiast przez telefon, bez pomocy mimiki oraz gestykulacji porozumienie było niemożliwe. Miała wrażenie, że słucha cyfrowo zmodyfikowanego głosu postaci z kreskówki.

– *Plus lentement, s'il vous plaît* – poprosiła. Jeśli będzie mówił wolniej, może da się coś zrozumieć. – *Vous parlez trop vite. Je ne comprends pas.*

Nastąpiła chwila ciszy. Potem usłyszała w tle szybką wymianę zdań. Następnie słuchawkę przejęła żona właściciela i wyjaśniła, że ktoś czeka na Alice w recepcji.

– *Une femme*? – spytała z nadzieją. Czekała na Shelagh. Zostawiła jej wiadomość w obozie archeologów, a także kilka nagrań na sekretarce, nie doczekała się jednak odpowiedzi.

– *Non, c'est un homme** – odparła madame Annaud.

– Dobrze – westchnęła rozczarowana. – *J'arrive. Deux minutes***.

Przeciągnęła grzebieniem po włosach, które okazały się nadal wilgotne, włożyła spódnicę i T-shirt, wsunęła nogi w espadryle i poszła na dół, zastanawiając się, jakież to nowe atrakcje ją czekają.

Większa część zespołu archeologów stacjonowała w niewielkiej oberży niedaleko obozu. Alice pożegnała się ze wszystkimi, którzy ewentualnie mieli na to ochotę. Nikt poza nimi nie wiedział, że zamieszkała w tym hotelu. Ponieważ zerwała z Oliverem, nie bardzo miała komu o tym powiedzieć.

---

* Nie, to mężczyzna.
** Idę. Dwie minuty.

W recepcji było pusto. Rozejrzała się po mrocznym wnętrzu, szukając wzrokiem przynajmniej madame Annaud – za wysokim drewnianym kontuarem. Nikogo nie dostrzegła. Zajrzała do kącika, gdzie stały stare, przykurzone wiklinowe fotele oraz dwie skórzane sofy umieszczone pod kątem prostym do kominka udekorowanego końskimi podkowami oraz listami z wyrazami wdzięczności od wcześniejszych gości. Też pusto. Wartę trzymał tylko przechylony stojak z pocztówkami o pozaginanych rogach, na których można było obejrzeć wszystko, co departament Ariège i miasteczko Foix miały do pokazania.

Wróciła do recepcji, stuknęła w dzwonek. Rozległo się grzechotanie zasłony z koralików wiszącej w przejściu do mieszkania i pojawił się monsieur Annaud.

– *Il y a quelqu'un pour moi?**
– *Là* – potwierdził, pochylając się nad ladą i wskazując w kierunku sofy.

Alice pokręciła głową.

– *Personne**.

Wyszedł zza kontuaru, przekonał się, że rzeczywiście nikogo nie ma ani na fotelach, ani na sofach i wzruszył ramionami.

– *Dehors?*** – Pokazał na migi palenie papierosa.

Hotelik znajdował się na cichej bocznej uliczce, która biegła pomiędzy głównym bulwarem – gdzie stały budynki administracji, fast foody oraz przecudny budynek poczty w stylu art déco, z lat trzydziestych – a malowniczą średniowieczną częścią miasteczka, pełną kawiarenek i sklepików z upominkami.

Alice spojrzała w lewo, potem w prawo, ale nie zauważyła, by ktoś specjalnie na nią czekał. Sklepy były o tej porze zamknięte, ulica prawie pusta.

Wzruszyła ramionami i już zamierzała wracać, gdy wyrósł przed nią jakiś młody człowiek, ledwie po dwudziestce. Ubrany był w jasny, trochę zbyt obszerny letni garnitur, gęste czarne włosy miał krótko obcięte, oczy ukrył za ciemnymi okularami. W ręku trzymał papierosa.

– Tanner?
– *Oui* – przyznała ostrożnie. – *Vous me cherchez?*****.

Sięgnął do górnej kieszeni marynarki.

– *Pour vous* – oświadczył, podając jej kopertę. – *Tenez*****. – Był wyraźne zdenerwowany, chyba się obawiał, że ktoś mógłby ich zobaczyć razem.

Alice nagle rozpoznała w nim młodego policjanta w cywilu, który był przy wykopaliskach z inspektorem Noubelem.

---

* Jest ktoś do mnie?
** Nikogo.
*** Na zewnątrz?
**** Pan mnie szukał?
***** Dla pani. Proszę wziąć.

– *Je vous ai déjà rencontré, non? Au Pic de Soularac**.
– Proszę – przeszedł na angielski – niech pani weźmie.
– *Vous étiez avec inspecteur Noubel*** – naciskała.
Na czole młodego człowieka pojawiły się kropelki potu. Chwycił Alice za rękę i wcisnął jej w dłoń kopertę.
– Hej! Co to ma znaczyć?! – zaprotestowała.
Ale on już zniknął, rozpłynął się u wylotu jednej z wielu uliczek prowadzących do zamku.
Alice walczyła przez chwilę z chęcią, by za nim podążyć. Zrezygnowała jednak. Szczerze mówiąc, policjant ją wystraszył. Dłuższą chwilę przyglądała się listowi, trzymając go w dwóch palcach, jakby to była bomba. Wreszcie odetchnęła głęboko i rozdarła papier. W środku była pojedyncza kartka najzwyklejszego pod słońcem papieru z jednym słowem nabazgranym w poprzek, dziecięcymi wersalikami. *APPELEZ***. Pod spodem widniał numer telefonu. 02 68 72 31 26.
Numer z innego departamentu. Bo kierunkowy do Ariège to 05.
Odwróciła kartkę na drugą stronę, na wypadek gdyby coś tam było, ale nic nie znalazła. Miała się pozbyć papierka, lecz zmieniła zdanie.
Co mi szkodzi, na razie niech sobie będzie, pomyślała.
Wsunęła go do kieszeni, natomiast kopertę rzuciła na stertkę opakowań po lodach. Cokolwiek zdziwiona wróciła do swojego pokoju.
Nie zauważyła mężczyzny, który wyszedł z podcienia kafejki naprzeciwko hotelu i wyjął kopertę z kosza na śmieci.

* * *

Yves Biau wreszcie się zatrzymał. Adrenalina kipiała mu w żyłach. Pochylił się, oparł dłonie na kolanach, z trudem łapał oddech.
Wysoko nad jego głową wielki zamek książęcy górował nad miastem tak samo jak przez ostatnich tysiąc lat z okładem. Był symbolem niezależności regionu, jedyną znaczącą fortecą, która nigdy nie została podbita w trakcie krucjaty przeciwko Langwedocji. Azyl katarów i bojowników o wolność, zepchniętych z równin oraz innych miast.
Biau wiedział, że jest śledzony. Oni – kimkolwiek byli – wcale się nie ukrywali. Dłoń sama mu powędrowała do broni schowanej pod marynarką. Tak czy inaczej zdołał spełnić prośbę Shelagh. Teraz, jeśli przedostanie się przez granicę do Andory, zanim zauważą, że zniknął, wszystko dobrze się skończy. Za późno było na powstrzymanie wydarzeń, do których sam przyłożył rękę. Zrobił wszystko, co mu kazano, ale ciągle napływały nowe. Cokolwiek zrobił, zawsze było za mało.

---

* My się już spotkaliśmy, prawda? Na Pic de Soularac.
** Był pan z inspektorem Noubelem.
*** Proszę zadzwonić.

Przesyłka poszła z ostatnią pocztą do babki. Ona już będzie wiedziała, co z tym zrobić. Lepszego zadośćuczynienia nie wymyślił.

Popatrzył za siebie, potem w przód. Nikogo.

Ruszył do domu. Na wszelki wypadek szedł skrótami, miał zamiar pojawić się z innej strony niż zwykle. Istniała szansa, że wówczas wcześniej zobaczy ich, niż sam zostanie spostrzeżony. Przechodząc przez zadaszone targowisko, kątem oka dostrzegł srebrnego mercedesa na Place Saint Volusien, ale nie zwrócił na niego szczególnej uwagi. Nie usłyszał miękkiego kaszlnięcia uruchamianego silnika ani zwiększanych obrotów, gdy samochód gładko sunął po średniowiecznych kocich łbach.

Zszedł z chodnika, miał zamiar przejść na drugą stronę ulicy. Wtedy wóz przyśpieszył gwałtownie, wyrywając do przodu jak samolot na pasie startowym. Młody policjant obrócił się, na jego twarzy zastygł wyraz przerażenia. Rozległo się głuche łupnięcie, nogi wyjechały mu spod ciała i uderzył w przednią szybę. Odbił się od niej i uderzył w jeden z żelaznych słupów podtrzymujących ukośny dach targu. Na ułamek sekundy zawisł w połowie wysokości, jakby nic nie ważył. Po chwili jednak grawitacja upomniała się o swoje prawa i z hukiem wylądował na bruku, zostawiając na czarnym słupie szeroką czerwoną smugę krwi.

Mercedes się nie zatrzymał.

Hałas wywabił na ulicę gości okolicznych barów. Kilka kobiet wyjrzało z okien najbliższych mieszkań. Właściciel kafejki, gdzie przyjmowano zakłady w grach hazardowych, oprzytomniał pierwszy. Wpadł z powrotem do środka i wezwał policję. Jakaś kobieta krzyknęła. Wokół ciała zaczął się zbierać tłumek ciekawskich.

* * *

Z początku Alice nie zwróciła uwagi na hałas. Gdy jednak wycie syren wyraźnie się zbliżyło, podeszła do hotelowego okna. Podobnie jak wszyscy inni goście.

To nie ma nic wspólnego z tobą.

Nie ma powodu się angażować. A przecież, z niewiadomej przyczyny, jednak opuściła hotelowy pokój i ruszyła w stronę skweru.

Wąską uliczkę na rogu placu blokował radiowóz. Sygnał miał wyłączony, tylko światła na dachu błyskały rytmicznie. Po drugiej stronie samochodu grupa ludzi stała w półkolu nad ofiarą wypadku.

– Człowiek już nigdzie nie jest bezpieczny – mruknęła jakaś Amerykanka do męża. – Nawet w Europie.

Alice zbliżała się powoli. Z każdym krokiem narastało w niej dziwne przeczucie. Nie chciała się pogodzić z myślą, co może zobaczyć, ale też nie potrafiła się wycofać. Z bocznej uliczki wyjechał drugi radiowóz, z piskiem opon zatrzymał się obok pierwszego. Odwrócone twarze, gęstwa rąk i nóg, zwarty tłum. Przerzedził się na chwilę. Nie na długo, ale zdążyła zobaczyć. Jasny garnitur, czarne włosy, tuż obok okulary przeciwsłoneczne o brązowych szkłach i złotych oprawkach.

Niemożliwe.

Rzuciła się przed siebie, rozpychając ludzi, aż znalazła się z przodu zbiegowiska. Chłopak leżał bez ruchu. Mimowolnie sięgnęła do kieszeni, gdzie schowała numer telefonu.

To nie przypadek.

Cofnęła się, kompletnie otępiała. Gdzieś trzasnęły drzwiczki samochodu. Podskoczyła, obróciła się i zobaczyła inspektora Noubela wstającego zza kierownicy.

Nie pokazuj mu się.

Wcisnęła się z powrotem w tłum. Instynkt poprowadził ją przez skwer, jak najdalej od Noubela. Szła ze spuszczoną głową.

Za rogiem puściła się biegiem.

* * *

– *S'il vous plaît!* – krzyknął Noubel, torując sobie drogę między gapiami. – *Police. S'il vous plaît.*

Yves Biau leżał na wznak. Jedną nogę miał dziwacznie podwiniętą, spod krawędzi spodni wystawały białe kości stawu skokowego. Druga była nienaturalnie płaska, odrzucona w bok. Tuż przy niej leżał beżowy półbut.

Noubel kucnął, poszukał tętna. Chłopak nadal oddychał, choć oddech miał krótki i urywany, skórę wilgotną i zimną, a oczy zamknięte.

Gdzieś z dala dobiegł upragniony sygnał karetki.

– *S'il vous plaît* – zawołał Noubel ponownie. – *Poussez-vous.* – Wstał. – Proszę się odsunąć.

Na miejsce zdarzenia przybyły jeszcze dwa radiowozy. Wieść została przekazana przez policyjne radio, toteż wkrótce policjantów było więcej niż gapiów. Odgrodzili kordonem ulicę, oddzielili świadków od ciekawskich. Działali metodycznie i skutecznie, ale byli wyjątkowo spięci.

– Panie inspektorze – odezwała się Amerykanka – to nie był wypadek. Ten wóz wjechał prosto na niego i to bardzo szybko. Biedak, nie miał szans.

Noubel przyjrzał jej się z uwagą.

– Widziała pani zdarzenie, *madame?*

– No pewnie!

– Czy potrafi pani stwierdzić, jaki to był samochód? Jakiej marki?

Pokręciła głową.

– Wiem tylko, że srebrny. – Odwróciła się do męża. – A ty?

– Mercedes – rzucił mężczyzna bez wahania. – Nie widziałem go dokładnie. Obejrzałem się dopiero, gdy usłyszałem hałas.

– Numer rejestracyjny?

– Na końcu była chyba jedenastka, ale nie jestem pewien, za szybko się to wszystko stało.

– Ulica była zupełnie pusta – wtrąciła się żona, jakby miała obawy, że jej zeznania nie zostaną potraktowane poważnie.

– Widzieli państwo, ile osób było w samochodzie?

– Z przodu na pewno siedziała jedna osoba. Z tyłu chyba nikogo...?

Noubel przekazał kobietę mundurowemu, który miał od niej uzyskać wszelkie szczegóły, a sam podszedł do ambulansu. Właśnie wsuwano do niego nosze z Biau. Szyję miał usztywnioną w kołnierzu ortopedycznym, koszulę barwiła krew płynąca stale z opatrzonej rany. Skóra nabrała kredowobiałego odcienia. Z kącika ust wystawała mu rurka doprowadzająca powietrze, podłączony był do przenośnej kroplówki.

– *Il pourra s'en tirer?* Czy wyjdzie z tego?

– Na pana miejscu – odrzekł paramedyk, z niewesołą miną zatrzaskując drzwiczki – zawiadomiłbym krewnych.

Noubel klepnął bok ruszającego ambulansu, sprawdził, czy jego ludzie dobrze wywiązują się z obowiązków, i powłócząc nogami, wrócił do samochodu. Usiadł za kierownicą, przeklinając pod nosem. Czuł się bardzo stary. Smutnym echem wracały do niego wszystkie niewłaściwe decyzje podjęte tego dnia, które doprowadziły do tragicznego zdarzenia. Wsunął palec za kołnierzyk, rozluźnił krawat.

Powinien był wcześniej pogadać z chłopakiem. Biau zachowywał się dziwacznie od momentu przyjazdu na Pic de Soularac. Normalnie zawsze tryskał entuzjazmem, do wszystkiego pierwszy zgłaszał się na ochotnika. Dziś był wyraźnie zdenerwowany, a potem zniknął na resztę popołudnia.

Zabębnił palcami na kierownicy. Authié utrzymywał, że Biau nie przekazał mu informacji o pierścieniu. Dlaczego miałby kłamać?

Na myśl o Paulu Authié Noubel poczuł ostry ból za przeponą. Wrzucił do ust miętówkę, w nadziei że mu przyniesie ulgę. Nie powinien był dopuścić, by Authié przesłuchiwał panią Tanner, choć z drugiej strony, nie bardzo widział, jak miałby temu zapobiec. Gdy rozniosła się wieść o znalezieniu szkieletów na Pic de Soularac, przyszły rozkazy, iż należy umożliwić mu prowadzenie dochodzenia i udzielić wszelkiej pomocy. Noubel do tej pory nie pojmował, jakim sposobem Authié tak szybko dowiedział się o sprawie i jakim cudem w tak błyskawicznym tempie dotarł na miejsce.

Spotkał go po raz pierwszy, choć słyszał o nim wcześniej. Jak większość policjantów z południa Francji Authié był prawnikiem o zdecydowanej postawie w kwestiach religijnych, ponoć miał w kieszeni połowę tutejszej *judiciaire* i policji. Jeden z kolegów Noubela zeznawał jako świadek w sprawie, w której bronił on dwóch członków prawicowego ugrupowania oskarżonych o zamordowanie algierskiego taksówkarza w Carcassonne. Krążyły plotki o zastraszaniu. W końcu obaj pozwani zostali uniewinnieni, a kilku policjantów musiało odejść na wcześniejszą emeryturę.

Noubel popatrzył na okulary Biau, które trzymał w ręku. Od początku mu się to wszystko nie podobało. A teraz sytuacja wyglądała jeszcze gorzej.

Radio zbudziło się z trzaskiem. Dostał informacje o krewnych chłopaka. Jeszcze chwilę siedział bez ruchu, odwlekając nieuchronne, w końcu jednak sięgnął po telefon.

ROZDZIAŁ 16

Alice dotarła do przedmieść Tuluzy po godzinie dwudziestej trzeciej. Nie miała już siły jechać dalej, do Carcassonne, toteż postanowiła przenocować tutaj.

Podróż minęła błyskawicznie. W głowie dziewczyny nakładały się na siebie niewyraźne obrazy: dwa szkielety i leżący obok nich nóż, blada twarz w martwym szarym świetle, ciało leżące przed kościołem we Foix. Czy policjant przeżył?

I labirynt.

Zawsze w końcu wszystko wracało do labiryntu. Powtarzała sobie, że to paranoja, że ten obraz nie ma z nią nic wspólnego.

Po prostu fatalnie trafiłam, przekonywała samą siebie. Mimo wszystko nie mogła w to uwierzyć.

Zrzuciła buty z nóg i nie rozbierając się, padła na łóżko.

Pokój był bez wyrazu, urządzony niewielkim kosztem. Królował w nim brzydki plastik i sklejka, szare płytki oraz podrabiane drewno. Pościel, zbyt mocno nakrochmalona, drażniła skórę.

Alice wstała, wyciągnęła z plecaka butelkę pięcioletniej whisky, Bushmills Malt. Zostało jeszcze trochę. Serce ścisnęło jej się z żalu. Oszczędzała tę resztkę na ostatni wspólny wieczór w obozie archeologów.

Zadzwoniła kolejny raz do Shelagh, ale znowu usłyszała tylko automatyczną sekretarkę. Dusząc w sobie złość, zostawiła następną wiadomość. Wolałaby, żeby przyjaciółka już przestała się z nią bawić w ciuciubabkę.

Połknęła kilka proszków przeciwbólowych, popijając je alkoholem, wróciła do łóżka i zgasiła światło. Była wykończona, ale jakoś nie mogła się odprężyć. Głowa jej pękała, nadgarstek był gorący i obolały, a rozcięcie na przedramieniu piekło jak wszyscy diabli. Coraz gorzej. W pokoju panował upał i duchota.

Wysłuchała dzwonów obwieszczających północ, potem pierwszą w nocy, aż wreszcie wstała i otworzyła okno. Nie pomogło. Nadal nie potrafiła się uspokoić. Usiłowała myśleć o białym piasku i błękitnych falach, o karaibskich plażach oraz zachodach słońca na Hawajach, ale jej myśli stale wracały do szarego kamienia i chłodu w górskiej jaskini.

Bała się zasnąć. Co będzie, jeśli koszmar powróci?

Godzina wlokła się za godziną. W ustach jej zaschło, serce, pompujące wraz z krwią alkohol, pracowało nierówno. Dopiero gdy świt wpełzał przez postrzępione krawędzie zasłon, jej umysł się poddał.

* * *

Tym razem inny sen.

Jechała na kasztanku przez śnieg. Zimowy czaprak był gruby i lśniący, białą grzywę i ogon konia spleciono w warkocze, związano czerwonymi wstążkami. Ona sama ubrana była na polowanie: w najlepszy płaszcz, *pelisse* z wiewiórczych skórek, z kapturem. Na rękach miała długie skórzane rękawice sięgające za łokcie, obszyte futrem kuny.

Obok niej jechał mężczyzna na siwym wałachu. Ten wierzchowiec, ogromny i silny, miał czarną grzywę i ogon. Jeździec często ściągał wodze. Ciemne włosy, dość długie jak na mężczyznę, opadały mu na ramiona. Ubrany był w niebieski aksamitny płaszcz, przy pasie miał sztylet. Wokół szyi srebrny łańcuch, z którego zwieszał się jeden zielony kamień, odbijający się rytmicznie o jego pierś.

Patrzył na nią jak dumny właściciel. Łączyła ich silna więź, byli sobie bliscy.

Alice przez sen ułożyła się wygodniej, na jej twarzy wykwitł uśmiech.

Gdzieś w dali zabrzmiał róg. Przeszył rześkie grudniowe powietrze, obwieszczając wszem wobec, iż psy natrafiły na ślad wilka. Grudzień to szczególny miesiąc. Była szczęśliwa.

Potem światło się zmieniło.

Znalazła się w jakiejś obcej części lasu. Drzewa rosły tu gęsto i wysoko, wyciągały do niej nagie czarne konary, powykręcane jak szponiaste palce trupów. Gdzieś za nią grało nawoływanie psiego stada, upojonego obietnicą krwi.

Nie była już myśliwym, lecz ofiarą.

Las rozbrzmiewał echem tętniących kopyt. Słyszała nawoływania łowców. Nie rozumiała ich języka, lecz wiedziała, że to jej szukają.

Koń się potknął. Wyleciała z siodła i spadła na zimną, twardą ziemię. Usłyszała trzask kości w ramieniu, poczuła przeszywający ból. Ostro zakończona gałąź, zmarznięta na kamień i twarda jak grot strzały, przebiła jej odzienie i ciało. Zdrętwiałymi palcami chwyciła wystający fragment i zagryzając usta z bólu, wyciągnęła patyk z rany. Natychmiast popłynęła krew. Zatamowała ją oderwanym brzegiem płaszcza, podniosła się z trudem. Ruszyła przez gęstwinę. Lodowate powietrze szczypało ją w policzki, oczy łzawiły.

Dzwonienie w uszach narastało, zaczynało jej się robić słabo. Czuła się bezcielesna, jak duch.

Raptem las zniknął. Stała na krawędzi urwiska. Nie miała dokąd iść. U jej stóp otwierała się przepaść. Przed nią wznosiły się góry w wielkich śnieżnych czapach, ciągnęły się jak okiem sięgnąć. Zdawały się blisko, na wyciągnięcie ręki.

Alice we śnie poruszyła się niespokojnie.

Chcę się obudzić. Pozwól mi, proszę.

Nie mogła. Koszmar nie wypuszczał jej z objęć.

Spomiędzy drzew za jej plecami wyprysnęły psy. Warczały i ujadały. Z pysków buchały kłęby pary, kapała ślina z zakrwawionych kłów. Myśliwi mocno dzierżyli włócznie, których czubki połyskiwały w gasnącym świetle dnia. W oczach mieli nienawiść. Szydzili i drwili.

– *Hérétique! Hérétique!*

Podjęła decyzję w ułamku sekundy. Jeśli nadeszła jej ostatnia chwila, nie zginie z rąk takich ludzi. Uniosła wysoko ramiona i skoczyła, powierzając ciało rześkiej bryzie.

Świat zamilkł.

Czas utracił znaczenie.

Spadała powoli i miękko, spowita w zieloną spódnicę. Uświadomiła sobie, że ma na plecach przypięty kawałek materiału w kształcie gwiazdy. Nie, niezupełnie gwiazdy. Raczej krzyża. To był żółty krzyż. *Rouelle*. Gdy obce słowo torowało sobie drogę przez jej myśli, krzyż oderwał się i popłynął osobno, niczym jesienny liść.

Ziemia była coraz bliżej. Alice już się nie bała. Ponieważ w miarę jak kończył się sen, jak obrazy rozpadały się i traciły spójność, jej podświadomość pojmowała to, co jeszcze nie docierało do świadomości. To nie ona spadała. To inna Alice.

Bo nie był to sen, lecz wspomnienie. Fragment życia, jakie wiodła dawno dawno temu.

ROZDZIAŁ 17
Carcassona

Drgnęła. Zaszeleściły pod nią liście, trzasnęło kilka drobnych gałązek. Miała wilgotny mech w ustach. Poczuła lekkie ukłucie w rękę, a potem swędzenie. Komar albo mrówka. Jad rozpływał się we krwi. Chciała odpędzić owada, ale gdy tylko spróbowała usiąść, opanowały ją nudności.

Gdzie ja jestem?

Odpowiedź jak echo: *Defora*. Na zewnątrz.

Leżała na brzuchu. Wyczuwała rosę. Świt czy zmierzch? Ubranie wilgotne.

Bardzo wolno i ostrożnie usiadła, oparła się o pień buka.

Doçament. Delikatnie. Spokojnie.

Przez korony drzew na szczycie wzgórza sączy się różowa poświata. Po białym niebie suną płaskie chmury, podobne do flotylli statków. Na tym tle czarno rysują się kontury wierzb płaczących. Za nią rosną grusze i wiśnie, nijakie, obdarte z koloru o tej porze roku.

Świt, nie zmierzch.

Alaïs rozgląda się uważnie. Jest jasno, prawie oślepiająco jasno, choć słońce jeszcze nie wyszło nad horyzont. Słychać wodę płynącą niedaleko, płytki, leniwy strumień pluskający na kamieniach. Gdzieś dalej krzyknął puchacz wracający z nocnych łowów.

Popatrzyła na swoje ręce, poznaczone czerwonymi śladami po ukąszeniach. Przyjrzała się nogom. Poobcierane i podrapane. Podniosła do oczu dłonie. Zaschnięta krew. Posiniaczone, spuchnięte, obolałe. Linie kruchej czerwieni między palcami.

Wspomnienie. Wleczona za nogi, ręce rzeźbią w pyle podłużny szlak.

Nie, wcześniej.

Droga przez dziedziniec. Światło w oknie na górze.

Strach. Kroki w ciemności, szorstka dłoń na ustach, cios.

Perilhòs. Groza.

Dotknęła głowy. Skrzywiła się, natrafiwszy za uchem na włosy zlepione strupami. Zacisnęła oczy. Nie chciała pamiętać o rękach, które biegały po jej ciele jak szczury. Dwóch mężczyzn. Dobrze znany zapach koni, piwa i słomy.

Czy znaleźli *merel*?

Chciała wstać. Trzeba koniecznie powiedzieć ojcu, co się stało. Wybierał się do Montpelhièr, tyle pamiętała. Usiłowała dźwignąć się na nogi, ale jej nie słuchały. Kręciło jej się w głowie, miała wrażenie, że spada, obsuwa się z powrotem w sen. Nie chciała tracić przytomności, lecz nie miała na to żadnego wpływu. Przeszłość, teraźniejszość i przyszłość stały się częścią nieskończoności. Kolor, dźwięk i światło straciły znaczenie.

ROZDZIAŁ 18

Bertrand Pelletier po raz ostatni niespokojnie obejrzał się przez ramię. U boku wicehrabiego wyjeżdżał z *château comtal* przez wschodnią bramę. Nie pojmował, dlaczego córka nie przyszła go pożegnać, chociaż obiecała. Jechał w milczeniu, zatopiony w myślach, niewiele słysząc z rozmów toczących się dookoła. Był zatroskany. Dlaczego Alaïs nie przyszła na *cour d'honneur* pożegnać go i życzyć powodzenia w misji? Był też niemile zdziwiony i rozczarowany, choć ciężko mu było się do tego przyznać, nawet przed sobą. Żałował, iż nie posłał François, by córkę obudził.

Mimo wczesnej pory mieszkańcy grodu wylegli na ulice, wiwatując i okrzykami pełnymi nadziei żegnając posłańców.

A orszak był rzeczywiście wspaniały. Z zamkowych stajni wybrano tylko najszlachetniejsze konie: wytrzymałe i posłuszne, silne i szybkie. Raymond Roger Trencavel jechał na swoim ulubionym gniadym ogierze, którego sam układał od źrebaka. Sierść wierzchowca przypominała barwą zimową szatę lisa, a na pysku miał charakterystyczną białą plamę, dokładnie w kształcie ziem wicehrabiego. Tak w każdym razie ludzie gadali.

Na każdej tarczy widniał herb Trencavelów. Na każdej fladze i kaftanie. Wschodzące słońce budziło blaski w lśniących hełmach, mieczach i metalowych częściach uprzęży. Nawet torby na grzbietach jucznych koni zostały wyczyszczone tak, że można było się przejrzeć w gładkiej skórze.

Czas jakiś przed wyjazdem trwało ustalanie, jak duży powinien być *envoi*. Zbyt skromny sugerowałby, że Trencavel nie jest sprzymierzeńcem wartym zachodu. Za duży mógłby wyglądać na deklarację wojny.

W końcu wybrano szesnastu *chevaliers*, pomiędzy nimi Guilhema du Mas, choć tutaj Pelletier wnosił sprzeciw. Wraz z *écuyers*, garstką służby i osób duchownych, Jehanem Congostem oraz kowalem, który miał dbać o końskie kopyta *en route**, wyruszyło trzydziestu ludzi.

Zdążali do Montpelhièr, największego miasta we włościach hrabiego Nîmes, a jednocześnie miejsca urodzenia żony Raymonda Rogera, pani Agnès. Hrabia Nîmes, podobnie jak wicehrabia Trencavel, był wasalem króla Aragonii, Piotra II, więc choć Montpelhièr mieniło się miastem ka-

---

* w drodze

tolickim, a sam Piotr lojalnie i z oddaniem tępił herezję, przyjęto, iż zostaną tam wpuszczeni bez kłopotów.

Droga z Carcassony miała trwać trzy dni. Nikt nie potrafił odgadnąć, kto pierwszy dotrze na miejsce: Trencavel czy hrabia Tolosy.

* * *

Najpierw skierowali się na wschód, w stronę słońca, wzdłuż rzeki Aude. W Trèbes odbili na północ, w stronę krainy Minervois. Jechali starą rzymską drogą prowadzącą przez La Redorte, następnie ufortyfikowany gród górski Azille oraz Olonzac.

Najlepsze ziemie wykorzystywano tutaj pod uprawę konopi, *canabières*, pola ciągnęły się aż po horyzont. Po prawej stronie drogi cieszyły oko bogate winnice. Nawet przy samym trakcie rosły winne krzewy, choć te były dzikie, a skoro nikt ich nie przycinał, tworzyły splątane żywopłoty. Natomiast po lewej stronie falowało morze szmaragdowozielonych łodyg młodego jęczmienia, które przed czasem zbiorów miały przybrać kolor złota. Na polach już od świtu pracowali wieśniacy w słomkowych kapeluszach o szerokich rondach. Żęli ostatnią w tym roku pszenicę; długie ostrza kos błyskały w słońcu.

Przy brzegach rzeki, wśród wierzbownicy błotnej, rosły potężne dęby, forpoczta gęstego lasu, w którym mieszkały orły, jelenie, rysie i niedźwiedzie, a zimą także wilki i lisy. Nad zalesioną niziną wznosiła się postrzępiona linia łańcucha Montagne Noire, gór obrośniętych ciemnym drzewostanem, gdzie królowały dziki.

Wicehrabia Trencavel, z optymizmem właściwym młodości, wierzył w powodzenie misji. Był w dobrym nastroju, prześcigał się z rozmówcami w przytaczaniu podnoszących na duchu opowiastek, słuchał historii o dawnych bohaterskich czynach, dowodził, który ogar jest jego zdaniem najlepszy, dyskutował o tym, czy do polowań bardziej nadaje się chart czy mastiff, rozmawiał o cenie za rasowe suki i plotkował, kto się o co założył przy grze w strzałki czy kości.

Nikt nie wspominał o celu wyprawy ani o tym, co będzie, jeśli misja się nie powiedzie.

W pewnej chwili z tyłu orszaku dobiegł zbyt głośny ochrypły śmiech. Pelletier obejrzał się przez ramię. Guilhem du Mas pędził z Alzeu de Preixanem oraz Thierrym Cazanonem, *chevaliers*, którzy tak jak on szlifowali swoje umiejętności w Carcassonie i zostali pasowani na rycerzy w tym samym Wielkim Tygodniu.

Przyszpilony wzrokiem intendenta Guilhem podniósł butnie głowę i odpowiedział mu hardym spojrzeniem. Dopiero po dłuższej chwili młody mężczyzna pochylił lekko głowę w kpiącym ukłonie. W Pelletierze zagotowała się krew. Co gorsza, nie mógł nic zrobić bezczelnemu młokosowi.

* * *

Mijały godziny, a oni jechali przez równinę. Rozmowy zamarły, opadło podniecenie, które towarzyszyło im przy wyjeździe z miasta. Zamiast niego pojawiły się obawy.

Słońce wspinało się po niebie coraz wyżej. Najbardziej cierpieli słudzy Kościoła, odziani w czarne habity z samodziału. Z czoła biskupa spływały strumyczki potu, Jehan Congost miał twarz purpurową z gorąca.

W brązowej trawie koncertowały owady: pszczoły, świerszcze i cykady. Komary natomiast szukały odsłoniętych części ciała i bezlitośnie kłuły po dłoniach, karkach i twarzach. Koniom naprzykrzały się muchy, toteż wierzchowce niespokojnie podrzucały łbami i trzepały ogonami.

Dopiero gdy słońce stanęło w zenicie, wicehrabia Trencavel sprowadził swoją drużynę z drogi i ogłosił czas odpoczynku. Rozsiedli się na polanie nad strumieniem, który dostojnie toczył swoje wody. *Écuyers* rozsiodłali konie, schłodzili je mokrymi wierzbowymi liśćmi, rozcięcia i ukąszenia opatrzyli szczawiem i gorczycowymi okładami.

Chevaliers pościągali podróżne zbroje i długie buty, obmyli się w strumieniu z kurzu i potu. Niewielka grupka służących posłana do najbliższego obejścia wkrótce wróciła z chlebem, kiełbasami, białym kozim serem, oliwkami oraz miejscowym winem, które szybko uderzało do głowy.

Gdy tylko rozeszły się wieści, że nad brzegiem strumienia stanął na popas orszak wicehrabiego Trencavela, na polanę zaczęli napływać okoliczni mieszkańcy. Ludzie starzy i młodzi, kobiety i dzieci, tkacze i piwowarzy – a wszyscy przynosili podarunki dla swojego *seigneur*. A to koszyk wiśni lub świeżo zerwanych śliwek, a to gąskę czy sól i rybę.

Pelletier był niespokojny. Martwiła go długa przerwa w podróży, strata cennego czasu. Powinni ujechać jeszcze szmat drogi, nim wydłużą się wieczorne cienie, nim trzeba będzie rozbić obóz na noc. Tymczasem jednak Raymond Roger Trencavel, tak samo jak przed nim jego rodzice, spotykał się ze swoimi poddanymi, przyjmował od nich dary i dla każdego znajdował czas.

– Przecież to dla nich przełknęliśmy dumę i jedziemy zawrzeć pokój z bratem mojej matki – powiedział Trencavel cicho. – Po to, by chronić tych ludzi i wszystko to, co szczere, niewinne i prawdziwe w naszym życiu, è? A jeśli będzie trzeba, pójdziemy się za to bić.

Niczym pradawny król wojownik siedział wicehrabia Trencavel w cieniu potężnego dębu i odbierał dowody oddania. Z wdziękiem oraz godnością przyjmował wszelkie dary. Zdawał sobie sprawę, iż dzień ten zostanie na zawsze wpleciony w historię okolicy, przemieni się w cenne wspomnienie.

Jedną z ostatnich osób oddających mu hołd była śliczna dziewuszka o ciemnej karnacji. Miała pięć, może sześć lat, a oczy koloru jeżyn. Dygnęła, mocno stremowana, i drżącymi rączkami podała wicehrabiemu bukiet, złożony z dziko rosnących storczyków, bieluteńkich kichawców i kapryfolium zebranego na łące.

Trencavel pochylił się ku dziewczynce i podał jej chusteczkę wyciągniętą zza pasa. Nawet Pelletier uśmiechnął się, gdy pulchne paluszki nieśmiało sięgnęły po sztywny biały kawałek tkaniny.

– Jak masz na imię, *madomaisèla?* – spytał wicehrabia.

– Ernestine, *messire* – szepnęło dziecko.

– *Madomaisèla* Ernestine. – Urwał różowy kwiat i przyczepił go do tuniki. – Będę go nosił na szczęście. I jako pamiątkę od życzliwych, serdecznych mieszkańców Puicheric.

Dopiero gdy ostatni gość opuścił obóz, Raymond Roger Trencavel odpiął miecz i zasiadł do posiłku. Jego ludzie, zaspokoiwszy głód, jeden po drugim zlegali na miękkiej trawie. Inni, wsparci o pnie drzew, zapadali w drzemkę. Brzuchy mieli pełne smacznego jadła i przedniego wina, a głowy ciężkie od popołudniowej spiekoty.

* * *

Tylko Pelletier nie odpoczywał. Zyskawszy pewność, że wicehrabia nie będzie go na razie potrzebował, poszedł wzdłuż strumienia, szukając samotności.

Zwinne owady ślizgały się po powierzchni wody, tęczowe ważki muskały strumień toczący się w ciężkim popołudniowym skwarze.

Gdy Pelletier stracił z oczu obozowisko, usiadł na poczerniałym pniu zwalonego drzewa i wyjął z kieszeni list Harifa. Nie czytał go, nawet nie otworzył, ot po prostu trzymał między palcem wskazującym a kciukiem, tak samo jak trzymałby talizman.

Bez przerwy myślał o Alaïs. Był rozdarty na dwoje. Z jednej strony żałował, że powierzył jej tajemnicę. Lecz jednak... jeśli nie jej, to komu? Nikogo innego nie mógł obdarzyć zaufaniem. Z drugiej strony, bał się, że powiedział jej za mało.

Z wolą boską wszystko dobrze się ułoży. Jeśli wyprawa do hrabiego Tolosy odniesie zamierzony skutek, wrócą do domu przed końcem miesiąca, a będzie to powrót triumfalny i nie zostanie przelana nawet jedna kropla krwi. Wówczas pojedzie odszukać Simeona w Besièrs i dowie się, kto jest „siostrą" wspomnianą przez Harifa.

Jeśli tak zechce przeznaczenie.

Westchnął ciężko. Powiódł wzrokiem po wiejskim otoczeniu przesyconym spokojem i w myślach zobaczył całkiem odmienny obraz: chaos i zniszczenie. Koniec starego świata.

Pochylił głowę. Nie mógł postąpić inaczej. Jeżeli nie będzie mu dane wrócić do Carcassony, przynajmniej umrze ze świadomością, iż zrobił co w jego mocy, by chronić trylogię. Alaïs wypełni nałożone na nią obowiązki. Jego przysięgi będą obietnicami córki. Nie pochłonie tajemnicy piekło walki, nie zgnije ona w jakimś francuskim lochu.

Przywołały go do teraźniejszości odgłosy zwijania obozu. Czas ruszać w dalszą drogę. Czekały ich jeszcze długie godziny jazdy przed zachodem słońca.

Wsunął list Harifa do kieszeni i prężnym krokiem wrócił do drużyny. Wiedział, iż nieprędko trafi mu się kolejny moment cichej zadumy.

ROZDZIAŁ 19

Alaïs otworzyła oczy. Tym razem leżała w pościeli, nie na trawie. W uszach coś jej gwizdało, trochę jak jesienny wicher w gałęziach drzew. Ciało zdawało się dziwacznie ciężkie i obce. We śnie widziała Esclarmonde, która chłodną dłonią zdejmowała jej z czoła gorączkę.

Otworzyła oczy. Nad głową miała znajomy drewniany baldachim własnego łoża. Przy kolumnach zwisały ściągnięte ciemnogranatowe kotary. Komnata zalana była miękkim złotym światłem zmierzchu. Powietrze, choć ciągle jeszcze gorące i ciężkie od upału, niosło już obietnicę chłodniejszej nocy. Alaïs wyczuła słabą woń świeżo palonych ziół. Rozmaryn i lawenda.

Całkiem niedaleko słyszała kobiece głosy, jeden niski, drugi lekko schrypnięty. Oba przyciszone. Wypowiadane słowa syczały jak tłuszcz skapujący do ognia. Obróciła głowę. Przy kominku rzeczywiście siedziały dwie kobiety: Alziette, nielubiana żona koniuszego, oraz Ranier – przebiegła i złośliwa plotkarka, poślubiona człowiekowi ponuremu i gburowatemu. Przywodziły na myśl złowieszcze czarne wrony. Oriane często zlecała im drobne posługi, zwłaszcza przekazywanie wieści, natomiast Alaïs im nie ufała. Skąd się wzięły w jej komnacie? Ojciec nigdy by na to nie wyraził zgody.

Wtedy sobie przypomniała. Ojca w zamku nie było. Pojechał do Saint-Gilles... albo do Montpelhièr, nie miała pewności. Guilhem także.

– I gdzie byli, powiadasz? – dopominała się Ranier, spragniona skandalicznych wieści.

– W sadzie, przy strumieniu, pod wierzbami – odpowiedziała Alziette. – Najstarsza dziewucha od Mazelle widziała, jak tam poszli. Chociaż z niej podła dziewka, poleciała od razu do matki. No to Mazelle pognała przez dziedziniec jak burza, załamując ręce nad wstydem i certując się, że niby nie chce być tą, która mi o tym powie.

– Zawsze była zazdrosna o twoją dziewuchę, è. Jej córki wszystkie są grube jak świnie i mają znaki po ospie. A szpetne! Jak nieszczęście. – Ranier przysunęła się bliżej. – No i co zrobiłaś?

– A co miałam zrobić? Poszłam sama. Zobaczyłam ich od razu. Wcale się specjalnie nie chowali. Złapałam tego Raoula za włosy, a wiesz, jakie on ma kudły: ciemne i sztywne jak druty, no i natarłam mu uszu. Cały czas się trzymał za spodnie, a czerwony był jak burak. Tak mu było wstyd, że go przyłapałam. A jak się wzięłam za Jeanette, to mi się wyrwał i pognał, aż się za nim kurzyło!

Ranier cmoknęła z dezaprobatą.

– A ta mi w płacz uderza! – podjęła Alziette. – Zalewa się łzami i mi opowiada, jak to Raoul ją kocha i chce się z nią ożenić. Jak tak jej człowiek słuchał, to mógłby nawet i uwierzyć!

– A może on chce się z nią ożenić?

– Akurat! – prychnęła Alziette. – Gdzie mu tam do ożenku! Pięciu starszych braci ma w domu, a tylko dwaj się pożenili. Jego ojciec z tawerny nie wychodzi. Ostatni *sol* tej rodziny idzie prosto do kieszeni Gastona.

Alaïs usiłowała nie słuchać. Plotkarki kojarzyły jej się z sępami szarpiącymi padlinę.

– Ale widzisz – zauważyła Ranier chytrze – wszystko się dobrze złożyło. Gdybyś tam się po nich nie zjawiła, tobyś jej nie znalazła.

Alaïs stężała. Czuła, że obie kobiety na nią spoglądają.

– Ano, co prawda to prawda – zgodziła się Alziette. – Ma się trochę szczęścia w życiu. Jej ojciec dobrze mnie wynagrodzi.

* * *

Alaïs słuchała uważnie, ale nie dowiedziała się wiele więcej. Słońce wędrowało ku zachodowi, cienie się wydłużały, dryfowała między rzeczywistością a snem.

Po jakimś czasie dwie plotkary zastąpiła inna opiekunka, także ulubiona służka Oriane. W którymś momencie obudził Alaïs hałas wyciąganej spod łoża pryczy. Kobieta umościła się na nierównym materacu, wzbijając w powietrze źdźbła słomy. Po chwili rozległo się donośne chrapanie.

Tym razem sen opuścił Alaïs na dobre. Myśli zaprzątały jej wyłącznie polecenia ojca. Schować w bezpieczne miejsce deskę z labiryntem. Usiadła na łóżku, rozejrzała się wokół.

Deski nie było.

Ostrożnie i po cichu, nie budząc opiekunki, czy też raczej strażniczki, otworzyła drzwiczki nocnej szafki. Dawno nikt tego nie robił, więc skrzypnął zardzewiały zawias. Tam także jej nie było. Wcisnęła palce między materac a ramę łóżka.

Res. Nic.

Przychodziły jej do głowy niewesołe myśli. Ojciec co prawda uznał, iż nikt nie odkrył jego sekretów, ale czy miał rację? Oba przedmioty z labiryntem zniknęły. I *merel,* i deska.

Alaïs zsunęła nogi z łóżka i na palcach podeszła do krzesła, na którym zwykle siedziała, wyszywając. Musiała zyskać pewność. Płaszcz wisiał, przerzucony przez oparcie. Ktoś usiłował go wyczyścić, ale obszyty na czerwono brzeg był uwalany błotem i miejscami rozpruty. Czuć go było jakimś składem albo stajniami, wydzielał przykry cierpki zapach.

W płaszczu także nic nie znalazła, jak się zresztą spodziewała. Sakiewka zniknęła, razem z nią *merel*.

Wydarzenia toczyły się zbyt szybko. Nagle stare znajome mroczne kąty wydały jej się groźne. Wyczuwała zagrożenie wszędzie dookoła, obawiała się nawet chrapania i pomruków dochodzących z pryczy.

A jeśli moi prześladowcy nadal są w zamku? Co będzie, jeżeli po mnie wrócą?

Ubrała się pośpiesznie, wzięła w rękę *calèlh* i wysunęła knot. Przerażała ją myśl o samotnym pokonaniu ciemnego dziedzińca, ale nie mogła siedzieć bezczynnie w komnacie, biernie czekając na nieodgadniony ciąg dalszy.

Coratge. Odwagi.

* * *

Alaïs przebiegła przez *cour d'honneur* i szybko schroniła się w La Tour Pinte. Migający płomyk osłoniła dłońmi.

Chciała porozmawiać z François.

Uchyliła drzwi komnaty ojca i cicho zawołała sługę po imieniu. Odpowiedziała jej cisza. Wślizgnęła się do środka.

– François – szepnęła.

W bladożółtym kręgu światła z lampki oliwnej widać było wyraźnie postać leżącą na pryczy w nogach łoża.

Alaïs odstawiła *calèlh* na ziemię, pochyliła się i dotknęła ramienia służącego. Szybko cofnęła rękę, jakby się sparzyła. Coś tu było stanowczo nie w porządku.

– François?

I tym razem nie doczekała się odpowiedzi. Chwyciła szorstki koc, policzyła do trzech i pociągnęła.

Na pryczy leżała sterta starych ubrań i futer, starannie ułożona w kształt śpiącego człowieka.

Alaïs odetchnęła z ulgą, lecz z drugiej strony zdumiała się niepomiernie.

Akurat w tej chwili na korytarzu rozległy się niegłośne kroki. Chwyciła lampę, przykręciła knot i skryła się w cieniu za łożem.

Zaskrzypiały drzwi. Intruz stanął niezdecydowany, może wyczuł oliwę z lampy, a może zwrócił uwagę na odrzucony koc? Wyciągnął nóż z pochwy.

– Kto tu jest? – zapytał głośno. – Pokaż mi się.

– François – odezwała się Alaïs, wychodząc z ukrycia. – To ja. Możesz odłożyć broń.

Wyglądał na bardziej wstrząśniętego niż ona.

– Wybacz mi, pani. Nie domyśliłem się, że to ty.

Przyjrzała mu się z nieskrywanym zaciekawieniem. Oddychał ciężko, jak po biegu.

– Nie przepraszaj – rzekła. – Wina leży po mojej stronie, ale... gdzie byłeś o tej godzinie?

– Ja...

U kobiety, domyśliła się. Nie rozumiała tylko, dlaczego zakłopotanie nie pozwalało mu wyznać tej zwykłej prawdy. Zrobiło jej się go żal.

– Dajmy temu spokój – ucięła. – Nie to jest najważniejsze. Przyszłam tutaj, ponieważ tylko ty mi powiesz, co się ze mną stało.

François pobladł jak śmierć.

– Ja nic nie wiem, pani – wykrztusił.

– Dajże spokój. Na pewno słyszałeś pogłoski, dotarły do ciebie jakieś plotki.

– Bardzo skąpe.

– Spróbujmy jednak razem odtworzyć tę historię – zaproponowała, zdumiona jego reakcją. – Pamiętam, jak zaprowadziłeś mnie do ojca na jego wezwanie. Pamiętam jeszcze, jak wracałam z jego komnaty. Wtedy napadło mnie dwóch ludzi. Straciłam przytomność, a odzyskałam ją w sadzie, niedaleko strumienia. Świtało. Potem obudziłam się we własnej komnacie.

– Czy rozpoznałabyś napastników, pani?

Alaïs zmierzyła go uważnym spojrzeniem.

– Nie. Na dziedzińcu było ciemno. A poza tym wszystko stało się bardzo szybko.

– Czy coś zostało ci, pani, zabrane?

Nie odpowiedziała od razu.

– Nic wartościowego – skłamała z niemałym wysiłkiem. – Wiem też, że Alziette Baichère podniosła alarm. Słyszałam to z jej własnych ust. Całkiem nie rozumiem, jak to się stało, że akurat ona się mną opiekowała. Dlaczego nie Rixende? Albo jakaś inna moja służąca?

– Tak rozkazała pani Oriane – powiedział François. – Postanowiła sama otoczyć cię opieką.

– Ciekawe, co ludzie mówią o takiej troskliwości? – zastanowiła się Alaïs. – Przecież wszyscy wiedzą, że moja siostra nie przejawia takich... skłonności.

– Tym razem jednak nalegała, pani.

Alaïs pokręciła głową. Powróciło jakieś niewyraźne wspomnienie... Miała wrażenie, iż została zamknięta w ciasnym pomieszczeniu, gdzie ściany były chyba kamienne, nie z drewna, cuchnęło uryną, źle utrzymanymi zwierzętami, brudem. Niestety, im bardziej się starała wydobyć owo wspomnienie na powierzchnię pamięci, tym bardziej jej umykało.

– O ile mi wiadomo – podjęła – mój ojciec wyjechał do Montpelhièr.

– Dwa dni temu, pani.

Straciła dwa dni.

– Czy mój ojciec nie pytał, dlaczego nie przyszłam go pożegnać?

– Pytał, pani... ale zabronił mi cię budzić.

Bez sensu.

– A mój mąż? Czy Guilhem nie zdradził, że nie wróciłam na noc?

– O ile mi wiadomo, pan du Mas spędził tamtego wieczoru dłuższy czas w kuźni, a potem brał udział w mszy odprawianej w intencji powodzenia misji. Odbyła się w kaplicy i uczestniczył w niej wicehrabia Trencavel. Pan du Mas wydawał się równie zaskoczony twoją nieobecnością, pani, jak twój ojciec, a poza tym... – umilkł.

– Dokończ. Mów ze mną szczerze, nie będę ci tego miała za złe.

– Skoro każesz pani, powiem, iż moim zdaniem pan du Mas nie chciał dać poznać po sobie, że nie wie, gdzie przebywasz.

Oczywiście François miał rację. W ostatnich dniach stosunki między jej ojcem i mężem były gorsze niż zwykle. Alaïs zacisnęła wargi.

– Ludzie, którzy mnie napadli – zaczęła z innej beczki – podjęli ogromne ryzyko. Napadli na mnie w sercu *château comtal*, a to czyste szaleństwo. A na domiar złego ośmielili się mnie porwać... jak im się to udało? Na jakiej podstawie sądzili, że ujdzie im to płazem?

Zamilkła. Już powiedziała za dużo.

– Tamtej nocy wszyscy byli zajęci, pani. Nie oddzwoniono capstrzyku. Zachodnią bramę zamknięto, lecz wschodnia pozostała otwarta przez całą noc. Dwaj mężczyźni mogli bez kłopotu wyprowadzić cię za mury, wystarczyło zakryć ci twarz i strój. Wiele tu było tego wieczoru dam... to znaczy kobiet... pewnego rodzaju...

Alaïs uśmiechnęła się z zażenowaniem.

– Dziękuję ci. Rozumiem, co chcesz powiedzieć. – Uśmiech szybko zniknął jej z twarzy. Co dalej? Co robić? W głowie miała zamęt. Poza wszystkim innym nie rozumiała powodów napaści. Kto jej wyrządził krzywdę – i dlaczego?

Trudno walczyć z nieznanym przeciwnikiem.

– Najrozsądniej będzie rozpuścić wieść, że nie pamiętam samego ataku – zdecydowała po chwili. – Dzięki temu napastnicy, jeśli pozostają nadal w murach zamku, nie będą się czuli zagrożeni.

Powinna teraz wrócić do swojej komnaty, ale myśl o przejściu przez ciemny dziedziniec mroziła jej krew w żyłach.

Poza tym uświadomiła sobie, że i tak nie zmruży oka przy chrapaniu przysłanej przez Oriane kobiety, która miała ją śledzić i meldować starszej siostrze o każdym jej ruchu.

– Do rana zostanę tutaj – oznajmiła.

Ze zdumieniem stwierdziła, że François wyraźnie się przestraszył.

– Pani, to nie uchodzi...

– Przykro mi, że pozbawiam cię łóżka na dzisiejszą noc – przerwała, osładzając tę wiadomość uśmiechem – ale stanowczo nie odpowiada mi towarzystwo zapewnione przez siostrę. – Służący patrzył na nią z twarzą bez wyrazu. – Byłabym ci wdzięczna, gdybyś się bardzo nie oddalał.

– Jak sobie życzysz, pani – odpowiedział bez uśmiechu.

Alaïs przyglądała mu się przez chwilę, wreszcie jednak doszła do wniosku, że przesadza z domysłami. Poprosiła go, by zapalił drugą lampę, i pozwoliła odejść.

Gdy tylko zniknął, ułożyła się na łóżku ojca. Zwinęła się w kłębek. W samotności nieobecność Guilhema znowu zaczęła ją dręczyć. Alaïs próbowała sobie przypomnieć kształt jego oczu, zarys ust, ale rysy męża zamazywały się nieustannie. Ponieważ była na niego zagniewana. Musiała sobie ciągle na nowo przypominać, że Guilhem tylko wykonywał obowiązki rycerza. Nie robił nic złego. Wręcz przeciwnie, robił dokładnie to, co trzeba. W przededniu tak ważnej misji liczył się dla niego jego pan oraz ci, którzy z nim jechali, nie żona.

Choć powtarzała to sobie do znudzenia, jednak nie potrafiła uciszyć głosów szepczących w głowie. Nie umiała podporządkować myślom uczuć. A miała uczucie, że wówczas gdy potrzebowała pomocy, ochrony i wsparcia Guilhema, on ją zawiódł. I chociaż z pewnością popełniała niesprawiedliwość, za ostatnie niemiłe zdarzenia winiła właśnie jego.

Gdyby odkryto jej nieobecność o pierwszym brzasku, może udałoby się pochwycić złoczyńców. A ojciec nie wyjechałby z żalem w sercu.

ROZDZIAŁ 20

Na opuszczonej farmie pod Aniane, położonej na płaskiej urodzajnej ziemi na zachód od Montpelhièr, pewien starszy katar, *parfait* oraz ośmiu wiernych, *credentes*, przycupnęli w kącie stodoły, za stertą starych uprzęży dla osłów i mułów.

Jeden z mężczyzn był ciężko ranny. Z poszarzałej twarzy wystawały oblepione krwią białe kawałki kości. Był to skutek kopnięcia. Oko wyciśnięte z oczodołu zwisało na mięśniach, wokół dziury powstawał czarny skrzep. Mimo wszystko przyjaciele nie zostawili go w domu, w którym zebrali się na modlitwę i gdzie zostali napadnięci przez grupę renegatów, odszczepieńców francuskiej armii.

Niestety, z ciężko rannym uciekali wolniej, więc stracili przewagę, jaką dawała im znajomość terenu. Krzyżowcy tropili ich cały dzień. Noc nie odmieniła ich losu na lepsze, a teraz znaleźli się w pułapce. Słyszeli okrzyki napastników na podwórzu, trzaskanie ognia zajmującego suche drewno. Wróg szykował stos.

Parfait już wiedział, że to koniec. Ci ludzie nie będą mieli nad nimi litości, żołdaków prowadziła nienawiść, głupota i fanatyzm religijny. Nigdy dotąd nie było podobnej armii na chrześcijańskiej ziemi. Sam by w to nie uwierzył, gdyby nie zobaczył na własne oczy.

Podróżował na południe, drogą równoległą do trasy armii Północy. Na Rodanie widział ogromne niezgrabne barki z wyposażeniem i zapasami, drewniane skrzynie opasane stalowymi klamrami, w których przechowywano święte relikwie, mające zapewnić wyprawie błogosławieństwo. Kopyta tysięcy zwierząt jucznych i wierzchowców wzbijały wielką chmurę kurzu towarzyszącą armii.

Od samego początku miasta i miasteczka na drodze przemarszu wojsk zamykały bramy, mieszkańcy zza murów obserwowali przybyszów, modląc się, by odeszli jak najszybciej. Armię poprzedzała zła sława, wieści o przemocy, gwałcie, kradzieżach, o farmach zmiecionych z powierzchni ziemi w odwecie za to, że właściciele bronili ich przed splądrowaniem. W Puylaroque katarzy, uznani za heretyków, zostali spaleni na stosie. W Montélimar całą ludność żydowską, mężczyzn, kobiety i dzieci wyrżnięto do nogi. Okrwawione głowy, zatknięte na włóczniach tuż za miejskimi murami, wydano ptactwu na żer.

W Saint-Paul de Trois Châteaux jeden z *parfaits* został ukrzyżowany przez grupkę gaskońskich *routiers**. Przywiązali go do prowizorycznego krzyża z dwóch kawałów drewna połączonych liną i gwoździami, przybili ręce do poprzecznej belki. Choć własny ciężar rozrywał mu ciało, kapłan nie chciał się wyrzec swojej wiary. W końcu żołnierze, znudzeni jego powolnym konaniem, rozpruli mu brzuch i zostawili, by sczezł.

Takim i innym barbarzyńskim aktom gorąco zaprzeczał opat Cîteaux oraz francuscy baronowie. Jeśli je uznawali, przypisywali grupkom renegatów.

Tymczasem jednak *parfait*, skulony w ciemnościach z grupką współwyznawców, doskonale wiedział, iż słowa lordów, księży i papieskich legatów na nic się tutaj zdadzą. Czuł żądzę krwi bijącą od ludzi, którzy ich ścigali na polecenie diabła.

Potrafił rozpoznawać zło.

Teraz mógł już tylko zadbać o zbawienie dusz współwyznawców, aby wszyscy mogli stanąć przed Bogiem. Droga z tego do tamtego świata nie będzie łatwa.

Ranny jęknął cicho i jego skórę powlekła szarość śmierci. *Parfait* podłożył dłonie pod jego głowę i odprawił ostatni rytuał, wymawiając słowa *consolament*. Pozostali wierni wzięli się za ręce, tworząc krąg. Zaczęli się modlić.

– Ojcze święty, Panie dusz, o Ty, który nigdy nie zawodzisz, nie plamisz się kłamstwem czy zwątpieniem, pozwól nam...

Żołnierze wyważali drzwi, śmiali się i drwili. Zaraz ich dopadną. Najmłodsza z kobiet, czternastoletnia, zaczęła płakać. Ciche łzy spłynęły jej po policzkach obfitym strumieniem.

– ...pozwól nam posiąść swoją wiedzę i kochać to, co Ty obdarzasz miłością, gdyż nie jesteśmy z tego świata i świat ten nie do nas należy. Obawiamy się śmierci w królestwie obcego boga.

Parfait podniósł głos, bo ciężka belka ryglująca odrzwia pękła na dwoje. Grube drzazgi, ostre jak groty strzał, frunęły przez stodołę. Brama rozwarła się na oścież, szerokim przejściem wlali się do środka żołnierze. W pomarańczowym blasku ognia oczy im błyszczały nieludzkim blaskiem. Było ich dziesięciu, każdy trzymał w dłoni miecz.

Kapłan spojrzał na dowódcę. Był to mężczyzna wysoki, o bladej skórze i oczach bez wyrazu. Spokojny, zimny, okrutny. Wyglądał na człowieka przyzwyczajonego do tego, że jego rozkazy spełnia się natychmiast.

I właśnie na jego rozkaz wyciągnięto uciekinierów z kryjówki. On pierwszy podniósł ramię i wbił miecz w pierś *parfait*. Wówczas spotkały się ich spojrzenia. W szarych oczach Francuza malowała się pogarda. Zamachnął się po raz drugi i wraził ostrze w jego czoło. Krew i mózg zbryzgały słomę.

---

* włóczęga, bandyta

Grupkę katarów pozbawionych duchowego przewodnika ogarnęła panika. Próbowali uciekać, ale nie mieli dokąd. Któryś z żołnierzy chwycił jedną z kobiet za włosy, wbił jej miecz w plecy. Ojciec próbował bronić córki, lecz napastnik obrócił się i ciął go nożem w brzuch. Starzec znieruchomiał, a Francuz obrócił ostrze i kopnięciem zrzucił z niego ciało.

Najmłodszy z napastników zgiął się wpół, miotany gwałtownymi torsjami.

Wkrótce wszyscy mężczyźni leżeli martwi. Kapitan rozkazał wyprowadzić ze stodoły kobiety. Sam został z najmłodszą i wymiotującym żołnierzem. Uznał, że najwyższy czas wprowadzić chłopaka w życie.

Dziewczyna cofnęła się pod ścianę, oczy miała pełne strachu. Kapitan uśmiechnął się lodowato. Nigdzie się nie śpieszył, a ona nie miała dokąd uciec. Obszedł ją wolno dookoła, jak wilk ofiarę. Nagle złapał ją za gardło i wyrżnął jej głową o ścianę. Drugą ręką rozdarł sukienkę. Dziewczyna krzyczała, wyrywała się i kopała. Uderzył ją pięścią w twarz, lubując się dotykiem trzaskającej kości.

Nogi się pod nią ugięły, opadła na kolana, zostawiając na deskach krwawy ślad. Pochylił się, jednym ruchem rozerwał koszulę. Mieczem podsunął spódnice do góry. Nie zamierzał się splamić, dotykając heretyczki.

Dziewczyna jęknęła.

– Nie mogą się rozmnażać i sprowadzać na świat kolejnych pokoleń przeklętego robactwa – rzekł, wyjmując nóż z pochwy.

Wbił dziewczynie ostrze w brzuch. Wyszarpnął i wbił ponownie. Wiedziony zimną nienawiścią do ludzi takich jak ona dźgał bez opamiętania, aż przestała się ruszać. W akcie ostatecznej profanacji odwrócił bezwładne ciało na brzuch i wyciął na nagich plecach znak krzyża. Czerwone krople krwi zaperliły się na białej skórze jak rubiny.

– Tak stanie się z każdym, kto nam wejdzie w drogę – oznajmił spokojnie. Wytarł nóż w suknię dziewczyny i wstał. – Rzuć ją na stos – rozkazał.

Chłopakiem wstrząsał szloch. Cały był powalany nieczystościami i krwią. Usiłował wypełnić rozkaz, ale szło mu to żałośnie wolno.

Kapitan chwycił go za gardło.

– Rusz się – warknął. – Chyba że chcesz podzielić jej los. – Puścił chłopaka i kopnął, zostawiając na tunice brązowokrwawy odcisk buta.

Na nic mu był taki wojak.

* * *

Na środku podwórza wysokim ogniem płonął stos, rozniecany przez chłodną bryzę znad Morza Śródziemnego. Żołnierze osłaniali twarze dłońmi, konie przywiązane za bramą przebierały niespokojnie kopytami, bo nozdrza drażnił im odór śmierci.

Przed stosem klęczały kobiety w poszarpanych sukniach. Nogi związano im w kostkach, ręce za plecami. Siniaki na twarzach, podrapane piersi i nagie ramiona świadczyły o tym, że zostały brutalnie zniewolone. Żadna się nie skarżyła. W ciszy czekały na dopełnienie losu. Któraś tylko gwałtownie wciągnęła powietrze, gdy upadło przed nimi ciało dziewczyny.

Kapitan był już znudzony. Chciał ruszać w drogę. Nie po to przyjął znak krzyża, by zabijać heretyków. Ta drobna wycieczka miała zapewnić odrobinę rozrywki jego ludziom, dać im jakieś zajęcie, żeby przestali sobie nawzajem skakać do oczu.

Wokół księżyca w pełni zapalały się białe gwiazdy. Zapewne minęła już północ. Zamierzał wrócić dużo wcześniej, na wypadek gdyby przyszły wieści.

– Czy rzucić je w ogień, panie?

Wyciągnął miecz i szybkim ruchem oddzielił głowę od ciała najbliższej kobiety. Krew trysnęła z jej szyi gorącym strumieniem, polała się w dół, aż do stóp. Czaszka uderzyła o ziemię z głuchym łupnięciem. Kapitan kopnął drgające ciało. Upadło.

– Zabijcie wszystkie te plugawe dziewki i spalcie ich ciała. Stodołę też podpalcie. Jedziemy.

ROZDZIAŁ 21

Alaïs otworzyła oczy, gdy komnatę zaczął rozjaśniać świt.

W pierwszej chwili nie pamiętała, jakim sposobem znalazła się w komnacie ojca. Usiadła i przeciągnęła się, odpędzając resztki snu. Wtedy wydarzenia poprzedniego dnia wróciły do niej żywe i wyraźne.

Między północą a świtem podjęła ważką decyzję. Choć spała niewiele, umysł miała jasny i czysty jak górski strumień. Nie zamierzała bezczynnie czekać na powrót wysłańców. Miała powody przypuszczać, iż każdy dzień zwłoki pociąga za sobą nieodwracalne skutki. Gdy ojciec mówił jej o świętych powinnościach wobec Noublesso de los Seres, gdy opowiadał o tajemnicy, której strzegli, nie pozostawił wątpliwości, że wypełnienie powierzonej mu misji jest sprawą dumy i honoru. Wobec czego ona, jego córka, musiała go teraz odnaleźć, powiedzieć mu, co się stało i złożyć sprawę na powrót w jego ręce.

Lepiej robić cokolwiek niż nie robić nic.

Podeszła do okna, rozchyliła okiennice, wpuszczając świeże poranne powietrze. W dali błyszczały purpurowo wierzchołki łańcucha Montagne Noire zroszone blaskiem wschodzącego słońca. Odwieczne i niewzruszone. Ich widok utwierdził ją w postanowieniu. Najwyższy czas ruszyć w świat.

Oczywiście podejmowała ryzyko, decydując się na samotną podróż. Przemyślane ryzyko, jak by to nazwał jej ojciec. Z drugiej strony jednak, była doskonałą amazonką. Wierzyła, iż prześcignie każdą grupę *routiers* czy bandytów. Zresztą, o ile jej było wiadomo, na ziemiach wicehrabiego Trencavela nie zdarzały się napaści na podróżnych.

Ostrożnie pomasowała solidny guz, namacalny dowód, że ktoś jej źle życzył. Jeśli zbliżał się kres jej czasu, lepiej stawić czoło śmierci z mieczem w ręku niż czekać, aż wróg ponownie uderzy znienacka.

Wzięła ze stołu wystygłą lampę. W poczerniałym od sadzy szkle ujrzała swoje odbicie: bladą cerę i oczy przygaszone zmęczeniem. Lecz jednocześnie – twarz osoby, której życie nabrało sensu, która miała przed sobą jakiś cel.

* * *

Wolałaby nie wracać do siebie, ale nie miała wyboru. Zostawiła śpiącego na pryczy François i przez dziedziniec śpiesznie podążyła do własnej komnaty. Nikogo po drodze nie napotkała.

Pod drzwiami Oriane spała Guirande, jej przebiegły anioł stróż. Była ładniutka, miała regularne rysy twarzy i lekko wydęte usteczka.

W komnacie Alaïs panowała cisza, niezawodny znak, iż wyznaczona przez starszą siostrę opiekunka zeszła z posterunku. Najpewniej uznała, iż nie ma powodu pilnować pustego łóżka.

Alaïs nie traciła czasu. Powodzenie jej planu zależało od tego, czy zdoła utwierdzić wszystkich zainteresowanych w przekonaniu, że jest nadal bardzo słaba i nie zdoła o własnych siłach oddalić się od zamku. Nikt nie mógł się domyślić, iż celem jej podróży było Montpelhièr.

Z szafy wyjęła najlżejszy strój do konnej jazdy, rudą suknię z piaskowymi rękawami. Ponieważ były one przy ramieniu szerokie, a idąc ku dłoni coraz bardziej się zwężały, kończąc trójkątnymi wypustkami na dłoniach, zapewniały cudowną swobodę ruchów. W pasie obwiązała się cienkim skórzanym paskiem, do niego przytroczyła nóż używany przy jedzeniu oraz zimową sakwę łowiecką, *borsa*.

Następnie włożyła myśliwskie buty sięgające kolan, związała je rzemieniami i za cholewę wsadziła drugi nóż. Na ramiona narzuciła brązowy płaszcz z kapturem, pozbawiony jakichkolwiek ozdób. Spięła go broszą.

Wreszcie wyjęła z kufra szkatułkę z biżuterią i klejnotami. Wybrała naszyjnik z awanturynu, słonecznego kamienia, a także obrożę i pierścień z turkusami. Na pewno okażą się przydatne, jeśli trzeba będzie zapłacić za przejście lub schronienie, zwłaszcza poza granicami ziem wicehrabiego Trencavela.

Na koniec wyjęła ze skrytki za łóżkiem swój miecz. Leżał tam, nietknięty, od dnia ślubu. Ujęła go pewnie, wyciągnęła płasko na wysokości oczu. Ciągle był w wyśmienitym stanie. Zakreśliła ostrzem ósemkę w powietrzu, przypomniała sobie jego ciężar i ślizg. Uśmiechnęła się. Nadal świetnie leżał w ręku.

* * *

Alaïs wślizgnęła się do kuchni i poprosiła Jacques'a o trochę jęczmiennego chleba, fig, solonej ryby oraz gomółkę sera i zakorkowaną flaszkę wina. Jak zwykle dał jej dużo więcej, niż potrzebowała. Tym razem była mu ogromnie wdzięczna za tę szczodrość.

Obudziła swoją służącą, Rixende, i powierzyła jej wiadomość dla pani Agnès – że poczuła się lepiej i po tercji dołączy do dwórek w *solar*. Służąca nie kryła zdziwienia, ale powstrzymała się od komentarzy. Wszyscy wiedzieli, że Alaïs nie znosiła tak zwanego wspólnego odpoczynku przy robótkach ręcznych i wykręcała się od nich, jak tylko mogła. W grupie kobiet nigdy nie czuła się swobodnie, a plotki wymieniane przy okazji takich spotkań stanowiły dla niej najdoskonalszy środek nasenny. Dziś jednak wyrażenie chęci przyłączenia się do kobiecych zajęć miało stanowić niepodważalny dowód, iż zamierza wrócić do zamku przed wieczorem.

Jeśli wszystko pójdzie dobrze, nikt jej nie będzie szukał, przynajmniej do tego czasu. A jeżeli dopisze jej szczęście, dopiero po nieszporach ludzie zaniepokoją się jej nieobecnością i podniosą larum.

Wtedy będę już daleko.

– Pójdziesz do pani Agnès dopiero wówczas, gdy promienie słońca rozjaśnią zachodnią ścianę dziedzińca – przykazała dziewczynie. – *Oc*? A jeśli wcześniej ktoś będzie mnie szukał, powiesz, że wybrałam się na przejażdżkę po polach za Sant-Miquel. Nawet jeśli będzie pytał służący mojego ojca.

Stajnie znajdowały się w północno-wschodnim narożniku dziedzińca, pomiędzy dwiema wieżami: Tour des Casernes i Tour du Major. Konie powitały Alaïs cichym rżeniem, ten i ów zastrzygł uszami, któryś zadreptał w koło. Dziewczyna zatrzymała się przy pierwszym boksie, pogładziła po szerokich chrapach swoją ukochaną siwą klaczkę o sterczących z kłębu sztywnych włosach.

– Dzisiaj cię ze sobą nie zabiorę – powiedziała cicho. – Nie mogę od ciebie wymagać tak wiele.

Drugi jej koń stał tuż obok. Była to sześcioletnia klacz arabska imieniem Tatou – zaskakująco wspaniały prezent ślubny od ojca. Sierść miała izabelowatą, przypominającą rozzłocone słońcem żołędzie, ogon i grzywę prawie białe, na nadpęciach delikatne odmiany i cztery białe skarpety. Kłębem sięgała ramienia Alaïs. Łatwo było poznać jej rasę po suchej, krótkiej czaszce i szerokich nozdrzach, mięśniach i ścięgnach dobrze widocznych pod skórą oraz lekko wygiętym grzbiecie. Tatou była posłuszna, szybka i bardzo wytrwała.

Alaïs zastała w stajniach tylko Amiela, najstarszego syna kowala; drzemał w kącie na stogu siana. Zbudzony zerwał się na równe nogi, zawstydzony, że przyłapano go na drzemce.

Szybko ucięła przeprosiny.

Na jej prośbę sprawdził kopyta i podkowy klaczy, upewnił się, że nic jej nie będzie przeszkadzało w drodze, następnie przyniósł czaprak i siodło podróżne oraz uzdę.

Alaïs była niespokojna, każdy odgłos z podwórza kazał jej się oglądać przez ramię, sprawdzać, kto idzie i co się tam dzieje.

Dopiero gdy Amiel skończył oporządzać konia, odsłoniła miecz, ukryty dotąd pod płaszczem.

– Ostrze trochę stępiało – powiedziała.

Spotkały się ich spojrzenia. Syn kowala bez słowa zaniósł miecz do kuźni. Ogień płonął tam stale, podtrzymywany dzień i noc przez chłopców tak młodych, że ledwo mieli siłę przeciągnąć ciężkie, najeżone kolcami toboły z chrustem z jednego końca kuźni do drugiego.

Widać było napięcie w jego ruchach, ale solidnie wyostrzył, wyrównał i wyważył miecz.

– Dobrą masz broń, pani – rzekł głosem bez wyrazu. – Będzie ci dobrze służyć, chociaż... mam nadzieję, że nie będziesz musiała jej użyć.

– *Ieu tanben* – uśmiechnęła się. Ja też.

Pomógł jej wsiąść i wyprowadził klacz na dziedziniec.

Alaïs miała serce w gardle. Oby tylko nikt jej teraz nie zobaczył, bo w przeciwnym razie cały plan legnie w gruzach.

Jednak na dziedzińcu nie było żywego ducha. Szybko dotarli do wschodniej bramy.

– Szczęśliwej podróży, pani – szepnął Amiel, gdy Alaïs wcisnęła mu w dłoń drobną monetę.

Strażnik otworzył bramę. Tatou spokojnym krokiem pokonała most i wyjechała na ulice Carcassony. Dziewczynie serce waliło jak młotem. Pierwsze koty za płoty.

* * *

Minąwszy Bramę Narbońską, puściła konia cwałem.

Libertat. Swoboda.

Jadąc ku wschodzącemu słońcu czuła się harmonijnie połączona z całym światem. Pęd odgarniał jej włosy z twarzy, wiatr zarumienił policzki. Tatou swobodnie galopowała po równinie. Ciekawe, czy tak właśnie czuła się dusza po opuszczeniu ciała, w czasie czterodniowej podróży do nieba? Czy miała taką właśnie cudowną świadomość bożej łaski, transcendencji, oddzielenia od wszystkiego co fizyczne, aż wreszcie pozostawał tylko duch?

Uśmiechnęła się promiennie. *Parfaits* głosili, że dla każdego nadejdzie czas, gdy jego dusza zyska wolność i pozna odpowiedzi na wszystkie pytania. Tak będzie w niebie. Gotowa była jeszcze poczekać. Miała zbyt wiele do zrobienia na ziemi.

Gdy tak jechała, tylko w towarzystwie cienia, zniknęły wszystkie myśli o starszej siostrze, o kłopotach w zamku, o strachu. Była wolna. Za jej plecami piaskowe mury grodu kurczyły się i malały, aż w końcu całkiem zniknęły.

ROZDZIAŁ 22
Tuluza

Pracownik ochrony na lotnisku Blagnac w Tuluzie poświęcał więcej uwagi nogom Marie-Cécile de l'Oradore niż paszportom innych podróżnych. Odwracały się za nią wszystkie głowy. Doskonale przycięte czarne loki, uszyta na miarę czerwona spódnica z żakietem, śnieżnobiała koszula – wszystko świadczyło o tym, że jest osobą ważną, nienawykłą do czekania i stania w kolejkach.

Przy wyjściu z lotniska stał ten sam szofer co zwykle. Ubrany w ciemny garnitur, także wyróżniał się z tłumu turystów paradujących w szortach i koszulkach z krótkimi rękawami. Marie-Cécile powitała go uśmiechem. W drodze do samochodu uprzejmie spytała o rodzinę, ale myślami błądziła gdzie indziej.

Po włączeniu komórki natychmiast odebrała wiadomość od Willa i od razu ją skasowała.

Gdy wóz gładko sunął w strumieniu innych pojazdów *rocade* okrążającą Tuluzę, Marie-Cécile pozwoliła sobie na chwilę relaksu. Ceremoniał odprawiony zeszłej nocy wyczerpał ją jak żaden inny. Może dlatego, iż uzbrojona w wiedzę o odnalezieniu jaskini, czuła się odmieniona, zjednoczona z rytuałem, dała się uwieść potędze odziedziczonej po dziadku. W chwili gdy uniosła dłonie i zaczęła wypowiadać inkantacje, w jej żyłach płynęła czysta energia.

Nawet uciszenie Taverniera, nowicjusza, który okazał się niegodny zaufania, przebiegło bez najmniejszych trudności. Zakładając, że już nikt inny nie będzie mówił – a teraz miała co do tego pewność – nie było się czego obawiać. Nie dała mu szansy na usprawiedliwienie. Nie zamierzała tracić czasu. Pisemne kopie jego rozmowy z dziennikarką stanowiły, jak dla niej, wystarczający dowód winy.

A jednak...

Otworzyła oczy.

To i owo ją niepokoiło. Sposób, w jaki rewelacje Taverniera ujrzały światło dzienne. Fakt, że notatki dziennikarskie były zaskakująco logiczne i zgodne z prawdą. Oraz ten, iż sama dziennikarka zniknęła w tajemniczych okolicznościach.

Najbardziej przeszkadzała Marie-Cécile zbieżność w czasie. Nie istniał żaden powód, by łączyć odkrycie jaskini na Pic de Soularac z wcześniej zaplanowaną egzekucją, przeprowadzoną w Chartres, a mimo to w jej umyśle były to zdarzenia w jakiś sposób od siebie uzależnione.

Samochód zwolnił i zatrzymał się przy wjeździe na autostradę.

Zastukała w szybę.

– *Pour le péage** – powiedziała, podając szoferowi banknot wartości pięćdziesięciu euro, wetknięty między wskazujący i środkowy palec o doskonałym manicure. Nie zamierzała zostawiać żadnych śladów.

Miała sprawy do załatwienia w Avignonet Lauragais, jakieś trzydzieści kilometrów na południowy wschód od Tuluzy. Stamtąd wybierała się do Carcassonne. Spotkanie miała wyznaczone na dziewiątą, ale zamierzała zjawić się na miejscu wcześniej. Jak długo zostanie w Carcassonne, zależało od człowieka, z którym była tam umówiona.

Założyła nogę na nogę.

Ciekawe, czy zasługiwał na swoją reputację.

---

* Na opłaty.

ROZDZIAŁ 23
Carcassonne

Tuż po dziesiątej Audric Baillard wyszedł z dworca kolejowego w Carcassonne i ruszył w stronę centrum miasta. Był to szczupłej budowy dystyngowany pan, ubrany w jasny, nieco staroświecki w kroju garnitur. Szedł dziarskim krokiem, w smukłych palcach jak berło trzymał długą drewnianą laskę. Rondo panamy chroniło jego oczy przed ostrym słońcem.

Przeszedł przez Kanał Południowy, minął wspaniały hotel „Terminus" odznaczający się okazałymi lustrami w stylu art déco oraz dekoracyjnymi obrotowymi drzwiami z kutego żelaza. Carcassonne bardzo się zmieniło. Dowody potwierdzające te przemiany dostrzegał Baillard przez całą drogę do bulwaru dla pieszych przecinającego centrum Basse Ville. Nowe sklepy z odzieżą, *pâtisseries**, księgarnie i jubilerzy. Atmosfera dobrobytu. Carcassonne znowu stało się miejscem przeznaczenia. Miastem w centrum zdarzeń.

Przeciął wykładany białymi płytami, lśniący w słońcu plac Carnot. Oto kolejna nowość. Piękna dziewiętnastowieczna fontanna została odrestaurowana, tryskały z niej błyszczące krople wody. Skwer ubarwiły jaskrawe kawiarniane krzesła i stoły. Spojrzał w stronę baru „Felix" i uśmiechnął się na widok znajomych spłowiałych markiz pod drzewkami cytrynowymi. Ach, więc jednak to i owo pozostało bez zmian.

Wszedł w wąską, krętą uliczkę, prowadzącą na Pont Vieux. Charakterystyczne brązowe drogowskazy, świadczące o wpisaniu na listę światowego dziedzictwa UNESCO, prowadziły turystów do ufortyfikowanego średniowiecznego Cité. Stanowiły one kolejny dowód na to, jak bardzo zmienił się status miasta od czasów, gdy przewodnik Michelina określał je jako *vaut le détour***.

W pewnej chwili Baillard znalazł się na otwartej przestrzeni. Oto Lo Ciutat. Rozrzewnił się jak zawsze przy tej okazji, jakby wracał do domu z dalekiej podróży, choć już od dawna nie było to miejsce, które kiedyś tak dobrze znał.

Przed wejściem na Pont Vieux ustawiono ozdobne zapory, zagradzające ruch kołowy. Swego czasu człowiek musiał przyklejać się do muru, by

---

* cukiernie
** warte zboczenia z drogi

nie wpaść pod strumień przyczep kempingowych, turystycznych vanów, półciężarówek i motocykli, które torowały sobie drogę przez wąski most. W końcu na kamieniu pojawiły się blizny dziesiątków lat zanieczyszczeń. A teraz był czysty. Może nawet zbyt czysty.

Baillard wyjął z górnej kieszeni marynarki żółtą chusteczkę i starannie otarł twarz oraz czoło pod rondem kapelusza. Brzegi rzeki płynącej pod jego stopami kipiały dobrze utrzymaną zielenią, pomiędzy drzewami i krzewami wiły się ścieżki koloru piasku. Na północnym brzegu przyciągały wzrok zadbane klomby, ozdobione ogromnymi egzotycznymi kwiatami. Na metalowych ławeczkach w cieniu drzew przysiadały wystrojone damy, które zabijały czas spoglądaniem na rzekę i ploteczkami. Ich pieski, podobne do porcelanowych figurek, cierpliwie siedziały obok, wystawiwszy różowe języczki. Od czasu do czasu któryś chwytał drobnymi ząbkami za piętę niebacznego mieszkańca biegającego dla zdrowia.

Stary most prowadził bezpośrednio do dzielnicy Trivalle, która z monotonnego przedmiejskiego traktu zmieniła się w przedsionek wiekowego Cité. Czarne, kute słupki ustawione wzdłuż chodników, uniemożliwiały parkowanie samochodów na drodze przeznaczonej dla pieszych. Z kwietników kipiały bratki o mocnych barwach: ognistopomarańczowe, fioletowe i purpurowe. Przed kawiarenkami błyszczały w słońcu chromowane stoliki, krzesła oraz poskręcane lampy o miedzianych czubach, które walczyły o prym ze starymi prostymi latarniami. Nawet dawne rynny z żelaza i plastiku, przeciekające w czasie ulewnego deszczu i trzeszczące w upale, zastąpiono smukłymi rurami z połyskliwego metalu, o końcach przypominających rozwarte pyski głodnych ryb.

*Boulangerie** oraz *alimentation générale*** przetrwały, podobnie Hôtel du Pont Vieux, natomiast w *boucherie**** sprzedawano teraz antyki, a *mercerie***** zmieniła się w wielki skład kryształowych kul, kart tarota i ksiąg traktujących o duchowym oświeceniu.

Ile to już lat minęło od poprzedniej wizyty? Stracił rachubę.

Skręcił w prawo w wąską jednokierunkową rue de la Gaffe, bardziej alejkę niż uliczkę. Tu także dostrzegł oznaki rewitalizacji: od razu u wylotu, na samym rogu powstała galeria sztuki nazwana „La Maison du Chevalier". Miała dwa łukowate okna chronione przez metalowe kraty. Na ścianie wisiało sześć malowanych drewnianych tarcz. Obok wejścia tkwiło w murze metalowe koło. Dawniej przywiązywano do niego wierzchowce, teraz psy.

Kilka domów pyszniło się świeżo odmalowanymi drzwiami. Na budynkach pojawiły się białe ceramiczne numery, ozdobione niebieskimi i żółtymi ramkami oraz drobnym wzorem kwiatowym. Od czasu do czasu pojawiał się i tutaj jakiś turysta z plecakiem, ściskający w dłoniach mapę

---

* piekarnia
** sklep ogólnospożywczy
*** sklep mięsny
**** pasmanteria

oraz butelkę z wodą. Łamanym francuskim pytał o drogę do Cité. Poza tym właściwie nie było ruchu.

* * *

Przed jednym z domów starsza para usiadła na krzesłach wyniesionych z kuchni. Baillard znał tych ludzi z widzenia. Pozdrowił ich uniesieniem kapelusza i życzył miłego dnia. Na tym końcu ulicy nie wszystkie budynki doczekały się odnowienia, niektóre, od dawna opuszczone, zabito deskami.

Jeanne Giraud mieszkała tuż przy trawiastym zboczu pnącym się ostro w górę, prosto do średniowiecznych umocnień.

Czekała na niego w cieniu przed frontowymi drzwiami. Ubrana była w gładką bluzkę z długimi rękawami oraz ciemną spódnicę, schludna jak zawsze. Włosy miała ściągnięte na karku w kok. Nawet siedząc bez ruchu sprawiała wrażenie osoby doskonale zorganizowanej. Chociaż przeszła na emeryturę już niemal przed ćwierć wiekiem, nadal wyczuwało się w niej dobrą nauczycielkę. Zawsze wyglądała tak samo perfekcyjnie.

Audric z uśmiechem wspominał miniony czas, jej dawne zaciekawienie. W pierwszych latach znajomości bez ustanku zasypywała go pytaniami. Chciała wiedzieć, gdzie mieszka, co porabia w ciągu długich miesięcy, kiedy się nie widują, dokąd odjeżdża.

Mówił jej, że dużo podróżuje. Że zbiera materiały do książek, odwiedza przyjaciół.

A kogo?

Dawnych kolegów i towarzyszy. Tych, z którymi studiował, z którymi zdobywał pierwsze życiowe doświadczenia. Opowiedział jej o ciepłej znajomości z Grace. Nieco później zdradził, że ma dom w miasteczku w Pirenejach, niedaleko Montségur, ale nie dowiedziała się dużo więcej.

Z czasem przestała zadawać pytania.

Gdy zlecał jej jakieś zadanie, działała metodycznie, była pilna i pracowita, sumienna oraz pozbawiona sentymentów, a do tego jeszcze miała nosa, więc trudno było przecenić jej zalety. Od trzydziestu lat pomagała mu w pracy nad każdą kolejną książką. Przy ostatniej pozycji, jeszcze niedokończonej biografii katarskiej rodziny, żyjącej w trzynastym wieku w Carcassonne, jej pomoc okazała się wprost nieoceniona. Było to dla niej wyzwanie detektywistyczne. Dla Audrica natomiast – praca wykonywana z potrzeby serca.

Jeanne podniosła się na widok gościa.

– Audric – powitała go z uśmiechem. – Dawno się nie widzieliśmy.

Ujął w ręce jej dłonie.

– *Bonjorn*.

Odsunęła się o krok i przyjrzała gościowi uważnie.

– Dobrze wyglądasz – oceniła.

– *Te tanben* – zrewanżował się. Ty także.

– Szybko się zjawiłeś.

Pokiwał zgodnie głową.

– Pociąg przyjechał wyjątkowo punktualnie.

– Szedłeś od dworca pieszo?!

– Przecież to nie tak znowu daleko – uśmiechnął się Audric. – Chciałem popatrzeć, jak to się Carcassona zmieniła pod moją nieobecność.

* * *

Razem weszli w chłód starego budynku. Brązowe i beżowe płytki na ścianach oraz na podłodze potęgowały wrażenie powagi w tym staroświeckim wnętrzu. Na środku pokoju stał owalny stół o zniszczonych nogach, ledwo wystających spod żółtego ceratowego obrusa w niebieski szlaczek. W kącie, obok drzwi balkonowych, prowadzących na niewielki taras, przycupnęło biurko ze starą maszyną do pisania.

Jeanne wyszła ze spiżarni, niosąc dużą tacę, a na niej dzban z wodą, kubełek z lodem, talerz kruchych pikantnych biszkoptów, miskę zielonych oliwek oraz spodek na pestki. Postawiła ją ostrożnie na stole. Z wąskiej drewnianej półki biegnącej na wysokości ramienia przez całą długość saloniku zdjęła butelkę guignoleta, wytrawnego likieru wiśniowego, trzymanego na szczególne okazje.

Zabrzęczał lód w szklance, czerwony alkohol spłynął po kostkach. Czas jakiś dwoje ludzi siedziało w przyjaznej ciszy. Z jadącej wokół grodu kolejki turystycznej dobiegały niegłośne fragmenty przewodnika czytanego w kilku językach.

Audric starannie odstawił szklankę na stół.

– Powiedz, co się zdarzyło – poprosił.

Jeanne przysunęła się z krzesłem bliżej stołu.

– Jak wiesz, mój wnuczek, Yves, pracuje w Police Judiciaire, *département de l'Ariège*. A dokładnie we Foix. Wczoraj wezwano ich na teren wykopalisk archeologicznych w Montagnes du Sabarthès, niedaleko Pic de Soularac, bo odkryto tam dwa szkielety. Był zaskoczony, że jego przełożeni traktują to miejsce jako potencjalną scenę zbrodni, ponieważ kości z całkowitą pewnością leżały tam od dłuższego czasu. – Przerwała. – Oczywiście Yves nie przesłuchiwał kobiety, która natknęła się na szczątki, ale był przy tym obecny. Chociaż niewielkie ma pojęcie o pracy, jaką mi zlecasz, to jednak wie dość, by sobie zdać sprawę, że odkrycie ciał w jaskini jest dla nas interesujące.

Audric wstrzymał oddech. Przez tyle lat usiłował sobie wyobrazić, jak będzie się czuł w tym momencie. Nigdy nie stracił wiary, iż ta chwila nadejdzie i dane mu będzie poznać prawdę o tych ostatnich godzinach.

Mijały kolejne dziesiątki lat. Trwał nieprzerwany cykl zmian pór roku – wiosenna zieleń ustępowała miejsca złotemu latu, czerwonawa paleta jesieni znikała pod szorstką bielą zimy, która wiosną tajała na górskich strumykach. I ciągle nie było żadnych wieści.

E ara? A teraz?
– Czy Yves wszedł do jaskini? – spytał.
Jeanne pokiwała głową.
– Co zobaczył?
– W podziemnej komnacie stoi ołtarz. Za nim, na ścianie, widnieje symbol labiryntu.
– A gdzie były szczątki?
– W płytkim grobie, przed ołtarzem.
– Ile szkieletów znaleziono?
– Dwa.
– Mów dalej, proszę.
– Yves znalazł ten drobiazg.
Położyła na stole niewielki przedmiot.
Audric nawet nie drgnął. Po tak długim czasie oczekiwania nie miał śmiałości go dotknąć.
– Wczoraj po południu Yves zadzwonił do mnie z poczty we Foix. Bardzo źle go słyszałam, ale powiedział, że zabrał pierścień, bo nie ufa ludziom, którzy go szukali. Był przestraszony... – Zastanowiła się przez chwilę. – Właściwie to był przerażony. Coś tam się potoczyło nie tak, jak powinno. Nie przestrzegano odpowiednich procedur, w okolicy pojawili się ludzie, których nie powinno tam być. Yves szeptał do słuchawki, jakby się bał, że ktoś go podsłuchuje.
– Kto wie, że wszedł do jaskini?
– Bo ja wiem...? Mundurowi? Jego zwierzchnik? Pewnie jeszcze inni.
Baillard spojrzał na pierścień i wreszcie wyciągnął po niego rękę. Trzymając między kciukiem i palcem wskazującym, pochylił do światła. Wtedy dojrzał w całej okazałości delikatny wzór labiryntu wyryty po wewnętrznej stronie.
– Czy to jest jego pierścień? – spytała Jeanne.
Audric nie mógł wydobyć z siebie głosu. Zastanawiał się nad zrządzeniem losu, które oddało ten skarb w jego ręce. Pytał sam siebie, czy to rzeczywiście przypadek.
– Czy Yves powiedział, dokąd zabrano ciała?
Jeanne tylko pokręciła głową.
– Mógłbyś go o to zapytać? Przydałaby mi się też lista osób, które były wczoraj na terenie wykopalisk.
– Powiem mu, o co prosisz. Na pewno ci pomoże, jeśli tylko będzie mógł.
Baillard wsunął kamienną obrączkę na kciuk.
– Bardzo cię proszę, przekaż mu ode mnie wyrazy ogromnej wdzięczności. Wiele musiało go kosztować zabranie pierścienia. A nawet nie zdaje sobie sprawy, jak ważna może się okazać jego mądrość. – Uśmiechnął się leciutko. – Czy powiedział, co jeszcze znaleziono przy ciałach?
– Sztylet, pustą skórzaną sakwę, lampę na...
– *Vuèg?* – przerwał jej zdumiony. – Pustą? Ależ to niemożliwe!
– O ile mi wiadomo, inspektor Noubel, policjant prowadzący tę spra-

wę, naciskał w tej kwestii kobietę, która odkryła jaskinię. Yves twierdzi, że pozostała niewzruszona. Utrzymuje, iż dotykała wyłącznie pierścienia.

– A czy twój wnuk jej wierzy?

– Tego nie powiedział.

– W takim razie... Tak czy inaczej ktoś musiał ją zabrać – mruknął Audric do siebie. – Co Yves powiedział o tej kobiecie?

– Niewiele. To Angielka, koło trzydziestki, pracowała przy wykopaliskach jako ochotniczka, nie jest archeologiem. Dołączyła do grupy na zaproszenie przyjaciółki, jednej z osób odpowiedzialnych za prowadzenie prac. Mieszkała w hotelu we Foix.

– A jak ma na nazwisko?

– Chyba Taylor. – Zmarszczyła brwi. – Nie, nie Taylor. Jakoś inaczej... Może Tanner? Tak. Właśnie. Alice Tanner.

Czas się zatrzymał.

– *Es vertat?* – wyszeptał Audric. Czy to możliwe? Znajome sylaby... – *Es vertat?* – powtórzył.

Czy wzięła księgę? Czy ją rozpoznała? Nie, nie, to niemożliwe. Nie przesadzajmy. To byłoby pozbawione sensu. Gdyby wzięła księgę, to przecież pierścień także...

Położył drżące dłonie płasko na blacie. Podniósł wzrok na Jeanne.

– Czy mogłabyś poprosić Yves'a o zdobycie jej adresu? Gdyby wiedział, gdzie *madomaisèla*... – urwał, imię uwięzło mu w gardle.

– Poproszę. – Przyjrzała mu się uważnie. – Źle się czujesz, Audricu?

– Jestem zmęczony. – Zmusił się do uśmiechu. – Nic więcej.

– Spodziewałam się, że będziesz... szczęśliwy. W końcu przecież... to zwieńczenie wielu lat twojej pracy.

– Jeszcze się z tym nie oswoiłem.

– Ale wydajesz się bardziej wstrząśnięty niż zadowolony.

Baillard wyobraził sobie, co widzi Jeanne: błyszczące oczy, pobladłą twarz, rozdygotane dłonie.

– Jestem zadowolony. I szczęśliwy. I ogromnie wdzięczny Yves'owi. A także tobie. Ale... – Odetchnął głęboko, pokręcił głową. – Jeanne, czy mogłabyś teraz do niego zadzwonić? Chciałbym z nim porozmawiać. Może byśmy się umówili?

Jeanne wstała i przeszła do korytarza, gdzie na stoliku u podnóża schodów stał aparat telefoniczny.

Baillard patrzył przez okno na stoki prowadzące ku murom grodu. W wyobraźni ujrzał ją śpiewającą przy pracy, potem jasne strugi światła sączącego się między konarami, plamiącego wodę żółtym blaskiem. Odgłosy i zapachy wiosny, świeżo narodzone barwy w podszyciu: błękit, róż i jasne złoto. Głęboka czerń ziemi i upajająca woń bukszpanów rosnących po obu stronach skalistej ścieżki. Obietnica ciepła, zew dni gorącego lata.

Głos Jeanne wyrwał go z zamyślenia, strącił na ziemię spośród łagodnych obrazów przeszłości.

– Nie odbiera – powiedziała.

ROZDZIAŁ 24
Chartres

W domu przy ulicy Cheval Blanc Will Franklin zszedł do kuchni i napił się mleka prosto z plastikowej butelki. W ustach miał niemiły posmak wczorajszej brandy.

Gosposia przygotowała śniadanie wyjątkowo wcześnie. Nawet postawiła na kuchence, jak nigdy, włoski ekspres do kawy. Ponieważ zwykle nie zadawała sobie tyle trudu, zwłaszcza pod nieobecność Marie-Cécile, Will doszedł do wniosku, iż to ukłon w stronę François-Baptiste'a. Młody de l'Oradore wyraźnie także nie należał do rannych ptaszków, gdyż perfekcyjna dekoracja stołu była nietknięta. Każdy sztuciec znajdował się na najwłaściwszym miejscu, podobnie jak miski, dwa talerze, filiżanki oraz spodeczki. W salaterce przykrytej białą serwetą Will znalazł brzoskwinie, nektarynki, melon i jabłka, obok ustawiono cztery słoiki z różnymi dżemami oraz miód.

Nie był głodny. Zeszłej nocy, czekając na powrót Marie-Cécile, zabijał czas popijaniem. Wlał w siebie jeden kieliszek, potem drugi, a w końcu także trzeci. Gdy pani domu wróciła, dobrze po północy, był już solidnie zamroczony. A ona – w wyjątkowo swarliwym nastroju. Poszli spać dopiero przed świtem.

Nie pofatygowała się nawet, żeby mu własnoręcznie zostawić wiadomość. Ścisnął w dłoni kartkę papieru. Kolejny raz za pośrednictwem gosposi poinformowała go, że wyjeżdża z miasta w interesach i ma nadzieję wrócić przed weekendem.

Poznali się wiosną, na przyjęciu zorganizowanym z okazji otwarcia galerii sztuki. Przedstawili ich sobie przyjaciele jego rodziców. On właśnie rozpoczynał półroczną podróż po Europie, ona była jednym ze sponsorów. Podbiła go z marszu. Nawet się nie zorientował kiedy, ujęty jej żywym zainteresowaniem i pochlebstwami, przy butelce szampana opowiedział jej historię swojego życia. Wyszli z przyjęcia razem i tak już zostało.

W każdym razie – teoretycznie, pomyślał z goryczą.

Odkręcił kran i spryskał twarz zimną wodą. Zadzwonił do Marie--Cécile z samego rana, nie całkiem pewny, co chciałby powiedzieć, ale jej komórka i tak była wyłączona. Nigdy nie wiedział, na czym stoi. Miał już dosyć tej niepewności.

Objął wzrokiem niewielkie podwórze na tyłach domu. Jak wszystko, z czym tutaj miał do czynienia, także ogródek został perfekcyjnie zaplanowany i wykonany. Nic nie pozostawiono dziełu przypadku. Oto jasnoszara kostka brukowa, wysokie donice z terakoty, w których wzdłuż muru od południa stoją drzewka cytrynowe i pomarańczowe. W podokiennych skrzynkach rosły równe rzędy czerwonego geranium o płatkach napęczniałych od słońca. Niedużą żelazną furtkę w murze porastała winorośl licząca sobie setki lat. Wszystko w tym domu kojarzyło się z dostojeństwem i z dawna zakorzenionym dobrobytem. Budynek stał od wieków i będzie stał zawsze. A w każdym razie długo po zniknięciu Willa.

Miał wrażenie, że zbudził się z cudownego snu i raptem odkrył, iż prawdziwy świat wygląda zupełnie inaczej, niż sądził. Najlepiej byłoby zakończyć ten bajeczny romans i wracać do własnego życia. Z drugiej strony musiał jednak przyznać, niezależnie od rozczarowania znajomością, że Marie-Cécile zawsze była wobec niego szczodra i uczciwa, dotrzymała swoich zobowiązań. Jedyny problem stanowiły jego nierealne wyobrażenia i oczekiwania. Ona nie ponosiła tu żadnej winy. Nie złamała obietnicy.

Dopiero teraz zaczął dostrzegać ironię losu, która sprawiła, że ostatnie trzy miesiące urlopu spędził w miejscu o takim samym charakterze jak jego dom rodzinny, z którego uciekł do Europy. Pomijając różnice kulturowe, nastrój tego budynku zdecydowanie przywodził mu na myśl dom rodziców, także elegancki i stylowy, w jakimś sensie bardziej odpowiedni do organizowania wszelkiego rodzaju wystawnych przyjęć niż do odgrywania roli domu rodzinnego. Tak samo teraz i tutaj, jak poprzednio tam, Will bardzo dużo czasu spędzał samotnie, błąkając się po doskonale urządzonych i utrzymanych wnętrzach.

Podróż miała być okazją do przemyśleń na temat tego, co chce zrobić ze swoim życiem. Z początku zakładał, iż będzie pracował w drodze z Francji do Hiszpanii, zbierając pomysły oraz inspiracje, ale odkąd zamieszkał w Chartres, nie napisał ani jednego zdania. Jego tematami były rebelia, gniew i niepokój, nieświęta trójca amerykańskiego stylu życia. W domu zawsze znajdował setki bodźców. Tutaj nie miał nic do powiedzenia. Wszystkie jego myśli zajmowała Marie-Cécile.

Wypił mleko do ostatniej kropli, wrzucił butelkę do kosza na śmieci, zerknął ponownie na stół i zdecydował, że obejdzie się bez śniadania. Na myśl o prowadzeniu uprzejmej konwersacji z François-Baptiste'em stracił resztki apetytu.

* * *

Wyszedł do holu. W tym wysokim pomieszczeniu panowała tak wielka cisza, że głośnym echem odbijało się od ścian dyskretne cykanie ozdobnego zegara.

Chwycił dżinsową kurtkę zarzuconą na słupek przy poręczy i już miał wyjść, gdy zauważył, że przekrzywił się jeden z arrasów wiszących naprzeciwko frontowych drzwi. Minimalnie, ledwo dostrzegalnie, ale ponieważ zakłócał idealną symetrię i burzył harmonię z resztą ścian wyłożonych panelami, rzucał się w oczy.

Will podszedł, wyciągnął rękę, by go poprawić. Dziwne. Za gładkim drewnianym panelem błyszczał srebrny płomyk światła. Podniósł wzrok na okno nad drzwiami, choć i bez tego doskonale wiedział, że słońce nie zagląda do holu o tej porze. Ciekawość kazała mu odsunąć tkaninę.

Pod nią zobaczył ukryte we wzorze paneli drzwiczki zamykane na miedzianą zasuwkę i wyposażone w płaską okrągłą klamkę, jak na boisku do squasha. Szalenie dyskretne.

Pociągnął zasuwkę. Była naoliwiona i łatwo się poddała. Lekkie skrzypnięcie zawiasów – i drzwi stanęły przed nim otworem, owiała go słaba woń piwnicznych pomieszczeń. Z ręką na framudze zajrzał do środka i natychmiast odkrył źródło światła: pojedynczą mleczną żarówkę wiszącą nad szczytem stromych schodów prowadzących w mrok.

Tuż za progiem znalazł dwa przełączniki. Jeden był przypisany do tejże właśnie samotnej żarówki przy drzwiach, drugi zapalił rząd żółtych świecówek osadzonych na sztorc w ścianie po lewej stronie. Przyćmione światło wyłoniło z mroku grube niebieskie sznury umocowane w obręczach z czarnego metalu, pełniące funkcję poręczy.

Stanął na pierwszym stopniu. Sufit ze starych cegieł i kamienia wisiał mu może dziesięć centymetrów nad głową. Mimo wszystko powietrze wydawało się świeże i czyste. Nie było tu zapachu miejsca od dawna zamkniętego i zapomnianego.

Naliczył dwadzieścia stopni. Niżej było chłodniej. Zrobiło się wilgotno. Choć nie dostrzegał żadnych nawiewów ani wiatraków, bez wątpienia istniała tu jakaś wentylacja.

Na samym dole znalazł się w niewielkim korytarzu. Po bokach miał gołe ściany bez żadnych ozdób, a przed sobą drzwi, zajmujące całą powierzchnię ściany. A wszystko skąpane w dziwacznej żółtej poświacie elektrycznego światła.

Wiedziony ciekawością podszedł do drzwi. Tkwiący w zamku duży klucz łatwo dał się obrócić.

W drugim, szerszym korytarzu, panowała całkiem inna atmosfera. Zniknęła betonowa podłoga, teraz miał pod stopami gruby, ciemnoczerwony dywan, tłumiący kroki. Praktyczne oświetlenie ustąpiło miejsca ozdobnym metalowym stożkom stylizowanym na pochodnie. Ściany pokryte były arrasami, obrazami przedstawiającymi średniowiecznych rycerzy, damy o porcelanowej cerze oraz zakapturzonych mnichów w białych habitach, ze spuszczonymi głowami i rozłożonymi rękami.

W powietrzu pojawiła się nowa nuta – ciężki, słodkawy zapach kadzidła, który przywodził na myśl święta Bożego Narodzenia i Wielkiej Nocy.

Will obejrzał się przez ramię. Widok otwartych drzwi oraz prowadzących w górę schodów dodał mu pewności siebie. Ruszył dalej. Krótkie przejście kończyło się ciężką aksamitną kurtyną zwisającą z czarnego karnisza. Pokryta była złotymi haftami, dziwaczną mieszaniną egipskich hieroglifów, oznaczeń astrologicznych i znaków zodiaku.

Odciągnął ją na bok.

Za nią znajdowały się kolejne drzwi, wyraźnie znacznie starsze od poprzednich. Zrobione z tego samego ciemnego drewna co panele w holu na parterze, brzegi miały udekorowane rzeźbionymi w drewnie zawiłymi wzorami. Środkowe płyty, całkowicie gładkie, poznaczone były jedynie dziurkami po kornikach, nie większymi niż główki od szpilek. Nie dostrzegł żadnej klamki, zamka ani niczego, co by umożliwiało otwarcie.

Nadproże ozdobiono wymyślnymi płaskorzeźbami z kamienia. Will przesunął po nim palcami, szukając jakiejś zapadki, jakiegokolwiek mechanizmu umożliwiającego otwarcie przejścia. Obszukał zdobienie dokładnie od góry do dołu najpierw z jednej, potem z drugiej strony i wreszcie znalazł. Niewielkie wgłębienie tuż nad podłogą.

Przykucnął i wcisnął mocno. Rozległ się suchy szczęk, potem stuknięcie, jak uderzenie marmurem w terakotę. Mechanizm zwolnił zatrzask i drzwi się uchyliły.

Will wstał. Oddech miał przyśpieszony, dłonie wilgotne od potu.

Tylko kilka minut, obiecał sobie solennie, i znikam.

Chciał się jedynie rozejrzeć. Nic więcej. Położył dłoń na gładkiej drewnianej płaszczyźnie i pchnął.

W środku panowały egipskie ciemności. Domyślał się tylko, że jest to dość przestronne wnętrze. Zapach kadzidła był tutaj znacznie silniejszy.

Will po omacku szukał przełącznika światła, jednak w pobliżu drzwi go nie znalazł. Uświadomił sobie, że jeśli podniesie kotarę, wpuści światło z korytarza. Zwinął grubą materię w niezgrabny węzeł i ponownie zajrzał do wnętrza.

Najpierw zobaczył własny długi i chudy cień pośrodku jaśniejszego prostokąta. Później, gdy oczy przywykły do mroku, zaczął widzieć więcej.

Stał przy krótszym końcu stosunkowo dużego prostokątnego pomieszczenia. Pod dłuższymi ścianami ustawiono drewniane ławy, trochę jak w refektarzu. Nie widział, gdzie się kończyły, bo ginęły w mroku. Na styku ścian i niskiego sufitu biegł fryz, na którym rytmicznie powtarzał się wzór złożony ze słów i symboli. Przypominały mu one egipskie rysunki, które widział już na kotarze.

Wytarł dłonie o dżinsy.

Na wprost, w centralnym punkcie wnętrza, królowała prostokątna bryła kamienia, podobna do grobowca. Obszedł ją dookoła, przesuwając ręką po górnej płaszczyźnie. Wydawała się gładka, jedynie na samym środku wyczuł jakiś okrągły motyw. Pochylił się nad nim, przesunął po wzorze opuszkami palców. Koncentryczne koła. Im bliżej środka, tym mniejsze. Pierścienie Saturna?

Wymacał też litery: na górze E, po bokach N i S, na dole O. Kompas?

U podstawy kamiennego bloku dostrzegł mniejszą bryłę, wysokości może trzydziestu centymetrów. Dokładnie za literą E. W tym kamieniu na środku znajdował się niewielki dołek, przywodzący na myśl wgłębienie w katowskim pniu. Podłoga obok niego była ciemniejsza i połyskliwa, jakby ją niedawno czyszczono. Will przykucnął, przeciągnął po niej palcami. Wyczuł środek dezynfekujący – i coś jeszcze, o zapachu lekko kwaśnym, jak rdza. Przy rogu kamienia coś zostało. Nie bez trudu wydłubał stamtąd skrawek materiału. Bawełna albo płótno o nierównych brzegach. Skrawek zaczepiony o kamień, oderwany od większej całości. Na nim brązowe plamki.

Zaschnięta krew.

Cisnął go na ziemię, rzucił się do wyjścia. Zatrzasnął drzwi i puścił luźno kurtynę, zanim w ogóle pomyślał, co robi. Drugie drzwi minął pędem, schody pokonał po dwa stopnie naraz i w mgnieniu oka znalazł się w holu. Wsparł dłonie na kolanach, dysząc ciężko, jak po wyczerpującym biegu. Nagle uświadomił sobie, że nikt nie powinien się dowiedzieć o jego wycieczce. Sięgnął za siebie i zgasił światła. Drżącymi palcami pociągnął zasuwkę, opuścił arras na właściwe miejsce i starannie go wygładził.

Jakiś czas stał bez ruchu. Spojrzenie na zegar powiedziało mu, iż cała wyprawa trwała zaledwie dwadzieścia minut.

Opuścił wzrok na swoje dłonie. Oglądał je z uwagą, jakby je widział po raz pierwszy. Potarł palec wskazujący i kciuk, powąchał. Pachniały krwią.

ROZDZIAŁ 25
Tuluza

Alice obudziła się z koszmarnym bólem głowy. W pierwszej chwili nie wiedziała, gdzie jest. Kątem oka dojrzała pustą flaszkę stojącą na nocnym stoliku. Dobrze ci tak.

Przetoczyła się na bok, niezdarnie podparła łokciem i odszukała zegarek.

Dziesiąta czterdzieści pięć.

Jęknęła i opadła z powrotem na poduszki. W ustach miała pustynię, język jak kołek, w dodatku pokryty cierpkim wspomnieniem whisky.

Królestwo za aspirynę. Wody!

Powlokła się do łazienki, spojrzała w lustro. Owszem, wyglądała tak samo fatalnie, jak się czuła. Na czole miała cętkowany wzór różnorakich siniaków, od zieleni począwszy, poprzez granat oraz bogatą gamę fioletów i na żółtych skończywszy. Do kompletu – ciemne sińce pod oczami. W głowie zostało jej niewyraźne wspomnienie snu o lesie, zimowych konarach lśniących od mrozu... I co jeszcze? Labirynt na kawałku żółtej tkaniny? Nie mogła sobie przypomnieć.

Podróży z Foix także nie pamiętała zbyt dobrze. Nie potrafiła nawet stwierdzić, dlaczego pojechała do Tuluzy, a nie do Carcassonne. Jęknęła znowu. Foix, Tuluza czy Carcassonne, wszystko jedno. I tak nigdzie się nie ruszy, póki nie dojdzie do siebie. Wróciła do łóżka i czekała, aż zaczną działać środki przeciwbólowe.

Po dwudziestu minutach nadal nie była u szczytu formy, ale przynajmniej łupanie za oczami zmieniło się w tępy ból głowy. Stała pod prysznicem, aż zabrakło ciepłej wody. Myślami była przy Shelagh i reszcie zespołu. Co też oni teraz porabiali? Zwykle zabierali się do pracy około ósmej rano i nie schodzili z terenu wykopalisk aż do późnego popołudnia. Żyli pracą, choć w granicach zdrowego rozsądku. Dlatego też nie miała pojęcia, jak sobie radzą bez codziennych zajęć.

Owinięta lichym hotelowym ręcznikiem wzięła do ręki telefon komórkowy. Żadnych wiadomości. W nocy była z tego powodu nieszczęśliwa, teraz zaczynało ją to wkurzać. Nie po raz pierwszy w czasie dziesięcioletniej przyjaźni Shelagh milczała obrażona. Potrafiła tak wytrwać całe tygodnie.

I za każdym razem to Alice musiała pierwsza wyciągać rękę na zgodę. Właśnie sobie uświadomiła, że ma tego serdecznie dość.

Tym razem niech ona się wysili.

Z dna walizki wyciągnęła tubkę make-upu, którego używała od wielkiego dzwonu i zamalowała nim najgorsze siniaki. Jeszcze kreski pod oczami i ślad szminki na ustach. Przesuszyła włosy palcami. W końcu włożyła ulubioną spódnicę i nowy niebieski top wiązany na szyi. Spakowała się i poszła wymeldować z hotelu. Nadal czuła się, delikatnie mówiąc, średnio, ale wiedziała, że świeże powietrze oraz poważny zastrzyk kofeiny szybko postawią ją na nogi.

* * *

Postanowiła zwiedzać Tuluzę na piechotę. Bagaże zostawiła w wynajętym samochodzie. Ponieważ klimatyzacja w wozie nie działała najlepiej, tym bardziej nie było sensu śpieszyć się z podróżą do Carcassonne.

Spacerując w cętkowanym cieniu rzucanym przez platany i oglądając wystawy z ubraniami i kosmetykami, poczuła się lepiej. Zrobiło jej się nawet wstyd z powodu wieczornej histerii. Uznała ją za zachowanie mocno przesadzone. W piękny słoneczny poranek twierdzenie, iż ktoś miałby ją śledzić, wydawało się absurdalne.

Dłoń sama powędrowała do kartki z numerem telefonu, ukrytej w kieszeni. Tego sobie nie wymyśliła. Odepchnęła niewygodną myśl. Zamierzała być nastawiona pozytywnie, z ufnością patrzeć w przyszłość. Wykorzystać pobyt w Tuluzie.

Jakiś czas błądziła po krętych uliczkach starego miasta, pozwalając, by nogi prowadziły ją, gdzie zechcą. Zachwycała się ornamentami z różowego kamienia oraz ceglanymi fasadami, eleganckimi i dyskretnymi. Nazwy ulic, nazwiska na fontannach i pomnikach świadczyły o długiej i pełnej chwały historii miasta. Przewijali się jej przed oczami przywódcy wojskowi, średniowieczni święci, osiemnastowieczni poeci i dwudziestowieczni bojownicy o wolność – szlachetnie urodzeni mieszkańcy od czasów rzymskich po współczesność.

Weszła do katedry Saint-Etienne, również po to, by uwolnić się od prażącego słońca. Zawsze uwielbiała ciszę i spokój katedr i kościołów, nauczyła się je doceniać podczas zwiedzania budowli sakralnych z rodzicami.

Dobre pół godziny przechadzała się po wnętrzu świątyni, zawadzając wzrokiem o różne inskrypcje, podnosząc spojrzenie na barwne witraże. W pewnej chwili uświadomiła sobie, że zaczyna być głodna, toteż postanowiła skończyć zwiedzanie i wybrać się gdzieś na lunch.

Wtedy usłyszała płacz dziecka. Rozejrzała się, lecz nie dostrzegła nikogo. Dziwne.

Przyśpieszyła kroku. Płacz zabrzmiał głośniej. Dołączył do niego sceniczny szept. Był to męski głos, który zdawał się rozbrzmiewać tuż przy jej uchu.

– *Hérétique, hérétique!*
Obróciła się dookoła.
– Czy jest tu ktoś? *Allo? Il y a quelqu'un?*
Skądże. Nikogo. Tylko w głowie ciągle to złowieszcze słowo:
– *Hérétique!*
Zasłoniła uszy dłońmi.

Z filarów i szarych kamiennych murów zaczęły wypływać twarze. Miały otwarte w krzyku usta, oczy pełne udręki. Z każdego kąta, z każdego zakamarka, z każdej ściany i każdego kamienia wyciągały się ku niej szponiaste palce, popielate ręce, błagające o ratunek.

Wtedy nareszcie dostrzegła przed sobą jakąś postać z krwi i kości. Daleko, u końca nawy. Była to kobieta w długiej zielonej sukni oraz czerwonym płaszczu. Na przedramieniu niosła wiklinowy koszyk. Raz po raz wyłaniała się z cienia kolumnady. Alice zawołała do niej, lecz w tej samej chwili zza filara wyszło trzech mnichów; chwycili tamtą pod ramiona. Kobieta krzyknęła i zaczęła się wyrywać, lecz nie miała szans, pociągnęli ją ze sobą.

Alice wołała o pomoc, niestety z jej ust nie wydobywał się żaden dźwięk. Choć zaraz, młoda kobieta chyba coś usłyszała, bo odwróciła się i spojrzała dziewczynie prosto w oczy. Mnisi natychmiast zamknęli ją w ciasnym kręgu, otoczyli, podnosząc w górę ramiona w szerokich rękawach, przypominających czarne skrzydła.

– Zostawcie ją! – krzyknęła Alice nareszcie. Puściła się biegiem, ale im szybciej przebierała nogami, tym bardziej cała scena się od niej oddalała, aż w końcu wszyscy czworo zniknęli, jakby się wtopili w ściany kościoła.

Dziewczyna zdyszana dopadła końca kolumnady, zdumiona obmacała ścianę, nacisnęła kamień, drugi, trzeci – nic. Obróciła się w jedną stronę, potem w drugą... Szukała wyjaśnienia zagadki. Nie zobaczyła nikogo ani niczego, co pomogłoby jej znaleźć rozwiązanie.

Przeraziła się nie na żarty. Ruszyła biegiem do wyjścia. Na karku czuła oddech trzech mężczyzn w czarnych habitach. Lada moment ją dopadną!

Przed świątynią toczyło się zwykłe życie. Wszystko w porządku. Z trudem łapała oddech. Nic się nie stało.

Oparła się o mur. Jakiś czas trwało, nim się uspokoiła, a wtedy uświadomiła sobie, że czuje raczej smutek niż strach. Nie potrzebowała podpowiedzi, by wiedzieć, że kiedyś w świątyni działo się coś strasznego. Panowała tam atmosfera cierpienia, kamień i zaprawa nie potrafiły ukryć blizn. Duchy opowiadały historię męczeństwa.

Otarła łzy z policzków.

* * *

Gdy tylko pewniej stanęła na nogach, skierowała się ku centrum miasta. Byle dalej od katedry. Nie wiedziała, co się z nią działo, ale nie zamierzała się załamywać. Słońce, tłumy turystów, zwykły, znajomy świat. Wróciła jej odwaga. Po krótkim marszu znalazła się na niewielkim skwerku przeznaczonym wyłącznie dla pieszych. W jednym z rogów dojrzała *brasserie*, przed którą ustawiono na chodniku połyskujące srebrzyście krzesła. Zajęła ostatni wolny stolik i od razu złożyła zamówienie. Byle odzyskać spokój. Duszkiem wypiła dwie szklaneczki wody, wreszcie opadła na oparcie i wystawiła twarz do słońca. Po chwili nalała sobie różowego wina, wrzuciła do niego kilka kostek lodu i pociągnęła spory łyk. Nie mogła się nadziwić, że tak łatwo straciła panowanie nad sobą.

W końcu, trzeba przyznać, nie była w najlepszej formie, jeśli chodzi o emocje.

Przez cały okrągły rok żyła w straszliwym pędzie. Zerwała z chłopakiem, z którym była od dłuższego czasu. Znajomość usychała już od dawna, toteż w zasadzie jej zakończenie przyniosło jej ulgę, lecz wcale nie było przez to mniej bolesne. Alice miała zranioną dumę i złamane serce. By zapomnieć o chłopaku, za dużo pracowała, za często imprezowała i w ogóle robiła wszystko, byle czymś zająć myśli i ręce. Dwa tygodnie na południu Francji miały jej pomóc wrócić do równowagi. Wyjść na prostą.

Skrzywiła się ironicznie. Dobre sobie.

Niewesołe rozmyślania przerwało nadejście kelnera. Omlet okazał się doskonały: żółciutki i lekko ścięty, z wierzchu hojnie przysypany dużymi kawałkami podsmażonych grzybów i nieprawdopodobną ilością pietruszki. Skupiła się na jedzeniu. Dopiero ściągając bagietką ostatnie smugi oliwy z talerza, zaczęła planować popołudnie.

Zanim przyniesiono jej kawę, miała już konkretne plany.

* * *

Biblioteka w Tuluzie okazała się obszernym kamiennym budynkiem postawionym na planie kwadratu. Alice machnęła przed nosem znudzonego urzędnika przepustką z British Library Readers' Room i weszła do czytelni. Najpierw kilka razy zgubiła się na licznych ciągach schodów, aż wreszcie trafiła do obszernego działu historii powszechnej. Przez środek sali biegły w dwóch rzędach wypolerowane drewniane stoły, nad nimi ciągnęła się nitka lamp. O tej porze, w gorące lipcowe popołudnie, nie było prawie nikogo.

Na przeciwległym krańcu pomieszczenia, pod krótszą ścianą, Alice znalazła to, czego szukała – terminale komputerowe. W rejestracji dostała hasło i przydzielono jej konkretne miejsce.

Od razu wstukała w okienku wyszukiwarki słowo „labirynt". Zielony pasek obrazujący ładowanie danych pomknął ochoczo z lewej do prawej. Postanowiła nie opierać się wyłącznie na własnej pamięci. Była przekonana, że znajdzie rysunek widzianego w jaskini wzoru na którejś z setek stron wieszanych w sieci. Aż trudno uwierzyć, że wcześniej nie pomyślała o tak oczywistej drodze.

Bardzo szybko zaczęła dostrzegać różnice pomiędzy tradycyjnym labiryntem a tym, który podsuwała jej pamięć. Klasyczny rysunek składał się z zawile połączonych koncentrycznych okręgów, prowadzących do samego środka. Tamten, na ścianie jaskini, stanowił kombinację ślepych uliczek i prostych linii, dublujących się nawzajem, prowadzących donikąd.

Geneza symbolu labiryntu okazała się złożona i trudna do wytropienia. Najwcześniejsze wzory miały ponad trzy tysiące lat. Rysowano je, rzeźbiono w skale, wycinano w drewnie, a także haftowano czy wplatano w naturalne otoczenie, na przykład tworzono z żywopłotów.

Pierwsze labirynty europejskie pochodziły z przełomu epoki brązu i żelaza, czyli z okresu pomiędzy tysiąc dwusetnym a pięćsetnym rokiem przed naszą erą. Odkrywano je we wczesnych ośrodkach handlowych basenu Morza Śródziemnego. Znaleziono wśród rytów naskalnych w dolinie Val Camonica na północy Włoch i w Pontevedra w Galicii, w północno--zachodniej Hiszpanii, na przylądku Fisterra. Alice uważnie przyjrzała się ilustracji. Jak dotąd właśnie ta najbardziej przypominała labirynt z jaskini. Przechyliła głowę.

Podobny, owszem, ale nie identyczny.

Możliwe, że symbol został przeniesiony ze wschodu, pojawił się wraz z egipskimi kupcami i dotarł do krańców imperium rzymskiego, został przyjęty, a następnie zmienił się pod wpływem innych kultur. Logiczne także, iż labirynt, ewidentnie symbol wierzeń sprzed okresu chrześcijańskiego, został wchłonięty przez chrześcijaństwo. Zarówno katolicyzm, jak i inne Kościoły chrześcijańskie wykorzystywały liczne oznaczenia i mity znacznie starszych wierzeń.

Kilka stron traktowało o najsłynniejszym labiryncie na świecie: z miasta Knossos na Krecie, gdzie – zgodnie z legendą – uwięziono mitycznego Minotaura, pół człowieka, pół byka. Alice nie poświęciła tym witrynom większej uwagi; instynkt jej podpowiadał, że ta droga prowadzi donikąd. Warte odnotowania wydawało się tylko to, że wzór kreteńskiego labiryntu, datowany na rok tysiąc pięćset pięćdziesiąty przed Chrystusem, został odkryty w egipskim mieście Avaris, a także w Kom Ombo, również w Egipcie, i w Sewilli. Postanowiła zachować tę informację.

Mniej więcej od przełomu dwunastego i trzynastego wieku labirynt pojawiał się regularnie w ręcznie kopiowanych średniowiecznych manuskryptach, krążących między europejskimi kościołami i dworami wraz z pisarzami, którzy ozdabiali je i wzbogacali, tworząc z czasem własne charakterystyczne rysunki.

We wczesnym średniowieczu najpopularniejszy był schemat labiryntu składającego się z jedenastu okręgów, dwunastu ścian, rozłożony na czterech osiach. Alice obejrzała schematy labiryntów ściennych z trzynastowiecznego kościoła San Pantaleon w miasteczku Arcera na północy Hiszpanii, nieco wcześniejsze z katedry w mieście Lucca w Toskanii. Następnie kliknęła na mapę ukazującą występowanie tego wzoru w europejskich kościołach, kaplicach i katedrach.

Niesamowite.

Ledwo wierzyła własnym oczom. W samej Francji labiryntów było więcej niż we Włoszech, Belgii, Niemczech, Hiszpanii, Anglii oraz Irlandii razem wziętych! W północnej Francji: Amiens, Saint Quentin, Arras, Saint Omer, Caen i Bayeux, w centralnej Poitiers, Orléans, Sens i Auxerre, na południu Tuluza i Mirepoix... lista ciągnęła się w nieskończoność.

Najsławniejszy labirynt posadzkowy znajdował się w północnej Francji, umieszczony w centralnej nawie najwspanialszej spośród gotyckich katedr, w Chartres.

Plasnęła dłonią w stół. Kilka osób skarciło ją spojrzeniem.

Oczywiście! Jak mogła zapomnieć? Chartres było miastem bliźniaczym, utrzymującym bliskie więzi z jej rodzimym Chichester na południowym wybrzeżu Anglii. Po raz pierwszy wyjechała za granicę właśnie z wycieczką do Chartres! Miała wtedy jedenaście lat. Teraz pamiętała głównie, że bez przerwy lało, kuliła się w mokrym i zimnym płaszczu przeciwdeszczowym. Zostało jej mgliste wspomnienie ogromnych kamiennych filarów i mrocznych podziemi. Labiryntu jednak nie pamiętała.

W katedrze w Chichester z pewnością go nie było. Drugim miastem bliźniaczym Chichester była włoska Ravenna. Przesuwając palcem po ekranie tropiła drobne literki, aż znalazła to, czego szukała. Na marmurowej podłodze bazyliki San Vitale w Ravennie znajdował się labirynt. Z podpisu wynikało, iż symbol ten był czterokrotnie mniejszy od słynnego labiryntu w Chartres oraz datowany na znacznie wcześniejszy okres w historii, mniej więcej na piąty wiek naszej ery, ale tak czy inaczej – był.

Skończyła kopiować i wklejać tekst, który chciała mieć na papierze, i wcisnęła „drukuj". W czasie gdy drukarka robiła swoje, wstukała w oknie wyszukiwarki trzy słowa: katedra Chartres Francja.

Znalazła wzmianki o tej świątyni nawiązujące już do ósmego wieku naszej ery, lecz losy współczesnej katedry zaczynały się na dobre w trzynastym wieku. Opowiadano o niej niestworzone historie, otoczona była nimbem tajemnicy. Ponoć skrywała jakiś ważny sekret. Legendy i mity przetrwały do czasów teraźniejszych, wbrew wytężonym wysiłkom Kościoła katolickiego. Nikt nie wiedział, na czyj rozkaz stworzono labirynt ani w jakim celu.

Po raz kolejny wybrała potrzebne akapity i zamknęła przeglądarkę. Po jakimś czasie z drukarki wysunęła się ostatnia strona. Zapadła cisza. Odwiedzający czytelnię zaczynali się zbierać. Bibliotekarka o skwaszonej minie wymownie wskazała na zegarek.

Alice pokiwała głową, zebrała wydruki i ustawiła się w kolejce do kasy. Brnęła w ślimaczym tempie. Promienie słońca chylącego się ku zachodowi wpadały przez wysokie okna, tworząc złotą drabinę do nieba, w ich blasku tańczyły drobiny kurzu.

Kobieta czekająca przed nią miała w rękach pokaźną stertę woluminów i na temat każdego z nich przynajmniej kilka pytań, toteż dziewczyna skupiła się na roztrząsaniu zagadnienia, które nie dawało jej spokoju przez całe popołudnie. Czy to możliwe, że pośród setek zdjęć, które tego dnia przejrzała, pośród setek tysięcy słów, które przeczytała, nie było nic związanego z labiryntem w jaskini na Pic de Soularac?

Możliwe, choć bardzo mało prawdopodobne.

Mężczyzna stojący za nią przysunął się zbyt blisko, jak pasażer w metrze, usiłujący czytać komuś gazetę przez ramię. Odwróciła się i obcięła go spojrzeniem. Cofnął się o krok. Nie wiedzieć czemu, jego twarz wydała się Alice znajoma.

Wreszcie nadeszła jej kolej.

– *Oui, merci.* – Zapłaciła za wydruk. Prawie trzydzieści stron.

Gdy stanęła na stopniach przed wyjściem z biblioteki, dzwony Saint-
-Etienne wybiły godzinę dziewiętnastą. Spędziła w czytelni więcej czasu, niż zamierzała.

Zaczęło jej się śpieszyć, chciała już być w drodze. Dziarskim krokiem wróciła na parking po drugiej stronie rzeki. Tak była zatopiona w myślach, że nie zauważyła, iż mężczyzna z kolejki w czytelni idzie za nią rzecznym bulwarem krok w krok, utrzymując bezpieczną odległość. Gdy wsiadła do samochodu, wyjął z kieszeni telefon komórkowy.

OPIEKUNOWIE TRYLOGII

ROZDZIAŁ 26
Besièrs

Julhet 1209

Zmierzch już zapadał, gdy Alaïs dotarła do równin pod miastem Coursan.

Stale utrzymywała bardzo dobre tempo. Starą rzymską drogą jechała przez krainę Minervois w stronę Capestang, mijając rozległe pola konopi, *canabières* i szmaragdowe morza jęczmienia.

W dzień podróżowała aż do chwili, gdy słońce zbyt mocno zaczynało dawać się we znaki. Wtedy obie z Tatou szukały schronienia i odpoczywały, a potem ruszały w dalszą drogę, aż do zmierzchu, gdy owady zaczynały ciąć wprost niemiłosiernie, a powietrze rozbrzmiewało okrzykami sójek, sów i piskami nietoperzy.

Pierwszą noc spędziła w ufortyfikowanym miasteczku Azille, u przyjaciół Esclarmonde. Im dalej na wschód się posuwała, tym mniej ludzi widziała na polach i w wioskach, a ci, na których się natykała, byli podejrzliwi i nieufni. Słyszała pogłoski o nieludzkich czynach popełnionych przez francuskich renegatów, a także przez *routiers*, najemników i bandytów. Każda kolejna opowieść była bardziej krwawa i okrutna.

Nie miała pewności, czy tego wieczoru powinna próbować dotrzeć do Coursan, czy raczej szukać noclegu gdzieś bliżej. Po gniewnym szarym niebie szybko pędziły chmury, za to nad ziemią powietrze zastygło w bezruchu. Gdzieś w dali od czasu do czasu przetaczał się grzmot, ryczący jak niedźwiedź zbudzony z zimowego snu. Alaïs nie chciała dać się złapać burzy na otwartej przestrzeni.

Tatou zaczynała się denerwować. Mięśnie jej drgały, raz i drugi zareagowała przesadnie na jakiś ruch w podszyciu, przestraszyła się królika czy lisa w krzewach przy drodze.

Przed nimi wyrósł niewielki lasek dębowo-jesionowy. Za mały, by go sobie obrały na letnie mieszkanie jakieś większe dzikie zwierzęta, choćby dziki czy rysie. Drzewa jednak były wysokie i rosły gęsto, a górne części ich koron zdawały się splecione niczym palce dwóch dłoni, więc powinny uchronić przed największym impetem ulewy. Na dodatek do lasku wiodła dobrze widoczna ścieżka, co oznaczało, iż tamtędy prowadził często wykorzystywany skrót do miasta.

Tatou zatupała niespokojnie, gdy ciemniejące niebo rozjarzyła błyskawica. W ten sposób pomogła Alaïs podjąć decyzję. Przeczekają burzę w lasku.

Dziewczyna, uspokajając klacz, skierowała ją w ciemnozielone objęcia drzew.

* * *

Jakiś czas temu wywinęła im się niedoszła ofiara i gdyby nie burza, z pewnością zawróciliby do obozu.

Po kilku tygodniach drogi skóra im ściemniała w gorącym słońcu Południa. Zbroje podróżne i opończe, oznaczone symbolami władców, ściągnęli i ukryli w krzakach. Mieli nadzieję jeszcze skorzystać na tej krótkiej wycieczce.

Trzask gałązki. Miarowy stukot kopyt wierzchowca. Od czasu do czasu brzęk podkowy trącającej kamyk.

Mężczyzna z nierównymi poczerniałymi zębami podpełznął nieco bliżej dróżki. Zobaczył postać na niewielkim, jasno umaszczonym arabie. Kto wie, może ich *sortie** nie będzie jednak stratą czasu. Jeździec miał odzienie proste i warte niewiele, lecz za konia można by uzyskać całkiem przyzwoitą cenę.

Rzucił kamieniem w stronę towarzysza ukrytego po drugiej stronie ścieżki.

– *Lève-toi*! – syknął, pokazując głową w stronę podróżnego. – *Regarde***.

– Coś podobnego – mruknął drugi, nie wierząc własnym oczom. – *Une femme. Et seule****.

– Na pewno sama?

– Nikogo więcej nie słychać.

Każdy z nich ujął za jeden koniec liny przeciągniętej przez drogę, ukrytej pod liśćmi.

* * *

Alaïs, wjeżdżając w lasek, stopniowo traciła odwagę. Próbowała szukać uspokojenia w znajomych dźwiękach, w szeleście liści pod kopytami Tatou, w szczebiocie ptaków podlatujących z gałęzi na gałąź. Mimo wszystko czuła lęk. Pozorny spokój niósł ze sobą groźbę.

---

* wypad
** Zobacz.
*** Kobieta. I to sama.

To tylko wyobraźnia.

A przecież klaczka również coś wyczuwała.

Nagle rozległ się świst, jakby ktoś wypuścił strzałę z łuku. Coś poderwało się z ziemi.

Bekas? Wąż?

Tatou wspięła się na zadnie kończyny, przednimi bijąc gwałtownie powietrze. Alaïs nie zdążyła nic zrobić. Kaptur spadł jej z głowy, wodze wyślizgnęły się z dłoni, a ona sama zsunęła się z siodła. Gdy uderzyła o ziemię, w ramieniu eksplodował potworny ból, straciła oddech. Przetoczyła się na bok. Musiała koniecznie zatrzymać klacz.

– Tatou, *doçament*! – zawołała, wstając z trudem. – Tatou!

Zataczając się, ruszyła za swoim wierzchowcem, lecz nie uszła nawet kilku kroków, gdy drogę zastąpił jej jakiś mężczyzna. Uśmiechał się szeroko, odsłaniając zepsute, poczerniałe zęby. W ręku trzymał nóż o matowym ostrzu, z brązową plamą na czubku.

Alaïs dostrzegła jakiś ruch po prawej. Ukazał się tam drugi mężczyzna, zeszpecony pokaźną blizną, biegnącą od oka do kącika ust. W jednym ręku miał wodze Tatou, w drugim pałkę, którą kołysał leniwie.

– Zostaw ją! – krzyknęła Alaïs.

Mimo ostrego bólu odruchowo chwyciła rękojeść miecza.

Daj im, czego chcą, może zostawią cię w spokoju.

Ten z nożem zbliżył się o krok. Wyciągnęła miecz z pochwy, rysując ostrzem w powietrzu szeroki łuk. Następnie, nie odrywając od niego oczu, namacała sakwę i wyjęła z niej garść monet. Rzuciła je na ziemię.

– Bierzcie. Nie mam nic więcej.

Rzezimieszek zmierzył pogardliwym spojrzeniem połyskujące na ziemi srebro i splunął. Otarł usta grzbietem dłoni. Zrobił następny krok.

Dziewczyna uniosła miecz.

– Nie zbliżaj się! – krzyknęła. Wywinęła mieczem ósemkę.

– *Ligote-la** – rozkazał oprych.

Zmartwiała. Na krótką chwilę opuściła ją cała odwaga. To nie byli bandyci, tylko francuscy żołnierze.

Szybko jednak wzięła się w garść.

– Ani kroku! – krzyknęła. – Zabiję cię, jeśli...

Kątem oka dostrzegła ruch, to ten z pałką zachodził ją od tyłu. Z głośnym okrzykiem wytrąciła mu broń z ręki.

Napastnik zaryczał jak raniony bawół, wyszarpnął zza pasa nóż.

Alaïs uchwyciła miecz obiema dłońmi i pchnęła, jakby miała przed sobą rozsierdzonego niedźwiedzia. Po ramieniu zbira spłynęła krew. Dziewczyna już cofnęła się do następnego uderzenia, gdy nagle rozbłysły jej przed oczami wszystkie gwiazdy, okraszone oślepiającą bielą i jaskrawą czerwienią. Zatoczyła się, a wtedy mocna dłoń chwyciła ją za włosy i pociągnęła w górę. Z bólu łzy napłynęły jej do oczu. Na szyi poczuła zimny dotyk ostrza.

---

* Zwiąż ją.

– *Putain** – syknął ten z blizną. Krwawiącą ręką uderzył ją na odlew w twarz.

– *Laisse-tomber* – rozkazał drugi. Zostaw.

Miecz wypadł jej z ręki. Mężczyzna z nożem kopnął go na bok. Wyciągnął zza pasa gruby szorstki worek i wcisnął go Alaïs na głowę. Wyrywała się, ale na nic się zdały jej wysiłki. Zaczęła się dusić od kwaśnego smrodu i kurzu, zaniosła się gwałtownym kaszlem. Mimo wszystko walczyła, aż któryś uderzył ją pięścią w brzuch. Wtedy zgięła się wpół, straciła oddech. Nie potrafiła stawiać oporu, gdy związali jej ręce za plecami.

– *Reste-là***.

Odeszli. Słyszała, jak przetrząsają jej rzeczy: najpierw otworzyli skórzane klapy, potem wyrzucili zawartość toreb na ziemię. Cały czas coś mówili, może się sprzeczali. Trudno było zrozumieć ten twardy, szorstki język.

Dlaczego mnie nie zabili?

Odpowiedź pojawiła się natychmiast. Wpełzła do mózgu jak oślizły wąż.

Najpierw mnie zniewolą.

Szarpnęła więzy, choć wiedziała, że nawet z uwolnionymi rękami nie ucieknie daleko. Dogonią ją i złapią. Śmiali się. Pili. Nigdzie im się nie śpieszyło.

Tym razem łzy rozpaczy napłynęły jej do oczu. Głowa opadła na ziemię.

Z początku nie potrafiła określić źródła nowego dźwięku, zaraz jednak odgadła: konie. Dudniły żelazne podkowy na równinie. Przycisnęła ucho do ziemi. Pięciu, może sześciu jeźdźców, zdążających do lasu.

W dali przetoczył się kolejny grzmot. Burza także podchodziła coraz bliżej. Więc była jakaś nadzieja. Powoli, najciszej jak mogła, zaczęła się odsuwać od ścieżki, aż ostre kolce jeżyn chwyciły ją za nogi. Z niemałym wysiłkiem uklękła i potrząsała spuszczoną głową, usiłując pozbyć się worka.

Patrzą?

Nie podniosły się żadne krzyki. Potrząsnęła głową mocniej i w końcu udało jej się zrzucić grube płótno. Łapczywie wciągnęła świeże powietrze. Gorączkowo zbierała myśli.

Była tuż poza ich polem widzenia, ale jeśli się odwrócą i spostrzegą jej zniknięcie, szybko ją znajdą. Znowu przycisnęła ucho do ziemi. Jeźdźcy zbliżali się od Coursan. Myśliwi? Zwiadowcy?

Trzask pioruna obudził w lesie głośne echo, ptaki z najwyższych gniazd poderwały się do lotu. W przestrachu mocno biły skrzydłami, zatoczyły pętlę i opadły, znowu chroniąc się między konarami. Tatou zarżała, zatupała niespokojnie.

---

* Dziwka.
** Zostań.

Zanosząc modlitwy, by nadciągająca burza jak najdłużej zagłuszała tętent koni, Alaïs torowała sobie drogę przez gęste podszycie.

– *Ohè!*

Zamarła bez ruchu. Odkryli jej ucieczkę. Rzucili się biegiem do miejsca, gdzie ją zostawili. Gdy niebiosa rozdarł kolejny suchy grzmot, unieśli w górę wystraszone twarze. Nie przywykli do gwałtowności południowych burz.

Uciekać, dopóki można. Udało jej się stanąć na nogi, zaczęła biec. Za wolno. Dogonił ją ten z blizną. Przewrócił jednym uderzeniem w głowę i przywalił własnym ciężarem.

– *Hérétique!* – Przygwoździł ją do ziemi.

Usiłowała się spod niego wyślizgnąć, ale był za ciężki. Na dodatek spódnice pozaczepiane o kolce krępowały jej ruchy.

Wdusił jej twarz w ziemię.

– Kazałem ci czekać, *putain*.

Rozpiął pasek, ciężko dysząc, rzucił go na bok.

Oby tylko nie usłyszał jeźdźców.

Zaczęła wrzeszczeć w niebogłosy. Wszystko, byle się nie zorientował, że ktoś nadciąga.

Uderzył ją ponownie, tym razem rozciął wargę. Poczuła w ustach krew.

– *Putain.*

I nagle rozległy się inne głosy.

– *Ara! Ara!*

Teraz.

Usłyszała śpiew zwalnianej cięciwy, świst pojedynczej strzały. W mgnieniu oka poleciała druga, a za nią następna – cały grad smukłych pocisków spadł na napastników z zielonego cienia.

– *Avança! Ara, avança!*

Francuz poderwał się na równe nogi, ale w tej samej chwili drzewce utkwiło mu w piersi. Wydawało się, iż zawisł nieruchomo w powietrzu, nim zaczął upadać, ze wzrokiem martwym jak u kamiennego posągu. W kąciku jego ust pojawiła się samotna kropla krwi, spłynęła po brodzie. Nogi się pod nim ugięły. Opadł na kolana, jak do modlitwy, a potem bardzo wolno zaczął osuwać się w przód, niczym ścięte drzewo.

Alaïs oprzytomniała w ostatniej chwili; ledwo zdążyła usunąć się z drogi. Ciało z głuchym łupnięciem padło na ziemię.

– *Aval!* Do ataku!

Jeźdźcy puścili się za drugim Francuzem. Wpadł między drzewa, lecz strzały i tam go odnalazły. Jedna trafiła go w ramię. Potknął się, zatrzymał. Druga wbiła się w udo. Trzecia w dół pleców, wtedy się przewrócił. Jego ciałem przez chwilę jeszcze targały konwulsje, wreszcie znieruchomiało.

Ten sam głos wydał kolejny rozkaz:

– *Arèst!* – Myśliwi w końcu wyszli z ukrycia. – Nie strzelać.

Alaïs wstała. Przyjaciele czy ludzie, których trzeba się bać?

Dowódca miał pod płaszczem kobaltowoniebieską łowiecką tunikę, jedno i drugie było doskonałej jakości. Buty, pas i kołczan wykonano z jasnej skóry. Robił wrażenie człowieka opanowanego i dobrze wychowanego. Mieszkaniec Południa.

Ręce miała nadal związane za plecami, zdawała sobie sprawę, iż niewiele przemawia na jej korzyść. Krwawiąca warga jej spuchła, odzienie było w opłakanym stanie.

– *Seigneur*, jestem ci winna wdzięczność – odezwała się z godnością. – Unieś przyłbicę i pokaż mi swoją twarz, bym wiedziała, kto jest moim wybawcą.

– Czy to cała nagroda, jaką od ciebie dostanę, pani? – zapytał, spełniając jej prośbę.

Alaïs z ulgą dojrzała na jego wargach uśmiech.

Zsiadł z konia, z pochwy przy pasie wyciągnął nóż.

Cofnęła się o krok.

– Pozwól sobie przeciąć więzy – rzucił swobodnie.

Dziewczyna spłonęła rumieńcem, odwróciła się do mężczyzny tyłem, podsuwając mu związane nadgarstki.

– Oczywiście. *Mercé*.

Dowódca oswobodził ją, po czym skłonił się lekko.

– Jestem Amiel de Coursan. Znajdujemy się w lasach mojego ojca.

Alaïs odetchnęła z ulgą.

– Wybacz mi nieuprzejmość, musiałam się upewnić, że nie jesteście...

– Ostrożność jest ogromną zaletą, tym bardziej zrozumiałą w tych okolicznościach. Kim jesteś, pani?

– Alaïs z Carcassony, córka intendenta Pelletiera, rządcy wicehrabiego Trencavela, oraz żona Guilhema du Masa.

– Jestem zaszczycony. – Pocałował ją w rękę. – Czy stała ci się krzywda, pani?

– Zadrapania są niegroźne, ale boli mnie ramię.

– Gdzie twoja eskorta?

Alaïs zawahała się.

– Podróżuję sama – odparła w końcu.

Amiel de Coursan był wyraźnie zaskoczony.

– Czasy nie zachęcają do samotnych podróży, pani. Na równinach roi się od francuskich żołnierzy.

– Nie zamierzałam jechać tak późno. Szukałam tutaj schronienia przed burzą. – Nagle uświadomiła sobie, że do tej pory nie nadciągnęła ulewa.

– Spadło ledwo kilka kropli – powiedział Amiel de Coursan, odgadując jej myśli. – Fałszywy alarm.

W czasie gdy Alaïs uspokajała Tatou, ludzie de Coursana obnażyli ciała Francuzów. Szybko odnaleźli ich zbroje i znaki ukryte w lesie, przy spętanych koniach.

De Coursan podniósł na czubku miecza skrawek tkaniny. Pod warstwą brudu i błota błysnęło srebro na zielonym tle.

– Chartres – rzekł z pogardą. – Najgorsi. Szakale. Mieliśmy więcej doniesień...

– O czym?

– Nie ma to większego znaczenia – wycofał się szybko. – Możemy już wracać do miasta?

Jadąc rzędem, dotarli do drugiego końca lasu, tam wydostali się na rozległą równinę.

– W jakim celu przybyłaś w te strony, pani?

– Jadę w ślad za ojcem, który z wicehrabią Trencavelem wyruszył do Montpelhièr. Mam dla niego ważne wieści, nie mogą czekać na jego powrót do Carcassony.

Na twarzy de Coursana pojawił się cień.

– Co się stało? – zaniepokoiła się Alaïs. – Jakieś złe wieści?

– Chętnie ugościmy cię na noc, pani. A kiedy twoje rany zostaną opatrzone, mój ojciec podzieli się z tobą najnowszymi wiadomościami. O świcie sam odeskortuję cię do Besièrs.

Alaïs podniosła na niego zdziwione spojrzenie.

– Do Besièrs, *messire*?

– Jeśli pogłoski są prawdziwe, tam właśnie znajdziesz, pani, ojca i wicehrabiego Trencavela.

ROZDZIAŁ 27

Wicehrabia Trencavel prowadził swoich ludzi do Besièrs. Gonił ich głuchy pomruk burzy. Wierzchowce dotkliwie odczuwały zmęczenie. Kłęby i boki miały poranione do krwi, bo jeźdźcy przez całą noc nie szczędzili ostróg ani bata.

Gniademu ogierowi piana leciała z pyska. Księżyc, wyjrzawszy spoza czarnych, poszarpanych chmur, przemykał nisko nad horyzontem, rozjarzając chłodnym blaskiem jasną plamę na końskim łbie.

Pelletier gnał u boku wicehrabiego. W Montpelhièr poszło źle. Wziąwszy pod uwagę ostatnie niesnaski, nie spodziewali się serdecznego przyjęcia ani nie oczekiwali, iż hrabia da się łatwo przekonać do zawarcia sojuszu, choć na korzyść Trencavela przemawiały więzy krwi oraz prawo lenne. Pelletier mimo wszystko miał nadzieję, że hrabia wstawi się za siostrzeńcem.

Tymczasem nie raczył się w ogóle z nim spotkać. Była to zamierzona i niedwuznaczna zniewaga. Trencavelowi kazano czekać na obrzeżach francuskiego obozu aż do dziś, gdy wreszcie nadeszła wiadomość, iż audiencja zostanie mu udzielona.

Pozwolono wicehrabiemu zjawić się w nielicznym towarzystwie: mógł zabrać ze sobą Pelletiera i dwóch *chevaliers*. Zaprowadzono go do namiotu opata Cîteaux. Przed wejściem przybyłym nakazano oddać broń. Posłuchali. W środku okazało się, że nie czeka na nich opat, ale dwóch legatów papieskich.

Raymond Roger nie miał okazji ust otworzyć. Papiescy wysłannicy skarcili go za przyzwolenie na rozprzestrzenianie się herezji na jego ziemiach, skrytykowali jego politykę mianowania Żydów na odpowiedzialne stanowiska w ważnych miastach, wyrzucili mu to, że kilkakrotnie przymknął oko na perfidne i szkodliwe działania katarskich *parfaits*.

Wreszcie skończywszy stawianie zarzutów, odprawili wicehrabiego Trencavela, jakby był on pierwszym lepszym wasalem, a nie szlachetnie urodzonym panem, przedstawicielem jednej z najpotężniejszych dynastii Południa. Intendentowi do tej pory robiło się gorąco na wspomnienie tego posłuchania.

Szpiedzy opata dostarczyli legatom papieskim informacje zgodne z prawdą. Każdy z wysuniętych zarzutów, choć przedstawiony w krzywym zwierciadle i subiektywnie zinterpretowany, nie odbiegał od faktów, a do tego wsparty był zeznaniami naocznych świadków. Właśnie to, w dużo większym stopniu niż rozmyślna obraza wymierzona w honor Trencavela, upewniło Pelletiera w przekonaniu, iż wicehrabia ma być celem ataku. Armia potrzebowała wroga. Musiała z kimś walczyć. Po kapitulacji hrabiego Tolosy nie było innego kandydata.

Opuścili obóz krzyżowców pod Montpelhièr bezzwłocznie.

Zerkając na księżyc, Pelletier wyliczył, iż jeśli utrzymają tempo, powinni dotrzeć do Besièrs o świcie. Wicehrabia chciał osobiście uprzedzić mieszkańców tego miasta, że francuska armia znajduje się w odległości sześćdziesięciu kilometrów i jest gotowa do wojny. Rzymska droga wiodąca z Montpelhièr do Besièrs prowadziła przez otwarte przestrzenie, nie było sposobu na jej zablokowanie.

Trencavel zamierzał prosić ojców miasta o przygotowanie się na oblężenie, a jednocześnie o siły wspierające garnizon w Carcassonie. Im więcej czasu wróg strawi pod Besièrs, tym więcej będzie go miała na przygotowanie obrony Carcassona. Trencavel chciał także zaoferować w swojej siedzibie azyl tym, którym ze strony Francuzów groziło największe niebezpieczeństwo: Żydom, kilku saraceńskim kupcom przybyłym z Hiszpanii oraz *bons homes*. Powodowały nim nie tylko zobowiązania seniora wobec wasala. Znaczna część administracji oraz spraw organizacyjnych znajdowała się w rękach żydowskich dyplomatów i kupców. Niezależnie od zagrożenia wojną nie był przygotowany do rezygnacji z usług tak wielu cenionych i zdolnych pomocników.

Dzięki jego decyzji zadanie Pelletiera stało się łatwiejsze. Intendent dotknął listu od Harifa, ukrytego w sakwie. Gdy tylko dotrą do Besièrs, znajdzie czas, by odszukać Simeona.

* * *

Gdy wyczerpani jeźdźcy mijali most nad rzeką Orb – kamienny łuk pełen wdzięku mimo swego ogromu – wschodziło blade słońce.

Besièrs stało dumne i niezdobyte, chronione przez odwieczne mury obronne. Brzask zapalił blaski w wieżycach katedry oraz wielkich kościołów poleconych opiece świętej Magdaleny, świętego Judy Tadeusza i świętej Marii.

Mimo zmęczenia Raymond Roger Trencavel nie stracił nic ze swego zwykłego autorytetu. Pokonawszy możliwie najszybciej kręte uliczki podgrodzia, stanął przed bramą, otoczony ciekawskimi, wybitymi ze snu brzękiem podków na bruku.

Pelletier zsiadł i wezwał straże do otwarcia wrót. Gdy znaleźli się w samym grodzie, musieli zwolnić tempo, gdyż już rozeszły się wieści, iż wicehrabia Trencavel przybył do Besièrs, w końcu jednak dotarli do rezydencji wasala.

Raymond Roger przywitał go ze szczerą radością. Miał w nim starego przyjaciela i sprzymierzeńca, utalentowanego dyplomatę oraz administratora i sługę lojalnego wobec dynastii Trencavelów. Należało też dokonać wymaganej przez zwyczaje Południa wymiany upominków świadczących o wzajemnym poważaniu. Formalności dopełniono w nadzwyczajnym pośpiechu i Trencavel przeszedł od razu do sedna sprawy. Gospodarz słuchał z rosnącą troską, a gdy wicehrabia skończył mówić, natychmiast wyruszyli posłańcy z poleceniem zwołania rady miasta.

Od razu po przybyciu gościa rozstawiono stoły, podano chleb, mięsa, sery, owoce i wino.

– *Messire* – rzekł gospodarz – będę zaszczycony, jeśli podczas oczekiwania zechcesz skorzystać z mojej gościnności.

Wówczas Pelletier ujrzał szansę dla siebie. Pochylił się do ucha wicehrabiego:

– *Messire*, czy będę ci potrzebny? Chciałbym sprawdzić, czy naszymi ludźmi zajęto się jak należy. I upewnić się, czy są w odpowiednim stanie ducha.

Trencavel podniósł na niego zdumiony wzrok.

– Teraz?

– Za twoim pozwoleniem, *messire*.

– Nie mam najmniejszych wątpliwości, iż o naszych ludzi zadbano właściwie – odrzekł Trencavel, uśmiechając się do gospodarza. – Lepiej zjedz i odpocznij.

– Wybacz mi, panie, tak czy inaczej chciałbym się oddalić.

Raymond Roger poszukał wyjaśnienia w twarzy Pelletiera, lecz go tam nie znalazł.

– Dobrze – odezwał się w końcu, nadal nic nie rozumiejąc. – Masz godzinę.

* * *

Na ulicach panował ścisk i coraz większy harmider, w miarę jak wieści rozchodziły się coraz dalej. Tłum zbierał się na rynku przed katedrą.

Pelletier dobrze znał Besièrs, ponieważ wiele razy bywał tu z wicehrabią Trencavelem w przeszłości, ale miał utrudnione zadanie, gdyż poruszał się w stronę przeciwną niż rwący ludzki potok. Tylko potężny wzrost i widoczny autorytet uchroniły go przed zgnieceniem. Ściskając list Harifa w dłoni, dotarł do dzielnicy żydowskiej. Tam spytał przechodniów o Simeona. Nie od razu uzyskał informację, ale w pewnej chwili ktoś pociągnął go za rękaw. Była to śliczna dziewczynka o czarnych włosach i ciemnych oczach.

– Ja wiem, gdzie on mieszka.

Zaprowadziła go w okolicę handlową, gdzie roiło się od bankierów, powiodła uliczkami, gdzie tłoczyły się domy i sklepy. Przystanęła przed skromnymi drzwiami.

Rozejrzał się i szybko dostrzegł to, czego szukał: znak introligatora, wykuty nad inicjałami Simeona. Uśmiechnął się zadowolony. Stał przed właściwym domem. Podziękował małej, włożył jej w dłoń monetę i odesłał. Gdy zniknęła, podniósł ciężką mosiężną kołatkę i uderzył nią trzy razy.

Długi czas upłynął od ostatniego spotkania z Simeonem, ponad piętnaście lat. Czy nadal łączyła ich dawna zażyłość?

Drzwi uchyliły się nieco, przez szparę wyjrzała jakaś kobieta. Obrzuciła go podejrzliwym spojrzeniem. W jej czarnych oczach czaiła się wrogość. Włosy i dolną część twarzy zakrywał jej zielony welon, spod żółtej koszuli sięgającej kolan wyłaniały się jasne spodnie, zebrane w kostkach na modłę strojów Żydówek z Ziemi Świętej.

– Chciałbym rozmawiać z Simeonem – rzekł Pelletier.

Bez słowa potrząsnęła głową. Już miała zamknąć drzwi, lecz Pelletier wcisnął nogę w szparę.

– Daj mu to – powiedział, zdejmując pierścień z kciuka i wciskając jej w rękę. – I przekaż, że czeka Bertrand Pelletier.

Od razu wpuściła go do środka. Odsunęła ciężką kotarę wyszytą od góry do dołu złotymi monetami.

– *Attendez.* – Gestem także poprosiła, by zaczekał.

Szybko zniknęła w długim korytarzu, a każdemu jej krokowi towarzyszyło pobrzękiwanie bransolet na nadgarstkach i kostkach.

Z zewnątrz budynek wyglądał na wąski i wysoki, ale było to złudne wrażenie, ponieważ od wiodącego przez środek przejścia na prawo i lewo odchodziły kolejne pokoje. Pelletier, choć czas go naglił, z przyjemnością rozejrzał się dookoła. Podłogę wyłożono białymi i niebieskimi płytkami, na ścianach pyszniły się piękne kilimy. Wystrój przypomniał mu eleganckie domy w Jeruzalem. Choć wiele lat minęło, jednak barwy, tkaniny i zapachy tej dalekiej ziemi ciągle budziły w nim żywe wspomnienia.

– Kogo moje oczy widzą! Bertrand Pelletier!

Odwrócił się w stronę, z której dochodził głos i dostrzegł niewysoką postać w długiej fioletowej szacie. Zbliżała się ku niemu z szeroko otwartymi ramionami. Ciepło mu się zrobiło w sercu na widok przyjaciela.

Czarne oczy Simeona błyszczały jak dawniej. Gospodarz zamknął gościa w niedźwiedzim uścisku i mało go nie przewrócił, choć Pelletier był o dobrą głowę wyższy.

– Bertrand! Bertrand! – powtarzał Simeon. Jego głęboki głos rozsadzał cichy korytarz. – Tyle czasu...!

– Przyjacielu! – zawołał Pelletier głośno, gdy udało mu się złapać oddech. – Twój widok raduje moją duszę! Proszę, proszę...! – Pociągnął Simeona za długą czarną brodę, przedmiot jego dumy. – Siwy włos tu i ówdzie, ale wspaniała jak zawsze! Powiedz mi, czy życie dobrze się z tobą obchodzi?

– Mogłoby być lepiej – odparł Simeon – ale gorzej także. – Odsunął się o krok. – A co u ciebie? Przybyło ci trochę zmarszczek na twarzy, lecz oczy ogniste jak dawniej i bary szerokie! – Klepnął gościa w klatkę piersiową. – Mocny jak wół!

Zaprowadził przybysza do niewielkiego pokoju o oknach wychodzących na podwórze. Najważniejsze umeblowanie stanowiły dwie rozłożyste sofy, zarzucone jedwabnymi poduszkami. Na stolikach z kości słoniowej porozstawiano dekoracyjne wazy oraz duże płytkie misy pełne ciasteczek z migdałów.

– Rozgość się, zdejmij buty, Esther przyniesie nam coś do picia. – Raz jeszcze zmierzył gościa uważnym spojrzeniem od stóp do głów. – Bertrand Pelletier – powtórzył. – Nie wierzę własnym oczom. Czy to naprawdę ty? Po tylu latach? A może to wytwór mojej starczej wyobraźni?

Pelletier nie odwzajemnił uśmiechu.

– Wolałbym zjawić się u ciebie w bardziej sprzyjających okolicznościach.

– Oczywiście, oczywiście. – Simeon zgodnie pokiwał głową. – Siadaj, Bertrandzie. Siadaj.

– Przybyłem do Besièrs z wicehrabią Trencavelem. Przynosimy ostrzeżenie przed armią nadciągającą z Północy. Słyszysz dzwony? Zwołują ojców miasta na radę.

– Trudno nie słyszeć chrześcijańskich dzwonów – odparł Simeon, unosząc brwi. – Choć zwykle nie biją z troski o nasze dobro.

– Wiesz dobrze, przyjacielu, że Żydzi ucierpią tak samo... jeśli nie bardziej niż ci, których Francuzi nazywają heretykami.

– Nic nowego, mój drogi, nic nowego – rzekł Simeon cicho. – Czy armia Północy jest tak wielka, jak powiadają?

– Liczy dwadzieścia tysięcy ludzi, może więcej. Nie damy im rady w otwartej walce, mają nad nami zbyt wielką przewagę. Jeśli Besièrs zatrzyma najeźdźców przez jakiś czas, da nam szansę zebrania sił na zachodzie i przygotowania Carcassony przed oblężeniem. Każdy, kto zechce się schronić, znajdzie tam azyl.

– Żyłem tutaj szczęśliwie. To miasto przyjęło mnie... nas życzliwie.

– W Besièrs nie jest już bezpiecznie. Ani dla ciebie, ani dla ksiąg.

– Wiem, wiem. – Westchnął. – Mimo wszystko odejdę stąd z żalem.

– Jeśli Bóg pozwoli, niedługo wrócisz. – Pelletier umilkł, poruszony faktem, iż przyjaciel tak łatwo pogodził się z nieuniknionym. – Grozi nam wojna wywołana kłamstwami i zdradą. A ty traktujesz ją jak zwyczajną kolej rzeczy? Ty się z nią godzisz?

– Co znaczy: godzić się, Bertrandzie? – Simeon rozłożył szeroko ręce. – Czy ja mam inne wyjście? Co chciałbyś ode mnie usłyszeć? Co się stanie, to się stanie, bez względu na moje chęci. Wobec tego tak, godzę się z nieuniknionym. Co nie oznacza, że mi się to podoba albo nie wolałbym, żeby sprawy potoczyły się inaczej.

Pelletier wolno pokręcił głową.

– Gniew nie służy niczemu dobremu – ciągnął Żyd. – Trzeba mieć wiarę. Ufność w przeznaczenie wykraczające poza nasze życie i zdolność pojmowania wymaga ogromnej wiary. Każda z wielkich religii opowiada własną historię: przez Pismo Święte, Koran czy Torę. Dzięki niej nadaje sens naszemu marnemu żywotowi. – Przerwał, w jego oczach pojawiły się psotne błyski. – *Bons homes* nie szukają sensu w uczynkach złych ludzi. Wedle ich wiary ziemia nie jest rzeczą boską ani tworem doskonałym, tylko marnym padołem. Nie oczekują, że boskość i miłość zatriumfują nad złym losem. Wiedzą, iż w życiu doczesnym tak się nie stanie. – Uśmiechnął się. – A przecież ty, Bertrandzie, wydajesz się zaskoczony, gdy spotykasz się ze Złem twarzą w twarz. Dziwne to, prawda?

Pelletier poderwał głowę. Czy Simeon wiedział? Jakim sposobem?

Żyd zauważył jego spojrzenie, ale go nie skomentował.

– Moja wiara, przeciwnie, mówi mi, że świat został stworzony przez Boga, że jest on idealny pod każdym względem. Jeżeli jednak ludzie odwrócą się od słów proroków, wówczas równowaga pomiędzy Bogiem a człowiekiem zostanie zachwiana. A wtedy spadnie na nas kara, to pewne jak fakt, że po nocy nastanie dzień.

Pelletier otworzył usta, lecz po chwili je zamknął, nic nie powiedziawszy.

– Ta wojna nie do nas należy – podjął Simeon – mimo twojej służby u wicehrabiego Trencavela. My mamy ważniejsze zadanie. Jesteśmy związani przysięgą. I to ona musi teraz kierować naszymi krokami oraz wpływać na nasze decyzje. – Położył dłoń na ramieniu gościa. – Dlatego, mój drogi przyjacielu, lepiej mieć gniew i miecz w pogotowiu i wykorzystać je w bitwie, którą można wygrać.

– Skąd wiedziałeś? – spytał wreszcie Pelletier. – Ktoś ci powiedział?

– Że jesteś wyznawcą nowego Kościoła? – Simeon zachichotał. – Nie, nie, przyjacielu, nic podobnego nie słyszałem. O tym porozmawiamy sobie kiedyś w przyszłości, jeśli Bóg przyzwoli. Nie teraz. Choć bardzo chętnie toczyłbym z tobą dysputy teologiczne, miły Bertrandzie, musimy się zająć ważniejszymi kwestiami.

Rozmowę przerwało wejście służącej. Kobieta postawiła na stole tacę z naparem miętowym oraz słodkimi biszkoptami. Następnie usiadła na ławie w kącie pokoju.

– Nie ma powodu do niepokoju – odezwał się Simeon, widząc znaczące spojrzenie Pelletiera. – Esther przyjechała ze mną z Chartres. Mówi po hebrajsku, z francuskiego rozróżnia ledwie kilka słów, a twojego języka nie zna wcale.

– Rozumiem. – Pelletier wyjął list od Harifa i podał Żydowi.

Simeon przeczytał go uważnie.

– Ja dostałem taki w szabat miesiąc temu – powiedział. – Dlatego spodziewałem się ciebie, choć przyznam, sądziłem, iż zjawisz się wcześniej.

Pelletier złożył list, wsunął go na powrót do sakwy.

– Nadal masz księgi, Simeonie? Tutaj, w domu? Musimy je zabrać...

Domem wstrząsnęło walenie w drzwi. Esther natychmiast zerwała się na równe nogi. Na znak Simeona wyszła z pokoju.

– Nadal masz księgi? – powtórzył Pelletier. Wyraz twarzy gospodarza obudził w nim niepokój. – Nie przepadły, prawda?

– Nie przepadły, przyjacielu. – Nie dokończył, bo wróciła Esther.

– Panie, jakaś dama prosi o widzenie. – Hebrajskie słowa padały z jej ust zbyt szybko jak dla Pelletiera. Dawno nie słyszał tego języka, trudno mu było go zrozumieć.

– Co to za dama?

Esther potrząsnęła głową.

– Nie wiem, panie. Mówi, że musi się widzieć z twoim gościem, intendentem Pelletierem.

Wszyscy troje zwrócili się w stronę drzwi, bo z korytarza dobiegły szybkie kroki.

– Wpuściłaś ją i zostawiłaś samą? – Simeon zaczął się podnosić.

Pelletier także zaczął wstawać, ale nie zdążył, bo kobieta już wpadła do pokoju.

Zamrugał, nie wierząc własnym oczom. Nawet niewesołe myśli o misji wicehrabiego uciekły mu z głowy na widok Alaïs. Stanęła w progu. Twarz miała zaczerwienioną, w oczach prośbę o wybaczenie, ale i determinację.

– Przepraszam za wtargnięcie – odezwała się, przenosząc spojrzenie z ojca na Simeona i z powrotem – ale służąca z pewnością by mnie nie wpuściła.

Pelletier w dwóch dużych krokach znalazł się przy córce i zamknął ją w uścisku.

– Wybacz mi nieposłuszeństwo, proszę – odezwała się nieśmiało. – Musiałam przyjechać.

– Ach, więc ta czarująca dama, to jest... – odezwał się Simeon.

Pelletier wziął Alaïs za rękę i zaprowadził na środek pokoju.

– Wybacz. Zapomniałem się. Simeonie, chciałbym ci przedstawić moją córkę, Alaïs, choć jak i dlaczego znalazła się w Besièrs, nie potrafię powiedzieć!

Alaïs pokornie spuściła głowę.

– A to jest mój najdroższy przyjaciel – podjął Pelletier – Simeon z Chartres, dawniej ze świętego miasta Jeruzalem.

Twarz Simeona rozjaśnił szeroki uśmiech.

– Córka Bertranda. Alaïs. – Wyciągnął do niej ręce. – Witam cię najserdeczniej.

ROZDZIAŁ 28

– Opowiesz mi o waszej przyjaźni, *paire*? – zapytała Alaïs, gdy tylko usiadła na sofie obok ojca. Odwróciła się do Simeona. – Prosiłam o to wcześniej, ale wówczas ojciec nie był w nastroju do zwierzeń.

Simeon okazał się starszy, niż sobie wyobrażała. Miał przygarbione ramiona, a jego poznaczona zmarszczkami twarz przedstawiała mapę życia, na której zaznaczono i smutek, i żałobę, ale także radość i wielkie szczęście. Grube krzaczaste brwi ocieniały żywe oczy błyszczące inteligencją. W kręconych włosach więcej było srebrnych niż czarnych nitek, ale długa broda, wyperfumowana i wysmarowana oliwą, nadal przywodziła na myśl krucze skrzydło. Teraz dziewczyna nie miała wątpliwości, że ojciec mógł, kierując się jej opisem, pomylić topielca z przyjacielem.

Dyskretnie zerknęła na lewy kciuk Żyda. Oczywiście. Nosił pierścień, taki sam, jaki widziała u ojca.

– Bertrandzie – odezwał się Simeon. – Twoja córka zasłużyła na poznanie naszej historii. Przejechała kawał drogi, by jej wysłuchać.

Alaïs podniosła wzrok na ojca. Usta miał zaciśnięte w wąską linię.

Jest zły, że się tu zjawiłam.

– Całą drogę z Carcassony pokonałaś bez eskorty? – spytał. – Nie wierzę. Na pewno masz więcej rozumu. Czy naprawdę podjęłaś takie ryzyko?

– Ja...

– Odpowiedz.

– Uznałam, że rozsądnie...

– Rozsądnie! – wybuchnął. – Na litość...

Simeon zachichotał.

– Nic się nie zmieniłeś, Bertrandzie. Pobudliwy jak zawsze.

Alaïs zdusiła uśmiech.

– *Paire* – rzekła, kładąc ojcu rękę na ramieniu. – Jak widzisz, dotarłam bezpiecznie. – Gdy Pelletier spojrzał na jej poranione dłonie, nieznacznie obciągnęła rękawy. – Nic szczególnego się nie działo. To tylko draśnięcie.

– Zabrałaś broń?

– Oczywiście!

– Wobec tego gdzie...

– Uznałam, że niemądrze będzie chodzić ulicami Besièrs z mieczem przy boku. – Podniosła na niego niewinne spojrzenie.

– Racja – mruknął Pelletier. – Nic ci się nie stało? Żadna krzywda? Nie spuściła wzroku, choć posiniaczone ramię solidnie dawało jej się we znaki.

– Nie, ojcze – skłamała.

Pelletier trochę złagodniał, choć nadal groźnie marszczył brwi.

– Skąd wiedziałaś, gdzie mnie szukać?

– Od Amiela de Coursana, syna seigneura, który w swojej szczodrobliwości zapewnił mi eskortę.

Simeon pokiwał głową.

– Lubią chłopaka w tych stronach.

– Miałaś dużo szczęścia – rzucił Pelletier. Jeszcze nie zamierzał zmienić tematu. – Zwłaszcza że podjęłaś szaloną decyzję. Mogłaś w tej podróży stracić życie. Aż trudno uwierzyć...

– Miałeś jej opowiedzieć, jak się poznaliśmy – przerwał mu Simeon lekkim tonem. – Dzwony umilkły, więc rada zapewne już się zebrała. Mamy trochę czasu.

Pelletier nie potrafił się rozchmurzyć natychmiast, ale wreszcie poddał się z rezygnacją.

– Dobrze, dobrze. Z obojgiem nie wygram.

– Twój przyjaciel nosi taki sam pierścień jak ty, *paire* – zauważyła Alaïs.

– Został zrekrutowany przez Harifa w Ziemi Świętej, tak samo jak ja. Choć niewiele brakowało, a nasze drogi nigdy by się nie zeszły. Gdy rosło niebezpieczeństwo ze strony armii Saladyna, Harif odesłał Simeona do rodzinnego Chartres. Ja zjawiłem się tam kilka miesięcy później, przywiozłem trzy pergaminy. Podróż zajęła mi ponad rok, ale gdy w końcu dotarłem do Chartres, Simeon czekał na mnie, tak jak Harif obiecał. – Uśmiechnął się do wspomnień. – Po ciepłym klimacie jasnego Jeruzalem cierpiałem od chłodu i zimna. Znalazłem się w obcym, niegościnnym mieście. Na szczęście był tam także Simeon, a on rozumiał mnie bez słów. Jego zadanie polegało na włożeniu papirusów w księgi. Gdy czekałem, aż wypełni swoją misję, narodził się we mnie podziw dla jego mądrości, wiedzy i usposobienia.

– A dajże spokój! – żachnął się Simeon, choć widać było, iż komplement sprawił mu przyjemność.

– A jeśli chodzi o Simeona – podjął Pelletier – to będziesz musiała jego spytać, co widział w nieokrzesanym prymitywnym żołnierzu. Ja nie potrafię ci tego powiedzieć.

– Byłeś chętny do nauki, przyjacielu, i umiałeś słuchać – rzekł Simeon cicho. – Wyróżniało cię to spośród innych ludzi twojej wiary.

– Wiedziałem, że księgi mają zostać rozdzielone – ciągnął Pelletier. – Dotarła do mnie wiadomość od Harifa, że mam wrócić do mojego gniazda rodzinnego, gdzie czekała na mnie posada intendenta u boku nowego wicehrabiego Trencavela. Gdy teraz patrzę wstecz, sam się sobie dziwię, iż nigdy nie zapytałem, co się stało z dwiema pozostałymi księgami. Przyjąłem, że jedną zatrzyma Simeon, choć pewności żadnej nie miałem. A ostatnia? Nawet nie spytałem. Taki brak ciekawości teraz mnie zawstydza, ale wtedy po prostu wziąłem księgę dla mnie przeznaczoną – i pojechałem na południe.

– Nie powinieneś się wstydzić – rzekł Simeon łagodnie. – Wykonałeś swoje zadanie, mając w sercu szczerą wiarę w jego słuszność.

– Zanim się pojawiłaś, Alaïs, rozmawialiśmy o księgach.

– Księgi... – Simeon odchrząknął. – Ja mam tylko jedną.

– Jak to? – zdumiał się Pelletier. – Z listu Harifa wywnioskowałem, że obie nadal są w twoim posiadaniu? A przynajmniej wiesz, gdzie ich szukać.

Simeon pokręcił głową.

– Tak było, ale dawno, przed laty. Została u mnie Księga Liczb. A jeśli chodzi o tę drugą, cóż... wyznam szczerze, miałem nadzieję, iż ty będziesz miał dla mnie jakieś wieści.

– Jeśli ty nie wiesz, to kto? – zdziwił się Pelletier. – Uznałem, iż opuszczając Chartres, zabrałeś ze sobą obie.

– Tak zrobiłem.

– Wobec tego...

– *Paire*, posłuchajmy Simeona.

Przez chwilę wydawało się, iż Pelletier straci panowanie nad sobą, ale w końcu skinął głową.

– Racja. Wobec tego powiedz, co masz do powiedzenia.

– Ależ ona podobna do ciebie – zaśmiał się Simeon. – Już, już. Słuchaj. Wkrótce po twoim wyjeździe z Chartres otrzymałem od *navigatairé* wiadomość, że przyjedzie opiekun drugiej księgi, Księgi Napojów, choć nic nie wskazywało na to, kim będzie owa osoba. Czekałem, stale w gotowości. Starzałem się, lata mijały, lecz nikt nie przybywał. Aż wreszcie, w roku waszego Pana tysiąc sto dziewięćdziesiątym czwartym, na krótko przed tym strasznym pożarem, który zniszczył katedrę i większą część grodu Chartres, zjawił się u mnie pewien człowiek. Chrześcijanin i rycerz. Nazywał siebie Philippe de Saint-Mauré.

– Znam to imię. Człowiek ten był w Ziemi Świętej w tym samym czasie co ja, choć nigdy się nie spotkaliśmy. – Pelletier zmarszczył brwi. – Dlaczego zjawił się tak późno?

– To samo pytanie i ja sobie zadawałem, przyjacielu. Saint-Mauré przekazał mi *merel* w odpowiedni sposób. Na palcu miał pierścień, który ty i ja także mamy zaszczyt nosić. Nie było żadnego powodu, bym nie miał mu ufać, a jednak... – Simeon ledwo dostrzegalnie wzruszył ramionami. – Wyczuwałem w nim fałsz. Spojrzenie miał chytre, jak u lisa. Nie ufałem mu. Nie pasował mi na posłańca wybranego przez Harifa. Nie wyglądał na człowieka honoru. Dlatego też postanowiłem go sprawdzić.

– Jak? – Dziewczyna nie zdążyła ugryźć się w język.

– Alaïs! – skarcił ją ojciec.

– Nic nie szkodzi, Bertrandzie – uśmiechnął się Simeon. – Otóż udałem, że nie rozumiem, o co mu chodzi. Załamałem ręce, skruszony uniżony sługa, i błagałem go o wybaczenie, twierdząc, iż mnie z kimś pomylił. Wtedy on wyciągnął miecz.

– Co potwierdziło twoje podejrzenia, że nie jest tym, za kogo się podaje.

– Groził mi i byłby się na mnie rzucił, gdyby nie pojawił się mój sługa. Wtedy nie miał wyjścia, odszedł. – Simeon pochylił się ku Bertrandowi, zniżył głos. Jak tylko się upewniłem, że zniknął na dobre, zawinąłem księgi w stare ubrania i z tłumoczkiem poszedłem do zaufanej chrześcijańskiej rodziny, która mieszkała niedaleko. Nie bardzo wiedziałem, co robić. Nie miałem pewności, co o tym wszystkim myśleć. Czy był oszustem? Czy może prawdziwym opiekunem księgi, ale człowiekiem o sercu poczerniałym od chciwości, spragnionym władzy i bogactwa? Czy nas zdradził? Jeśli miałem do czynienia z oszustem, w przyszłości mógł się pojawić w Chartres prawdziwy opiekun. Co zrobi, gdy mnie tam nie znajdzie? Jeśli prawdą była druga możliwość, czułem się zobowiązany jak najwięcej dowiedzieć. I do dziś nie wiem, czy mądrze wybrałem.

– Ależ tak! – zapewniła go Alaïs gorąco, ignorując ostrzegawcze spojrzenie ojca. – Zrobiłeś wszystko, co w ludzkiej mocy.

– Tak czy inaczej dwa dni nie wychodziłem z domu. A potem w wodach rzeki Eure znaleziono okaleczone ciało. Mężczyzna został pozbawiony oczu i języka. Plotka niosła, iż był rycerzem na usługach najstarszego syna Charles'a d'Evreux, którego ziemie ciągną się w pobliżu Chartres.

– Philippe de Saint-Mauré.

Simeon pokiwał głową.

– O zbrodnię oskarżono Żydów. Od razu zaczęły się prześladowania w odwecie. Doskonale wybrano kozła ofiarnego. Dotarła do mnie wieść, że idą po mnie. Znaleźli się świadkowie, którzy widzieli Saint-Mauré pod moimi drzwiami, byli gotowi przysięgać, iż się kłóciliśmy, a nawet doszło do bitki. Wówczas podjąłem decyzję. Możliwe, że Saint-Mauré był tym, za kogo się podawał. Nie wiem, czy był uczciwym człowiekiem. Nie miało to już znaczenia. Odebrano mu życie z powodu tego, co wiedział o Trylogii Labiryntu. Zyskałem przekonanie, że ktoś zdradził sekret Graala.

– Jak uciekłeś, panie? – spytała Alaïs.

– Moi słudzy już wcześniej schronili się w bezpiecznym miejscu, ja sam ukrywałem się do rana. A gdy tylko otwarto bramy grodu, wymknąłem się, ze zgoloną brodą i przebrany w szaty starej kobiety. Poszła ze mną Esther.

– Czyli nie widziałeś, jak powstaje labirynt w nowej katedrze! – powiedział Pelletier. – Pewnie go wcale nie widziałeś.

Alaïs odniosła wrażenie, że jest to nawiązanie do jakiegoś żartu, dobrze znanego im obydwu.

– O co chodzi? – spytała.

Simeon zachichotał, patrząc porozumiewawczo na Pelletiera.

– Nie, nie widziałem, choć słyszałem, że dobrze wypełnia cel, w jakim został stworzony. Wielu ściąga do tych pierścieni martwego kamienia.

Przyglądają się i szukają, nie rozumiejąc, że pod ich stopami leżą tylko fałszywe tajemnice.

– Co to za labirynt? – przypomniała się Alaïs.

Oni jednak nadal nie zwracali na nią uwagi.

– Dlaczego nie przyszedłeś do mnie? – zapytał Pelletier. – Dałbym ci dach nad głową, w Carcassonie znalazłbyś schronienie.

– Uwierz mi, Bertrandzie, niczego nie pragnąłem bardziej. Zapominasz jednak, jak różna jest Północ od pełnych tolerancji ziem w Pays d'Oc. Nie mogłem swobodnie podróżować, przyjacielu. Niełatwo było Żydom w tamtym czasie. Bandyci niszczyli nasz dobytek, baliśmy się wyściubić nosa z domu, ale i we własnych czterech ścianach nie byliśmy bezpieczni. – Przerwał, pokiwał głową w zamyśleniu. – Poza tym nigdy bym sobie nie wybaczył, gdybym ich zaprowadził... kimkolwiek byli, do ciebie. Uciekając z Chartres, nie miałem pojęcia, dokąd pójdę. Najbezpieczniej wydawało się przeczekać gdzieś, aż ucichnie wrzawa.

– Jak się znalazłeś w Besièrs, panie? – spytała Alaïs, zdecydowana włączyć się do rozmowy. – Czy to Harif cię tu przysłał?

Simeon pokręcił głową.

– To był szczęśliwy przypadek. Zmierzałem do Szampanii i tam spędziłem zimę. Następnej wiosny, gdy tylko stopniał śnieg, wyruszyłem na południe. Miałem trochę szczęścia i zdołałem się przyłączyć do grupy angielskich Żydów uciekających przed prześladowaniami na tamtej ziemi. Oni kierowali się do Besièrs. Wydało mi się to równie dobrym celem podróży jak każdy inny. Miasto chlubiło się opinią miejsca, gdzie żyją ludzie tolerancyjni, gdzie Żydzi zajmują poczesne miejsca, cieszą się autorytetem i zaufaniem, gdzie ich umiejętności są doceniane i szanowane. A bliskość Carcassony oznaczała, iż w razie gdyby Harif mnie potrzebował, będę pod ręką. – Odwrócił się do Bertranda. – Bóg w swojej mądrości wie, jak trudno było mi zostać tutaj, choć wiedziałem, że jesteś oddalony zaledwie o kilka dni jazdy, ale ostrożność i rozsądek kazały mi o tym zapomnieć. – W oczach miał blask. – Już wtedy recytowano wiersze, śpiewano ballady na dworach Północy. W Szampanii trubadurzy i minstrele bajali o magicznym pucharze, o życiodajnym eliksirze... Za blisko byli prawdy, żeby ich zignorować. – Na te słowa Pelletier zgodnie pokiwał głową. Sam słyszał takie pieśni. – Dlatego, rozważywszy wszystko, mądrzej było trzymać się na uboczu. Nigdy bym sobie nie wybaczył, gdybym sprowadził wroga pod twoje drzwi, przyjacielu.

Pelletier westchnął ciężko.

– Obawiam się, Simeonie, iż mimo twoich wysiłków zostaliśmy zdradzeni, choć nie mam na to żadnego dowodu. Są ludzie, którzy wiedzą o łączącej nas więzi, jestem o tym przekonany. Czy jednak znają naturę tego połączenia, nie potrafię powiedzieć.

– Dlaczego tak sądzisz?

– Jakiś tydzień temu Alaïs powiedziała mi, że znalazła w rzece Aude topielca. To był Żyd. Gardło miał podcięte od ucha do ucha, a lewy kciuk oddzielony od dłoni. Nic innego mu nie odebrano. Choć nie miałem po temu żadnego powodu, nie mogłem się pozbyć wrażenia, iż to ty, mój przyjacielu, okażesz się tym nieboszczykiem. – Przerwał. – A teraz sądzę, że zabójca wziął go za ciebie. Wcześniej także pojawiały się pewne wskazówki. Wtajemniczyłem częściowo w misję córkę, na wypadek gdyby coś mi się stało i nie zdołałbym wrócić do Carcassony.

Teraz powinnam mu powiedzieć, dlaczego tu przyjechałam, pomyślała Alaïs.

– Ojcze, ponieważ...

Uciszył ją podniesieniem ręki.

– Czy zaszły jakieś niepokojące zdarzenia, które mogłyby świadczyć o tym, że twoje miejsce pobytu zostało odkryte, Simeonie? Przez tych, którzy szukali cię w Chartres albo może przez innych?

Simeon pokręcił głową.

– Ostatnio nie. Minęło już ponad piętnaście lat, odkąd przyjechałem na Południe i mogę ci powiedzieć z ręką na sercu, iż przez cały ten czas dzień w dzień spodziewałem się poczuć nóż na gardle. Lecz mimo to nie zauważyłem nic szczególnego.

Alaïs nie mogła dłużej milczeć.

– Ojcze, przywożę ci wieści związane z tą sprawą. Muszę ci powiedzieć, co się stało pod twoją nieobecność w Carcassonie.

* * *

Gdy skończyła mówić, Pelletier miał twarz czerwoną z wściekłości. Niewiele brakowało, a byłby wybuchnął. A wtedy nie uspokoiłaby go ani córka, ani przyjaciel.

– Trylogia została odkryta! – wykrzyknął. – Nie ma co do tego żadnych wątpliwości.

– Opanuj się, Bertrandzie – rzekł Simeon stanowczo. – Gniew jedynie przeszkadza zdrowemu rozsądkowi.

Alaïs wyjrzała przez okno, ciekawa przyczyny hałasów dochodzących z ulicy, ale zobaczyła jedynie zadbane podwórze.

– Dzwony znowu się odezwały – powiedział Pelletier. – Muszę wracać do zamku, Wicehrabia Trencavel mnie oczekuje. – Wstał. – Muszę przemyśleć twoje słowa, Alaïs, i zastanowić się, co robić. Na razie jednak skupimy się na wyjeździe. – Odwrócił się do przyjaciela. – Pojedziesz z nami, Simeonie.

Żyd otworzył rzeźbioną drewnianą skrzynię stojącą w kącie pokoju. Wieko było wyłożone purpurowym aksamitem, zebranym w głębokie zmarszczki, jak zasłona wokół łoża.

– Nie pojadę z tobą – oznajmił spokojnie. – Wyruszę z moim ludem. A ty weźmiesz to, dla bezpieczeństwa.

Przesunął dłonią wzdłuż dna kufra. Rozległo się kliknięcie i u podstawy skrzyni wyskoczyła sekretna szufladka. Znajdował się w niej jakiś przedmiot, zawinięty w owczą skórę.

Mężczyźni spojrzeli po sobie bez słowa. Pelletier wziął zawiniątko z rąk Simeona i ukrył pod płaszczem.

– Harif wspomniał w liście o siostrze w Carcassonie – powiedział Żyd.

– Rozumiem, że jest to przyjaciółka Noublesso. Trudno uwierzyć, by jego słowa oznaczały coś więcej.

– Ta siostra to kobieta, która przyszła do mnie po drugą księgę, Bertrandzie – rzekł Simeon cicho. – Wtedy przyjąłem, tak jak ty teraz, że jest ona tylko posłańcem, później jednak, w świetle listu...

Pelletier odsunął nieprawdopodobną teorię krótkim gestem.

– Nie uwierzę, by Harif oddał księgę pod opiekę kobiecie. Niezależnie od okoliczności. Nie podjąłby takiego ryzyka.

Alaïs w ostatniej chwili ugryzła się w język. Simeon nieznacznie skrzywił usta.

– Powinniśmy jednak wziąć taką możliwość pod uwagę.

– A cóż to by była za kobieta? – rzucił Pelletier niecierpliwie. – Komu powierzyłby pieczę nad tak cennym przedmiotem? Jakiejś wysoko urodzonej damie?

– Nie, nie. – Simeon pokręcił głową. – Ta, która do mnie przyszła, nie była wysoko urodzoną damą, ale też nie wywodziła się z plebsu. Dawno już minął jej czas rodzenia dzieci, choć prowadziła ze sobą małe dziecko. Udawała się do Carcassony przez Servian, swoje rodzinne miasto.

Alaïs wyprostowała się i nadstawiła uszu.

– Niezbyt to szczegółowe informacje – poskarżył się Bertrand. – Nie zdradziła ci swojego imienia?

– Nie. Ani ja o nie nie pytałem, gdyż miała ze sobą list od Harifa. Dałem jej chleba, sera i owoców na drogę, a ona ruszyła w swoją stronę.

Znaleźli się już pod drzwiami prowadzącymi na ulicę.

– Jedź z nami, panie – poprosiła Alaïs, nagle zaniepokojona losem gospodarza.

– Nic mi nie będzie, drogie dziecko – uspokoił ją Simeon. – Esther spakuje rzeczy, które chcę zabrać do Carcassony. Wyruszę anonimowo, w tłumie. Tak będzie najrozsądniej i najbezpieczniej dla nas wszystkich.

Pelletier pochylił głowę wobec mądrości jego słów.

– Osiedle żydowskie leży nad rzeką – powiedział – na wschód od Carcassony, niedaleko przedmieścia Sant-Vicens. Poślij do mnie słowo, gdy dotrzesz na miejsce.

– Na pewno.

Objęli się i uścisnęli, a potem Pelletier wyszedł na ulicę, przez którą już przelewał się wartki ludzki strumień. Gdy Alaïs miała zamiar ruszyć za ojcem, Simeon chwycił ją za ramię i zatrzymał.

– Jesteś odważna, Alaïs. Wykonałaś swoje zobowiązanie wobec ojca oraz Noublesso. A teraz proszę cię, uważaj na niego. Łatwo traci zimną krew, a w gniewie człowiek podejmuje niesłuszne decyzje, zwłaszcza w trudnych czasach.

Dziewczyna zerknęła przez ramię na ojca.

– O czym traktuje ta druga księga? – spytała przyciszonym głosem. – Ta, którą kobieta zabrała do Carcassony?

– Księga Napojów... – Simeon pogładził się po brodzie. – Zawiera obszerny spis wszelkich pożytecznych roślin... Twojemu ojcu została powierzona Księga Słów, a mnie Księga Liczb.

Każdemu wedle jego zdolności, pomyślała Alaïs.

– Odpowiedziałem na twoje pytanie, prawda? – upewnił się Simeon, spoglądając na nią spod krzaczastych brwi. – I może potwierdziłem domysły?

– *Benlèu* – odpowiedziała z uśmiechem. Możliwe.

Ucałowała go w policzek i pobiegła za ojcem.

Powiedział, że dał tej kobiecie zapasy na drogę. A może ser leżał na desce, kto wie?

Postanowiła zatrzymać swoje domysły dla siebie, póki nie zyska całkowitej pewności, chociaż i tak wiedziała, gdzie należało szukać księgi. Zdumiewające przypadki oplatające jej życie pajęczą siecią stały się nagle jasne jak słońce. Odnalazła wszystkie brakujące podpowiedzi. Po prostu dotąd ich nie szukała.

ROZDZIAŁ 29

Gdy szli przez miasto, nie sposób było mieć jakiekolwiek wątpliwości: rozpoczął się exodus.

Żydzi i Saraceni płynęli do głównej bramy szerokim strumieniem. Jedni pieszo, inni z wózkami wyładowanymi dobytkiem, z księgami, mapami i meblami. Najbogatsi jechali konno, wieźli kosze i skrzynie, wagi oraz rolki papirusu. Alaïs dostrzegła w tłumie także kilka rodzin chrześcijańskich.

Dziedziniec pałacu rozbielało poranne słońce. Gdy mijali bramę, ujrzała na twarzy ojca wyraźną ulgę. Rada jeszcze się nie zakończyła.

– Czy ktoś jeszcze wie, że tu jesteś? – spytał.

Alaïs z wrażenia zatrzymała się w pół kroku. Kompletnie zapomniała o mężu.

– Nie, ojcze. Poszłam prosto do ciebie.

Zirytował ją wyraz zadowolenia, który przemknął przez twarz ojca.

– Zaczekaj tutaj. Zawiadomię o twoim przybyciu wicehrabiego Trencavela i poproszę go, by ci pozwolił jechać z nami. Należy także zawiadomić twojego małżonka. – I zniknął w cieniu budynku.

Alaïs, zostawiona sama sobie, rozejrzała się dookoła. Zwierzęta, obojętne na sprawy ludzi, szukały pod ścianami odrobiny chłodu. Wbrew własnym doświadczeniom oraz historiom opowiedzianym przez Amiela de Coursana, tutaj, w najspokojniejszym miejscu na świecie, trudno było uwierzyć, iż niebezpieczeństwo jest rzeczywiście tak blisko.

Gdzieś za jej plecami otworzyły się drzwi i wylał się z nich potok mężczyzn. Spłynął po schodach, rozlał się po dziedzińcu. Alaïs przycisnęła się do najbliższego filara, by nie porwał jej tłum.

Nagle zrobiło się głośno; rozbrzmiewały pokrzykiwania i komendy, rozkazy i potwierdzenia, *écuyers* biegli po konie swoich panów – w jednej chwili dziedziniec zmienił się z siedziby administracji w dowództwo garnizonu.

W tym zgiełku ktoś zawołał ją po imieniu. Guilhem. Serce w niej zadrżało. Szybko znalazła go w tłumie.

– Alaïs! – krzyknął z niedowierzaniem. – Skąd ty się tu wzięłaś?

Sprawnie utorował sobie drogę, a gdy znalazł się przy niej, chwycił ją w objęcia i uścisnął tak mocno, iż o mało nie straciła tchu. Na jego widok, wobec jego zapachu, wszystko inne wyleciało jej z głowy. O wszystkim zapomniała, wszystko wybaczyła. Czuła się nieomal zawstydzona, spłoszona jego nieskrywanym zachwytem. Zamknęła oczy, wyobraziła sobie, iż cudem jakimś znaleźli się na powrót w *château comtal*, tylko we dwoje, jakby przykre zdarzenia ostatnich dni były tylko złym snem.

– Ależ ja się za tobą stęskniłem! – Całował ją po twarzy, po szyi, po dłoniach.

Alaïs syknęła.

– Co się stało, *mon còr*?

– Nic – odparła szybko.

Guilhem zsunął jej płaszcz z ramienia i natychmiast zobaczył fioletowy siniec.

– Nic! Na świętą Fides... Jak to...

– Spadłam z konia – wyjaśniła. – Najbardziej ucierpiało ramię. Proszę... nie ma o czym mówić.

Guilhem wydawał się niezdecydowany, z jednej strony zatroskany, z drugiej pełen zwątpienia.

– Czym ty się zajmujesz pod moją nieobecność? – W jego oczach błysnęła podejrzliwość. Cofnął się o krok. – Po co tu przyjechałaś?

– Przywiozłam wieści ojcu.

W chwili gdy słowa spadły z jej warg, Alaïs uświadomiła sobie, iż popełniła błąd. Radość zmieniła się w niepokój. Guilhem zmarkotniał.

– Jakie wieści?

W głowie miała pustkę. Cóż mógł powiedzieć ojciec? Jakim pretekstem się posłużył?

– Widzisz...

– Słucham, słucham.

Zaczerpnęła oddechu. Bardzo chciała okazać się godna zaufania męża, ale dała słowo ojcu.

– *Messire*, wybacz mi, proszę, ale nie mogę powiedzieć. To wiadomość przeznaczona tylko dla jego uszu.

– Nie możesz czy nie chcesz?

– Nie mogę, naprawdę – zapewniła go ze smutkiem. – Bardzo tego żałuję.

– Posłał po ciebie? – zirytował się Guilhem. – Posłał po ciebie, nie pytając mnie o pozwolenie?

– Nie, nie. Nikt po mnie nie posłał. Przyjechałam sama.

– Ale nie powiesz mi dlaczego.

– Błagam cię, Guilhemie... Nie proś mnie, bym złamała dane ojcu słowo. Proszę. Spróbuj mnie zrozumieć.

Guilhem du Mas złapał ją za ramię i potrząsnął.

– Nie powiesz mi? – Roześmiał się gorzko. – A ja sądziłem, że jestem dla ciebie najważniejszy! Ależ ze mnie głupiec!

Odwrócił się.

Próbowała go zatrzymać.

– Guilhemie! Zaczekaj!

– Co tu się dzieje? – odezwał się za jej plecami głos wicehrabiowskiego intendenta.

– Mój mąż jest oburzony, ponieważ nie chciałam mu złożyć wyjaśnień.

– Powiedziałaś mu, że to ja zabroniłem ci mówić?

– Tak, ale i to go nie przekonało.

Pelletier się zachmurzył.

– Nie ma prawa oczekiwać, że złamiesz dane słowo.

W Alaïs wzbierał gniew.

– Z całym szacunkiem, *paire*, ma do tego pełne prawo. Jest moim mężem. Zasługuje na moją lojalność, wierność i posłuszeństwo.

– Nie zdradziłaś go przecież – rzucił Pelletier niecierpliwie. – Minie mu ten gniew, córeczko. Nie czas na to ani miejsce.

– Poczuł się zraniony. Obraza go boli.

– Jak każdego. To ludzka rzecz. Tyle że inni nie pozwalają, by emocje przyćmiły zdrowy rozsądek. Alaïs, nie myśl o tym. Guilhem jest tutaj po to, by służyć swojemu *seigneur*, a nie dla kłótni z żoną. Jak tylko wrócimy do Carcassony, z pewnością się między wami ułoży na nowo. Nie przejmuj się, nie ma czym. – Ucałował córkę w czoło. – Idziemy po Tatou. Musisz się przygotować do drogi.

Wolno poszła za ojcem do stajni. Myślami błądziła wokół innego tematu.

– Byłoby dobrze, gdybyś porozmawiał z Oriane – powiedziała. – Mam przeczucie, że ona coś wie o tym, co mnie spotkało na zamku.

– Źle oceniasz siostrę. Zbyt długo trwa rozdźwięk między wami. Zaniedbałem tę sprawę, sądziłem, że niesnaski same ustaną z czasem.

– Wybacz mi, *paire*, ale sądzę, że nie poznałeś jej prawdziwego charakteru.

– Zbyt ostro osądzasz jej zachowanie. – Pelletier jakby nie usłyszał słów córki. – Na pewno zajęła się tobą ze szczerego serca. Zapytałaś ją chociaż o to? – Alaïs spiekła raka. – Tak przypuszczałem. – Zebrał myśli. – Córko, Oriane jest twoją siostrą. Winna jej jesteś cieplejsze uczucia.

Niesprawiedliwa nagana rozpaliła gniew w piersi Alaïs.

– Ja przecież...

– Jeśli będę miał okazję, porozmawiam z Oriane – zakończył Pelletier, zamykając temat.

Dziewczyna była wzburzona, lecz zdołała powstrzymać słowa cisnące jej się na usta. Znała przyczynę takiego stanu rzeczy. Zawsze była faworyzowaną córką i rozumiała, że brak równego zainteresowania Oriane budzi w ojcu wyrzuty sumienia i każe mu przymykać oczy na wady starszej córki. W stosunku do młodszej zawsze miał większe oczekiwania.

Jakiś czas szła za nim bez słowa.

– Czy będziesz, ojcze, szukał tych, którzy odebrali mi *merel*? – spytała wreszcie. – Czy...

– Zamilknij, Alaïs. Nic nie zrobimy przed powrotem do Carcassony. Teraz niech Bóg pozwoli nam szybko trafić do domu. – Zatrzymał się, rozejrzał wokół. – I módlmy się, żeby Besièrs miało siłę jak najdłużej zatrzymać wroga.

ROZDZIAŁ 30
Carcassonne

Po wyjeździe z Tuluzy Alice zdecydowanie odzyskała humor. Droga szybkiego ruchu wiodła prosto jak strzelił pomiędzy zielonymi i brązowymi urodzajnymi polami. Od czasu do czasu pojawiały się morza słoneczników o twarzach pochylonych ku słońcu wędrującemu coraz niżej nad horyzontem. Przez większą część trasy jechała autostradą. Po krętych górskich szosach i falujących dolinach departamentu Ariège, który był dla niej przedstawicielem południa Francji, trafiła w znacznie bardziej ucywilizowany krajobraz.

Na zboczach wzgórz przycupnęły barwne miasteczka i samotne domki o oknach chronionych okiennicami i ścianach pokrytych chropowatym tynkiem. Na tle różowiejącego nieba rysowały się sylwetki dzwonów. Alice czytała nazwy mijanych miejscowości: Avignonet, Castelnaudary, Saint-Papoul, Bram, Mirepoix – smakowała głoski jak wino. Oczyma wyobraźni w każdym z tych miejsc widziała tajemnice skryte przez brukowane uliczki oraz historię drzemiącą między bladymi kamiennymi ścianami.

Wjechała do *département* Aude. Brązowy znak drogowy głosił: *Vous étes en Pays Cathare*. Uśmiechnęła się. Kraj katarów. Już wcześniej zwróciła uwagę na to, że region bronił swojej tożsamości z taką samą żarliwością teraz, jak w przeszłości. Nie tylko Foix, ale także Tuluza, Béziers oraz samo Carcassonne – wszystkie miasta Południa nadal żyły w cieniu wydarzeń, które rozgrywały się tutaj przed prawie ośmiuset laty. Wyrósł na tej pożywce cały przemysł turystyczny, sprzedaż książek, upominków, pocztówek i nagrań wideo.

Coraz dłuższe cienie kładły się na drodze, a brązowe drogowskazy prowadziły Alice ku Carcassonne.

Mniej więcej o godzinie dziewiątej minęła bramkę *péage* na zjeździe z drogi szybkiego ruchu i skierowała się do centrum miasta. Była podekscytowana i przejęta, trochę wystraszona. Minęła szare przemysłowe przedmieścia i centra handlowe, była coraz bliżej. Czuła to przez skórę.

Światło zmieniło się na zielone. Razem ze sznurem pojazdów mijała ronda i mosty, aż nagle znalazła się znów na wsi. Zagajnik wzdłuż *rocade,* dziko rosnące trawy, powykrzywiane drzewa, których korony chyliły się z wiatrem.

Najważniejszy w tym krajobrazie był średniowieczny gród. O wiele wspanialszy niż sobie wyobrażała, prawdziwszy, rzeczywisty. Wznoszący się na tle fioletowych gór, sprawiał wrażenie zaczarowanego miasta płynącego po niebie.

Zakochała się w nim od pierwszego wejrzenia.

Zaparkowała i wysiadła z samochodu. Dwa pierścienie murów obronnych. Od razu dostrzegła katedrę i zamek. Nad wszystkim górowała prostokątna symetryczna wieża, smukła i wysoka.

Gród pobudowano na szczycie trawiastego wzgórza. Stoki prowadziły do wąskich ulic, gdzie ściana przy ścianie tłoczyły się domy o czerwonych dachach. U stóp wzniesienia, na równinie, rosła winorośl, figi, drzewa oliwne oraz wielkie, ciężkie pomidory.

Nie miała ochoty zbliżać się do tego zjawiska, żeby nie prysnął czar. Chłonęła bajeczny widok skąpany w blasku zachodzącego słońca, które powoli zabierało ze sobą kolory.

Nagle zadrżała. To nocny chłód dotknął jej ramion. Pamięć podsunęła najodpowiedniejsze słowa. „Wrócić do początku i ujrzeć to miejsce po raz pierwszy". Po raz pierwszy doskonale zrozumiała, co miał na myśli Eliot, wielki poeta.

ROZDZIAŁ 31

Paul Authié miał biuro prawne w sercu Basse Ville w Carcassonne. Podczas minionych dwóch lat osiągnął znaczące sukcesy zawodowe, a dowody jego powodzenia rzucały się w oczy. Budynek ze szkła i stali, w którym mieściła się jego kancelaria, zaprojektował jeden z najznamienitszych architektów. Dech w piersiach zapierało podwórze otoczone eleganckim murem, pełne zieleni atrium oddzielające powierzchnię biurową od korytarzy, fasada i wnętrza. Całość emanowała dyskrecją w wielkim stylu.

Prawnik wynajmował pomieszczenie na czwartym piętrze. Wystrój wnętrz świadczył o dostatku i dobrym smaku oraz stanowił odzwierciedlenie charakteru właściciela. Ogromne okno, zajmujące całą zachodnią ścianę, otwierało widok na kościół Świętego Michała oraz baraki regimentu spadochroniarzy. O tej porze było przysłonięte żaluzjami.

Trzy pozostałe ściany były zawieszone fotografiami, zaświadczeniami, rekomendacjami oraz certyfikatami. Pomiędzy nimi znajdowało się też kilka starych map. Oryginałów, nie reprodukcji. Na jednych wyrysowano trasy poszczególnych krucjat, na innych zilustrowano zmiany granic Langwedocji. Papier był pożółkły, a czerwone i zielone nitki atramentu wyblakły miejscami, pozostawiając tylko drobne cętki.

Pod oknem stało szerokie biurko, potęgujące wrażenie przestronności. Na blacie znajdowało się tylko kilka przedmiotów: sporych rozmiarów suszka obciągnięta skórą oraz cztery fotografie. Najważniejszy był studyjny portret samego Authiégo z byłą żoną oraz dwójką dzieci, ponieważ klienci cenili sobie bezpieczeństwo i poczucie stabilności, a takie właśnie przesłanie niósł idylliczny rodzinny obrazek. Na następnym zdjęciu dwudziestojednoletni prawnik, tuż po uzyskaniu dyplomu École Nationale d'Administration w Paryżu ściskał rękę Jean-Marie Le Pena, przewodniczącego Frontu Narodowego. Kolejne pochodziło z Compostelli, a ostatnie, zrobione rok wcześniej, przedstawiało go w doborowym towarzystwie u opata Cîteaux na spotkaniu z okazji najnowszej i najbardziej znaczącej darowizny szanownego Paula Authié na rzecz Towarzystwa Jezusowego.

Każda z tych fotografii dowodziła, jak daleko zaszedł.

Odezwał się brzęczyk interkomu.

– *Oui?*

Sekretarka zawiadomiła prawnika, że zjawili się oczekiwani goście.

– Niech wejdą.

Javier Domingo i Cyrille Braissart byli niegdyś policjantami. Braissart został w 1999 roku oskarżony o nadużycie siły w czasie przesłuchania, Domingo natomiast, rok później, o zastraszanie i przyjęcie łapówki. Nie poszli siedzieć wyłącznie dzięki uzdolnieniom Authiégo. I od tej pory dla niego pracowali.

– Co macie mi do powiedzenia? – odezwał się na powitanie. – Jeśli potraficie się wytłumaczyć, to proszę bardzo, teraz.

Obaj przybyli stali przed biurkiem w milczeniu.

– Cisza – warknął Authié. – Nie macie nic do powiedzenia? Módlcie się, żeby Biau nie wyszedł z tego żywy i nie przypomniał sobie, kto prowadził wóz.

– Nie wyjdzie, proszę pana.

– O, Braissart, nie wiedziałem, że skończyłeś medycynę!

– Jego stan się pogorszył.

Authié wstał, podszedł do okna. Ręce wsparł na biodrach. Patrzył na katedrę.

– No dobrze, co dla mnie macie?

– Biau przekazał jej jakąś wiadomość – powiedział Domingo.

– Która zniknęła – dokończył ironicznie prawnik – razem z samą dziewczyną. Po coś tu przyszedł, skoro nie masz mi nic nowego do powiedzenia? Marnujesz mój czas.

Domingo poczerwieniał.

– Wiemy, gdzie ona jest, proszę pana. Santini znalazł ją dzisiaj w Tuluzie.

– I?

– Wyjechała mniej więcej przed godziną. Pałeczkę przejął Braissart. – Całe popołudnie siedziała w bibliotece narodowej. Santini przefaksował listę stron, na które zaglądała.

– Przyczepiliście jej ogon? Czy za dużo się po was spodziewam?

– Przyczepiliśmy. Pojechała do Carcassonne.

Authié wrócił na fotel za biurkiem i długo mierzył obu byłych policjantów uważnym spojrzeniem.

– Będziecie na nią czekali w hotelu.

– Tak, proszę pana – zapewnił Domingo. – Który to ho...

– Naprzeciwko Bramy Narbońskiej – przerwał mu Authié. – Ma o niczym nie wiedzieć, jasne?

– Czy szukamy czegoś poza pierścieniem i wiadomością?

– Księgi – odparł Authié. – Mniej więcej tej wielkości. – Nieznacznie rozłożył dłonie. – Ma sztywne okładki, związane rzemieniami. Jest krucha i bardzo cenna. – Sięgnął do aktówki, wyjął z niej zdjęcie. – Podobna do tej. – Pozwolił Domingo przyjrzeć się fotografii przez kilka sekund, po czym ją schował. – Jeśli to już wszystko...

– Dostaliśmy to od pielęgniarki – odezwał się Braissart. – Miał w kieszeni.

Był to dowód nadania paczki, wydany przez centralny urząd pocztowy we Foix, w poniedziałek, późnym popołudniem. Przesyłkę skierowano na adres w Carcassonne.

– Kto to jest Jeanne Giraud? – spytał Authié.

– Babka Biau ze strony matki.

– Aha... – Wdusił przycisk interkomu. – Aurélie, potrzebuję informacji o Jeanne Giraud. – Przeliterował nazwisko. – Mieszka na rue de la Gaffe. Jak najszybciej. – Znów usiadł wygodnie w fotelu. – Czy wie, co się przydarzyło wnukowi?

Odpowiedzią na jego pytanie była cisza.

– Dowiedzcie się! – rozkazał ostro. – Braissart, skoro Domingo składa wizytę pannie Tanner, ty zajrzysz do madame Giraud i rozejrzysz się po jej domu. Dyskretnie. Spotkamy się na parkingu naprzeciwko Bramy Narbońskiej za... – spojrzał na zegarek – pół godziny.

Ponownie zabrzęczał interkom.

– Jeszcze tu jesteście? – spytał Authié, unosząc brwi. Zaczekał, aż obaj byli policjanci wyjdą i zamkną za sobą drzwi. – *Oui, Aurélie?* – Słuchając, bawił się złotym krzyżykiem zawieszonym na szyi. – Czy powiedziała, dlaczego chce przełożyć spotkanie? Nie jest mi to na rękę – uciął tłumaczenia sekretarki. Wyjął z kieszeni telefon komórkowy. Nie było nowych wiadomości. Dawniej zawsze kontaktowała się z nim osobiście. – Wychodzę – oznajmił krótko. – Informacje o Giraud podrzuć mi wieczorem do domu. Koniecznie przed ósmą.

Zdjął marynarkę z oparcia fotela, z szuflady wyjął rękawiczki i wyszedł.

* * *

Audric Baillard siedział przy niewielkim biurku w sypialni, na pięterku domu Jeanne Giraud. Przymknął okiennice, pokój otuliło pasiaste ciepłe światło późnego popołudnia. Za plecami miał staroświeckie pojedyncze łóżko o rzeźbionym drewnianym zagłówku, z pościelą powleczoną w świeżą bielutką poszwę z szeleszczącego płótna.

Jeanne oddała mu ten pokój do dyspozycji wiele lat temu, kiedy był mu naprawdę potrzebny. Wzruszyła go, ustawiając na półce nad łóżkiem egzemplarze wszystkich jego publikacji.

Niewiele tu miał własnych rzeczy. Ot, ubranie na zmianę, przybory do pisania i arkusze papieru. W początkach tej długiej znajomości Jeanne podśmiewała się czasem z niego, iż używa pióra na atrament oraz papieru grubego jak pergamin. A on się tylko uśmiechał i odpowiadał, że za stary jest na zmianę przyzwyczajeń.

A teraz zmiany okazały się nieuniknione.

Siedział tak i myślał o Jeanne i o tym, jak ogromne znaczenie miała dla niego jej sympatia. Wielu spotkał w życiu dobrych ludzi, którzy chętnie mu pomagali, ale ona była wyjątkowa. Właśnie dzięki niej dotarł do Grace Tanner, choć nigdy się nie spotkały.

Dobiegające z kuchni brzęczenie garnków wyrwało go ze wspomnień. Ujął w rękę pióro. Czuł, jak opadają z niego lata, jak wraca młodość.

Znajdował słowa bez kłopotu, więc wkrótce list był gotów. Osuszył błyszczący atrament i starannie złożył papier na trzy, tworząc z niego kopertę. Gdy tylko pozna jej adres, będzie mógł go wysłać.

A wtedy wszystko zostanie złożone w jej ręce. Tylko ona będzie mogła podjąć decyzję.

– *Si es atal es atal*. Co będzie, to będzie.

* * *

Zadzwonił telefon. Baillard otworzył oczy. Słyszał, jak Jeanne odbiera, a potem krótki głośny krzyk. Z początku uznał, iż dobiegł z ulicy. Ale potem słuchawka uderzyła o podłogę.

Sam nie wiedział dlaczego, lecz zerwał się na równe nogi. Coś się zmieniło, coś się stało.

Na schodach rozległy się kroki gospodyni.

– *Qu'es*? – zapytał. – Co się stało? Kto dzwonił?

Podniosła na niego spojrzenie przepełnione bólem.

– Yves miał wypadek.

Audric był przerażony.

– *Quora*? Kiedy?

– Wczoraj wieczorem. Samochód go przejechał. Policja dotarła tylko do Claudette. To ona przed chwilą dzwoniła.

– W jakim stanie jest Yves?

Jeanne jakby nie usłyszała.

– Przyśle kogoś, żeby mnie zabrał do szpitala we Foix.

– Kto? Claudette?

Pokręciła głową.

– Policja.

– Mam jechać z tobą?

Zawahała się.

– Tak – odparła. Niczym lunatyk wyszła z pokoju i minęła podest. Chwilę później rozległo się miękkie trzaśnięcie drzwi jej sypialni.

Był bezsilny. I przerażony. Wiedział, że śmierć Yves'a to nie przypadek. Jego spojrzenie padło na list. Postanowił go zniszczyć, przerwać łańcuch zdarzeń, póki jeszcze był na to czas.

Nie. Jednak nie. Spalenie listu zniszczyłoby wszystko, o co walczył. Jego starania obróciłyby się wniwecz.

Trzeba dokończyć sprawę. Dotrzeć do celu.

Upadł na kolana i zaczął się modlić. Słowa wyuczone przed wielu laty z początku nie bardzo chciały się formować na ustach, ale wkrótce odżyły, łącząc go ze wszystkimi, którzy je kiedyś wypowiadali.

Na dźwięk klaksonu podniósł się z trudem, zmęczony i zesztywniały. Wsunął list do kieszeni na piersi, zdjął marynarkę z haczyka na drzwiach i poszedł powiedzieć Jeanne, że czas jechać.

* * *

Paul Authié zaparkował na wielkim publicznym parkingu naprzeciwko Bramy Narbońskiej, gdzie łatwo było pozostać anonimowym. Przewijały się tutaj całe hordy turystów, uzbrojonych w przewodniki, kamery i aparaty. Nienawidził tego odgrzebywania historii, bezmyślnej komercjalizacji jego przeszłości na rzecz Japończyków, Amerykanów i Anglików. Z ogromną niechęcią patrzył na odbudowane mury i wieże kryte podrabianym szarym łupkiem – obraz zmyślonej przeszłości dla niewiernych i głupców.

Braissart czekał na niego tak jak było umówione, zdał mu krótki raport. W domu Jeanne nie zastał nikogo, bez kłopotu dostał się do środka przez balkonowe drzwi wychodzące na ogród. Sąsiedzi wyjawili mu, że jakiś kwadrans wcześniej pani Giraud odjechała policyjnym radiowozem. Towarzyszył jej starszy pan.

– Kto?

– Widywali go u niej wcześniej, ale nikt nie wie, co to za jeden.

Authié odprawił Braissarta i zszedł ze wzgórza. Dom znajdował się po lewej stronie, mniej więcej w czterech piątych długości ulicy. Drzwi i okiennice były zamknięte, ale nie sprawiał wrażenia opuszczonego.

Prawnik skręcił w lewo, w rue Barbacane i minął Place Saint-Gimer. Kilku mieszkańców siedziało przed domami, leniwie obserwując samochody zaparkowane na skwerze. Grupa rozebranych do pasa i spalonych słońcem chłopaków na rowerach kręciła się przy schodach kościoła. Authié nie zaszczycił ich swoją uwagą. Szybkim krokiem wszedł w alejkę biegnącą na tyłach domów przy rue de la Gaffe. Potem skręcił w prawo, w wąską piaszczystą ścieżkę, która wiła się przez trawiaste zbocza pod murami grodu.

Wkrótce znalazł się na tyłach nieruchomości madame Giraud. Ściany domu pomalowane były na ten sam bladożółty kolor, co od frontu. Do ogródka prowadziła drewniana, niczym niezabezpieczona furtka. Ogromny figowiec, z owocami prawie czarnymi od słodkiego syropu, zakrywał przed oczami sąsiadów większą część tarasu. Fioletowe plamy na terakocie znaczyły miejsca, gdzie spadły przejrzałe smakołyki.

Do przeszklonych tylnych drzwi prowadziła pergola obrośnięta winem. Choć klucz tkwił w zamku od środka, zostały one zablokowane przy górnej i dolnej framudze. Ponieważ nie chciał zostawiać śladów, rozejrzał się za inną możliwością.

Tuż obok drzwi balkonowych znajdowało się niewielkie okno z uchylonym lufcikiem. Authié naciągnął na dłonie cienkie gumowe rękawiczki, wsunął ramię przez szparę i tak długo manipulował staroświeckim ogranicznikiem, aż spuścił lufcik z grzebienia. Zawiasy zaprotestowały zgrzytliwie, ale tak czy inaczej teraz już bez wysiłku otworzył okno z klamki.

W chłodnej spiżarni owionął go zapach oliwek i zakwasu. Deskę serów chroniła metalowa siatka, półki były pełne butelek, słojów z marynatami, dżemami i musztardą. Na kuchennym stole leżała drewniana deska do krojenia, pod białą lnianą ściereczką zostało kilka przyschniętych kawałków bagietki. W zlewie leżały na durszlaku morele, jeszcze nieumyte. Na suszarce zostały dwie szklanki odwrócone dnem do góry.

Authié przeszedł do saloniku. W kącie biurko, a właściwie sekretarzyk z elektryczną maszyną do pisania. Pstryknął przełącznikiem. Obudziła się do życia z cichym szumem. Wsunął papier na wałek i wcisnął kilka klawiszy. Na białej kartce pojawił się równy rządek czarnych znaków.

Przesunął maszynę do przodu i przejrzał zawartość przegródek. Jeanne Giraud była kobietą systematyczną. Wszystkie zgromadzone przez nią dokumenty były porządnie oznaczone i posegregowane. W pierwszej przegródce rachunki, w drugiej listy, dalej emerytura i papiery ubezpieczeniowe, w ostatniej rozmaite ulotki i reklamówki.

Nic interesującego. Zajął się szufladami.

W dwóch górnych znalazł artykuły piśmiennicze: długopisy, spinacze, koperty, znaczki i ryzy białego papieru maszynowego. Najniższa była zamknięta. Otworzył ją nożem do papieru.

W środku znajdowała się tylko jedna rzecz: nieduża koperta bąbelkowa. Zmieściłby się w niej pierścień, ale księga – nie. Stempel obwieszczał: „Ariège: 18.20, 4 lipca 2005".

Authié wsunął palce do środka. Znalazł jedynie kwit doręczenia, stanowiący potwierdzenie, że madame Giraud podpisała odebranie przesyłki o ósmej dwadzieścia. Pasował on do dowodu nadania, który dostał od Dominga.

Wsunął kwitek do wewnętrznej kieszeni marynarki.

Nie był to niepodważalny dowód, iż Biau wziął pierścień i wysłał go babce, ale na to wskazywał.

Skończywszy przeszukiwanie parteru, wszedł na piętro. Drzwi do jednej z sypialni stały otworem. Najwyraźniej był to pokój madame Giraud: jasny, czysty, kobiecy. Authié przeszukał garderobę, zajrzał do szuflad komódki, z wprawą przerzucił niezbyt wiele, za to dobrej jakości ubrania i bieliznę. Wszystko było starannie poskładane, porządnie ułożone i roztaczało delikatny zapach wody różanej.

Na toaletce, przed lustrem, stała szkatułka z biżuterią. Znalazł w niej kilka broszek, sznurek pożółkłych pereł, złotą bransoletkę oraz kilka par kolczyków i srebrny krzyżyk. Obrączka ślubna i pierścionek zaręczynowy sterczały sztywno w wytartym czerwonym aksamicie. Najwyraźniej nie były często używane.

Druga sypialnia wydawała się, przez kontrast, zwykła i bez wyrazu, stało w niej tylko pojedyncze łóżko oraz, pod oknem, biurko z lampą. Kojarzyła się z surową mnisią celą. To lubił.

Znać było czyjąś niedawną obecność. Na stoliku obok łóżka stała w połowie opróżniona szklanka wody, obok niej znajdował się tomik poezji z pozaginanymi rogami, twórczość oksytańskiego autora, René Nelli. Authié podszedł do biurka. Pióro wieczne i kałamarz, kilka arkuszy grubego papieru. Suszka, prawie nieużywana. Przyjrzał jej się bliżej.

Z trudem uwierzył własnym oczom.

Otóż ktoś przy tym biurku napisał list do Alice Tanner. Imię i nazwisko wyraźnie odbiły się na bibule. Wpatrzył się w podpis, nakreślony staromodnym pismem. Litery zachodziły na siebie, pełne ozdobnych zawijasów, ale w końcu zyskał pojęcie o nazwisku.

Złożył gruby papier, wsunął do kieszeni na piersiach. Gdy się obrócił, by wyjść z pokoju, jego wzrok padł na skrawek papieru leżący na podłodze, pomiędzy drzwiami a framugą. Fragment biletu kolejowego z dzisiejszą datą. Miejsce przeznaczenia, Carcassonne. Niestety, stacji początkowej nie było.

Dzwony na Saint-Gimer przypomniały mu, że zostało niewiele czasu. Po raz ostatni rozejrzał się wokół, upewnił, że wszystko zostawia tak, jak zastał, i opuścił dom tą samą drogą, którą wszedł.

Dwadzieścia minut później siedział na balkonie swojego apartamentu przy Quai de Paicherou, spoglądając na rzekę i średniowieczny gród. Przed nim na stoliku stała butelka Château Villerambert Moureau i dwa kieliszki. Na kolanach miał kopertę z informacjami na temat Jeanne Giraud zebranymi przez sekretarkę. W drugiej teczce znajdował się wstępny raport antropologa z prokuratury na temat ciał znalezionych w jaskini.

Po chwili namysłu wyjął kilka kartek z akt Giraud. Starannie zakleił kopertę, nalał sobie kieliszek wina i czekał na przybycie gościa.

ROZDZIAŁ 32

Wzdłuż całego wału przy Quai de Picherou siedzieli na metalowych ławkach ludzie zapatrzeni w wody Aude. Na pięknie utrzymanych trawnikach pociętych ścieżkami pyszniły się barwne klomby. Kolory huśtawek i zjeżdżalni na placu zabaw konkurowały z żywymi odcieniami kwiatów: ostróżkami, geranium i ogromnymi liliami.

Marie-Cécile z uznaniem przyjrzała się budynkowi, w którym mieszkał Paul Authié. Tak jak przypuszczała, stał on w dobrej *quartier**, gdzie eleganckie domy jednorodzinne zostały przemieszane z prywatnymi apartamentowcami. Gdy przyglądała się rezydencji Authiégo, jakaś kobieta w jaskrawoczerwonej koszuli i jedwabnym purpurowym szaliku przemknęła obok ścieżką rowerową.

Marie-Cécile uświadomiła sobie, iż ktoś ją obserwuje. Nie odwracając głowy, spojrzała w górę i na balkonie domu, przed którym stał jej samochód, ujrzała mężczyznę w swobodnej pozie, z dłońmi lekko wspartymi o żelazną balustradę. Rozpoznała go od razu. Widziała go na zdjęciach. Z tej odległości oceniła, iż fotografie stanowiły zaledwie blade odbicie rzeczywistości.

Szofer wcisnął guzik dzwonka. Wówczas Authié zniknął za balkonowymi drzwiami i pojawił się w wejściu, nim kierowca otworzył przed Marie-Cécile drzwiczki.

Ubrała się na to spotkanie wyjątkowo starannie, w beżową lnianą sukienkę bez rękawów, dopełnioną żakietem: formalnie, ale nie nazbyt oficjalnie. Prosto, ale elegancko.

Z bliska pierwsze wrażenie się wzmocniło: Authié był wysoki i doskonale zbudowany, ubrany z dyskretną elegancją w doskonale skrojony garnitur oraz białą koszulę. Włosy, zaczesane do tyłu, odsłaniały regularne rysy bladej twarzy. Miał obezwładniające spojrzenie. Pod maską układności krył się drapieżnik.

Marie-Cécile przystała na kieliszek wina i po dziesięciu minutach nabrała przekonania, iż wyrobiła sobie pojęcie o człowieku, z którym miała do czynienia.

Zgasiła papierosa w ciężkiej szklanej popielnicy.

* dzielnicy

– *Bon, aux affaires**. Przejdźmy do środka.

Authié przepuścił ją w ogromnych szklanych drzwiach prowadzących do nieskazitelnego i całkowicie bezosobowego salonu. Wokół szklanego stołu stały krzesła o wysokich oparciach, ton nadawały jasne dywany i abażury.

– Jeszcze wina? Czy może coś innego?

– Pastis, jeśli mogę prosić.

– Z lodem czy z wodą?

– Z lodem.

Usiadła w jednym z kremowych skórzanych foteli stojących po dwóch stronach szklanego stolika do kawy i przyglądała się, jak gospodarz przygotowuje drinki. W powietrzu rozeszła się subtelna woń anyżu.

Authié podał gościowi drinka i usiadł w drugim fotelu.

– Dziękuję – uśmiechnęła się Marie-Cécile. – Jeśli nie masz nic przeciwko, Paul, chciałabym, żebyś mi dokładnie opowiedział, co się wydarzyło.

Jeśli się zirytował, w ogóle tego nie okazał. A obserwowała go uważnie, przez cały czas, gdy zdawał jej precyzyjny raport, doskonale zgodny z tym, co powiedział wcześniej.

– Gdzie są teraz szkielety? – spytała w końcu. – Zabrano je do Tuluzy?

– Tak. Na wydział antropologii sądowej uniwersytetu.

– Kiedy spodziewasz się dalszych wiadomości?

W odpowiedzi przesunął ku niej po stole dużą białą kopertę.

Proszę, proszę, więc efekciarstwo nie jest nam obce, pomyślała Marie-Cécile.

– Już są? – zdziwiła się głośno. – Co za tempo.

– Powołałem się na dawne zobowiązania.

Położyła sobie kopertę na kolanach.

– Dziękuję. Przeczytam później – rzekła gładko. – Czy mógłbyś mi streścić zawartość? Przyjmuję, że się z nią zapoznałeś.

– To tylko wstępny raport. Konkrety poznamy po szczegółowych testach.

– Rozumiem. – Usadziła się wygodniej w fotelu.

– Szczątki należą do kobiety i mężczyzny. Mają między siedemset a dziewięćset lat. Szkielet mężczyzny wykazuje ślady niezaleczonych ran w okolicach miednicy oraz na szczycie kości udowej; istnieje możliwość, iż powstały na krótko przed śmiercią. Ma także starsze zaleczone złamania prawego ramienia i obojczyka.

– Wiek?

– Był dorosły. Ani bardzo młody, ani bardzo stary. Gdzieś pomiędzy dwudziestym a sześćdziesiątym rokiem życia. Powinni zawęzić ten przedział po kolejnych badaniach. Kobieta miała uszkodzenie czaszki, wgniecenie z boku, które mogło być spowodowane upadkiem lub uderzeniem.

---

* Dobrze, do rzeczy.

Urodziła przynajmniej jedno dziecko. Miała dawne złamanie kości prawej stopy i niewyleczony uraz prawego przedramienia.

– Przyczyna śmierci?

– Jeszcze jej nie znamy na tym etapie, ale można zaryzykować hipotezę, że trudno będzie wskazać jedną, konkretną przyczynę. Biorąc pod uwagę warunki panujące w czasach, o których mówimy, trzeba się liczyć z możliwością, iż oboje umarli zarówno na skutek ran, jak i utraty krwi, a być może także z głodu.

– Czy zdaniem biegłego sądowego ci ludzie zostali pogrzebani żywcem?

Authié lekko wzruszył ramionami, lecz błysk w jego szarych oczach przeczył gestowi. Marie-Cécile w zamyśleniu wyjęła z papierośnicy kolejnego papierosa i obracała go w palcach.

– A co z przedmiotami, które znaleziono przy szkieletach? – spytała, pochylając się, by mógł jej przypalić papierosa.

– Ich dokładny wiek także jest zagadką, ale można go określić na mniej więcej dwunaste stulecie, do połowy trzynastego. Lampa na ołtarzu jest zapewne nieco starsza, pochodzenia arabskiego, może z Hiszpanii. A może skądś dalej. Nóż jest zwykły, używany do jedzenia, do owoców i mięsa. Na ostrzu zostały ślady krwi. Testy pozwolą stwierdzić, czy jest ludzka czy zwierzęca. Sakwa skórzana, wyprawiana w sposób typowy dla tamtego obszaru i czasu, charakterystyczna dla Langwedocji w tamtym okresie. Nie ma żadnych domysłów na temat tego, co się mogło w niej znajdować, jeśli w ogóle coś tam było, choć znaleziono cząsteczki metalu na podszewce oraz niewielkie ślady owczej skóry w szwach.

– Co dalej? – spytała spokojnie Marie-Cécile.

– Kobieta, która natrafiła na jaskinię, Alice Tanner, znalazła przed wejściem dużą broszę ze srebra i miedzi, tkwiącą pod kamieniem. Ten przedmiot pochodzi z tego samego okresu co nóż oraz sakwa i również jest wyrobem miejscowym, co najwyżej aragońskim. W kopercie znajduje się zdjęcie tego przedmiotu.

Marie-Cécile machnęła ręką.

– Paul, doskonale wiesz, że brosza mnie nie interesuje. – Wydmuchnęła w powietrze smużkę dymu. – Chciałabym natomiast wiedzieć, dlaczego nie znalazłeś księgi.

Authié zacisnął dłonie na podłokietnikach.

– Nie mamy żadnych dowodów na to, iż księga faktycznie się tam znajdowała – odparł spokojnie. – Choć rzeczywiście skórzana sakwa z pewnością jest dostatecznie duża, by ją zmieścić.

– A co z pierścieniem? Także uważasz, że go tam nie było?

Tym razem również nie dał się wyprowadzić z równowagi.

– Przeciwnie. Jestem przekonany, że był.

– I...?

– Był tam, ale pomiędzy odkryciem jaskini a przybyciem policji i moim przyjazdem został zabrany.

– Na to jednak także nie posiadasz dowodów – rzuciła ostrzejszym tonem. – Ponieważ, o ile się nie mylę, pierścienia też nie masz.

Authié wyjął z kieszeni kartkę papieru.

– Pani Tanner go widziała. A nawet narysowała. – Podał kobiecie kartkę. – Przyznaję, nie jest to dzieło sztuki, ale dość dobrze pasuje do opisu, jaki mi pani podała.

Wzięła szkic do ręki. Pierścień na rysunku nie był identyczny z tym, który trzymała w sejfie w Chartres, ale miał podobny kształt i proporcje. Nikt spoza rodziny de l'Oradore nie widział takiego przedmiotu od ośmiuset lat. Wobec czego ten musiał być oryginalny.

– Co za artystka! – mruknęła. – Narysowała coś jeszcze?

Patrzył jej w oczy bez zmrużenia.

– Tak, ale tylko ten szkic jest wart uwagi.

– Pozwolisz, że ja to ocenię – rzekła cicho.

– Niestety, madame de l'Oradore, wziąłem tylko ten. Pozostałe wydały mi się nieistotne. – Rozłożył ręce w geście bezradności. – Poza wszystkim innym moje zachowanie zaczęło już wzbudzać podejrzenia inspektora Noubela zajmującego się tą sprawą.

– Następnym razem... – umilkła. Wyciągnęła nowego papierosa i zgniotła go w palcach tak mocno, że wysypał się z niego tytoń. – Zakładam, iż przeszukałeś rzeczy pani Tanner?

– Nie było tam pierścienia – odpowiedział Authié.

– Jest mały. Łatwo go ukryć.

– Teoretycznie tak – zgodził się prawnik. – Ale moim zdaniem pani Tanner tego nie zrobiła. Gdyby go ukradła, w ogóle by o nim nie wspomniała. A poza tym – pochylił się, stuknął palcami w kartkę papieru – gdyby go miała, po co by go rysowała?

Marie-Cécile przyjrzała się rysunkowi.

– Jest zadziwiająco dokładny jak na szkic z pamięci.

– To prawda.

– Gdzie jest teraz pani Tanner?

– Tutaj, w Carcassonne. Jutro ma spotkanie z radcą prawnym.

– W sprawie?

– Jakiegoś spadku. – Authié lekko wzruszył ramionami. – W niedzielę wraca do domu.

Marie-Cécile miała mnóstwo wątpliwości od momentu, gdy wczoraj usłyszała o sprawie. Stale ich przybywało. Coś tu się nie zgadzało.

– Jakim sposobem ta cała Tanner weszła w skład zespołu archeologów? – spytała. – Czy została przez kogoś polecona?

Authié wydawał się zaskoczony.

– Pani Tanner nie była członkiem zespołu – odparł lekko. – Wydaje mi się, że już o tym wspomniałem.

Marie-Cécile zacisnęła wargi.

– Nie.

– Przykro mi – rzucił swobodnie. – Byłem przekonany, że to zrobiłem.

Pani Tanner pracowała jako ochotniczka. Przy większości wykopalisk korzysta się z pomocy ochotników, więc kiedy wpłynęła prośba o przyłączenie jej do zespołu archeologów, nikt nie widział powodów do jej odrzucenia.

– Kto złożył prośbę?

– Shelagh O'Donnell, o ile dobrze sobie przypominam – odrzekł. – Numer dwa po bogu w tym zespole.

– Pani Tanner przyjaźni się z doktor O'Donnell? – upewniła się Marie-Cécile, skrywając zaskoczenie.

– Oczywiście wziąłem pod uwagę możliwość, iż pani Tanner przekazała pierścień koleżance. Nie miałem jednak możliwości przesłuchać jej w poniedziałek, a teraz pani O'Donnell najwyraźniej zniknęła.

– Co takiego?! Kiedy? Kto o tym wie?

– Zeszłej nocy była ze wszystkimi w kwaterach. W pewnej chwili odebrała telefon, wkrótce potem wyszła i od tej pory nikt jej nie widział.

Marie-Cécile zapaliła kolejnego papierosa. Musiała uspokoić nerwy.

– Dlaczego ja nic o tym nie wiedziałam?

– Nie zdawałem sobie sprawy, że będzie pani zainteresowana epizodem tak mało istotnym wobec głównych zdarzeń. Bardzo mi przykro.

– Czy zawiadomiono policję?

– Jeszcze nie. Doktor Brayling, szef wykopalisk, dał swoim ludziom kilka dni wolnego. Uważa, iż jest możliwe, a nawet bardzo prawdopodobne, że pani O'Donnell zwyczajnie wyjechała, nikomu nic nie mówiąc.

– Nie życzę sobie włączania w to policji – oznajmiła Marie-Cécile z mocą. – Byłby to pożałowania godny obrót spraw.

– Trudno mi się z tym nie zgodzić. Doktor Brayling nie jest głupcem. Jeśli żywi przekonanie, iż O'Donnell zabrała coś, czego nie powinna była brać, nie leży w jego interesie zawiadamianie władz.

– Twoim zdaniem ta O'Donnell ukradła pierścień?

Authié uchylił się od odpowiedzi.

– Na pewno powinniśmy ją odszukać.

– Nie o to cię pytałam. A co z księgą? Też ją zabrała?

Authié spojrzał jej prosto w oczy.

– Jak już powiedziałem, trudno mieć pewność, czy księga w ogóle tam była. – Zamilkł. – Jeśli jednak była – podjął po chwili – trudno byłoby ją dyskretnie wynieść. To nie to samo, co pierścień.

– Cóż, ktoś tego jednak dokonał – burknęła Marie-Cécile zirytowana.

– Jeżeli tam była.

Madame de l'Oradore zerwała się na równe nogi, obeszła stolik i stanęła przed Authiém. Po raz pierwszy dojrzała zaniepokojenie w jego szarych oczach. Pochyliła się, położyła mu dłoń na piersiach.

– Serce ci bije – powiedziała – bardzo mocno. Ciekawe dlaczego? – Przycisnęła go do fotela. – Paul, ja nie toleruję błędów. I nie lubię niekompletnych informacji. – Przygwoździła go spojrzeniem. – Rozumiemy się?

Authié nie odpowiedział. Pytanie było retoryczne.

– Musisz jedynie dostarczyć mi obiecane przedmioty. Za to ci płacę. Znajdź Angielkę, dogadaj się z Noubelem, jeśli trzeba. Reszta to twoja sprawa. Nie chcę o niczym wiedzieć.

– Zrobiłem wszystko...

Położyła mu palce na ustach.

– Nie chcę o niczym wiedzieć.

Wyprostowała się i wyszła na balkon. Wieczór zdejmował kolory ze świata, na mroczniejącym niebie rysowały się ciemne sylwetki mostów i budynków.

Po chwili obok niej stanął Authié.

– Nie jestem przekonana, że robisz wszystko, co w twojej mocy, Paul – rzekła cicho. Gospodarz także położył ręce na balustradzie, ich dłonie zetknęły się na krótko. – Oczywiście są w Carcassonne inni członkowie Noublesso Véritables, którzy z ochotą wykonają rozkazy. Biorąc jednak pod uwagę twoje dotychczasowe zaangażowanie... – Słowa zawisły w powietrzu. Widziała, po postawie rozmówcy, że jej ostrzeżenie wywarło odpowiedni skutek. Podniosła dłoń, ściągając na siebie uwagę szofera. – Chcę pojechać na Pic de Soularac.

– Zostaje pani w Carcassonne?

Skryła uśmiech.

– Na kilka dni.

– Miałem wrażenie, że nie zamierza pani wchodzić do komnaty aż do nocy ceremonii...

– Zmieniłam zdanie. – Odwróciła się do niego. – Skoro już jestem na miejscu... – Uśmiechnęła się pogodnie. – Mam kilka spraw do załatwienia, jeśli przyjedziesz po mnie o pierwszej, zdążę jeszcze przeczytać twój raport. Zatrzymałam się w Hôtel de la Cité. – Wróciła do salonu, wzięła ze stołu kopertę i schowała ją do torebki.

– *Bien. A demain**, Paul. Śpij dobrze.

Świadoma wzroku gospodarza na plecach zeszła po schodach. Miała prawo być zadowolona z własnego opanowania. A co więcej, gdy wsiadła do samochodu, usłyszała brzęk szkła rozbitego o ścianę w apartamencie Authiégo.

* * *

W hotelowym holu atmosfera zgęstniała od dymu z cygar. Mężczyźni w letnich garniturach oraz kobiety w wieczorowych suknich rozlokowani w głębokich skórzanych fotelach oraz w dyskretnym cieniu mahoniowych siedzisk o wysokich oparciach, sączyli poobiednie drinki.

Marie-Cécile poszła w górę łagodnie zakręconymi schodami. Ze ścian spoglądały na nią czarno-białe fotografie, pamiątki świetności z przełomu wieków.

W pokoju od razu przebrała się w szlafrok. Jak zawsze tuż przed pójściem spać, obejrzała się w lustrze. Patrzyła obiektywnie i beznamiętnie,

---

* Do jutra.

jak na dzieło sztuki. Delikatna skóra, wysokie kości policzkowe, charakterystyczny profil rodu de l'Oradore.

Przesunęła palcami po twarzy i szyi. Nie pozwoli urodzie przeminąć z czasem. Jeśli wszystko pójdzie dobrze, spełni marzenia dziadka. Oszuka starość. A nawet samą śmierć.

Zmarszczyła brwi. Pod warunkiem, że zostanie odnaleziony pierścień. A także księga.

Wzięła do ręki telefon komórkowy, wybrała numer. Zapaliła papierosa, stanęła w oknie wychodzącym na ogrody. Z tarasu dobiegały przyciszone wieczorne rozmowy. Za blankami grodu i za rzeką błyszczały pomarańczowe i białe światła Basse Ville, podobne do tandetnych dekoracji bożonarodzeniowych.

– François-Baptiste? *C'est moi.* Czy w ciągu ostatnich dwudziestu czterech godzin dzwonił ktoś na mój prywatny numer? – słuchała przez chwilę. – Nie... Zadzwoniła do ciebie? – Zabębniła palcami o framugę. – Właśnie się dowiedziałam, że tu wystąpiły pewne problemy. Czy coś się ruszyło w tamtej sprawie? – Odpowiedź jej się nie spodobała. – Państwowa czy miejscowa? – Pauza. – Chcę być na bieżąco. Zadzwoń do mnie, jeśli coś wyjdzie, jeśli nie, wrócę w czwartek wieczorem.

Rozłączywszy się, pozwoliła myślom dryfować wokół drugiego mężczyzny, który został w jej domu. Will był bardzo miły, słodki i kochany, ale ich związek zboczył z wytyczonego szlaku. Kochanek stał się zbyt wymagający, a jego dziecinna zazdrość zaczynała jej działać na nerwy. Ciągle zadawał pytania. A ona, zwłaszcza w tej chwili, nie potrzebowała żadnych komplikacji. Zresztą musieli mieć dom do dyspozycji.

Zapaliła lampkę i przeczytała raport na temat szkieletów, a następnie akta dotyczące samego Paula Authié, które zostały skompletowane, gdy przed dwoma laty dopuszczono go w szeregi Noublesso Véritable.

Przerzuciła dokumenty, które dość dobrze znała. Dwa oskarżenia o próbę gwałtu, jeszcze z czasów studenckich. Obie kobiety zostały najprawdopodobniej przekupione, ponieważ sprawy nigdy nie ujrzały światła dziennego. Zarzut napaści na Algierkę podczas demonstracji poparcia dla mniejszości muzułmańskiej. I tutaj także nie doszło do rozprawy. Dowody zaangażowania w szerzenie publikacji antysemickich na uniwersytecie. One także, podobnie zresztą jak zarzuty o maltretowanie psychiczne i fizyczne, stawiane przez byłą żonę, do niczego nie doprowadziły.

O wiele bardziej znaczące były regularne i coraz większe darowizny dla zakonu jezuitów, zwanych także Towarzystwem Jezusowym. W ciągu ostatnich dwóch lat znacznie wzrosło zaangażowanie prawnika w działalność grup fundamentalistycznych, stanowiących opozycję wobec Soboru Watykańskiego II oraz tendencji do modernizowania Kościoła katolickiego.

Zdaniem Marie-Cécile tak nieprzejednana postawa wobec kwestii wiary nie do końca zgadzała się z członkostwem w Noublesso. Authié ślubował posłuszeństwo i jak dotąd okazywał się użyteczny. Wyjątkowo skutecznie zaaranżował wykopaliska na Pic de Soularac i wydawało się, że kontroluje sytuację. Miał też inne zalety. Na przykład ostrzeżenie o naruszeniu zasad bezpieczeństwa w Chartres pojawiło się dzięki jego kontaktom. Jego wywiad był wiarygodny i działał bez zarzutu.

Mimo wszystko Marie-Cécile mu nie ufała. Był zbyt ambitny. Z jednej strony odnosił sukcesy, z drugiej należało pamiętać o jego potknięciach z ostatnich czterdziestu ośmiu godzin. Z pewnością nie był idiotą i nie wziął sam ani pierścienia, ani księgi, ani też nie wyglądał na takiego, który by pozwolił, żeby mu sprzątnięto cenne przedmioty sprzed nosa.

Ponownie sięgnęła po telefon.

– Mam dla ciebie zajęcie – rzuciła w słuchawkę. – Interesuje mnie książka wielkości mniej więcej dwudziestu na dziesięć centymetrów. Oprawiona w drewniane okładki obciągnięte skórą, zawiązywana na rzemienie. I męski kamienny pierścień z grubą, lekko spłaszczoną obrączką, cienką linią dokoła i grawerunkiem od środka. Może być też z nim żeton, mniej więcej wielkości monety jednego euro. – Zamilkła. – Carcassonne. Apartament na Quai de Paicherou oraz biuro na rue de Verdun. Oba lokale należą do Paula Authié.

ROZDZIAŁ 33

Hotel Alice znajdował się dokładnie naprzeciwko głównego wejścia do średniowiecznego grodu. Otoczony przecudnej urody ogrodami był prawie niewidoczny z ulicy.

Zaprowadzono ją do sympatycznie urządzonego pokoju na pierwszym piętrze. Od razu otworzyła okna i wpuściła do środka wspaniały świat: zapach pieczonego mięsa, czosnku i wanilii, a nawet dym z papierosów.

Szybko się rozpakowała, wzięła prysznic i ponownie zadzwoniła do Shelagh, bardziej z nawyku niż z nadzieją, że coś to zmieni. Nadal żadnej odpowiedzi. Wzruszyła ramionami. W każdym razie nikt jej nie zarzuci braku starań.

Uzbrojona w przewodnik kupiony na stacji benzynowej w drodze z Tuluzy opuściła hotel i podążyła ku średniowiecznemu grodowi. Strome betonowe stopnie zaprowadziły ją do ogrodu, ograniczonego z dwóch stron krzewami oraz platanami. W oddali stała jaskrawo oświetlona dziewiętnastowieczna karuzela, ociekająca dekoracjami z fin de siècle'u, całkowicie nie na miejscu w cieniu piaskowych murów obronnych. Zakryta brązowo-białym parasolem, z malunkami przedstawiającymi rycerzy, damy oraz białe rumaki, biła w oczy różowościami i złotem. Konie stające dęba, obrotowe filiżanki oraz karoce żywcem wyjęte z bajki przyprawiały o zawrót głowy. Nawet budka z biletami utrzymana była w tym samym stylu. Gdy zadźwięczał dzwonek, dzieciaki podniosły wielki pisk, a karuzela zaczęła się majestatycznie obracać, wspomagana ochrypłą melodią starej pozytywki.

Dalej, za murem cmentarza, tu i ówdzie wyłaniał się niewyraźny zarys szarego pomnika. Rząd cyprysów chronił spoczywających przed okiem przechodniów. Na prawo od bramy grupa mężczyzn grała w *pétanque**.

Jakiś czas Alice stała bez ruchu, przyglądając się wejściu do grodu. Musiała się przygotować na spotkanie z La Cité. Po prawej z kamiennego filara zezował na nią paskudny gargulec o płaskiej, tępej mordzie. Wyglądał na świeżo odrestaurowanego.

SUM CARCAS. Jestem Carcas.

---

* Gra w bule (czyli w kule), petanka – tradycyjna francuska gra towarzyska z elementami zręcznościowymi.

Pani Carcas, saraceńska królowa i żona króla Balaacka. Ponoć właśnie po niej Carcassonne otrzymało swe imię, gdyż dzięki niej wyszło obronną ręką z oblężenia prowadzonego pod wodzą Karola Wielkiego przez długich pięć lat.

Alice minęła most zwodzony, przysadzisty i zwarty, zbudowany z kamienia, łańcuchów i drewna. Deski trzeszczały jej pod stopami. W fosie nie było wody, tylko trawa upstrzona polnymi kwiatami.

Wyszła na *lices*, piaszczysty szeroki pas pomiędzy zewnętrznym a wewnętrznym pierścieniem fortyfikacji. Tutaj dzieci wspinały się na mury obronne, odgrywały wymyślone bitwy, walcząc plastikowymi mieczami. Na wprost znajdowała się Brama Narbońska. Alice przeszła pod smukłym wąskim łukiem. Z góry spojrzała na nią łaskawym wzrokiem kamienna Dziewica Maryja.

W chwili gdy minęła bramę, zniknęło wrażenie otwartej przestrzeni. Główna ulica La Cité, brukowana rue Cros-Mayrevieille, była wąska i stroma. Pięła się do góry pomiędzy kamienicami pobudowanymi tak blisko, że wychylając się z okna, można było podać rękę osobie z naprzeciwka.

W uszy bił wielojęzyczny gwar. Nawoływania, rozmowy, śmiechy – i ostrzeżenia, gdy między mury z trudem wpełzał jakiś samochód. Co krok wdzięczył się inny sklep: tu pocztówki, tam przewodniki, ówdzie manekin na drewnianych kłodach zapraszał do muzeum narzędzi tortur stosowanych przez inkwizycję. Dalej mydła, poduszki, naczynia... Wszędzie kopie mieczy i tarcz. Ozdobne żelazne ramy wystające ze ścian, w nich drewniane tablice z odpowiednimi oznaczeniami: „L'Éperon Médievale" (średniowieczna ostroga), miejsce sprzedaży replik mieczy oraz porcelanowych lalek. W „Saint Louis" zachęcano do kupna mydła, upominków i zastawy stołowej.

Alice pozwoliła, by nogi zaprowadziły ją na rynek, Place Marcou. Okazał się nieduży, a jeszcze tłoczyły się na nim restauracyjki, ocienione przyciętymi platanami. Konary splecione jak opiekuńcze dłonie osłaniały stoliki i krzesła, rozpychały się pomiędzy jaskrawymi markizami, na których wielkie litery obwieszczały nazwę lokalu: tu „Le Marcou", tam „Le Trouvère", jeszcze dalej „Le Menèstrel".

Po chwili znalazła się znowu na ulicy Cros-Mayrevieille, tym razem na granicy z trójkątnym Place du Château, gdzie sklepy, *crêperies** i restauracyjki otaczały kamienny obelisk wysokości około trzech metrów, zwieńczony popiersiem dziewiętnastowiecznego historyka Jean-Pierre'a Cros--Mayrevieille'a. Podstawę kolumny ozdobiono miedzianym wzorem w kształcie fortyfikacji.

Szła dalej, aż stanęła przed półkolistym murem chroniącym *château comtal*. Za bramą znajdowały się wieże i zabudowania zamku.

Forteca w fortecy.

---

* smażalnia naleśników

Zatrzymała się ze świadomością spełnienia. To był jej cel. *Château comtal*, dom rodu Trencavelów. Miała wrażenie, że wróciła do miejsca niegdyś znajomego, zapomnianego.

Po obu stronach wejścia stały przeszklone kioski, gdzie sprzedawano bilety. Teraz miały spuszczone żaluzje i tylko drukowane tabliczki informowały o godzinach otwarcia. Dalej żwirowane przejście prowadziło do płaskiego wąskiego mostu.

Odsunęła się od wejścia, obiecując sobie solennie, że wróci tu z samego rana. Poszła na prawo, w stronę Porte de Rodez. Ta brama znajdowała się pomiędzy dwoma wyniosłymi wieżami w kształcie podków. Alice zeszła po szerokich schodach, z wgłębieniami pośrodku, wydeptanymi przez niezliczone pary stóp.

Tutaj najbardziej rzucała się w oczy różnica wieku pomiędzy wewnętrznym a zewnętrznym pierścieniem umocnień. Zewnętrzne mury, wzniesione pod koniec trzynastego wieku i odrestaurowane w dziewiętnastym, zbudowane zostały z szarych bloków, dość podobnych pod względem wielkości. Krytycy upatrywali w tym dowodu na niewłaściwe przeprowadzenie odbudowy. Alice to nie przeszkadzało. Poruszał ją nastrój tego miejsca.

Wewnętrzne fortyfikacje, w których zawierała się zachodnia ściana *château comtal*, wzniesiono częściowo z czerwonej cegły pozostałej od czasów rzymskich, a częściowo z dwunastowiecznego kruszonego piaskowca.

Po gwarze panującym na ulicach Cité tutaj uderzała cisza. Dziewczyna miała nieodparte wrażenie, iż jest na swoim miejscu, właśnie tu, pomiędzy górami a niebem. Oparła ręce na blankach i stała, patrząc na rzekę, wyobrażając sobie chłodną wodę omywającą stopy.

Dopiero gdy ostatni blask dnia ustąpił przed mrokiem, zawróciła do La Cité.

ROZDZIAŁ 34
Carcassona

Zbliżali się do Carcassony rzędem. Raymond Roger Trencavel prowadził, tuż za nim jechał Bertrand Pelletier, Guilhem du Mas podążał trzeci. Alaïs podróżowała na tyłach, z klerem.

Nie minął tydzień, odkąd wyjechała z miasta, a wydawało jej się, iż nie było jej tu całą wieczność. Duch w ludziach podupadał. Choć proporce Trencavelów łopotały dumnie na wietrze i wracali do grodu wszyscy, którzy z niego wyruszyli, wyraz twarzy wicehrabiego mówił o porażce misji.

Gdy zbliżyli się do bram, konie zwolniły kroku. Alaïs pochyliła się i poklepała Tatou po szyi. Klaczka była zmęczona, zgubiła jedną podkowę, ale jej wytrzymałość zasługiwała na szczere uznanie.

Zanim przejechali pod godłem Trencavelów zawieszonym pomiędzy dwiema wieżami Bramy Narbońskiej, tłum zgęstniał. Dzieci rzucały przed orszak kwiaty, kobiety wymachiwały z okien proporczykami i chustkami. A Raymond Roger Trencavel prowadził swoją drużynę do *château comtal*.

Alaïs czuła tylko ulgę. Wreszcie przekroczyli wąski most i wjechali przez wschodnią bramę. Na *cour d'honneur* natychmiast się zagotowało. Każdy kogoś przyzywał. *Écuyers* rzucili się do wierzchowców swoich panów, słudzy biegli przygotowywać łaźnię, kuchcikowie ruszyli do kuchni z wiadrami wody szykować ucztę.

W gęstwie serdecznie wyciągniętych ramion, w tłumie uśmiechniętych twarzy Alaïs dostrzegła swoją siostrę. Tuż obok stał sługa ojca, François. Aż się zaczerwieniła na wspomnienie, jak podstępem uciekła spod jego opieki.

Oriane przyglądała się ludzkiej ciżbie. Jej wzrok krótko spoczął na mężu, Jehanie Congoście. Spojrzała na niego z nieskrywaną odrazą. A potem zauważyła Alaïs. Najwyraźniej zrobiło jej się nieswojo. Alaïs udawała, że niczego nie zauważyła, jednak przez cały czas czuła na sobie wzrok siostry. Gdy znów zerknęła w jej stronę, Oriane nie było.

Zsiadła z konia ostrożnie, by nie urazić ramienia, i oddała wodze Tatou w ręce Amiela, który zabrał wierzchowca do stajni. Szybko minęła jej radość z powrotu do domu, na podobieństwo jesiennych mgieł spowiła ją melancholia. Każdy się z kimś witał: z żoną, matką, siostrą czy ciotką. Tylko ona nie. Poszukała wzrokiem Guilhema, lecz nigdzie go nie znalazła. Pewnie już poszedł do łaźni. Nawet ojciec gdzieś zniknął.

Przeszła na mniejszy dziedziniec. Potrzebowała samotności. Nie mogła wyrzucić z myśli wersu napisanego przez Raymonda de Mirvala, choć wcale jej nie poprawiał nastroju.

Res contr' Amor non es guirens, lai on sos poders s'atura. Skoro miłość zechce pokazać swą moc, nie ma przed nią nijakiej obrony.

Gdy po raz pierwszy usłyszała te strofy, opisane przez nie uczucia były jej całkowicie obce. Siedziała wtedy na *cour d'honneur*, objąwszy szczupłymi dziecinnymi ramionami smukłe nogi i słuchała *trouvère* śpiewającego o rozdartym sercu. Mimo wszystko doskonale rozumiała emocje kryjące się za słowami.

Łzy napłynęły jej do oczu. Otarła je niecierpliwie grzbietem dłoni. Nie będzie się nad sobą użalała. Usiadła na ławce ustawionej w cieniu.

Przed ślubem często bywali z Guilhemem na południowym dziedzińcu. Potem drzewa pożółkły, a na ziemi rozścielił się kobierzec jesiennych liści przetykany miedzią i ochrą.

W zamyśleniu ryła czubkiem buta rowek w ziemi. Usiłowała wymyślić, jak pogodzić się z mężem. Jej brakowało do tego zdolności, a jemu chęci.

Oriane często urządzała swojemu małżonkowi ciche dni. Ta złowieszcza cisza mijała równie gwałtownie, jak zapadała, i Oriane znów stawała się dla swojego ślubnego słodka i miła – aż do następnego razu. O ile Alaïs pamiętała, małżeństwo rodziców także przedzielały takie okresy.

Nie zamierzała stosować podobnej praktyki we własnym życiu. Gdy ubrana w czerwony welon ślubny stała w kaplicy przed kapłanem i wypowiadała przysięgę małżeńską, migoczące świece wieszczące święto Archaniołów rysowały tańczące cienie nad ołtarzem przystrojonym głogami. Wierzyła wtedy głęboko w prawdziwą wieczną miłość. Nadal miała tę wiarę skrytą na dnie serca.

Do Esclarmonde, ukochanej przyjaciółki i nauczycielki, często przychodzili kochankowie, proszący o napoje i bukiety pomagające zdobyć lub odzyskać czyjeś uczucie. Dostawali wino zaprawione liśćmi mięty i pasternakiem, niezapominajki, które miały zapewnić wierność, albo żółte pierwiosnki. Mimo całego szacunku dla umiejętności Esclarmonde Alaïs zawsze uważała takie zachowanie za bzdury i zabobony. Nie chciała wierzyć, iż miłość można tak łatwo zwieść i tak tanio kupić.

Niektórzy oferowali zrozpaczonym kochankom inną magię, mroczną i niebezpieczną. Potrafili rzucić urok na wiarołomnego lub nawet go skrzywdzić. Esclarmonde zawsze ją ostrzegała przed tymi ciemnymi siłami, oczywistą manifestacją panowania Zła na świecie.

Dziś po raz pierwszy w życiu Alaïs zaczęła rozumieć, co mogło prowadzić kobietę do szukania tak rozpaczliwych sposobów.

* * *

– *Filha.*
Alaïs podskoczyła.
– Gdzie byłaś? – spytał Pelletier wyraźnie zadyszany. – Szukałem cię wszędzie.
– Nie usłyszałam cię, *paire* – powiedziała.
– Przygotowania *ciutat* do wojny rozpoczną się, jak tylko wicehrabia powita żonę i syna. W nadchodzących dniach trudno będzie znaleźć wolniejszą chwilę.
– Kiedy spodziewasz się Simeona?
– Za dzień, może dwa. – Westchnął ciężko. – Żałuję, że nie pojechał z nami. Taki jest pewny, że między swoim ludem nie zwróci niczyjej uwagi... Może i ma rację.
– A kiedy już tutaj dotrze – podjęła – zdecydujesz, co dalej? Wydaje mi się... – Przerwała, bo nagle doszła do wniosku, że woli najpierw sprawdzić swoją teorię niż ośmieszyć się przed ojcem.
I przed nim.
– Co ci się wydaje?
– Nic, nic – odparła szybko. – Bardzo chciałabym być obecna przy twojej rozmowie z Simeonem.
Na twarzy Pelletiera odbiło się zmieszanie i zakłopotanie. Niełatwa to była decyzja.
– Skoro tyle dotąd zdziałałaś... – odezwał się w końcu – możesz posłuchać naszej rozmowy. Ale – ostrzegawczo uniósł palec – tylko jako obserwatorka. Jeśli będziesz usiłowała się włączyć, wyjdziesz. Nie będę cię znów wystawiał na niebezpieczeństwo.
To już coś, pomyślała.
W stosownym czasie upomnę się o więcej.
Spuściła oczy, złożyła ręce w małdrzyk.
– Oczywiście, *paire*. Będę posłuszna.
Pelletier przyjrzał się córce podejrzliwie, ale nie ciągnął tematu.
– Muszę cię prosić o przysługę, Alaïs. Wicehrabia Trencavel weźmie udział w ceremonii świętowania bezpiecznego powrotu do Carcassony, dopóki jeszcze nie rozeszły się wieści o porażce naszej misji. Pani Agnès będzie uczestniczyła w nieszporach odprawianych w katedrze Sant-Nasari, a nie w kaplicy. – Przerwał. – Chciałbym, żebyś i ty wzięła udział w nabożeństwie. Twoja siostra także.
Alaïs zaniemówiła ze zdumienia. Od czasu do czasu zdarzało jej się brać udział we mszach odprawianych w zamkowej kaplicy, ale jak dotąd ojciec nigdy nie kazał jej bywać w katedrze.
– Wiem, że jesteś zmęczona, córko, ale zdaniem wicehrabiego należy

dołożyć starań, by w tym czasie nie dać powodu do krytykowania zachowania jego samego i jego najbliższego otoczenia. Skoro są w *ciutat* szpiedzy, a są bez wątpienia, nie chcemy, by do uszu wrogów dotarły pogłoski o naszym duchowym upadku, jak oni to nazywają.

– Zmęczenie nie ma tu nic do rzeczy – powiedziała Alaïs z pasją. – Biskup de Rochefort i jego księża to ludzie dwulicowi! Modlą się o jedno, a robią drugie. – Ujrzała, że twarz ojca czerwienieje, ale nie miała pewności, czy z gniewu, czy z powstrzymywanego śmiechu. – Czy ty także weźmiesz udział w nieszporach?

Nie podniósł na nią wzroku.

– Będę z wicehrabią Trencavelem.

Alaïs zmierzyła go uważnym spojrzeniem.

– Dobrze – rzekła w końcu. – Posłucham cię, *paire*. Ale nie oczekuj, że będę klękała przed figurą człowieka rozpiętego na krzyżu i zanosiła do niego modły.

Przez chwilę odniosła wrażenie, że posunęła się za daleko. Tymczasem ojciec wybuchnął śmiechem.

– Trudno się z tobą sprzeczać – uznał. – Niczego innego się po tobie nie spodziewałem. Ale bądź ostrożna, córko, uważaj z kim rozmawiasz o swoim punkcie widzenia. Ściany mają uszy.

* * *

Kilka następnych godzin Alaïs spędziła w komnacie. Przyrządzała na potłuczone ramię kompres ze świeżego majeranku, a jednocześnie słuchała przyjaznego trajkotania służącej.

Według Rixende zdania na temat wyjazdu Alaïs z zamku były podzielone. Niektórzy podziwiali jej hart ducha i odwagę, natomiast inni, między nimi Oriane, stanowczo ją krytykowali. Twierdzili, iż wystawiła fatalne świadectwo swojemu mężowi, a co grosza, naraziła na niebezpieczeństwo powodzenie misji. Alaïs miała cichą nadzieję, że Guilhem nie podziela tego poglądu, choć z drugiej strony, obawiała się najgorszego. Jego myśli zwykle podążały ścieżką wydeptaną przez większość. Co więcej, łatwo było go urazić, a uwielbiał być podziwiany i ceniony, przez co niekiedy zdarzały mu się słowa i uczynki przeciwne jego szczerej naturze. Jeżeli poczuł się zraniony i poniżony, trudno było przewidzieć jego reakcję.

– Ale teraz już takie gadanie nie ma sensu – podsumowała Rixende, usuwając resztki kompresu. – Wszystko dobrze się skończyło. A to najlepszy znak, że Bóg jest z nami.

Alaïs uśmiechnęła się blado. Podejrzewała, iż Rixende zobaczy sprawy w zupełnie innym świetle, gdy wieści o prawdziwym stanie rzeczy rozejdą się po grodzie.

* * *

Dzwony zagłuszały świat, po niebie płynęły różowe i białe chmurki. Szli z *château comtal* do katedry Sant-Nasari. Procesję wiódł ksiądz odziany w białe szaty, trzymający wysoko złoty krzyż. Za nim szli inni księża, zakonnice i mnisi.

Dalej postępowała pani Agnès, żony konsulów oraz damy do towarzystwa. Alaïs musiała iść z siostrą.

Oriane nie odezwała się do niej ani jednym słowem. Jak zawsze przyciągała zachwycone spojrzenia tłumu. Ubrana była w bordową suknię przepasaną czarno-złotym sznurem, podkreślającym szczupłą kibić i krągłe biodra. Włosy miała świeżo umyte i wysmarowane oliwą, dłonie złożyła przed sobą w pobożnym geście, dzięki czemu można było podziwiać sakiewkę na jałmużnę zwisającą z nadgarstka. A było na co popatrzeć. Zapewne dostała ją w prezencie od któregoś z wielbicieli, najwyraźniej zamożnego, sądząc po perłach dookoła brzegu i po wzorze wyszytym złotą nicią.

Wszyscy, którzy się liczyli, zdążali na uroczystą ceremonię, ale atmosfera była napęczniała od obaw i podejrzeń.

Alaïs nie zauważyła François, póki nie dotknął jej ramienia.

– Esclarmonde wróciła – szepnął jej na ucho. – Właśnie od niej przychodzę.

Alaïs obróciła się do służącego.

– Rozmawiałeś z nią?

Zawahał się.

– Nie udało mi się, pani.

Odruchowo wystąpiła z rzędu.

– Idę.

– Jeśli zechcesz posłuchać mojej rady, pani, lepiej byłoby wziąć udział we mszy. – Wzrokiem wskazał drzwi świątyni, gdzie trzech mnichów w czarnych kapturach stało jak na warcie, obserwując, kto wchodzi, a kto nie. – Byłoby pożałowania godne, gdyby twoja nieobecność, pani, odbiła się niekorzystnie na opinii o pani Agnès lub twoim ojcu. Mogłaby ona zostać odczytana jako sympatyzowanie z nowym Kościołem.

– Tak, oczywiście, masz rację. – Zamyśliła się. – Powtórz Esclarmonde, proszę, że przyjdę, jak tylko będę mogła.

* * *

Alaïs umoczyła palce w *bénitier* i przeżegnała się wodą święconą. Na wszelki wypadek. Gdyby ktoś ją obserwował.

Znalazła sobie miejsce w zatłoczonej nawie północnej, możliwie najdalej od Oriane. Nad głowami obecnych na mszy migotały świece osadzone w ogromnych żelaznych pająkach, które patrzącemu z dołu mogły przywodzić na myśl stalowe koła służące do łamania grzeszników.

Biskup nie mógł się nadziwić, że jego kościół, od dość dawna świecący pustkami, dziś pękał w szwach. Głos kapłana, cienki i słaby, ginął w oddechach i szelestach tłumu.

Jakże inne było to wyznanie od wiary Esclarmonde. Od nauk Kościoła, do którego należał także jej ojciec.

Bons homes przedkładali nad formę stan ducha. Nie potrzebowali świątyń, zabobonnych rytuałów, poniżającego podporządkowania się człowieka Bogu. Nie czcili obrazów ani nie leżeli plackiem przed bożkami czy narzędziami tortur. Dla *bons chrétiens* potęga Boga objawiała się w słowie. Potrzebowali jedynie ksiąg i modlitw, słów czytanych i wypowiadanych na głos. Zbawienie nie miało nic wspólnego z jałmużną lub relikwiami czy modlitwami w języku zrozumiałym tylko dla księży.

W ich oczach wszyscy byli równi wobec łaski Ojca Świętego: Żydzi i Saraceni, mężczyźni i kobiety, zwierzęta i ptaki. *Bons chrétiens* nie uznawali piekła ani dnia Sądu Ostatecznego, ponieważ dzięki bożej łasce wszyscy zostaną zbawieni, choć niektórzy będą musieli żyć po wielekroć, nim wstąpią do królestwa bożego.

Chociaż Alaïs nie zaliczała się do wyznawców nowego Kościoła, znała ich dzięki Esclarmonde i miała pojęcie o ich modlitwach oraz rytuałach. Co ważne w tych mrocznych czasach, *bons chrétiens* byli ludźmi tolerancyjnymi i miłującymi pokój. Woleli swoje boże światło niż gniew okrutnego katolickiego Boga.

W końcu zgromadzeni usłyszeli słowa *benedictus*. Teraz nastał dobry moment, by się oddalić. Alaïs spuściła głowę i powoli, ze złożonymi rękami, starając się nie ściągać na siebie niczyjej uwagi, skierowała się do wyjścia.

Kilka chwil później była wolna.

ROZDZIAŁ 35

Dom Esclarmonde stał w cieniu Tour du Balthazar.

Alaïs nie od razu zastukała w okiennicę. Najpierw chwilę przyglądała się przyjaciółce przez duże okno wychodzące na ulicę. Staruszka ubrana była w gładką zieloną suknię, włosy przeplatane siwymi pasmami związała na karku.

Na pewno się nie mylę, pomyślała.

Alaïs opanowało wzruszenie. Była pewna, że jej domysły się potwierdzą.

Esclarmonde podniosła wzrok. Jej twarz rozjaśnił uśmiech, gestem zaprosiła dziewczynę do środka.

– Alaïs! Witaj! Stęskniliśmy się za tobą, i ja, i Sajhë.

Od progu powitał ją znajomy zapach ziół i korzeni. Na ogniu, pośrodku izby, wrzała woda w niewielkim kociołku. Pod ścianą stał stół, ława oraz dwa krzesła.

Wnętrze domu zostało przedzielone grubą kotarą, za którą Esclarmonde badała, radziła i na wszelkie sposoby pomagała ludziom, którzy ufali jej umiejętnościom. Ponieważ akurat nie było nikogo, draperia została podciągnięta na boki i od wejścia widać było rzędy glinianych naczyń ustawionych na długich półkach. Z sufitu zwieszały się suszone zioła, na stole stał moździerz, identyczny z tym, jaki Alaïs dostała od przyjaciółki w prezencie ślubnym.

Po drabinie wchodziło się na półpięterko, do sypialni. Właśnie stamtąd zeskoczył Sajhë z radosnym okrzykiem, gdy tylko zobaczył, kto wszedł do izby. Błyskawicznie znalazł się na ziemi i z całej siły objął gościa w pasie. Natychmiast też zaczął opowiadać o wszystkim, co zrobił i o czym usłyszał od czasu ich ostatniego spotkania.

Sajhë umiał opowiadać i robił to z pasją, budził w wyobraźni słuchacza barwy i zapachy, oczy rozpalały mu się z podniecenia.

Po jakimś czasie Esclarmonde weszła mu w słowo.

– Sajhë, chcę cię prosić, żebyś zaniósł ode mnie wiadomości kilku osobom, dobrze? Pani Alaïs ci nie ucieknie.

Chłopiec chciał zaprotestować, ale wystarczyło, że spojrzał w twarz babci.

– Szybko się uwiniesz – zapewniła go solennie.

Alaïs zmierzwiła mu włosy.

– Jesteś bystry, Sajhë, i umiesz się posługiwać słowem. Może zostaniesz poetą?

Pokręcił głową z poważną miną.

– Będę *chevalier*, pani. Chcę się bić.

– Sajhë – Esclarmonde przywołała go do rzeczywistości. – Posłuchaj mnie uważnie.

Wymieniła imiona ludzi, których miał odwiedzić i przekazać im wiadomość, iż dwóch *parfaits* z Albi pojawi się w zagajniku na wschód od podgrodzia Sant-Miquel równo za trzy noce.

– Powtórzysz dokładnie? – spytała na koniec. Chłopiec pokiwał głową.

– Doskonale. – Uśmiechnęła się i pocałowała go w czubek głowy. – Tylko pamiętaj! – Położyła palec na ustach. – Wieści są jedynie dla tych, których wymieniłam. No, idź. Im szybciej pobiegniesz, tym szybciej wrócisz i będziesz mógł dalej opowiadać pani Alaïs o wszystkim, co wiesz.

Chłopak wyskoczył za próg, Esclarmonde zamknęła za nim drzwi.

– Nie boisz się, że ktoś go podsłucha? – spytała Alaïs.

– Sajhë jest mądrym chłopcem. Potrafi mówić tak, by wiadomość dotarła tylko do uszu, dla których jest przeznaczona. – Wychyliła się za okno, przyciągnęła okiennice. – Ktoś wie, że tu przyszłaś?

– Tylko François. On mi powiedział o twoim powrocie.

Dziwny wyraz przemknął po twarzy Esclarmonde, ale nie skomentowała tych wieści.

– Lepiej niech tak zostanie, *è* – powiedziała tylko.

Usiadła przy stole, gestem wskazała gościowi miejsce.

– No to powiedz, Alaïs, czy twoja podróż do Besièrs zakończyła się sukcesem?

Alaïs spiekła raka.

– Skąd wiesz...?

– Cała Carcassona wie. Nie mówi się o niczym innym. – Esclarmonde spoważniała. – Martwiłam się o ciebie, wyruszyłaś w długą podróż tak wcześnie po napaści.

– O tym też wiesz? Nie przypuszczałam! Nie odezwałaś się do mnie, nie przekazałaś wiadomości, więc uznałam, że wyjechałaś.

– Nic podobnego. Byłam wtedy na miejscu. Poszłam do zamku w dniu, kiedy cię znaleziono, ale François mnie do ciebie nie wpuścił. Z rozkazu twojej siostry nikt nie miał prawa do ciebie wejść bez jej pozwolenia.

– Nie powiedział mi tego. – Alaïs była zdumiona własnym przeoczeniem. – Oriane też nie pisnęła słówka, choć to mnie akurat nie dziwi.

– Dlaczego?

– Stale była przy mnie jej służba i to raczej nie z powodu siostrzanej miłości. – Przerwała. – Wybacz, że nie zwierzyłam ci się ze swoich planów, ale z jednej strony sądziłam, iż nie ma cię w mieście, a z drugiej, podjęłam decyzję w mgnieniu oka i natychmiast wyjechałam.

– Nie ma o czym mówić. – Esclarmonde machnęła ręką. – Opowiem ci, co się tu działo pod twoją nieobecność. Dwa dni po twoim wyjeździe pojawił się w zamku jakiś mężczyzna wypytujący o Raoula.

– O kogo?

– Tego młodzika, który cię znalazł w sadzie. – Esclarmonde uśmiechnęła się krzywo. – Zyskał pewien rozgłos, gloryfikując swój udział w zdarzeniach. Słuchając go, człowiek mógł nabrać przekonania, iż pokonał jedną ręką armie Saladyna, by ci ocalić życie.

– W ogóle sobie tego chłopaka nie przypominam – mruknęła Alaïs, kręcąc głową. – Jak sądzisz, czy on coś widział?

– Wątpię. – Esclarmonde wzruszyła ramionami. – Nie było cię ponad dobę, zanim zauważono twoją nieobecność. Trudno mi uwierzyć, by Raoul był świadkiem napaści, bo gdyby tak się naprawdę zdarzyło, wszcząłby alarm znacznie wcześniej. No, tak. Słuchaj dalej. Ten obcy odszukał Raoula i zabrał go do *taberna* Sant Joan dels Evangèlis. Poił go piwem, przypochlebiał mu się, a przecież Raoul to jeszcze młodzik, który lubi się przechwalać i pysznić. W dodatku nie ma zbyt lotnego umysłu. Tak czy inaczej, kiedy Gaston zamykał na noc, Raoul nie mógł utrzymać się na nogach, więc jego towarzysz zaoferował się, że odprowadzi go do domu.

– I co?

– Raoul do domu nie dotarł. Od tamtej pory nikt go nie widział.

– A ten obcy?

– Zniknął, rozpłynął się w powietrzu, jakby go w ogóle nie było. Opowiadał w tawernie, że pochodzi z Alzonne. Pojechałam tam i wypytywałam o niego, ale nikt o takim człowieku nie słyszał.

– Więc niczego się nie dowiemy.

– Niczego. – Esclarmonde pokręciła głową. – A teraz powiedz mi, skąd tyś się tamtej nocy wzięła o tej porze na dziedzińcu? – Zadała pytanie spokojnym głosem, ale i tak nietrudno było się domyślić troski.

Alaïs opowiedziała jej, dokąd została wezwana. Esclarmonde dłuższy czas milczała.

– Należy sobie postawić dwa pytania – odezwała się w końcu. – Po pierwsze, kto wiedział, że ojciec chciał się z tobą widzieć, bo nie wierzę, że napad był dziełem przypadku. A po drugie, jeśli założymy, że nie oni wymyślili tę napaść, na czyje polecenie działali.

– Nikomu o niczym nie mówiłam. Tak jak obiecałam ojcu.

– Wiadomość przyniósł François.

– Rzeczywiście – przyznała Alaïs – ale nie uwierzę, by on...

– Ktoś ze służby mógł go zobaczyć w drzwiach twojej komnaty i usłyszeć waszą rozmowę. – Utkwiła w oczach Alaïs badawcze spojrzenie. – Dlaczego pojechałaś za ojcem do Besièrs?

Nagła zmiana tematu wytrąciła dziewczynę z równowagi.

– Ja... – Musiała być ostrożna. Przyszła do Esclarmonde szukać odpowiedzi na swoje pytania, a tymczasem role się odwróciły. – Ojciec dał mi żeton – powiedziała, nie odwracając wzroku – z rysunkiem labiryntu. Tylko ten drobiazg odebrali mi napastnicy. Uznałam, iż *paire* musi o tym wiedzieć, ponieważ w przeciwnym razie... – urwała. Nie bardzo wiedziała, jakie wybrać słowa, żeby nie powiedzieć za dużo.

Esclarmonde, co dziwne, wcale nie wyglądała na przestraszoną. Nawet się uśmiechnęła.

– O desce też mu powiedziałaś? – spytała miękko.

– Tak, w wieczór przed jego wyjazdem, jeszcze przed napaścią. Był poruszony, zwłaszcza gdy przyznałam, iż nie wiem, skąd ona się u mnie wzięła... – urwała. – Zaraz, ale skąd ty o niej wiesz?

– Sajhë zwrócił na nią uwagę, kiedy pomagał ci kupować ser. Jak sama wiesz, jest wyjątkowo spostrzegawczy.

– To prawda, ale też dziwne, by jedenastoletni chłopiec obserwował deski na ser!

– Wie, co dla mnie ważne – odparła Esclarmonde.

– Podobnie jak *merel*.

Esclarmonde nie odpowiedziała od razu.

– Nie – rzekła w końcu, starannie dobierając słowa. – Niezupełnie.

– Odzyskałaś tę deskę? – spytała Alaïs.

Kobieta kiwnęła głową.

– Dlaczego mnie o nią zwyczajnie nie poprosiłaś? Przecież dałabym ci ją z ochotą.

– W noc napaści Sajhë czekał na ciebie w twojej komnacie z taką właśnie prośbą. Ponieważ nie wróciłaś, wziął deskę, nie pytając o zgodę. Jak się później okazało, dobrze zrobił.

– Nadal ją masz?

Esclarmonde ponownie przytaknęła.

Alaïs odniosła triumf. Była dumna, że dobrze oceniła przyjaciółkę i odgadła w niej opiekunkę księgi.

Widziałam symbol kiedyś wcześniej, pomyślała. On do mnie przemówił.

– Powiedz mi, Esclarmonde – odezwała się śpiesznie – skoro deska należy do ciebie, dlaczego mój ojciec nic o tym nie wie?

– Z tego samego powodu, dla którego nie wie, dlaczego ją mam – uśmiechnęła się Esclarmonde. – Ponieważ Harif tak sobie życzył. Dla bezpieczeństwa Trylogii.

Alaïs zaniemówiła z wrażenia.

– A teraz – podjęła Esclarmonde – skoro się już dobrze rozumiemy, powiedz mi wszystko, co wiesz.

* * *

Słuchała uważnie, aż Alaïs doprowadziła opowiadanie do końca.

– Więc Simeon zdąża do Carcassony...

– Tak. Ale księgę oddał mojemu ojcu.

– Bardzo rozsądnie. Zadbam, by został właściwie przyjęty. Zawsze uważałam go za wspaniałego człowieka.

– Ja także bardzo go polubiłam – przyznała Alaïs. – Mój ojciec był wyraźnie rozczarowany, gdy się dowiedział, że Simeon ma tylko jedną księgę – rzekła. – Spodziewał się znaleźć u niego obie.

Esclarmonde nie zdążyła odpowiedzieć, bo domem zatrzęsło walenie w drzwi i okiennice.

Obie kobiety zerwały się na równe nogi.

– *Atencion! Atencion!*

– Co się dzieje? – krzyknęła Alaïs. – O co chodzi?

– To żołnierze. Pod nieobecność twojego ojca przeprowadzono liczne rewizje...

– Ale czego szukają?

– Twierdzą, że kryminalistów. A tak naprawdę, *bons homes*.

– Z czyjego polecenia działają? Konsulów?

Esclarmonde potrząsnęła głową.

– To Bérenger de Rochefort, nasz szlachetny biskup. I hiszpański mnich, Domingo de Guzman, oraz jego bracia, a może i papiescy legaci, kto wie? Nigdy się nie przedstawiają.

– To bezprawie!

Esclarmonde położyła palec na ustach.

– Ciii... Może pójdą dalej.

W tej chwili ktoś potężnie kopnął w drzwi. Zatrzask puścił, drewniane skrzydło z hukiem wyrżnęło w ścianę. Do wnętrza wpadło dwóch uzbrojonych mężczyzn o twarzach zakrytych przyłbicami.

– Nazywam się Alaïs du Mas, jestem córką intendenta Pelletiera. Chcę wiedzieć, na czyje polecenie działacie.

Nie opuścili broni, nie podnieśli przyłbic.

– Żądam...

W progu stanęła Oriane, nadal odziana w bordową suknię.

– Siostro! – krzyknęła Alaïs. – Co cię tu sprowadza? Dlaczego w ten sposób...?

– Przybywam spełnić polecenie ojca i odprowadzić cię do *château comtal*. Wieści o twoim pośpiesznym wyjściu z nieszporów już dotarły do jego uszu. Obawiając się poważnych konsekwencji, ubłagał mnie, bym cię znalazła.

Kłamiesz, siostro.

– Nie przyszłoby mu nic podobnego do głowy, gdybyś ty mu nie zasiała takiej myśli – odparła Alaïs. Spojrzała na zbrojnych. – Czy to on kazał ci przyprowadzić straż?

– Każdy z nas dba przede wszystkim o własne interesy – odpowiedziała Oriane z lekkim uśmiechem. – Możliwe, iż odrobinę przesadziłam.

– W ogóle nie ma powodu do troski. Wrócę do zamku, gdy zdecyduję, iż nadszedł na to czas. – Zorientowała się, że siostra w ogóle jej nie słucha. Z zajęciem rozglądała się po wnętrzu. Czy podsłuchała rozmowę?

W mgnieniu oka zmieniła taktykę. – Ale też... rzeczywiście, pójdę z tobą. Załatwiłam już, co miałam tu do załatwienia.

– Taaak?

Oriane wolnym krokiem ruszyła wokół izby, przesuwając dłonią po oparciach krzeseł, po blacie stołu. Otworzyła pokrywę kufra stojącego w kącie i pozwoliła jej opaść z hukiem.

Alaïs obserwowała siostrę z niepokojem.

Oriane zatrzymała się w przejściu do drugiej części.

– A więc to tu uprawiasz swój proceder, *sorcière**– rzuciła z pogardą, po raz pierwszy zwracając się do Esclarmonde. – Zaklęcia i wywary dla łatwowiernych głupców... – Przekrzywiła głowę, zdegustowanym spojrzeniem obrzuciła długie półki pełne słojów. – Są tacy, co mówią, że jesteś wiedźmą, Esclarmonde de Servian. *Faitilhièr*, jak mawia pospólstwo.

– Jak śmiesz się do niej tak zwracać! – wykrzyknęła Alaïs.

– Możesz, pani, sama się przekonać, jeśli tylko zechcesz – odezwała się Esclarmonde cicho.

Oriane chwyciła Alaïs za ramię.

– Nic tu po tobie – syknęła, wbijając jej paznokcie w rękę. – Wyraziłaś chęć powrotu do zamku, więc idź.

W mgnieniu oka Alaïs znalazła się na ulicy. Żołnierze byli tuż za nią, omal czuła na karku ich oddechy. Gdzieś w zakamarkach pamięci zakiełkowało wspomnienie smrodliwego piwa i twardej dłoni zatykającej usta.

– Prędzej! – Oriane pchnęła ją bezceremonialnie.

Alaïs uznała, iż dla dobra Esclarmonde najlepiej będzie zastosować się do poleceń siostry. Na zakręcie dyskretnie zerknęła przez ramię. Przyjaciółka stała w progu. Szybkim gestem położyła palec na ustach. Czytelne ostrzeżenie.

---

* czarownica, wiedźma

ROZDZIAŁ 36

Pelletier przetarł oczy i przeciągnął się, usiłując wypędzić z ciała sztywność i zmęczenie.

Znajdował się w *donjon*. Przez cały czas wyruszali z zamku posłańcy z listami do wszystkich sześćdziesięciu wasali Trencavela, którzy nie przybyli jeszcze do Carcassony. Najpotężniejsi z nich byli podlegli tylko z nazwy, więc Pelletier radził władcy przekonywać ich i apelować do ich rozsądku, a nie rozkazywać. Każdy list w krótkich słowach przedstawiał bliskie zagrożenie. Francuzi zbierali się na granicy, przygotowując do inwazji, jakiej Południe jeszcze nie widziało. Należało bezzwłocznie wzmocnić garnizon w Carcassonie. Niech więc lennicy wypełnią swoje obowiązki i przybywają z jak największą liczbą walecznych ludzi.

– *A la perfin* – rzekł Trencavel, topiąc wosk nad płomieniem. Przystawił swoją pieczęć. – Nareszcie ostatni.

Pelletier stanął obok wicehrabiego i skinął na Jehana Congosta. Zwykle niewiele czasu i uwagi poświęcał mężowi Oriane, lecz przy tej okazji musiał przyznać, iż Congost i zespół jego skrybów przeszli samych siebie, przez wiele godzin pracując bez wytchnienia. Teraz, gdy służący zaniósł ostatnie pismo czekającemu posłańcowi, wicehrabiowski intendent zezwolił *escrivans* na odejście. Za przykładem Congosta jeden po drugim podnosili się, zbierali rolki pergaminu, pióra oraz kałamarze.

Pelletier zaczekał, aż zostali z wicehrabią tylko we dwóch.

– Powinieneś odpocząć, *messire* – rzekł. – Musisz oszczędzać siły.

Trencavel się roześmiał.

– *Força e vertu* – powiedział, a było to echo jego własnych słów wypowiedzianych w Besièrs. Siła i odwaga. – Nie martw się o mnie, Bertrandzie, czuję się bardzo dobrze. – Położył dłoń na ramieniu intendenta. – Za to ty, mój przyjacielu, wyglądasz, jakbyś potrzebował odpoczynku.

– Przyznam, jest to myśl pociągająca, *messire* – zgodził się Pelletier. Po kilku nieprzespanych nocach w podróży czuł się stary i zmęczony.

– Dziś będziemy spali we własnych łóżkach, Bertrandzie, choć pewnie jeszcze nieprędko się położymy. – Spoważniał. – Najważniejsze, by jak najszybciej spotkać się z konsulami, choćby tymi, których udało się zebrać w tak krótkim czasie.

– Czy masz, panie, jakieś szczególne życzenia?

– Nawet jeśli wszyscy wasale odpowiedzą na moje wezwanie i przywiodą ze sobą najlepszych ludzi, nie wystarczy nam żołnierzy.

– Chcesz, panie, by konsulowie uchwalili fundusz wojenny?

– Musimy kupić sobie pomoc zręcznych najemników z Aragonii lub Katalonii.

– Czy rozważałeś, panie, podniesienie podatków? Na przykład solnego? Albo pszenicznego?

– Na to jeszcze za wcześnie. Na razie spróbuję raczej zebrać pieniądze z darów i zobowiązań. – Przerwał. – Jeśli to nie wystarczy, rozważę inne środki. Jak postępują prace przy umocnieniach?

– Wszyscy kamieniarze i tracze z *ciutat*, Sant-Vincens i Sant-Miquel zostali wezwani. I nie tylko tutejsi, bo także z osad na północ od Carcassony. Prace nad wymontowaniem stalli w katedrze i opróżnianie refektarza już trwają.

Trencavel uśmiechnął się szeroko.

– Bérenger de Rochefort nie będzie uszczęśliwiony!

– Biskup musi pogodzić się z nieuniknionym – mruknął Pelletier. – Potrzebny nam każdy kawałek drewna i to szybko, bo trzeba natychmiast rozpocząć budowę *ambans* i *cadefalcs*. Pałac biskupi oraz kościół są najbliższym źródłem dobrego drewna.

Raymond Roger uniósł dłonie w kpiącym geście poddania.

– Nie podważam twojej decyzji, przyjacielu. – Roześmiał się. – Zapasy i umocnienia są ważniejsze niż księżowska wygoda. A teraz powiedz mi, Bertrandzie: czy Pierre-Roger de Cabaret już przybył?

– Jeszcze nie, *messire*, ale spodziewamy się go w każdej chwili.

– Przyślij go do mnie od razu. Jeśli się uda, chciałbym najpierw z nim porozmawiać, potem dopiero z konsulami. Cieszy się u nich dużym poważaniem. Są jakieś wieści z Termenès albo z Foix?

– Jeszcze nie, *messire*.

* * *

Chwilę później Pelletier, z rękami wspartymi na biodrach, obserwował *cour d'honneur*. Cieszył go szybki postęp prac i dobiegający zewsząd gwar, dźwięki piły, młota, syk płomieni w kuźni oraz turkot wozów dowożących drewno, gwoździe i smołę.

Kątem oka dostrzegł Alaïs, biegnącą w jego stronę.

– Wysłałeś po mnie Oriane? – spytała bez wstępów.

Zdziwiony uniósł brwi.

– Oriane? A niby dokąd?

– Byłam u Esclarmonde i tam zjawiła się Oriane w towarzystwie dwóch zbrojnych, twierdząc, iż kazałeś mnie sprowadzić do zamku. – Na twarzy ojca widziała tylko zdumienie. – Czy moja siostra mówi prawdę?

– Nie widziałem się z Oriane.

– Czy rozmawiałeś z nią, tak jak mi obiecałeś, o jej zachowaniu pod twoją nieobecność?

– Nie miałem jeszcze okazji.

– Błagam cię, *paire*, bądź ostrożny. Ona coś wie, potrafi cię zranić, uwierz mi, proszę.

Pelletier poczerwieniał z gniewu.

– Nie wolno ci oskarżać siostry! To jest...

– Deska z labiryntem należy do Esclarmonde – wyrzuciła z siebie Alaïs.

Pelletier zaniemówił.

– Co takiego? – wykrztusił wreszcie. – Jak to?

– Pamiętasz, co mówił Simeon? Kobiecie, która przyszła po drugą księgę, dał jedzenie na drogę. Między innymi ser. Zapewne na desce.

– Niemożliwe! – rzucił z taką pewnością, że Alaïs aż się cofnęła.

– Esclarmonde jest opiekunką księgi – powiedziała z mocą. Mówiła szybciej, by jej nie przerwał. – To ona jest siostrą w Carcassonie, o której pisał Harif. I wie o *merel*.

– Ona ci powiedziała, że jest opiekunką? – zapytał. – Bo jeśli tak, to z pewnością nie jest...

– Nie pytałam – odrzekła Alaïs. – Ale to ma sens, *paire* – dodała. – Taką osobę jak ona mógłby wybrać Harif. – Umilkła. – Co właściwie o niej wiesz, ojcze? – spytała.

– Ludzie mówią, że jest dobrą i mądrą kobietą. A ja mam powody być jej wdzięczny za dobroć wobec ciebie. Zdaje się, ma wnuka?

– Tak, Sajhë. Chłopiec skończył jedenaście lat. Esclarmonde pochodzi z Servian, *paire*. Przybyła do Carcassony, gdy Sajhë był małym dzieckiem. Wszystko pasuje do opowiadania Simeona.

– Intendencie Pelletier.

Oboje się odwrócili do służącego.

– *Messire*, wicehrabia Trencavel wzywa cię niezwłocznie do swoich komnat. Przybył Pierre Roger, pan Cabaret.

– Gdzie jest François?

– Nie wiem, *messire*.

Pelletier burknął coś, niezadowolony.

– Przekaż mojemu panu, że niezwłocznie do niego dołączę – rzucił. – A potem znajdź François i go do mnie przyślij. Nigdy go nie ma, jak jest potrzebny.

Alaïs położyła rękę na ramieniu ojca.

– *Paire*, przynajmniej porozmawiaj z Esclarmonde. Wysłuchaj, co ma do powiedzenia. Zaniosę jej twoją wiadomość.

Wahał się krótką chwilę.

– Kiedy przybędzie Simeon, spotkam się z twoją przyjaciółką. – Ruszył w górę po schodach. Na szczycie się zatrzymał. – Jeszcze jedno, Alaïs. Skąd Oriane wiedziała, gdzie cię szukać?

– Pewnie mnie śledziła po wyjściu z Sant-Nasari. Chociaż... – Uświadomiła sobie, iż siostra nie zdążyłaby w takim razie zapewnić sobie pomocy żołnierzy i wrócić pod domek Esclarmonde tak szybko. – Nie wiem – przyznała. – Ale jestem pewna...

Tymczasem Pelletier już zniknął.

Alaïs rozejrzała się po dziedzińcu i z ulgą stwierdziła, że starszej siostry nie ma nigdzie w zasięgu wzroku.

Nagle uderzyła ją straszna myśl. A jeśli tam wróciła? Podkasała spódnice i ruszyła biegiem.

* * *

Gdy wypadła zza rogu, od razu stwierdziła, iż jej obawy były w pełni uzasadnione. Okiennice ledwo się trzymały, drzwi zostały wyrwane z zawiasów.

– Esclarmonde! – krzyknęła. – Gdzie jesteś?!

Weszła do środka. Meble leżały poprzewracane, drewniane podłokietniki sterczały z krzeseł jak połamane kości. Zawartość kufra rozrzucono po podłodze, ktoś kopnął palenisko, więc po podłodze rozsypał się szary popiół, a izbę zasnuły siwe smugi szczypiącego w oczy dymu. Wspięła się po kilku stopniach drabiny i zajrzała na półpięterko. Drewnianą podłogę zaścielała słoma, porozdzierana pościel i pierze.

Najgorzej wyglądało miejsce, gdzie Esclarmonde udzielała porad. Kotara walała się po ziemi, skorupy porozbijanych słojów i mis leżały w kałużach wywarów i barwnych plamach kompresów. Tu czerwień, tam brąz, ówdzie śnieżna biel, pęki ziół, kwiatów i liści, wszystko wdeptane w ziemię ciężkimi buciorami.

Czy Esclarmonde była w domu, gdy wrócili tutaj żołnierze?

Alaïs wypadła przed budynek. Miała nadzieję, że znajdzie kogoś, kto jej powie, co się tu działo. Tymczasem wszystkie drzwi w okolicy były szczelnie zamknięte, w oknach najmniejszej szpary.

– Pani Alaïs!

W pierwszej chwili sądziła, że się przesłyszała.

– Pani Alaïs!

– Sajhë? – szepnęła. – Gdzie ty jesteś?

– Na górze.

Wyszła z cienia domu i podniosła wzrok. Rzeczywiście, w zapadającym zmroku dało się zauważyć szopę jasnych włosów i parę oczu barwy bursztynu spoglądających ze stromego dachu.

– Sajhë, zabijesz się!

– E, nie. – Pokazał w uśmiechu wszystkie zęby. – Często tak robię. Potrafię wejść do *château comtal* po dachach!

– Kręci mi się w głowie, jak na ciebie patrzę. Schodź.

Z zapartym tchem czekała, aż chłopak zsunął się za krawędź dachu i zręcznie zeskoczył na ziemię.

– Co się stało? Gdzie jest Esclarmonde?

– *Menina* jest bezpieczna. Kazała mi tu zaczekać, aż przyjdziesz, pani.

Alaïs rozejrzała się ukradkiem i wciągnęła chłopca do domu.

– Co się stało? – zapytała ponownie.

Sajhë wbił wzrok we własne stopy.

– Żołnierze wrócili. Ja ich wcześniej widziałem przez okno... *Menina* bała się, że tak będzie, kiedy twoja siostra, pani, zabierze cię do zamku, więc jak tylko odeszliście, zebraliśmy najważniejsze rzeczy i schowaliśmy się w piwnicy. – Wziął głęboki oddech. – Szybko wrócili. Słyszeliśmy, jak szli od drzwi do drzwi i wypytywali o nas sąsiadów. Potem słyszałem ich kroki nad głową, podłoga aż się trzęsła, ale zejścia do piwnicy nie znaleźli. Bałem się – przyznał. Z jego głosu ulotniła się cała zadziorność. – Potłukli wszystkie słoje. I poniszczyli leki.

– Tak, to okropne.

– I ciągle krzyczeli. Mówili, że szukają heretyków, ale ja myślę, że kłamali. Wcale nie zadawali takich pytań jak zawsze.

Alaïs wzięła chłopca pod brodę. Spojrzał jej w oczy.

– Mam do ciebie bardzo ważne pytanie. Czy to byli ci sami żołnierze, którzy przyszli po mnie? Widziałeś ich?

– Nie widziałem.

– Nic nie szkodzi – zapewniła go szybko, bo chłopiec był bliski łez. – Jesteś bardzo dzielny. Esclarmonde ma z ciebie prawdziwą pociechę. – Zastanowiła się. – Czy był z nimi ktoś jeszcze?

– Nie, chyba nie – odrzekł bez wielkiej pewności. – Nie mogłem im nic zrobić – chlipnął.

Alaïs objęła go i otarła łzę z policzka.

– Ciii... Wszystko będzie dobrze. Nie martw się. Zrobiłeś, co mogłeś. Możesz być z siebie dumny.

W milczeniu skinął głową.

– Gdzie jest Esclarmonde?

– W takim jednym domu w Sant-Miquel. – Przełknął ślinę. – Powiedziała, że zostaniemy tam, póki nam nie powiesz, że intendent Pelletier nadchodzi.

Alaïs zastygła.

– Tak powiedziała? Że czeka na spotkanie z moim ojcem?

Sajhë wyglądał na zdziwionego.

– A co, pomyliła się?

– Nie, nie... Nie wiem tylko jak... – Zamilkła. – Nieważne. To nie ma znaczenia. Otarła chłopcu twarz chusteczką. – No proszę. Od razu lepiej. Mój ojciec istotnie zamierza porozmawiać z Esclarmonde, ale czeka na przybycie przyjaciela, który nadciąga z Besièrs.

– Tak, wiem. Simeona.

Spojrzała na chłopca ze zdumieniem.

– W rzeczy samej – rzekła z uśmiechem. – Simeona. Powiedz no mi, Sajhë, czy są na tym świecie sprawy, o których nie masz pojęcia?

Twarz chłopca rozpromieniła się w uśmiechu.

– Niewiele.

– Przekaż Esclarmonde, że opowiem ojcu o wszystkim, co się tutaj stało. I oboje zostańcie na razie w Sant-Miquel.

Zaskoczona poczuła, iż Sajhë bierze ją za rękę.

– Sama jej powiedz – zaproponował. – *Menina* chętnie cię ugości. I będziecie mogły sobie porozmawiać. Powiedziała, że wyszłaś, zanim skończyłyście rozmowę.

Alaïs spojrzała w jego oczy błyszczące entuzjazmem.

– Pójdziesz? – spytał.

Zaśmiała się.

– Dla ciebie, Sajhë, zrobię wszystko. Ale nie teraz. Nie chcę was narażać na niebezpieczeństwo. Dom może być pod obserwacją.

Sajhë tylko kiwnął głową i zniknął, równie szybko, jak się pojawił.

– *Deman al vèspre* – zawołał.

ROZDZIAŁ 37

Jehan Congost nieczęsto widywał swoją żonę od powrotu z Montpelhièr. Oriane nie przywitała go w domu jak powinna, nie okazała szacunku dla jego ciężkiej pracy i współczucia wobec niedogodności, jakie musiał znosić. On jednak jej nie zapomniał skandalicznego zachowania w sypialni na krótko przed wyjazdem.

Przeciął dziedziniec, mrucząc coś do siebie pod nosem, i wszedł do skrzydła mieszkalnego. Z naprzeciwka szedł François, sługa Pelletiera. Congost uważał tego człowieka za szumowinę niegodną zaufania, skupionego wyłącznie na sobie, a przy tym wiecznie węszącego szpicla donoszącego o wszystkim swojemu panu. W ogóle nie powinno go tu być o tej porze.

François pochylił głowę w ukłonie.

– *Escrivan.*

Congost minął go bez słowa.

Już od jakiegoś czasu wzbierał w nim gniew, a dziś nadworny pisarz wręcz kipiał z oburzenia. Nadszedł czas, by dać małżonce solidną nauczkę. Nie zamierzał dopuścić do tego, by jej prowokacyjne nieposłuszeństwo przeszło bez kary.

Zdecydowanym pchnięciem otworzył drzwi małżeńskiej komnaty, nawet nie pukając.

– Oriane! Gdzie jesteś?! Chodź tutaj natychmiast.

W środku jednak nie było nikogo. Wściekły Congost jednym ruchem zmiótł ze stołu świecznik, misy, puchary i wszystko, co tam jeszcze było. Ceramiczne przedmioty roztrzaskały się w drobny mak, lichtarz potoczył z turkotem gdzieś w kąt, rozsypały się jakieś kłębki i proszki. Jehanowi było jeszcze mało. W dwóch krokach dopadł szafy i całą garderobę wyrzucił na ziemię, potem w furii zerwał z łoża pościel przesiąkniętą bezwstydnym zapachem ladacznicy.

Wreszcie padł na krzesło i objął spojrzeniem swoje dzieło zniszczenia. Porwane tkaniny, potłuczone naczynia, połamane świece. Wszystko to wina Oriane. Jej złego zachowania.

Poszedł szukać Guirende, niech posprząta.

Jednocześnie zastanawiał się, gdzie znaleźć swoją wiecznie nieobecną żonę.

* * *

Powietrze było ciężkie od wilgoci. Przed łaźnią czekała na Guilhema Guirande ze znaczącym uśmiechem na ustach.

Od razu zrzedła mu mina.

– Co jest?

Służąca zachichotała i zatrzepotała długimi rzęsami.

– Mów! – zażądał ostro. – Jeśli masz coś do powiedzenia, to mów. A jeśli nie, zostaw mnie w spokoju.

Szepnęła mu coś do ucha.

Wyprostował się gwałtownie.

– A czego chce?

– Nie wiem, *messire*. Moja pani nie zwierza mi się ze swoich pragnień.

– Łżesz jak pies, Guirande.

– Czy będzie odpowiedź?

Zawahał się.

– Powiedz swojej pani, że wkrótce się zjawię – zdecydował w końcu. Wcisnął kobiecie w dłoń monetę. – I ani mru mru.

Patrzył za nią przez chwilę, a potem usiadł pod wiązem na środku dziedzińca. Nie musiał tam iść. Po co ulegać pokusie? To niebezpieczne. Ona była niebezpieczna.

Nigdy nie podejrzewał, że sprawy zajdą aż tak daleko. Zimowa noc, naga skóra pieszczona dotykiem futra, krew rozgrzana korzennym winem i polowaniem... Zamroczyło go wtedy jakieś szaleństwo. Rzuciła na niego urok.

Rano obudził się pełen żalu i poprzysiągł sobie, że to się więcej nie powtórzy. Przez kilka pierwszych miesięcy po ślubie dotrzymywał danej sobie obietnicy. A potem trafiła się jeszcze jedna taka noc, później trzecia i czwarta... Ta kobieta go opętała, zniewoliła jego zmysły.

Teraz, biorąc pod uwagę stan rzeczy, tym bardziej powinien dbać, by nie pojawiły się żadne skandalizujące plotki. Musiał być wyjątkowo ostrożny. Zakończyć romans w odpowiedni sposób. Pójdzie dziś na spotkanie, ale tylko po to, by jej oznajmić, że te randki muszą się skończyć.

Wstał, ruszył do sadu. Zanim opuści go odwaga.

Przy furtce się zatrzymał, stanął z ręką na zasuwce, nie miał ochoty iść dalej. I nagle ją zobaczył: cień postaci w gasnącym świetle. Serce żywiej zabiło mu w piersiach. Wyglądała jak mroczny anioł, długie włosy, lśniące niczym dżet, nieposkromioną burzliwą falą spływały jej na plecy.

Guilhem wziął głęboki oddech. Powinien zawrócić, ale w tej chwili, jakby wyczuwając jego niezdecydowanie, odwróciła się do niego i spojrzała wzrokiem, który całkowicie pozbawił go wolnej woli. Nakazał swojemu *écuyer* zostać na straży i zszedł do kochanki po miękkiej murawie ścielącej się niczym najszlachetniejszy kobierzec.

– Bałam się, że nie przyjdziesz.

– Nie mogę z tobą zostać.

Poczuł ciepło jej palców na swoich, potem dłoń na nadgarstku.

– Więc błagam o wybaczenie, że ci przeszkadzam – wyszeptała, przyciskając się do niego.

– Ktoś nas zobaczy – syknął, próbując się uwolnić.

Oriane uniosła twarz, a jego owionął obłoczek jej zapachu. Ostatkiem sił tłumił żądzę.

– Dlaczego przemawiasz do mnie tak szorstko? – pożaliła się. – Przecież tu nikogo nie ma. Zostawiłam służkę na straży... zresztą wszyscy są dzisiaj tak zajęci, że nikt nie zwróci na nas uwagi.

– To pozory – odparł Guilhem. – Każdy każdego szpieguje, upatrując własnych korzyści.

– Co za przykre myśli! – Oriane przeczesała mu włosy palcami. – Zapomnij o nich, nie myśl o tych wstrętnych ludziach. Myśl tylko o mnie. – Była tak blisko, że czuł bicie jej serca przez cienką sukienkę. – Dlaczego jesteś taki nieczuły, *messire*? Czy obraziłam cię jakimś słowem?

Mocne postanowienie du Masa topniało jak wosk w ogniu, jak wiosenny śnieg.

– Oriane, przecież my grzeszymy. Doskonale o tym wiesz. Zdradzamy twojego męża i moją żonę, a tą naszą...

– Miłością? – podsunęła Oriane i zaśmiała się dźwięcznie. – „Miłość nie jest grzechem. Jest cnotą i przemienia zło w dobro, a rzeczy dobre czyni jeszcze lepszymi". Słyszałeś przecież trubadurów.

Sam nie wiedział, kiedy ujął jej twarz w dłonie.

– To tylko pieśń. A my składaliśmy przysięgi ślubne. To zupełnie co innego. Czy może chcesz twierdzić inaczej? – Wziął głęboki oddech. – Musimy się przestać spotykać.

Zesztywniała mu w ramionach.

– Już mnie nie pragniesz, *messire*? – wyszeptała. Włosy opadły jej na twarz.

– Przestań – bronił się Guilhem słabo.

– Jak mogę ci dowieść swojej miłości? – spytała smutno i tak cicho, że ledwo ją słyszał. – Jeśli już ci się nie podobam, panie, wystarczy, że powiesz.

Wziął ją za rękę, splatając jej palce ze swoimi.

– Nie zrobiłaś nic złego. Jesteś piękna, Oriane, jesteś... – przerwał, bo już nie potrafił znaleźć słów. Brosza przy płaszczu kochanki jakoś się otworzyła i okrycie spłynęło jej do stóp, formując połyskliwą błękitną sadzawkę. Oriane wyglądała tak bezbronnie, była taka bezsilna, że musiał ją wziąć w ramiona. – Nie, nie... – wyszeptał. – Nie mogę... – Przywoływał w myślach twarz Alaïs, wyobraził sobie jej ufne spojrzenie i szczery uśmiech. W przeciwieństwie do wielu innych mężczyzn jego stanu wierzył w przysięgi małżeńskie. Nie chciał zdradzać żony. W pierwszych tygodniach małżeństwa często przyglądał jej się w nocy z niezbitym przekonaniem, że jest, a na pewno mógłby być lepszym człowiekiem dzięki jej uczuciu.

Chciał się odsunąć od kochanki. Ale w tej chwili odezwał mu się w głowie głos Oriane, na przemian ze złośliwymi komentarzami służby. Alaïs ośmieszyła go, jadąc za nim do Besièrs. Wrzawa w jego głowie rosła, zagłuszając jasny głosik żony. Jej obraz zamazał się i zbladł. Odpłynęła od niego, zostawiając go w szponach pokusy.

– Uwielbiam cię – szepnęła Oriane, wsuwając dłoń między jego uda.

Mimo solennych obietnic, składanych sobie z pełnym przekonaniem, zamknął oczy, bezradny wobec pieszczot i miękkiego szeptu, który brzmiał jak letni wietrzyk w gałązkach drzewa.

– Odkąd wróciłeś z Besièrs prawie cię nie widuję – mruczała jak kotka. Guilhem chciał coś powiedzieć, ale zaschło mu w gardle.

– Ludzie mówią – ciągnęła Oriane – że jesteś ulubionym *chevalier* wicehrabiego Trencavela.

Du Mas już nie słyszał jej słów. Krew zbyt szybko krążyła mu w żyłach, głośno pulsowała w uszach, zagłuszała głos rozsądku.

Położył Oriane na ziemi.

– Powiedz mi – mruczała mu do ucha – co zaszło między wicehrabią i jego wujem. Powiedz mi, co się stało w Besièrs. – Oplotła go nogami i przyciągnęła do siebie. – Opowiedz mi, jak się odmienił twój los.

– Tymi wieściami nie mogę się dzielić – wydusił, myśląc tylko o jej ciepłym gładkim, poruszającym się rytmicznie ciele.

Ugryzła go w wargę.

– Ze mną możesz.

Krzyknął głośno jej imię, nie dbając już, kto go może usłyszeć albo zobaczyć. Nie dostrzegł wyrazu satysfakcji w zielonych oczach kochanki ani śladów krwi – swojej krwi – na jej ustach.

* * *

Pelletier rozejrzał się dookoła, niezadowolony, iż nie widzi przy kolacji żadnej ze swoich córek.

Mimo przygotowań do wojny w wielkiej sali narad wydano ucztę z okazji bezpiecznego powrotu wicehrabiego Trencavela oraz jego świty.

Spotkania z konsulami przebiegły pomyślnie. Pelletier nie wątpił, iż uda się zebrać niezbędne fundusze. Z zamków pobudowanych bliżej Carcassony posłańcy już wracali. Jak dotąd, wszyscy wasale podtrzymywali śluby lenne i deklarowali, że udzielą wsparcia, przysyłając swoich ludzi i pieniądze.

Gdy tylko wicehrabia Trencavel wraz z panią Agnès wstali od stołu, Pelletier przeprosił towarzystwo i wyszedł na powietrze. Niezdecydowanie znów legło mu na barkach ciężkim brzemieniem.

„W Besièrs czeka na ciebie brat, siostra w Carcassonie".

Los pozwolił odnaleźć Simeona i drugą księgę szybciej, niż śmiał marzyć. A jeśli domysły Alaïs są prawdziwe, trzecia księga znajduje się na wyciągnięcie ręki.

Położył dłoń na piersi, gdzie na sercu miał księgę od Simeona.

* * *

Któraś z okiennic tłukła w ścianę. Alaïs usiadła gwałtownie, serce waliło jej jak młotem. Śniło jej się, że znów jest w lesie pod Coursan i ze związanymi rękami usiłuje ściągnąć z głowy szorstki worek.

Przycisnęła do piersi jedną z poduszek, jeszcze ciepłą. Tkanina trochę pachniała Guilhemem, choć minął tydzień, odkąd złożył na niej głowę. Okiennica znów stuknęła głośno. Nadciągała burza.

Alaïs nie bardzo mogła zebrać myśli. Co robiła w łóżku kompletnie ubrana? Pamiętała jedynie, że poprosiła Rixende o coś do jedzenia. Potem – została jej w głowie pustka.

Do komnaty nieśmiało wsunęła się Rixende.

– Wybacz mi, pani. Nie chciałam cię budzić, ale prosił, byś do niego dołączyła przy wschodniej bramie.

– Guilhem? – spytała szybko.

Rixende pokręciła głową.

– Twój ojciec.

– Teraz? Przecież już chyba po północy?

– Północ jeszcze nie wybiła, pani.

– Dlaczego przysłał ciebie, a nie François?

– Nie wiem, pani.

Zostawiwszy służkę w komnacie, narzuciła płaszcz na ramiona i pośpieszyła na dół. Biegnąc przez dziedziniec, słyszała gromy srożące się w górach.

– Dokąd idziemy? – spytała ojca, przekrzykując wiatr.

– Do Sant-Nasari – odpowiedział. – Tam jest ukryta Księga Słów.

* * *

Oriane przeciągnęła się jak kotka. Leżała w wygodnym łóżku, słuchała wiatru za oknem. Guirande spisała się doskonale: nie dość, że doprowadziła komnatę do porządku po wybuchu wściekłości szanownego pana Jehana Congosta, to jeszcze dokładnie opisała swojej pani obraz po katastrofie. Oriane nie wiedziała jedynie, co doprowadziło małżonka do takiego stanu. Ale zupełnie jej to nie obchodziło.

Pod cienką maską pozorów wszyscy mężczyźni są tacy sami: dworzanie, pisarze, *chevaliers* czy duchowni. Ich niezłomne postanowienia trzaskają jak suche gałązki pod końskim kopytem, choć z taką swadą prawią o honorze. Najtrudniejsze jest zawsze pierwsze wiarołomstwo. Potem łatwo zdradzają wszelkie sekrety, a ich czyny przeczą słowom o tym, co im najdroższe.

Dowiedziała się więcej, niż oczekiwała. Jak na ironię, Guilhem nawet nie podejrzewał doniosłości tego, co jej tego wieczoru przekazał. Od razu się domyśliła, że siostra podążyła za ojcem i świtą wicehrabiego, a teraz zyskała niezbite potwierdzenie swoich domysłów. Z innego źródła dowiedziała się także co nieco o tym, co zaszło między ojcem i Alaïs w noc przed wyjazdem.

Zajęła się rekonwalescencją młodszej siostry, bo miała nadzieję wydobyć od niej wiadomości o tej właśnie tajemniczej rozmowie. Niestety, zamiar się nie powiódł. Jedynym faktem godnym odnotowania była nerwowość Alaïs spowodowana zniknięciem z jej komnaty deski do sera. Mówiła o tym przez sen, rzucając się niespokojnie w pościeli. Jak dotąd, wszystkie jej wysiłki zmierzające do odzyskania deski spełzły na niczym.

Oriane wyciągnęła ręce za głową. Nawet w najśmielszych marzeniach nie przypuszczała, iż jej ojciec może być w posiadaniu przedmiotu tak cennego, o tak wielkim znaczeniu i władzy, że niektórzy ludzie byli skłonni zapłacić za niego królestwem. Teraz wystarczyła odrobina cierpliwości.

Dzięki informacjom uzyskanym od Guilhema zdała sobie sprawę, że deska miała dużo mniejsze znaczenie, niż podejrzewała. Gdyby mieli więcej czasu, wydobyłaby z niego imię tego człowieka, z którym ojciec spotkał się w Besièrs. O ile Guilhem je znał. Usiadła, tknięta nową myślą. François będzie wiedział. Klasnęła w ręce.

– Wezwij François – rozkazała Guirande. – Tylko dyskretnie.

ROZDZIAŁ 38

Nad obozem krzyżowców zapadła noc.

Guy d'Evreux otarł tłuste ręce w ściereczkę, którą podał mu sługa. Osuszył kielich do dna i spojrzał w stronę opata Cîteaux, siedzącego u szczytu stołu. Czy był już gotów zakończyć ucztę? Nie, jeszcze nie.

Zadowolony z siebie opat, odziany w białe szaty, usadowił się pomiędzy księciem Burgundii oraz hrabią Nevers. Ci dwaj stale toczyli bój o pierwszeństwo w zaszczytach. Rywalizacja pomiędzy dwoma panami oraz ich sługami zaczęła się, jeszcze zanim armia baronów z Północy opuściła Lyon.

Sądząc po nieco przygaszonych spojrzeniach obu arystokratów, legat papieski znowu ich zanudzał. Potrafił godzinami rozprawiać o herezji, ogniu piekielnym, miejscowych zagrożeniach i na inne podobne tematy.

Evreux żadnego z nich nie darzył szacunkiem. Uważał ich ambicje za żałosne. Wystarczyło im parę złotych monet, wino i dziewki, kilka potyczek – i po czterdziestu dniach chwalebny powrót w domowe pielesze. Tylko de Montfort, siedzący nieco dalej od szczytu stołu, słuchał z zainteresowaniem. Oczy błyszczały mu zapałem i gorliwością porównywalnymi jedynie z fanatyzmem opata.

Evreux znał de Montforta tylko ze słyszenia, choć byli stosunkowo bliskimi sąsiadami, ponieważ odziedziczył ziemie na południe od Chartres, porośnięte lasami pełnymi zwierzyny łownej. Dzięki korzystnemu małżeństwu oraz represyjnemu opodatkowaniu zapewnił swojemu rodowi stale rosnące bogactwo. Nie miał braci, którzy by podważali jego prawo do tytułu, nie zaciągał długów.

Ziemie de Montforta leżały pod Paryżem, niecałe dwa dni drogi od majątków Evreux. Wszyscy wiedzieli, iż przyjął on krzyż na osobiste życzenie księcia Burgundii, ale jego ambicje, pobożność i odwaga nie budziły najmniejszych wątpliwości. Był weteranem wschodnich wypraw do Syrii i Palestyny, jednym z niewielu krzyżowców, którzy odmówili udziału w oblężeniu chrześcijańskiego miasta, Zary, podczas IV wyprawy krzyżowej do Ziemi Świętej.

Choć dawno już przekroczył czterdziestkę, nadal był silny jak wół. Chimeryczny, polegający wyłącznie na sobie, cieszył się wyjątkową lojalnością swoich ludzi, ale z drugiej strony w licznych baronach, którzy mieli go za nazbyt ambitnego i nieszczerego, budził pełną ostrożności nieufność. Evreux gardził nim, tak jak gardził wszystkimi, którzy utrzymywali, iż ich poczynania są dziełem Boga.

Przyjął krzyż tylko z jednego powodu. I gdy tylko osiągnie cel, wróci do Chartres z księgami, których szukał, odkąd sięgał pamięcią. Nie zamierzał składać życia na ołtarzu cudzych wierzeń.

– Co jest? – warknął do służącego, który pojawił się u jego boku.

– Przybył do ciebie posłaniec, panie.

Evreux podniósł wzrok.

– Gdzie jest?

– Tuż za obozem. Nie podał swojego imienia.

– Z Carcassony?

– Nie powiedział, panie.

Skłoniwszy się krótko biesiadnikom u szczytu stołu, Evreux opuścił towarzystwo. Jego blada twarz płonęła. Szybko przeszedł między namiotami, minął konie i znalazł się na polanie na wschód od obozu.

Z początku widział tylko niewyraźne kształty w ciemności między drzewami. Gdy podszedł bliżej, rozpoznał w przybyszu sługę swojego informatora z Besièrs.

– Mów! – rozkazał.

Posłaniec upadł na kolana.

– Znaleźliśmy ich ciała w lesie pod Coursan.

Evreux zmrużył szare oczy.

– Pod Coursan? Mieli śledzić Trencavela i jego ludzi. Co robili pod Coursan?

– Nie potrafię na to odpowiedzieć, panie – wydukał służący.

Na rozkaz wydany gestem wyszło z lasku dwóch ludzi, lekko wspierając dłonie na rękojeściach mieczy.

– Co tam znaleziono?

Posłaniec wstał.

– Nic, mój panie. Ciała zostały obnażone. Zabrano wszystko. Tuniki, broń, konie, nawet strzały, od których zginęli... zniknęły.

– Wiedzą, kto to był?

Sługa cofnął się o krok.

– W *castellum* ludzie gadają o śmiałości Amiela de Coursan, a o tamtych niewiele. – Przerwał. – Przywiódł do miasta niejaką Alaïs, córkę intendenta wicehrabiego Trencavela.

– Podróżowała samotnie?

– Nic o tym nie wiem, panie, ale de Coursan odeskortował ją osobiście do Besièrs. Tam spotkała się z ojcem w domu jakiegoś Żyda. Spędzili u niego razem sporo czasu.

– Coś takiego... – Evreux uśmiechnął się pod nosem. – A co to za Żyd?

– Nie znam jego imienia, panie.

– Czy uciekł wraz z innymi do Carcassony?

– Tak.

Evreux był zadowolony, choć tego po sobie nie pokazał. Przesunął palcami po rękojeści sztyletu zatkniętego za pas.

– Kto jeszcze zna te wieści?

– Nikt, panie mój, przysięgam. Nikomu nie powiedziałem.

Evreux uderzył bez ostrzeżenia. Wbił nóż prosto w gardło posłańca. Mężczyzna zachwiał się, chwycił rękami za szyję. Razem ze świszczącym oddechem z rany wydobywała się krew. Opadł na kolana, chciał wyciągnąć ostrze z ciała, ale ręce go już nie słuchały. Upadł na twarz, jego ciałem jeszcze chwilę wstrząsały gwałtowne drgania, wreszcie znieruchomiał na zbryzganej krwią ziemi.

Twarz Evreux nie wyrażała żadnych emocji. Wyciągnął przed siebie rękę, z dłonią zwróconą wnętrzem do góry. Jeden z żołnierzy podał mu sztylet. Otarł nóż rogiem tuniki posłańca i na powrót umieścił w pochwie.

– Pozbyć się tego – rozkazał, trącając ciało nogą. – I znaleźć Żyda. Chcę wiedzieć, czy nadal jest tutaj, czy już w Carcassonie. Wiecie, jak wygląda?

Jeden z żołnierzy pokiwał głową.

– Dobrze. I nie przeszkadzajcie mi dzisiaj więcej. Chyba że będą jeszcze jakieś wieści z Carcassony.

ROZDZIAŁ 39
Carcassonne

Alice przepłynęła dwadzieścia długości hotelowego basenu, a następnie zjadła śniadanie na tarasie, przyglądając się, jak promienie słońca wypełzają nad drzewa. O dziewiątej trzydzieści już stała w kolejce, czekającej na otwarcie *château comtal*. Niedługo potem zapłaciła za wejście i otrzymała ulotkę traktującą o historii zamku, napisaną trochę dziwacznym angielskim.

W dwóch punktach umocnień wzniesiono drewniane platformy: na prawo od bramy oraz wokół czubka Tour de Casernes w kształcie podkowy, w miejscu, gdzie przypominała ona bocianie gniazdo na statku.

Alice ogarnął spokój. Niespodziewanie wyciszona minęła potężną metalową i drewnianą, podwójną wschodnią bramę. Znalazła się na dziedzińcu.

Cour d'honneur był prawie całkowicie pogrążony w cieniu. Już kręcił się po nim tłumek zwiedzających, którzy tak jak ona chodzili wzdłuż murów, czytali i oglądali. W czasach Trencavelów na środku rósł wiąz, pod którym trzy pokolenia wicehrabiów wymierzały sprawiedliwość. Nie zostało po nim śladu. Na jego miejscu rosły dwa idealnie przycięte platany, rzucające cień na zachodni mur dziedzińca. Słońce już wyjrzało znad fortyfikacji po przeciwnej stronie.

Północny narożnik *cour d'honneur* tonął w złotym blasku. Gołębie wiły gniazda w szczelinach muru, w dawnym przejściu, gdzie po drzwiach został tylko otwór, oraz w łukach Tour du Major i Tour du Degré.

W pamięci Alice błysnął obraz drabiny, dotyk szorstkich drewnianych szczebli, przemykanie z poziomu na poziom. Podniosła wzrok, chciała jakoś powiązać wrażenie z czubków palców z widokiem, który miała przed oczami. Niewiele było do oglądania. Ogarnęła ją melancholia. Smutne poczucie straty. Żal ścisnął jej serce.

Tutaj leżał. Tutaj go opłakiwała.

Spojrzała pod nogi. Dwie brązowe linie znaczyły miejsce, gdzie dawniej wznosił się budynek. Rząd liter na ziemi miał do przekazania jakąś wieść. Kucnęła i przeczytała, że niegdyś stała tutaj kaplica pod wezwaniem świętej Maryi. Sant Maria.

Nie pozostało nic.

Potrząsnęła głową, oszołomiona potęgą wrażeń. Świat, który osiemset lat temu istniał pod niebem Południa, ciągle był tu obecny, tuż pod powierzchnią współczesności. Nie mogła się pozbyć wrażenia, że ktoś stoi u jej boku, jak gdyby zatarła się granica pomiędzy jej dniem dzisiejszym a czyjąś przeszłością.

Zamknęła oczy, odcinając się od współczesnych barw i kształtów, przywołując w wyobraźni ludzi, którzy mieszkali tu dawno temu, wsłuchując się w ich głosy.

Kiedyś dobrze się tutaj żyło. Świece błyszczące na ołtarzu przybranym głogiem. Dłonie złączone aktem ślubu.

Głosy turystów ściągnęły ją na powrót do rzeczywistości. Obrazy z dawnych lat zblakły i zniknęły. Ruszyła dalej. Po chwili znalazła się w obrębie zamku. Od razu zwróciła uwagę na fakt, iż drewniane galerie biegnące wzdłuż murów były od wewnętrznej strony całkowicie otwarte. W murach zauważyła niewielkie kwadratowe otwory, na które zwróciła uwagę już poprzedniego dnia wieczorem. Z ulotki dowiedziała się, że zaznaczały one miejsca, gdzie legary podtrzymywały górną część fortyfikacji.

Spojrzała na zegarek i z przyjemnością stwierdziła, że zdąży jeszcze zajrzeć do muzeum. Wyeksponowano tam wystrój wnętrza dwunasto- i trzynastowiecznych komnat oraz wystawiono wszystko, co pozostało po oryginalnych budynkach, zebrane w kolekcję kamiennych prezbiteriów, kolumn, fragmentów murów na wspornikach, fontann oraz nagrobków datowanych od czasów rzymskich po wiek piętnasty.

Wędrowała wśród tych zabytków, niespecjalnie poruszona. Potężne odczucia, jakie owładnęły nią na dziedzińcu, ucichły, pozostawiając tylko lekki niepokój. Szła drogą wskazywaną turystom przez strzałki, mijała kolejne sale, aż znalazła się w Okrągłym Pokoju, który wbrew swojej nazwie okazał się prostokątny.

Nagle dostała gęsiej skórki. Komnata była zwieńczona półokrągłym stropem, a na dwóch dłuższych ścianach zachowały się fragmenty fresków przedstawiających sceny bitewne. Z tabliczki informacyjnej dowiedziała się, iż to Bernard Aton Trencavel, który brał udział w I wyprawie krzyżowej i bił się z muzułmanami w Hiszpanii, zlecił wykonanie malowideł u schyłku jedenastego wieku. Pomiędzy wspaniale oddanymi zwierzętami i ptakami znajdowały się lampart, zebu, łabędź, byk oraz zwierzę przypominające wielbłąda.

Z niekłamanym zachwytem patrzyła na lazurowy sufit, miejscami wypłowiały i popękany, ale ciągle piękny. Na ścianie po lewej stronie walczyło dwóch *chevaliers*: jeden, ubrany na czarno, dzierżący okrągłą tarczę, za chwilę miał zostać obalony lancą przeciwnika. Po drugiej stronie rozgrywała się bitwa pomiędzy Saracenami a chrześcijańskim rycerstwem. Ten fresk zachował się w znacznie lepszym stanie. Alice podeszła bliżej, by mu się uważniej przyjrzeć. Na środku dwóch rycerzy stało naprzeciwko siebie, jeden na kasztanowym wierzchowcu, drugi, chrześcijanin, na białym rumaku. Ten dzierżył w dłoniach tarczę w kształcie migdała. Alice odruchowo wyciągnęła rękę, ale w tej samej chwili strażniczka cmoknęła z naganą i pokręciła głową.

Na sam koniec zwiedzania zamku trafiła do niewielkiego ogrodu na tyłach głównego dziedzińca – *cour du midi*. Był opustoszały, pozostały po nim właściwie tylko szkielety wysokich łuków. Zielone wąsy winorośli oplatały puste kolumny i wpełzały w szczeliny muru. Ślady dawnej wielkości.

Obeszła ogród dookoła, a potem wróciła na słońce, przepełniona nie tyle smutkiem, ile żalem.

* * *

Na ulicach grodu panował większy ruch niż rano.

Alice nadal miała jeszcze trochę czasu do spotkania w kancelarii prawnej, toteż skręciła w przeciwną stronę niż poprzedniego wieczoru i poszła na Place Saint Nazaire, zdominowany przez bazylikę. Tam jednak jej wzrok przyciągnęła przede wszystkim fasada hotelu de la Cité, powstała w okresie fin de siècle'u. Niedoceniana, a przecież godna uwagi. Pokryta bluszczem, zdobna w bramę z kutego żelaza, łukowate okna z witrażami oraz markizy w kolorze dojrzałych wiśni, roztaczała dyskretny urok bogactwa.

Właśnie rozwarły się drzwi, odsłaniając ściany wyłożone panelami oraz zawieszone gobelinami, i wyszła z nich smukła kobieta o wysokich kościach policzkowych i perfekcyjnie obciętych czarnych włosach, odsuniętych z twarzy okularami przeciwsłonecznymi w złotych oprawkach. Beżowa bluzka bez rękawów oraz spodnie stanowiące z nią komplet zdawały się przy każdym ruchu odpowiadać połyskiem na słoneczny blask. Na ręku miała złotą bransoletę, na szyi obrożę ze złota i wyglądała jak egipska księżniczka.

Alice była święcie przekonana, że gdzieś już ją widziała. W jakimś magazynie? W filmie? A może w telewizji? Piękna nieznajoma wsiadła do samochodu i odjechała. Alice ruszyła ku drzwiom bazyliki.

Przed wejściem stała żebraczka z wyciągniętą ręką. Dziewczyna wyłowiła z kieszeni jakąś monetę i włożyła biedaczce w dłoń. Zrobiła jeszcze dwa kroki i dotknęła palcami drzwi kościoła. Odniosła wrażenie, że coś ją wciąga w lodowaty tunel. Bzdury.

Raz jeszcze spróbowała wejść, przecież nie podda się takim irracjonalnym wrażeniom. Tym razem owładnęło nią to samo przerażenie, co w kościele Saint-Etienne w Tuluzie.

Przepraszając ludzi czekających na swoją kolej, wycofała się i opadła na ocienione kamienne stopnie prowadzące do północnego wejścia.

Co się ze mną dzieje, u licha ciężkiego?

Została wychowana na osobę wierzącą. Gdy wyrosła na tyle, by kwestionować istnienie zła i zorientowała się, iż Kościół nie potrafi jej udzielić satysfakcjonujących odpowiedzi, odsunęła się od religii, ale nigdy nie zapomniała poczucia sensu istnienia zrodzonego z wiary. Nigdy jej nie opuściła ufność w obietnicę zbawienia. Jeśli tylko miała czas, zawsze wstępowała do mijanych kościołów. W każdej świątyni czuła się jak w domu. Wiązały ją z historią, dzieliła tam przeszłość z ludźmi, którzy przemawiali do niej za pośrednictwem architektury, witraży i stalli.

Tu jednak było inaczej.

W katolickich katedrach Południa nie czuła spokoju, lecz strach. Spomiędzy kamieni wyciekała cuchnąca woń zła. Alice podniosła wzrok na złowieszcze gargulce o wykrzywionych pyskach, zezujące na nią szyderczo.

Wstała i odeszła z placu. Stale oglądała się przez ramię. Choć przekonywała siebie samą, że to tylko wybujała wyobraźnia, nie mogła się pozbyć wrażenia, iż ktoś ją śledzi.

Na pewno przesadzam.

Nawet gdy opuściła gród i znalazła się na rue Trivalle, nadal była zdenerwowana i podskórnie przekonana, że ktoś za nią idzie.

* * *

Biuro kancelarii prawnej Daniela Delagarde'a znajdowało się przy rue George Brassens. Mosiężna tabliczka na ścianie budynku lśniła w słońcu. Alice zjawiła się trochę za wcześnie, więc bez pośpiechu przestudiowała nazwiska wszystkich prawników. Karen Fleury została wymieniona mniej więcej w połowie, jako jedna z dwóch tylko kobiet.

Po kilku chwilach weszła na szare kamienne stopnie, pchnęła podwójne szklane drzwi i znalazła się w recepcji o podłodze wyłożonej terakotą. Podała swoje nazwisko urzędniczce siedzącej za wypolerowanym na wysoki połysk mahoniowym biurkiem i została skierowana do poczekalni. Panowała tu przytłaczająca cisza. Jakiś mężczyzna po pięćdziesiątce przywitał ją skinieniem głowy. Na stoliku pośrodku pokoju leżały starannie poukładane egzemplarze „Paris Match", „Immo Media" i kilka starszych numerów francuskiego wydania „Vogue". Na białym marmurowym gzymsie kominka stał zegar, a w miejscu paleniska wysoki prostokątny wazon ze słonecznikami.

Zapadła się w czarny skórzany fotel przy oknie i udawała zainteresowanie lekturą.

– Pani Tanner? – usłyszała. – Nazywam się Karen Fleury. Miło mi panią poznać.

Wstała. Polubiła panią Fleury od pierwszego spojrzenia. Prawniczka miała jakieś trzydzieści pięć lat, krótko przycięte blond włosy i sprawiała wrażenie osoby kompetentnej. Ubrana była w czarny garnitur oraz białą koszulę, na jej szyi połyskiwał złoty krzyżyk.

– Strój pogrzebowy – wyjaśniła, widząc spojrzenie klientki. – Fatalny w taką pogodę.

– Wyobrażam sobie.

Przytrzymała drzwi i przepuściła Alice przodem.

– Zapraszam.

– Długo pani tu pracuje? – spytała Alice, gdy podążały siatką coraz bardziej zapuszczonych korytarzy.

– Przeniosłam się do Francji dwa lata temu. Wyszłam za Francuza. Sporo Anglików tu przyjeżdża, a każdy czasem potrzebuje rady prawnika, więc nie narzekam. – Wprowadziła klientkę do niewielkiego biura na tyłach budynku. – Bardzo się cieszę, że mogła pani przyjechać osobiście – powiedziała, zapraszającym gestem wskazując krzesło. – Obawiałam się, że będziemy musiały większość spraw załatwiać przez telefon.

– Dobrze się złożyło. Zaraz po otrzymaniu pani listu zaprosiła mnie do siebie przyjaciółka, która pracuje pod Foix. Nie mogłam przegapić takiej okazji. – Przerwała. – Zresztą, biorąc pod uwagę naturę spadku, uznałam, że powinnam się tu zjawić.

Karen uśmiechnęła się serdecznie.

– Z mojego punktu widzenia bardzo to upraszcza i przyśpiesza sprawę. – Przysunęła do siebie brązową teczkę z dokumentami. – Z tego, co powiedziała pani przez telefon, rozumiem, że niewiele pani wie o swojej ciotce.

Alice skrzywiła się lekko.

– Ściśle rzecz biorąc, w życiu o niej nie słyszałam. Nie miałam pojęcia, że tata miał jakichkolwiek żyjących krewnych, nie mówiąc o przyrodniej siostrze. Tkwiłam w przekonaniu, że oboje moi rodzice byli jedynakami. Nie widywałam żadnych ciotek ani wujków na przyjęciach urodzinowych czy na Boże Narodzenie.

Karen zerknęła w notatki.

– Straciła pani rodziców jakiś czas temu.

– Zginęli w wypadku samochodowym, kiedy miałam osiemnaście lat. W maju tysiąc dziewięćset dziewięćdziesiątego drugiego. Straciłam ich tuż przed maturą.

– Fatalny obrót spraw.

Alice tylko pokiwała głową. Co miała powiedzieć?

– Nie ma pani rodzeństwa?

– Podejrzewam, że rodzice za późno zdecydowali się na dzieci. Oboje mieli już swoje lata, kiedy przyszłam na świat. Byli po czterdziestce.

Teraz Karen kiwnęła głową.

– W tych okolicznościach najlepiej będzie chyba, jeśli przedstawię pani wszystko, co mam na temat majątku i warunków ostatniej woli pani ciotki. Potem będzie pani mogła ewentualnie pojechać obejrzeć dom. To mniej więcej godzina drogi stąd. Miasteczko nazywa się Sallèles d'Aude.

– Chętnie się wybiorę.

– Dysponuję w zasadzie najbardziej podstawowymi informacjami – podjęła Karen – dotyczącymi nazwisk, dat i tak dalej. Na pewno w domu ciotki zyska pani o wiele lepsze pojęcie o niej samej. Jak już pani go obejrzy i zorientuje się w rodzinnych dokumentach, łatwiej pani będzie zdecydować, czy chce pani opróżnić dom sama, czy nam to zlecić. Kiedy pani wraca do Anglii?

– Teoretycznie w niedzielę, ale zastanawiam się, czyby nie zostać dłużej. Nic mnie specjalnie nie goni.

Karen skinęła głową i zajrzała w notatki.

– Co my tu mamy... Grace Alice Tanner była przyrodnią siostrą pani ojca. Urodziła się w Londynie, w roku tysiąc dziewięćset dwunastym, jako najmłodsze dziecko z piątki i jedyne, które zostało przy życiu. Jej dwie siostry zmarły w dzieciństwie, chłopcy stracili życie podczas pierwszej wojny światowej. Matka umarła – prawniczka powiodła palcem w dół strony, aż natrafiła na właściwą datę – w tysiąc dziewięćset dwudziestym ósmym, po długiej chorobie. Ojciec Grace ożenił się ponownie, z drugiego małżeństwa miał jedno dziecko: pani ojca, który urodził się rok po ślubie. Z dokumentów wynika, że Grace Tanner w zasadzie nie utrzymywała kontaktów z ojcem, pani dziadkiem.

– Jak pani sądzi, czy mój tata wiedział, że ma przyrodnią siostrę?

– Nie sposób tego wywnioskować. Zdając się na kobiecą intuicję, powiedziałabym, że nie.

– Grace jednak najwyraźniej o nim wiedziała.

– Rzeczywiście, choć nie sposób dojść, jak i kiedy weszła w posiadanie tej informacji. Tak czy inaczej z pewnością wiedziała o pani istnieniu. W tysiąc dziewięćset dziewięćdziesiątym drugim, niedługo po śmierci pani rodziców, zmieniła testament, czyniąc panią swoją jedyną spadkobierczynią. W tamtym czasie mieszkała we Francji już od jakiegoś czasu.

– Innymi słowy wiedziała nie tylko o moim istnieniu, ale też o tym, że straciłam rodziców. – Alice zmarszczyła brwi. – Ciekawe, dlaczego się do mnie nie odezwała.

– Mogła podejrzewać, że nie życzyłaby pani sobie kontaktu. Nie wiemy, co spowodowało rozdźwięk w rodzinie. Może sądziła, iż ojciec nastawił ją do pani negatywnie. W takich wypadkach podobne założenie często bywa uzasadnione. A jeśli raz dojdzie do zerwania więzi, trudno potem naprawić szkody.

– Przypuszczam, że to nie pani spisywała testament?

– Nie, nie – uśmiechnęła się Karen. – Ale rozmawiałam z kolegą, który to zrobił. Jest już na emeryturze, jednak pamięta pani ciotkę. Była kobietą stanowczą, mocno stojącą na ziemi, bez humorów czy zbędnego sentymentalizmu. Wiedziała dokładnie, czego chce, a chciała wszystko zostawić pani.

– Nie wie pani, dlaczego się tutaj przeprowadziła?

– Przykro mi, ale nie. – Zamilkła. – Z prawnego punktu widzenia wszystko jest w najlepszym porządku. Jak już wspomniałam, moim zdaniem najlepiej będzie, jeśli wybierze się pani do domu ciotki. Zapewne tam więcej się pani o niej dowie. Skoro nie wyjeżdża pani z Francji natychmiast, mogłybyśmy się spotkać jeszcze raz... Jutro i w piątek jestem w sądzie, ale w sobotę rano mam wolne. – Wstała, wyciągnęła do Alice rękę. – Proszę zostawić sekretarce wiadomość, jaką pani podjęła decyzję.

– Proszę pani, chciałabym odwiedzić grób ciotki – odezwała się Alice, gdy wychodziły z gabinetu.

– Oczywiście. Zaraz podam pani szczegóły. O ile dobrze sobie przypominam, okoliczności tego pochówku były niezwykłe. – Karen zatrzymała się przy biurku sekretarki.

– *Dominique, tu peux me trouver le numéro du lot de cimitière de madame Tanner? La cimitière de la Cité. Merci**.

– W jakim sensie niezwykłe? – zainteresowała się Alice.

– Pani Tanner nie została pochowana w Sallèles d'Aude, czego się można było spodziewać, ale tutaj, w Carcassonne, na cmentarzu tuż za murami średniowiecznego grodu, w grobie rodzinnym innej osoby. – Prawniczka wzięła od asystentki wydruk i przebiegła wzrokiem informacje. – No właśnie. Już wiem. Jeanne Giraud, mieszkanka Carcassonne. Choć nic nie wskazuje na to, by się w ogóle znały. Mam dla pani tutaj także adres madame Giraud.

– Dziękuję, odezwę się.

– Dominique odprowadzi panią do wyjścia – uśmiechnęła się. – Będę czekała na pani sygnał.

---

* Dominique, znajdź mi, proszę, numer kwatery pani Tanner. Na cmentarzu w La Cité.

ROZDZIAŁ 40
Ariège

Paul Authié spodziewał się, że Marie-Cécile wykorzysta wspólną podróż do Ariège na podjęcie rozmowy z poprzedniego dnia albo będzie go wypytywała o sprawy zawarte w raporcie. Tymczasem ona ograniczyła się do kilku słów ogólnego komentarza.

W ciszy tym wyraźniej odczuwał jej bliskość. Dziś była ubrana w beżową bluzkę bez rękawów i spodnie. Oczy ukryła za okularami przeciwsłonecznymi, usta i paznokcie miała pomalowane na ten sam krwistoczerwony kolor.

Obciągnął rękawy koszuli, zerkając przy tym dyskretnie na zegarek. Licząc drogę w jedną i drugą stronę oraz przynajmniej dwie godziny na miejscu, należało założyć, iż do Carcassonne wrócą późnym popołudniem. Fatalnie.

– Są jakieś wieści o pani Shelagh O'Donnell? – spytała Marie-Cécile.

Authié drgnął. Zupełnie jakby mu czytała w myślach.

– Jak dotąd, nie.

– A co z policjantem? – zapytała, odwracając się do niego.

– Już nie stanowi problemu.

– Od kiedy?

– Od dzisiejszego ranka.

– Dowiedziałeś się od niego czegoś więcej?

Authié pokręcił głową.

– Lepiej, żeby cię z tą sprawą nie powiązali – zauważyła.

– Nie powiążą.

Znowu umilkła na jakiś czas.

– A co z tą Angielką? – odezwała się w końcu.

– Wczoraj wieczorem przyjechała do Carcassonne. Mój człowiek ma ją na oku.

– Nie wydaje ci się, że pojechała do Tuluzy, by tam zostawić w depozycie pierścień albo księgę?

– Musiałaby te przedmioty przekazać komuś w hotelu. Ale nikt jej nie odwiedzał. Z nikim nie rozmawiała ani na ulicy, ani w bibliotece.

* * *

Dotarli na Pic de Soularac tuż po pierwszej. Wokół parkingu wzniesiono drewniane ogrodzenie. Brama została zamknięta na kłódkę. Zgodnie z ustaleniami w okolicy nie było żadnego świadka ich przyjazdu. Authié otworzył bramę i wjechał na parking. W obozie archeologów panowała nienaturalna cisza, zwłaszcza w porównaniu z gwarem, jaki ożywiał tutaj poniedziałkowe popołudnie. Miejsce zdążyło już przesiąknąć atmosferą zapomnienia. Namioty stały zasznurowane, naczynia i narzędzia tkwiły poukładane w równiutkich rzędach.

– Gdzie jest wejście do jaskini?

Authié wskazał w górę, gdzie policyjna taśma, odgradzająca miejsce zbrodni, łopotała na wietrze. Wyjął latarkę ze schowka na rękawiczki.

W milczeniu wspięli się na zbocze. Dusił ich żar południa. Authié pokazał Marie-Cécile kamień, który jeszcze niedawno zakrywał wejście do pieczary, a teraz leżał na boku, podobny do głowy upadłego bożka.

– Wejdę tam sama – oznajmiła Marie-Cécile.

Był zirytowany, ale niczego po sobie nie pokazał. Miał pewność, iż w kamiennej komnacie nie zostało nic godnego uwagi. Przeczesał ją osobiście. Podał kobiecie latarkę.

– Proszę bardzo.

Gdy weszła w tunel, strumień światła słabł stopniowo, aż w końcu całkiem zniknął. Authié odsunął się od wejścia, na tyle, żeby bez wątpienia znaleźć się poza zasięgiem słuchu Marie-Cécile. Poza tym już sama bliskość jaskini działała mu na nerwy. Automatycznie ujął w palce złoty krzyżyk, zawieszony na szyi, jakby dzięki dotknięciu talizmanu chciał odpędzić złe moce.

– W imię Ojca i Syna i Ducha Świętego. – Przeżegnał się szerokim gestem. Uspokoił oddech i dopiero wtedy zadzwonił do biura.

– Masz coś dla mnie? – Słuchał jakiś czas, wyraźnie zadowolony. – W hotelu? Rozmawiali? – Wysłuchał odpowiedzi. – Dobra. Pilnuj jej i patrz, co robi. – Uśmiechnął się i rozłączył. Właśnie pojawiło się kolejne pytanie do Shelagh O'Donnell.

Sekretarka znalazła zdumiewająco mało informacji o Baillardzie. Człowiek ten nie miał samochodu, paszportu ani telefonu, nie został ujęty w wykazie właścicieli ziemskich, nie było go w żadnych rejestrach. Nie przydzielono mu nawet *numéro de securité sociale**. Oficjalnie w zasadzie nie istniał. Jednostka bez przeszłości.

Authiému przemknęło przez myśl, że Baillard może być dawnym, nielojalnym członkiem Noublesso Véritable. Jego wiek, otaczająca go tajemnicza atmosfera, zainteresowanie historią katarów i znajomość hieroglifów wyraźnie wiązała go z Trylogią Labiryntu.

---

* numer ubezpieczenia socjalnego

Był pewien, że musi tu istnieć jakieś połączenie. Należało jedynie odkryć jakie.

Najchętniej zniszczyłby jaskinię już teraz, od razu, bez chwili wahania, gdyby nie fakt, że nadal nie zdobył ksiąg. Był narzędziem w ręku Boga, za jego pośrednictwem, za sprawą Paula Authié herezja licząca sobie cztery tysiące lat zostanie nareszcie starta z powierzchni ziemi. Pora na jego działanie przyjdzie, gdy profanujące prawdziwą wiarę pergaminy znajdą się na powrót w skalnej komnacie. Wtedy on wszystkich i wszystko odda we władanie ognia.

Zostały mu tylko dwa dni na odnalezienie księgi. Oczy mu zapłonęły. Wybrał połączenie z następnym numerem.

– Jutro rano – rzucił władczym tonem. – Ma być gotowa.

* * *

Audric Baillard słyszał głównie stukot brązowych butów Jeanne na linoleum. Poza tym panowała cisza. Szli korytarzem szpitala we Foix.

Wszystko poza podłogą było białe. Jego garnitur w kolorze kredy, kombinezony techników i ich gumowe buty, ściany, wózki, tablice. Inspektor Noubel wyglądał w tym sterylnym otoczeniu, jakby się od tygodnia nie mył.

Jakaś pielęgniarka pchała wózek o przeraźliwie skrzypiących kółkach. Odstąpili na bok, podziękowała im lekkim skinieniem głowy.

Baillard zdawał sobie sprawę, iż pracownicy szpitala otaczają Jeanne szczególnymi względami. Ich współczucie, bez wątpienia szczere, mieszało się z troską, jak kobieta poradzi sobie ze wstrząsem. Uśmiechnął się niewesoło. Młodzi ludzie zapominali albo wręcz nie wiedzieli, że pokolenie Jeanne przeszło znacznie więcej, niż potrafili sobie wyobrazić. Wojnę, okupację, ruch oporu. Walczyli i zabijali, widzieli śmierć swoich bliskich. Byli silni. Nic ich już nie dziwiło, poza może hartem ludzkiego ducha.

Noubel zatrzymał się przed szerokimi białymi drzwiami. Pchnął je i przepuścił prowadzonych przodem. Za drzwiami powietrze było zimne, przesycone ostrą wonią środków dezynfekujących. Baillard zdjął kapelusz, przyłożył go do piersi.

Tu także panowała cisza. Już nie pracowały żadne urządzenia podtrzymujące życie. Pod oknem stało łóżko, na nim znajdował się podłużny kształt, zakryty prześcieradłem.

– Zrobili wszystko co w ludzkiej mocy – wymamrotał Noubel.

– Inspektorze – odezwała się Jeanne – czy mój wnuk został zamordowany? – Były to pierwsze słowa, jakie wypowiedziała od momentu wejścia do szpitala. Wtedy się dowiedzieli, że przybyli za późno.

Inspektor przestąpił nerwowo z nogi na nogę.

– Za wcześnie wyrokować, ale...

– Czy traktuje pan jego śmierć jako podejrzany wypadek? – naciskała.

– Tak czy nie?

– Tak.

– Dziękuję panu – powiedziała tym samym tonem. – To chciałam wiedzieć.

– Zostawię państwa – Noubel skierował się do wyjścia. – Gdyby państwo czegoś ode mnie potrzebowali, będę w poczekalni z madame Claudette. – Drzwi zamknęły się za nim z ostrym kliknięciem.

Jeanne podeszła do łóżka. Twarz miała poszarzałą, usta zaciśnięte, ale plecy proste, jak zawsze. Odsunęła prześcieradło.

Do pokoju wślizgnęła się drętwota śmierci. Yves był naprawdę bardzo młodym człowiekiem, cerę miał białą i gładką, bez plam, bez zmarszczek. Głowę mu zabandażowano i tylko kilka pasm czarnych włosów wystawało spod opatrunku. Dłonie o czerwonych pościeranych kostkach złożono mu na piersiach, jak faraonowi.

Jeanne pochyliła się i ucałowała wnuka w czoło. Następnie pewną ręką zakryła mu twarz prześcieradłem i odwróciła się do Baillarda.

– Pójdziemy? – Ujęła go pod ramię.

Wrócili na pusty korytarz. Baillard rozejrzał się i poprowadził Jeanne do rzędu plastikowych krzeseł ustawionych pod ścianą. Cisza była przytłaczająca. Kazała odruchowo zniżać głos, choć w pobliżu nie było nikogo.

– Od jakiegoś czasu niepokoiłam się o niego – powiedziała Jeanne. – Widziałam, że się zmienił. Zrobił się skryty, wiecznie zdenerwowany...

– Zapytałaś go, co się dzieje?

Pokiwała głową.

– Twierdził, że nic szczególnego. Stres i przepracowanie.

– Jeanne – Audric położył rękę na ramieniu przyjaciółki. – Ten chłopak cię kochał. Może coś było, a może i nie. – Przerwał. – Jeżeli Yves wplątał się w jakieś niecne sprawki, to wbrew swojej naturze. I sumienie nie dawało mu spokoju. W końcu jednak, w najistotniejszej chwili, zrobił to, co należy. Posłał do ciebie pierścień, nie oglądając się na konsekwencje.

– Inspektor Noubel pytał mnie o ten pierścień. Chciał wiedzieć, czy rozmawiałam z Yvesem w poniedziałek.

– Jaką dałaś mu odpowiedź?

– Zgodną z prawdą. Nie rozmawiałam.

Audric odetchnął z ulgą.

– Twoim zdaniem Yves brał pieniądze za przekazywanie informacji, prawda? – Jeanne raczej stwierdziła, niż zapytała. – Powiedz mi. Chcę znać prawdę.

– Jak mogę ci powiedzieć prawdę – rozłożył dłonie w geście bezradności – skoro sam także jej nie znam.

– Wobec tego powiedz mi, co podejrzewasz. Nie ma dla mnie nic gorszego niż niewiedza.

Baillard oczami wyobraźni ujrzał moment, gdy głaz zagrodził wejście do jaskini, zamknął dwoje ludzi w pułapce. Nie wiedział, co się tam dzieje... Pamiętał zapach bukszpanu. Ryk płomieni, krzyki żołnierzy. Na wpół zapomniane miejsca i obrazy. Nie wiedział, czy była żywa czy martwa.

– *Es vertat* – powiedział cicho. – To prawda, najgorsza jest niewiedza. – Westchnął znowu. – Cóż, rzeczywiście uważam, iż Yves był opłacany za dostarczanie informacji. Najpierw na temat Trylogii, ale zapewne nie tylko. Z początku mogło mu się to wydawać nieszkodliwe... jedna czy dwie rozmowy telefoniczne, dokładniejsze informacje na temat czyjegoś miejsca pobytu, szczegóły jakiejś rozmowy... Wkrótce jednak zaczął rozumieć, że wymagają od niego więcej, niż jest gotów dać.

– Powiedziałeś „oni". Wobec tego wiesz, kto jest odpowiedzialny za jego śmierć?

– To jedynie domysły – zastrzegł się pośpiesznie. – Ludzkość nie bardzo się zmienia na przestrzeni wieków. Z pozoru wydajemy się inni niż nasi przodkowie. Każde następne pokolenie przyjmuje nowe wartości i odrzuca stare, dumne z własnego doświadczenia i mądrości. Wydaje nam się, że niewiele mamy wspólnego z tymi, którzy odeszli przed nami. – Położył rękę na piersi. – Ale serce ludzkie się nie zmienia. Chciwość, żądza władzy, strach przed śmiercią są zawsze takie same. – Głos mu złagodniał. – Ale i rzeczy piękne pozostają niezmienne. Miłość, odwaga, zdolność oddania życia za coś, w co się głęboko wierzy, dobroć.

– Audric, czy to się kiedyś skończy?

Baillard milczał dłuższy czas.

– Bardzo bym tego chciał.

Zegar nad ich głowami odmierzał mijający czas. W drugim końcu korytarza odezwały się jakieś przyciszone głosy, kroki, potem skrzypienie gumy na płytkach. Po chwili wszystko ucichło.

– Nie pójdziesz na policję? – spytała w końcu Jeanne.

– Moim zdaniem byłoby to nierozsądne.

– Nie ufasz inspektorowi Noubelowi?

– *Benlèu*. – Może. – Czy policja oddała ci rzeczy Yvesa? Ubranie, zawartość kieszeni?

– Jego ubranie... było w bardzo złym stanie. Inspektor Noubel powiedział, że Yves miał przy sobie tylko portfel i klucze.

– Jak to? Ani *carte d'identité**, ani innych dokumentów, ani telefonu? Nie wydało mu się to dziwne?

– Z tym się nie zdradził.

– A może znaleźli coś u niego w mieszkaniu?

– Nie wiem. – Jeanne lekko wzruszyła ramionami. – Poprosiłam jednego z jego przyjaciół o listę osób, które były w obozie archeologów w poniedziałek po południu. – Podała Baillardowi kartkę papieru z rzędem nazwisk. – Nie jest kompletna.

– A to co? – spytał Audric, wskazując nazwę hotelu dopisaną na dole strony.

– Chciałeś wiedzieć, gdzie mieszka ta Angielka. – Zamilkła. – W każdym razie taki adres podała inspektorowi.

---

* dowód tożsamości

– Pani Alice Tanner – mruknął Baillard. Długo jej szukał. – Wobec tego tam powinienem wysłać list.

– Jeśli chcesz, podrzucę go tam w drodze do domu.

– Nie – zaprotestował stanowczo. Jeanne spojrzała na niego ze zdziwieniem. – Wybacz mi – poprosił od razu. – Bardzo miło, że proponujesz mi pomoc, ale... wydaje mi się, że nie powinnaś wracać do domu. Przynajmniej na razie.

– Dlaczego?

– Niedługo odkryją, że Yves wysłał ci pierścień. Jeśli jeszcze o tym nie wiedzą. Proszę cię, zamieszkaj gdzieś u znajomych. Wyjedź, razem z Claudette. Tutaj nie jesteście bezpieczne.

Zdziwiła się, ale nie zaprotestowała.

– Ciągle zerkasz przez ramię.

Baillard uśmiechnął się i z niedowierzaniem pokręcił głową. Wydawało mu się, że świetnie maskuje niepokój.

– Co będzie z tobą, Audricu? Ty także nie jesteś bezpieczny.

– To zupełnie inna sprawa. Czekałem na tę chwilę... bardzo, bardzo długo. Zostanę. Tak musi być. Na dobre i na złe.

Jeanne milczała jakiś czas.

– Kim jest ta dziewczyna? – spytała. – Dlaczego ta Angielka jest taka ważna?

Znowu się uśmiechnął, ale i tym razem nie odpowiedział.

– Dokąd teraz pojedziesz? – zapytała w końcu.

Baillard odetchnął głęboko. Przed oczami pojawił mu się z dawna znajomy wiejski krajobraz.

– *Oustâou* – odparł miękko. – Wrócę do domu. *A la perfin*. Nareszcie.

ROZDZIAŁ 41

Shelagh z wolna przywykała do wiecznego półmroku.
Zamknięto ją w stajennym boksie albo jakiejś innej zagrodzie dla zwierząt. Drażnił ją ostry zapach resztek jedzenia, uryny i słodka woń słomy oraz jeszcze inna, która przywodziła na myśl gnijące mięso. Pod drzwiami przeciskał się pas białego światła, ale nie potrafiła ocenić, czy było późne popołudnie, czy wczesny ranek. Nie wiedziała już nawet, jaki jest dzień tygodnia.

Gruba lina drażniła poobcieraną skórę na kostkach i nadgarstkach. Przywiązano ją do jednego z metalowych kół umocowanych w ścianie. Ręce jej zdrętwiały, a jeśli wracało w nich czucie, bolały jak wszyscy diabli.

Po twarzy łaziły jej muchy i Bóg jeden wie co jeszcze. Cała była pokłuta. W słomie buszowały myszy albo może szczury, ale do nich już się przyzwyczaiła, zwracała na nie jeszcze mniej uwagi niż na ból.

Fatalnie się stało, że nie oddzwoniła do Alice. Kolejny błąd. Ciekawe, czy przyjaciółka nadal próbowała się z nią skontaktować, czy też dała sobie spokój. Gdyby zadzwoniła do kwater, gdzie mieszkał zespół archeologów i dowiedziała się o jej zniknięciu, pewnie zdałaby sobie sprawę, że coś jest nie w porządku? A Yves? Czy Brayling wezwałby policję...?

Do oczu nabiegły jej łzy. Najprawdopodobniej nikt niczego nie zauważył. Nikt się nie zorientował, że zaginęła. Kilkoro archeologów głośno mówiło o zamiarze wzięcia paru dni wolnego, póki się wszystko nie wyjaśni i nie uspokoi. Pewnie wyszli z założenia, że ona także zrobiła sobie przerwę.

Głód przestał jej dokuczać już jakiś czas temu, natomiast stale odczuwała pragnienie. Gardło miała jak papier ścierny, usta popękane od ciągłego oblizywania. Owszem, dali jej wodę, ale mało i dawno. Usiłowała sobie teraz przypomnieć, jak długo zdrowy człowiek w przyzwoitej kondycji może się obejść bez płynów. Dzień? A może tydzień?

Usłyszała zgrzyt żwiru pod czyimiś stopami. Serce podeszło jej do gardła, jak za każdym razem, kiedy docierały do niej jakieś odgłosy z zewnątrz. Dotąd nikt nie wchodził.

Podciągnęła się do pozycji siedzącej. Tym razem ktoś otworzył kłódkę. Rozległ się ciężki brzęk łańcucha, a potem skrzypienie zardzewiałych zawiasów. Odwróciła twarz, bo słoneczny blask wbił jej w oczy tysiące szpilek. Gdy wzrok przyzwyczaił się do światła, dostrzegła potężnie zbudowanego mężczyznę, który musiał schylić się w progu, by nie zawadzić głową o framugę. Mimo skwaru miał na sobie marynarkę, oczy skrył za okularami przeciwsłonecznymi. Shelagh instynktownie cofnęła się pod ścianę. Czuła do siebie wstręt za nieprzezwyciężony strach.

Mężczyzna zbliżył się do niej. Chwycił za sznur i postawił ją na nogi. Z kieszeni wyjął nóż.

Cofnęła się, na ile mogła.

– *Non* – szepnęła. – Błagam. – Pogardzała sobą, ale nie mogła nic na to poradzić. Przerażenie było silniejsze niż duma.

Z uśmiechem przystawił jej ostrze do gardła. Chyba wszystkie zęby miał zepsute, a na pewno wszystkie pożółkłe od nikotyny. Sięgnął za plecami Shelagh i odciął linę od ściany. Pociągnął dziewczynę za sobą, jak na smyczy. Runęła na kolana.

– Nie mogę iść. Musisz mnie rozwiązać. – Wzrokiem wskazała spętane stopy. – *Les pieds.*

Zawahał się niezdecydowany, ale w końcu przeciął linę w kostkach.

– *Lève-toi*! *Vite*! * – Gwałtownie podniósł rękę, jakby chciał ją uderzyć, ale w końcu tylko znów pociągnął za linę. – *Vite.*

Nogi miała kompletnie zdrętwiałe, lecz jakimś cudem zrobiła krok, a potem następny i kolejne. Poraniona skóra na kostkach szczypała i piekła przy każdym ruchu, ciągnęła tak, że ból promieniował aż na łydki.

Gdy wyszła na zewnątrz, świat się zakołysał. Upał był niemiłosierny. Ostre słońce wypalało siatkówki. W powietrzu wisiała wilgoć. Zdawało się, że przydusiła podwórze i otaczające je budynki jak złośliwy Budda.

Shelagh szybko się zorientowała, iż faktycznie uwięziono ją w nieużywanej stajni. Wzięła się w garść na tyle, by rozejrzeć dookoła. Zdawała sobie sprawę, że może nie mieć drugiej szansy, by spróbować odgadnąć, dokąd ją zabrali. A także: kim byli. Bo mimo wszystko nie miała pewności.

Cała sprawa zaczęła się w marcu. Przychodził do niej, czarujący pochlebca, nieomal przepraszając, że żyje. Przedstawił się jako reprezentant osoby, która życzy sobie pozostać anonimowa. Prosił tylko, by Shelagh od czasu do czasu zadzwoniła pod podany numer. Chciał informacji, niczego więcej. Proponował duże pieniądze. Nieco później układ się zmienił: połowa stawki za informacje, reszta za dostawę.

Spoglądając wstecz, nie potrafiła określić, kiedy zaczęła mieć wątpliwości.

Klient nie robił wrażenia łatwowiernego kolekcjonera, gotowego zapłacić za okazję, bez zadawania pytań. Po pierwsze, miał młody głos. Po drugie, zbieracze średniowiecznych pamiątek najczęściej byli zabobonni, podejrzliwi, a niekiedy nawet sprawiali wrażenie opętanych. O nim nie można było powiedzieć nic podobnego. Już samo to powinno było ją zastanowić.

---

* Wstawaj! No już!

Teraz uświadamiała sobie, iż powinna była dawno temu poważnie się zastanowić, dlaczego – skoro pierścień i księga miały dla niego jedynie wartość sentymentalną – skłonny był do tak niebagatelnych poświęceń.

Wszelkich obiekcji moralnych, dotyczących kradzieży znalezisk, Shelagh wyzbyła się już dawno. Za dobrze znała muzea oraz elitarne instytucje akademickie, by sądzić, iż są one lepszymi opiekunami skarbów przeszłości niż osoby prywatne. Brała pieniądze i przekazywała znaleziska kolekcjonerom. Wszyscy byli zadowoleni. A co się działo potem – to już nie jej sprawa.

Spoglądając wstecz, zdała sobie sprawę, iż była przestraszona na długo przed drugim telefonem. Z pewnością kilka tygodni przed zaproszeniem Alice na Pic de Soularac. A potem skontaktował się z nią Yves Biau i porównali swoje doświadczenia... Zaczęła się bać naprawdę. Jeśli coś złego przydarzyło się Alice, to tylko i wyłącznie jej, Shelagh, wina.

Dotarli do budynku mieszkalnego, średniej wielkości domu z dwiema zniszczonymi przybudówkami: garażem oraz piwniczką na wino. Z okiennic i frontowych drzwi farba odłaziła płatami, okna ziały czarną pustką. Na podwórzu stały dwa samochody, poza nimi nie było nic.

Dookoła roztaczał się widok na góry. Przynajmniej nadal była w Pirenejach. Nie wiedzieć czemu, ten fakt obudził w niej nadzieję.

Drzwi stały otworem, jakby byli oczekiwani. W środku panował chłód i chyba nie było nikogo. Wszystko pokrywała równa warstwa kurzu. Wnętrze robiło wrażenie dawnego hotelu czy *auberge*, na wprost wejścia znajdowała się recepcja, gdzie ze ściany wystawał rząd haczyków. Kiedyś z pewnością wisiały na nich klucze do pokojów.

Mężczyzna pociągnął za linę. Czuć go było potem, kiepską wodą po goleniu i tanimi papierosami.

Z pokoju po lewej dobiegały głosy. Przez uchylone drzwi dostrzegła jakiegoś mężczyznę, stojącego przed oknem, zwróconego do niej plecami. Tylko skórzane buty i nogawki spodni od letniego garnituru były widoczne wyraźniej.

Została wprowadzona na piętro, potem długim korytarzem na wąskie schodki, kończące się przed wejściem na duszny strych, zajmujący prawie całą powierzchnię poddasza.

Mężczyzna otworzył zasuwę i mocno pchnął dziewczynę. Upadła ciężko, uderzyła się w łokieć. Drzwi zatrzasnęły się z hukiem. Nie, tylko nie to. Rzuciła się do nich, zaczęła w nie łomotać i krzyczeć, ale oczywiście nic to nie dało. Deski zostały przemyślnie wzmocnione żelazem, nikt nie reagował.

W końcu się poddała. Odwróciła się i rozejrzała. Pod jedną ze ścian leżał materac, na nim starannie złożony koc. Naprzeciwko drzwi znajdowało się okienko, dokładnie zabezpieczone żelaznymi kratami. Kiedy przez nie wyjrzała, okazało się, że wychodzi ono na tyły domu. Choć do ziemi było daleko, spróbowała wyrwać kraty. Nic z tego.

W kącie strychu odkryła nieidużą umywalkę, obok niej stało wiadro, namiastka toalety. Z ogromnym trudem odkręciła kran. Rury zagrały, rozkaszlały się jak nałogowy palacz i w końcu wypluły cienki strumyczek wody. Podsunęła pod kran brudne dłonie złożone w miseczkę i piła, aż ją brzuch rozbolał. Obmyła się najlepiej, jak mogła. Mocząc linę obcierającą nadgarstki, starała się usunąć zaschniętą krew.

Jakiś czas później mężczyzna przyniósł jedzenie. Więcej niż zwykle.

– Dlaczego mnie tu trzymacie? – spytała.

Bez słowa postawił tacę na środku poddasza.

– Dlaczego mnie tu trzymacie? *Pourquoi je suis ici?*

– *Il te le dira**.

– Kto chce ze mną rozmawiać?

Gestem wskazał jedzenie.

– *Mange.*

– Musisz mnie rozwiązać. – I jeszcze powtórzyła. – Kto to jest? Powiedz.

Pchnął tacę nogą.

– Jedz.

Kiedy wyszedł, rzuciła się na jedzenie. Pochłonęła wszystko, do ostatniego kawałeczka, nawet ogryzek od jabłka. Potem wróciła do okna. Ostre promienie słońca znad szczytów gór rozpalały świat do białości.

Z dala dobiegało mruczenie silnika samochodu pełznącego wolno w stronę farmy.

---

* On ci powie.

ROZDZIAŁ 42

Karen udzieliła doskonałych wskazówek. Godzinę po wyjeździe z Carcassonne Alice dotarła do przedmieść Narbonne, skąd drogowskazy poprowadziły ją do Cuxac d'Aude i do Capestang, piękną drogą obramowaną bambusem oraz przeróżnymi dziko rosnącymi trawami rozkołysanymi na wietrze, stanowiącymi wyszukaną ramę dla urodzajnych zielonych pól. Krajobraz całkiem różny od gór departamentu Ariège czy *garrigue** w rejonie Corbières.

Przed drugą wjechała do Sallèles d'Aude. Zaparkowała pod dachem z drzew cytrynowych i parasolowatych sosen rosnących wzdłuż Kanału Południowego i poszła wdzięcznymi uliczkami aż do rue des Burgues.

Domek Grace, nieduży, jednopiętrowy, znajdował się na rogu. Staroświeckie drewniane drzwi i brązowe okiennice nieomal ginęły w morzu czerwonych róż. Zamek był zardzewiały, Alice musiała z całej siły napierać na ciężki mosiężny klucz, nim się niechętnie obrócił. Musiała jeszcze mocno pchnąć deski ramieniem, żeby drzwi ustąpiły z głośnym protestem zawiasów. Od wewnątrz blokowała je sterta ulotek leżąca pod szparą na listy, na podłodze z czarnych i białych płytek.

Po lewej znajdowała się kuchnia, po prawej spory otwarty salon. Powietrze było chłodne i nieco wilgotne, pachniało opuszczonym domem. Alice pstryknęła przełącznikiem światła, ale okazało się, iż elektryczność została odłączona. Podniosła z podłogi stertę makulatury, położyła ją na stole. Otworzyła okno nad zlewozmywakiem, chwilę walczyła ze zdobionymi haczykami przytrzymującymi okiennice. Elektryczny czajnik oraz strasznie stary piekarnik z grillem ustawiony na blacie stanowiły jedyne nowocześniejsze przedmioty w kuchni ciotki Grace. Suszarka była pusta, zlew czysty, ale za kranem zostały zatknięte dwie zużyte szorstkie gąbki, wyschnięte na wiór.

Alice otworzyła także duże okno w salonie, pchnęła ciężkie brązowe okiennice. Słońce wlało się do środka, całkowicie odmieniając wnętrze. Wychyliła się, wciągnęła w płuca słodki zapach róż, poddała się dotykowi gorącego lata, na chwilę odsunęła od siebie wszystkie kłopoty. Mimo wszystko czuła się jak intruz, który węszy w cudzym domu bez pozwolenia.

---

* niskie zarośla charakterystyczne dla obszarów strefy śródziemnomorskiej

Przy kominku stały dwa ciemne drewniane fotele. Dawno wystygłe palenisko z czarnymi smugami na kracie, obłożone było szarym kamieniem. Na gzymsie widniało kilka chińskich ornamentów, pokrytych grubą warstwą kurzu.

Na ścianie obok kominka wisiał olejny obraz przedstawiający dom zbudowany z kamienia, ze stromym dachem pokrytym czerwoną dachówką. Stał on między polem słoneczników a winnicą. W dolnym prawym rogu znajdował się podpis malarza: Baillard.

Pod drugą ścianą stał stół, cztery krzesła i kredens. Alice zajrzała do środka. Znalazła komplet podstawek i podkładek ozdobionych rysunkami francuskich katedr, lniane serwetki oraz srebrne sztućce, które zabrzęczały głośno, gdy zamykała szufladę. Na półkach ustawiono chińską porcelanę: talerze, dzbanek do śmietany, salaterki deserowe i sosjerkę.

W kącie znajdowało się dwoje drzwi. Za pierwszymi był schowek, a w nim deska do prasowania, szczotka ze śmietniczką, miotła, kilka wieszaków i mnóstwo plastikowych siatek z marketu Géant.

Za drugimi drzwiami – schody.

Sandały Alice stukały na drewnianych stopniach, odmierzając drogę na piętro pogrążone w mroku. Na wprost otwierała się funkcjonalnie urządzona łazienka wyłożona różowymi kafelkami. Na umywalce został wyschnięty kawałek mydła, obok lustra wisiał suchy jak pieprz flanelowy ręcznik.

Sypialnia Grace znajdowała się po lewej. Pojedyncze łóżko, zasłane prześcieradłami i kocami, przykryte narzutą. Na mahoniowej szafce stała staroświecka butelka z mleczkiem magnezowym, z białą obwódką wokół szyjki oraz leżała biografia Eleonory Akwitańskiej autorstwa Alison Weir.

Rozczulił ją widok zakładki do książek. Kto ich dzisiaj używa? Wyobraziła sobie Grace wsuwającą pasek między strony, gaszącą światło. Niestety, nie dane jej było wrócić do lektury. Upłynął jej czas. Umarła. Sentymentalna jak nigdy Alice postanowiła zabrać tę książkę ze sobą.

W szufladzie znalazła woreczek z lawendą, przewiązany różową, wyblakłą wstążeczką, prócz niej jakąś receptę i pudełko chusteczek. Pod szufladą znajdowało się jeszcze kilka książek. Dziewczyna przykucnęła, przekrzywiła głowę i zaczęła czytać tytuły na grzbietach. Zawsze ją interesowało, co inni czytają. Znalazła mniej więcej to, czego się spodziewała. Ze dwa tytuły napisane przez Mary Stewart, dwie książki Joanny Trollope, stare wydanie „Miasteczko Peyton Place" z limitowanej serii oraz cienką książeczkę o katarach. Nazwisko autora wypisano wersalikami. BAILLARD. Uniosła brwi, zaintrygowana. Czy to ta sama osoba, która namalowała obraz wiszący w saloniku? Na pierwszej stronie podano nazwisko tłumacza: J. GIRAUD.

Przeczytała notkę wydawniczą na czwartej stronie okładki. Autor przetłumaczył na język oksytański Ewangelię według świętego Jana, a także kilka pozycji traktujących o starożytnym Egipcie oraz uhonorowaną nagrodą biografię dziewiętnastowiecznego uczonego, Jeana François Champolliona, który rozwiązał tajemnicę hieroglifów.

Usłużna pamięć podsunęła jej interesujący obraz. Tuluza, biblioteka, mapy, ilustracje i wykresy wyskakujące na ekranie.

Znowu Egipt.

Na pierwszej stronie okładki znajdowała się fotografia ruin zamku wczepionego w szczyt stromej góry. Forteca spowita była całunem fioletowej mgiełki. Alice znała ten widok z pocztówek i przewodników. Montségur.

Otworzyła książkę. Mniej więcej w dwóch trzecich tekstu tkwił między stronami złożony arkusz papieru. Alice zaczęła czytać od tego miejsca:

Ufortyfikowana cytadela Montségur wznosi się wysoko ku niebu. Została pobudowana na szczycie góry, prawie godzinę drogi od miasteczka Montségur. Często skrywa się za chmurami. Trzy ściany zamku są wykute w górskiej skale. Nie ma drugiej, tak wspaniałej, naturalnej fortecy. Jej ruiny pochodzą nie z trzynastego wieku, ale są pozostałością po późniejszych walkach okupacyjnych. Niemniej duch tego miejsca zawsze przypomina zwiedzającym o jego tragicznej przeszłości.

Legend związanych z Montségur, czyli „bezpieczną górą" jest wiele. Wedle niektórych twierdza powstała jako świątynia słońca, zgodnie z innymi stanowiła inspirację dla wagnerowskiego zamku-świątyni Monsalwat ukazanego w wielkim dziele kompozytora, „Parsifalu", jeszcze inni wierzą, iż przechowywano tu świętego Graala. Ponoć to właśnie katarzy zostali wybrani na strażników Chrystusowego kielicha, podobno strzegli także innych skarbów z jerozolimskiej świątyni Salomona, złota Wizygotów oraz wielu innych bogactw pochodzących z najróżniejszych źródeł.

Choć uważa się powszechnie, iż słynny skarb katarów został wyniesiony z oblężonej twierdzy w styczniu tysiąc dwieście czterdziestego czwartego roku, na krótko przed poddaniem twierdzy, nie został on nigdy odnaleziony. Plotki głoszące, iż ten najcenniejszy z wszystkich przedmiotów na świecie zaginął na zawsze, są trudne do udowodnienia.

Alice przeszła do odsyłacza umieszczonego na dole strony. Zamiast typowego przypisu znalazła tam wyjątek z Ewangelii świętego Jana, rozdział ósmy, werset trzydziesty drugi: „I poznacie prawdę, a prawda was wyzwoli".

Dziwne. Jakoś nie dostrzegała związku między tym zdaniem a tekstem o średniowiecznej twierdzy.

Tę książkę także postanowiła zabrać.

W drugim końcu sypialni stała stara maszyna do szycia firmy Singer, niestosownie angielska w tym francuskim domu. Matka Alice miała identyczną. Spędzała przy niej długie godziny, a po domu niósł się uspokajający turkot napędu.

Przeciągnęła dłonią po zakurzonym metalu. Urządzenie wydawało się w całkiem przyzwoitym stanie. Otworzyła po kolei wszystkie szufladki, znajdując w nich szpulki nici, szpilki, igły, kawałki wstążek i koronki, kartonik srebrnych zatrzasków oraz pudełko z guzikami.

Podeszła do dębowego biurka, ustawionego pod oknem wychodzącym na niewielkie ogrodzone podwórko na tyłach domu. Pierwsze dwie szuflady były wyklejone tapetą i zupełnie puste. Trzecia okazała się zamknięta, ale srebrny kluczyk tkwił w zamku.

Niełatwo było ją otworzyć, lecz w końcu się udało. Na dnie spoczywało pudełko po butach. Alice wyjęła je i postawiła na blacie.

Zawartość była starannie poukładana. Plik fotografii został przewiązany sznurkiem. Na wierzchu leżał jakiś list, zaadresowany do Mme Tanner. Litery splatały się w czarną pajęczynkę. Stempel głosił: „Carcassonne, 16 marca 2005", na ukos przez róg koperty biegło czerwone słowo „PRIORYTET". W miejscu adresu zwrotnego znajdowały się tylko trzy słowa, nakreślone tym samym pochyłym pismem: „Nadawca: Audric S. Baillard".

Alice wsunęła palce do koperty i wyjęła pojedynczy arkusz grubego, kremowego papieru. Nie było na nim daty czy powitania ani żadnego wyjaśnienia, jedynie wiersz, napisany tą samą ręką co adres.

Bona nuèit, bona nuèit...
Braves amics, pica mièja-nuèit
Cal finir velhada
Ejos la flassada

Blade wspomnienie pojawiło się w zakamarkach pamięci niczym dawno zapomniana pieśń. Słowa wyrzeźbione na najwyższym stopniu w jaskini. To ten sam język, z pewnością. Podświadomość odnalazła ścieżki, którymi nie potrafiły podążyć świadome myśli.

Szesnasty marca. Zaledwie dwa dni przed śmiercią ciotki. Czy sama włożyła list do pudełka, czy zrobił to ktoś inny? Na przykład Baillard?

Odłożyła kremowy arkusz, rozwiązała sznureczek przytrzymujący fotografie. Było ich pewnie z dziesięć, wszystkie czarno-białe, ułożone w porządku chronologicznym. Na odwrocie każdej wypisano atramentem dużymi literami datę i miejsce. Pierwszą był portret poważnego chłopca w szkolnym mundurku, z włosami przyczesanymi płasko, z równym przedziałkiem. „FREDERICK WILLIAM TANNER" napisano na odwrocie niebieskim atramentem. „WRZESIEŃ 1937".

Serce zabiło jej mocniej. Identyczna fotografia ojca stała w domu, na kominku, tuż obok ślubnego zdjęcia rodziców i portretu sześcioletniej Alice, wystrojonej w wyjściową sukienkę z bufiastymi rękawami. Pogładziła znajomą twarz. Trzymała w ręku dowód, iż Grace wiedziała o istnieniu młodszego brata, nawet jeśli się nigdy nie spotkali.

Odłożyła zdjęcie i sięgnęła po następne, potem wzięła kolejne i tak przyglądała się poszarzałej przeszłości aż do ostatniej fotografii. Najwcześniejsze zdjęcie ciotki zostało zrobione podczas święta narodowego, w lipcu 1958. Rodzinne podobieństwo nie rzucało się w oczy, ale istniało. Grace, podobnie jak Alice, była osobą niewysoką, drobną, o delikatnych rysach twarzy. Włosy natomiast miała proste i bardzo krótko obcięte. Patrzyła prosto w obiektyw, torebkę trzymała przed sobą w obu dłoniach, jakby się nią odgradzała od świata.

Ostatnie zdjęcie przedstawiało Grace kilka lat później, w towarzystwie jakiegoś starszego mężczyzny. Alice zmarszczyła brwi. Kogoś jej przypominał. Przekrzywiła fotografię, światło padło na nią pod innym kątem.

Para stała pod kamiennym murem. Była w ich pozie pewna sztywność, jak gdyby nie znali się zbyt dobrze. Sądząc po ubraniach, zostali sfotografowani późną wiosną lub latem. Grace miała na sobie sukienkę z krótkimi rękawami ściągniętą w pasie, natomiast jej towarzysz, wysoki i szczupły, ubrany był w jasny letni garnitur. Twarz zasłaniało rondo kapelusza, ale dłonie, poznaczone wątrobianymi plamami, zdradzały, iż nie jest już młodzikiem.

Za nimi, na ścianie, znajdowała się, widoczna tylko częściowo, tabliczka z nazwą ulicy. Alice udało się odszyfrować słowa „Rue des Trois Degrés". Na odwrocie zdjęcia koronkowym pismem Baillarda nakreślono: „AB e GT, junh 1992, Chartres".

Raz jeszcze Chartres. Grace i Audric Baillard. Z pewnością. Rok 1992. Rok śmierci rodziców.

Odłożyła i tę fotografię, wyjęła z pudełka ostatni przedmiot – niedużą, starą książkę. Skórzana popękana okładka zamknięta była na zardzewiały mosiężny suwak. Na czarnym tle błyszczało złotem tylko jedno słowo: BIBLIA.

Niełatwo było ją otworzyć, wreszcie jednak ustąpiła. Na pierwszy rzut oka było to standardowe wydanie Biblii króla Jakuba, lecz gdy Alice zaczęła przerzucać kartki, mniej więcej w trzech czwartych grubości natrafiła na prostokątny otwór wycięty w cieniuteńkich stroniczkach, płytką skrytkę wielkości mniej więcej dziesięciu na siedem centymetrów.

Gdy zaczęła rozkładać starannie poskładane arkusze papieru, spadł jej na kolana jasny kamienny krążek wielkości monety jednego euro. Całkiem płaski i bardzo cienki. Zdumiona wzięła go w palce. Wyryto na nim dwie litery. NS. Strony świata? Inicjały? A może to rzeczywiście moneta?

Odwróciła go i na drugiej stronie zobaczyła labirynt. Identyczny z tym, który znajdował się na pierścieniu i na ścianie jaskini.

Zdrowy rozsądek podpowiadał jej, że da się odnaleźć doskonałe wytłumaczenie podobnego zbiegu okoliczności, ale jak na razie żadne nie przychodziło jej do głowy. Z niejaką obawą spojrzała na wyjęte z Biblii kartki. Z jednej strony czuła niepokój, z drugiej ogromną ciekawość.

Za późno, żeby zawrócić z raz obranej drogi.

Rozłożyła kartki – i odetchnęła z ulgą. To było tylko drzewo genealogiczne. Na pierwszym arkuszu napisano ARBRE GÉNÉALOGIQUE. Atrament wyblakł, więc miejscami trudno było odszyfrować litery. Większość imion wpisano czarnym kolorem, jednak w drugiej linii pojawił się czerwony napis ALAÏS PELLETIER-DU MAS (1193–). Sąsiadującego imienia nie potrafiła rozczytać, natomiast w następnej linijce, nieco bardziej na prawo, znajdowało się wpisane na zielono SAJHË DE SERVIAN.

Przy obu tych imionach występował delikatny motyw nakreślony złotym kolorem. Sięgnęła po kamienny krążek i położyła go obok symbolu na kartce. Identyczne.

Przekładała strony jedną po drugiej, aż dotarła do ostatniej. Tutaj zapisana była Grace, z datą śmierci dodaną innym kolorem atramentu. Nieco niżej i w bok uwzględniono rodziców Alice.

Ostatnim wpisem była ona sama. ALICE HELENA (1974–). Czerwony atrament. Obok – symbol labiryntu.

Podciągnęła kolana pod brodę i objęła nogi rękami.

Nie wiedziała, jak długo siedziała w pustym pokoju. Straciła poczucie czasu.

Tak, nareszcie zrozumiała.

Upomniała się o nią przeszłość. Czy tego chciała czy nie.

ROZDZIAŁ 43

Podróż z Sallèles d'Aude do Carcassonne minęła w mgnieniu oka. Wokół hotelowej recepcji kłębił się tłum nowych gości, więc Alice sama ściągnęła z haczyka klucz od pokoju i niezauważona poszła na piętro.

Właśnie miała otworzyć drzwi, gdy zorientowała się, iż są uchylone. Zastygła bez ruchu. Po dłuższej chwili pchnęła je ostrożnie.

– *Allo?* Halo!

Obrzuciła pokój szybkim spojrzeniem. Wszystko zdawało się w najlepszym porządku. Pudełko po butach i książki postawiła na podłodze. Zrobiła krok do przodu i stanęła jak wryta. Poczuła kiepską wodę po goleniu i tanie papierosy.

Za skrzydłem drzwi, tuż za jej plecami, coś się poruszyło. Serce podskoczyło jej do gardła. Obróciła się i dostrzegła szarą marynarkę oraz czarne włosy. Mężczyzna pchnął ją mocno i rzucił się do ucieczki. Uderzyła głową o lustrzane drzwi szafy, aż zabrzęczały w środku metalowe wieszaki. Świat zawirował jej przed oczami, kontury straciły wyrazistość. Zamrugała. Słyszała intruza na korytarzu. Biegł.

Za nim! Szybko!

Zerwała się na równe nogi i ruszyła za włamywaczem. Wypadła na schody, potem do holu, gdzie spore towarzystwo z Włoch blokowało wyjście. Spanikowana obrzuciła wzrokiem tłumek i rzeczywiście dostrzegła go – w ostatniej chwili – właśnie znikał w bocznych drzwiach.

Z trudem utorowała sobie drogę przez gęstwę ludzi i bagaży, wybiegła do ogrodu. Mężczyzna był już na końcu podjazdu. Rzuciła się za nim, gnała co sił w nogach, ale okazał się szybszy.

Gdy wypadła na ulicę, nie zostało po nim śladu. Zniknął w tłumie turystów wracających ze średniowiecznego grodu. Dysząc ciężko, wsparła dłonie o kolana. Po jakimś czasie wyprostowała się i pomacała głowę. Już miała całkiem przyzwoitego guza.

Po raz ostatni obrzuciła spojrzeniem ulicę i wróciła do hotelu. Przepraszając nowych gości, przedostała się do recepcji.

– *Pardon, mais vous l'avez vu?**.

Dziewczyna za kontuarem wydawała się zirytowana.

---

* Przepraszam, czy pani go widziała?

– Jedną chwileczkę, zaraz się panią zajmę. Tylko skończę rozmawiać z tym panem.

– Nie mogę czekać. Ktoś się zakradł do mojego pokoju. Przed chwilą uciekł...

– Proszę pani, proszę chwileczkę zaczekać...

Alice podniosła głos. Chciała, żeby usłyszeli ją wszyscy obecni.

– *Il y avait quelqu'un dans ma chambre. Un voleur**.

W holu zapadła cisza. Oczy recepcjonistki przybrały rozmiar spodków. Zsunęła się ze stołka i zniknęła na zapleczu. Sekundę później pojawił się właściciel hotelu i poprowadził Alice na stronę.

– O co właściwie chodzi, *madame*? – zapytał przyciszonym głosem.

Alice wyjaśniła mu całą sprawę w drodze na górę.

– Nie widać śladów włamania – ocenił mężczyzna, sprawdzając zamek.

W jego towarzystwie Alice sprawdziła, czy nic nie zginęło. Dziwne, ale nie. Paszport nadal znajdował się na dnie szafy, choć z pewnością ktoś go ruszał. To samo dotyczyło zawartości plecaka. Nic nie zniknęło, ale większość przedmiotów wyraźnie była ruszana. Z drugiej strony, trudno byłoby to udowodnić.

Zajrzała do łazienki. Tu w końcu znalazła niepodważalny dowód.

– *Monsieur, s'il vous plaît!* – zawołała. Wskazała umywalkę. – *Regardez***. – Jej lawendowe mydło zostało posiekane na kawałki, a pasta do zębów wyciśnięta z rozciętej tubki. – *Voilà. Comme je vous ai dit.* Tak jak mówiłam.

Wyglądał na zatroskanego, ale też pełnego wątpliwości.

– Czy *madame* życzy sobie, by wezwać policję? Wypytam oczywiście innych gości, czy cokolwiek zauważyli, ale skoro nic nie zginęło... – nie dokończył zdania.

A ona nagle zrozumiała. To nie było zwykłe włamanie. Intruz szukał czegoś szczególnego, czegoś, co tylko u niej mógł znaleźć.

Kto wiedział, że się tu zatrzymała? Noubel, Paul Authié, Karen Fleury oraz jej współpracownicy, Shelagh. I chyba nikt więcej.

– Nie – odparła. – Nie trzeba wzywać policji. Nic nie zginęło. Ale chcę zmienić pokój.

Właściciel miał zamiar zaprotestować, w hotelu były tłumy, ale wystarczyło, że spojrzał dziewczynie w twarz.

– Zobaczę, co się da zrobić.

* * *

Dwadzieścia minut później Alice przeprowadziła się do innej części hotelu.

Była zdenerwowana. Po raz drugi albo może i trzeci sprawdziła, czy drzwi są zamknięte, a okna zabezpieczone. Usiadła na łóżku, przy swoich

---

* Ktoś był w moim pokoju. Złodziej.
** Proszę, niech pan spojrzy.

bagażach, usiłowała zdecydować, co dalej. Wstała, obeszła pokoik dookoła, usiadła ponownie. I znowu wstała. Może powinna zmienić hotel? Co będzie, jeśli ten człowiek tu wróci?

Rozległ się dzwonek na alarm, a Alice mało nie wyskoczyła z własnej skóry, zanim sobie uświadomiła, że to zadzwonił telefon w jej kieszeni.

– *Allo, oui?*

Z radością usłyszała głos Stephena. To on, razem z Shelagh znalazł ją w jaskini. Uspokojona rozsiadła się na łóżku.

– Cześć, Steve! Nie, nie sprawdzałam wiadomości. Co nowego? – Słuchała przez jakiś czas, a kolor odpływał jej z twarzy. Prace wykopaliskowe przerwano na dobre. – Dlaczego? Czy Brayling powiedział, co się stało?

– Powiedział, że decyzja nie należała do niego.

– Chodzi o te szkielety?

– Policja milczy jak zaklęta.

Serce podeszło jej do gardła.

– Czy policjanci byli przy tym, jak Brayling ogłosił zakończenie wykopalisk? – spytała.

– Tak, przyjechali między innymi po to, by wypytać o Shelagh – powiedział i zamilkł na chwilę. – Właściwie poniekąd w tej sprawie do ciebie dzwonię. Chciałem cię zapytać, czy miałaś od niej jakieś wiadomości.

– Nie. Od poniedziałku kompletna cisza. Wczoraj też do niej dzwoniłam, kilka razy, ale nie odbiera telefonu i nie oddzwania. A dlaczego pytasz? – Nawet nie wiedziała, kiedy wstała.

– Nie bardzo wiadomo, co się z nią stało – powiedział Stephen. – Wygląda na to, że zniknęła. I Brayling wysnuwa jakieś złowieszcze teorie. Podejrzewa, że coś ukradła.

– Shelagh?! Niemożliwe! – wykrzyknęła. – Wykluczone. To nie w jej stylu... – Usłużna pamięć podsunęła jej obraz pobielałej z gniewu twarzy przyjaciółki. Poczuła się nielojalna, ale jakoś mniej pewna swoich racji. – Policja też ją podejrzewa? – spytała.

– Nie wiem. Ale rzeczywiście dzieje się coś dziwnego. Jeden z policjantów, który był na terenie wykopalisk, został zabity. Zginął pod kołami samochodu we Foix. Pisali o tym w gazetach. I wyobraź sobie, oni się znali. Ten policjant i Shelagh.

Alice osunęła się na łóżko.

– Wiesz co, jakoś to do mnie nie dociera. Czy ktoś jej szuka? Ktoś w ogóle cokolwiek zrobił?

– No właśnie... – Stephen zająknął się niezdecydowany. – Miałem zamiar ruszyć tę sprawę, ale jutro z samego rana wracam do domu...

– O co chodzi?

– Wiem, że zanim zaczęły się wykopaliska, Shelagh mieszkała u przyjaciół w Chartres. Przyszło mi do głowy, że teraz też tam pojechała, tylko nikomu nie powiedziała.

Alice uznała, że to naciągana teoria, ale lepsza niż żadna.

– Zadzwoniłem na ten numer – ciągnął Stephen. – Odebrał jakiś chłopak i powiedział, że w życiu o żadnej Shelagh nie słyszał. Ja jednak jestem pewien, że to właściwy numer. Shelagh sama mi go podała, mam zapisany w komórce.

Alice wzięła kartkę i ołówek.

– Podyktuj. Zobaczę, co się da zrobić.

Stephen podał numer, a ona siedziała, zastygła w kamień.

– Możesz powtórzyć? – odezwała się po chwili głuchym głosem.

– Zero dwa, sześćdziesiąt osiem, siedemdziesiąt dwa, trzydzieści jeden, dwadzieścia sześć – wyrecytował Stephen. – Dasz mi znać, jak się czegoś dowiesz?

Był to ten sam numer telefonu, który dostała od młodego policjanta we Foix.

– Zostaw to mnie – powiedziała, nie bardzo wiedząc, co mówi. – Odezwę się.

Wiedziała, że powinna zadzwonić do Noubela. Powiedzieć mu o dziwacznym włamaniu bez włamania i o spotkaniu z Biau. Miała jednak poważne wątpliwości, czy może mu zaufać. W końcu nie zrobił nic, by powstrzymać Authiégo.

Wyjęła z plecaka mapę Francji. Zwariowany pomysł. Przecież to co najmniej osiem godzin jazdy. Coś jej nie dawało spokoju. Zaczęła przeglądać wydruki z biblioteki.

W morzu słów i wiadomości na temat katedry w Chartres znalazła dalekie odniesienie do Świętego Graala. Tu też był labirynt. Alice odszukała odpowiedni ustęp i przeczytała tekst dwa razy, by się upewnić, że dobrze go zrozumiała. W końcu odsunęła od biurka krzesło i usiadła przy nim z książką Audrica Baillarda w dłoniach. Otworzyła ją na zaznaczonej stronie.

„Jeszcze inni wierzą, iż stała się ona ostatnim miejscem spoczynku Świętego Graala. Ponoć katarzy zostali wybrani na strażników Chrystusowego kielicha...".

Katarski skarb został wyniesiony z Montségur. Dokąd? Na Pic de Soularac? Przerzuciła kartki, wracając do mapy na początku książki. Montségur znajdowało się całkiem niedaleko Montagnes du Sabarthès. Może skarb został właśnie tam ukryty?

A co łączy Chartres z Carcassonne?

W dali odezwał się pomruk pierwszego zwiastuna burzy. Pokój spowijało dziwaczne pomarańczowe światło ulicznej lampy, odbite od niskich chmur. Zerwał się wiatr, zagrzechotał okiennicami, rozrzucił jakieś śmieci na parkingu.

Alice zaciągnęła zasłony akurat w chwili, gdy spadły pierwsze ciężkie krople deszczu, rozbryzgujące się na szybie jak czarne kleksy. Najchętniej ruszyłaby od razu, już teraz, ale było późno. I nie chciała niepotrzebnie ryzykować, prowadząc w czasie burzy.

Zamknęła solidnie drzwi, włączyła budzik, a potem, tak jak stała, zagrzebała się w pościeli. Trzeba zaczekać do rana.

* * *

Z początku wszystko wydało się takie samo. Znajome, spokojne. Płynęła przez biały świat pozbawiony siły ciążenia, przejrzysta i cicha. Potem, jakby się pod nią otworzyła zapadnia na szubienicy, runęła ku ziemi; zalesiony górski stok gnał jej na spotkanie.

Wiedziała, gdzie się znajduje. W Montségur, wczesnym latem.

Gdy tylko dotknęła stopami ziemi, ruszyła biegiem, potykając się na stromym, gęsto zarośniętym stoku, pomiędzy dwoma rzędami wysokich drzew. Chwytała się gałęzi, żeby zwolnić, na próżno. Palce ślizgały się przez listki jak szczotka przez włosy, plamiąc opuszki zielenią.

Ścieżka pięła się ostro w górę. Pod stopami Alice zgrzytały kamyki, które pojawiły się w miejsce ziemi, usłanej mchem i gałązkami. Trwała martwa cisza. Ani ptasich śpiewów, ani wołających głosów, nic. Tylko jej własny, urywany oddech.

Ścieżka wiła się i zawracała, aż w końcu, po którymś wirażu, wypadła wprost na milczącą ścianę ognia. Dziewczyna zasłoniła twarz przed wzdętą falą czerwonych, pomarańczowych i żółtych płomieni, tryskającą wysoko w powietrze jak trzciny nad powierzchnię wody.

I wtedy sen się zmienił. Tym razem nie zobaczyła twarzy wypływających z morza ognia. Tym razem młoda kobieta o łagodnym, lecz stanowczym spojrzeniu wyciągnęła rękę i wzięła od niej księgę.

Śpiewała głosem dźwięcznym jak żywe srebro.

– *Bona nuèit, bona nuèit.*

Tym razem nie było lodowatych dłoni łapiących ją za kostki, ściągających na ziemię. Ogień także jej nie zagrażał. Teraz wirowała w powietrzu jak smużka dymu, objęta silnymi ramionami nieznajomej. Była bezpieczna.

– *Braves amics, pica mièja-nuèit.*

Alice uśmiechnęła się zadowolona. We dwie wznosiły się coraz wyżej, w stronę światła, zostawiając za sobą świat.

ROZDZIAŁ 44
Carcassona

Alaïs wstała wcześnie, obudził ją niezwykły w zamku hałas: piłowanie, stukanie, walenie młotami, głośne okrzyki. Wyjrzała przez okno i zobaczyła powstające w błyskawicznym tempie drewniane galerie obudowane deskami. Imponujący drewniany szkielet szybko nabierał kształtów. Przywodzący na myśl zadaszone schody do nieba, tworzył doskonałe miejsce dla łuczników, którzy mogli razić wroga gradem strzał, na wypadek gdyby – co oczywiście było całkowicie nieprawdopodobne – wróg podszedł aż do murów zamku.

Ubrała się szybko i zbiegła na dziedziniec. W kuźni buzował wielki ogień. Dzwoniły młoty i kowadła, naprawiano i ostrzono broń. Kowale pokrzykiwali na pomocników, przygotowywano liny i przeciwwagi do *pèireras*, szykowano machiny wojenne.

Alaïs dostrzegła przed stajniami Guilhema. Serce mocniej zabiło jej w piersi. Zauważ mnie, proszę. Niestety, nie odwrócił się, nie podniósł wzroku. Dziewczyna chciała zawołać, już nabrała tchu i podniosła rękę, ale straciła odwagę. Nie, lepiej nie. Nie będzie się poniżała, błagając męża o okazanie miłości, skoro jej najwyraźniej nie kochał.

Takie same przygotowania jak w zamku przebiegały i w grodzie. Na rynku gromadzono kamienie z Corbières – pociski do katapult. Z garbarni dobiegał ostry zapach amoniaku. Tam wyprawiano skóry, które miały chronić drewniane galerie przed ogniem. Przez Bramę Narbońską ciągnął sznur wozów z żywnością dla grodu: zwożono solone mięso z La Piège i Lauragais, wino z Carcassès, jęczmień oraz pszenicę z dolin, fasolę i soczewicę z ogrodów pod Sant-Miquel i Sant-Vicens.

Ludzie krzątali się przy pracy jak mrówki, dumni ze swojego zajęcia – tylko czarne chmury dymu za rzeką i na mokradłach od północy, gdzie wicehrabia Trencavel nakazał spalenie młynów oraz zbóż na polach, przypominały o tym, jak realne i jak bliskie jest zagrożenie.

Alaïs czekała na Sajhë w umówionym miejscu. W głowie kłębiły jej się pytania, które chciała zadać Esclarmonde, nie wiedziała które ważniejsze. Raz to odzywało się głośniej, raz tamto, jak ptaki w krzewach nad rzeką. Chłopiec zjawił się o czasie. Poprowadził ją bezimiennymi uliczkami do podgrodzia Sant-Miquel, a później aż do niskiego wejścia tuż przy murze obronnym. Tutaj grupa mężczyzn kopała rowy, by wróg nie mógł podejść blisko i podłożyć ładunków pod umocnienia. Panował taki hałas, że Sajhë musiał krzyczeć.

– *Menina* czeka w środku! – Minę miał niezwykle poważną.

– Ty nie wchodzisz?

– Kazała mi cię przyprowadzić, pani, a potem wrócić do zamku po intendenta Pelletiera.

– Znajdziesz go na *cour d'honneur*.

– Aha! Dziękuję! – Na twarz chłopca wrócił promienny uśmiech. – Do zobaczenia!

Alaïs pchnęła drzwi i zawołała przyjaciółkę po imieniu, po czym weszła do izby. W półmroku dostrzegła dwie postacie siedzące w rogu na krzesłach.

– Wejdź, wejdź – powitała ją Esclarmonde serdecznie. – O ile mi wiadomo, Simeona znasz – powiedziała z uśmiechem.

– Już dotarł? – zdumiała się Alaïs. Podbiegła do Żyda, z radością chwyciła go za ręce. – Jakie wieści przywozisz, panie? Kiedy przybyłeś do Carcassony? Gdzie się zatrzymałeś?

Simeon roześmiał się z głębi serca.

– Ile pytań! Widzę, *madomaisèla*, że musisz wiedzieć wszystko natychmiast! Ponoć jako dziecko stale zasypywałaś ojca pytaniami!

Dziewczyna skinęła głową z uśmiechem. Wsunęła się na długą ławę za stołem i przystała na szklanicę wina. Z zajęciem przysłuchiwała się rozmowie gospodyni i gościa. Najwyraźniej doskonale się czuli w swoim towarzystwie.

Przybysz miał talent do opowiadania. Właśnie snuł opowieść o swoim życiu w Chartres i Besièrs, przeplataną wspomnieniami z Ziemi Świętej. Szybko mijał czas na słuchaniu o wzgórzach Judy wiosną, o równinach porośniętych liliami, fioletowymi oraz żółtymi jak złoto irysami, o różowo ukwieconych drzewkach migdałowych, ciągnących się jak kobierzec aż po horyzont.

Cienie się wydłużały, a Bertrand Pelletier nie nadchodził. Atmosfera niepostrzeżenie uległa zmianie. Alaïs zaczęła się niepokoić.

Czy tak właśnie Guilhem i ojciec czują się w przededniu bitwy? Czas stanął w miejscu.

Przyjrzała się Esclarmonde. Przyjaciółka złożyła ręce na kolanach, twarz miała jasną. Wydawała się spokojna.

– Ojciec na pewno przyjdzie – rzekła Alaïs w pewnej chwili. Czuła się odpowiedzialna za jego nieobecność. – Dał mi słowo.

– Wiemy, wiemy. – Simeon poklepał ją po dłoni. Skórę miał suchą jak pergamin.

– Nie wiem, czy uda nam się czekać dość długo – powiedziała Esclarmonde, zerkając na drzwi, które cały czas były szczelnie zamknięte. – Niedługo wrócą właściciele domu.

Dziewczyna nie dała sobie rady z rosnącym napięciem. Pochyliła się ku Esclarmonde.

– Wczoraj nie odpowiedziałaś mi na pytanie – zaczęła głosem tak pewnym, że aż sama się zdziwiła. – Czy ty także jesteś opiekunką księgi? Czy księga, której szuka mój ojciec, jest w twoich rękach?

Jej słowa, nabrzmiałe powagą, zawisły w powietrzu.

A potem, ku zdumieniu Alaïs, Simeon zachichotał.

– Ile ci ojciec powiedział o Noublesso? – zapytał, a jego czarne oczy rozjarzył psotny ognik.

– Jest pięciu opiekunów sprawujących pieczę nad księgami Trylogii Labiryntu.

– Wyjaśnił ci, dlaczego pięciu?

Alaïs tylko pokręciła głową.

– *Navigatairé*, przywódca, jest zawsze wspierany przez czterech nowicjuszy. Razem stanowią odniesienie do pięciu głównych punktów ludzkiego ciała oraz potęgi liczby pięć. Każdy opiekun jest wybierany ze względu na hart ducha, zdecydowanie oraz lojalność. Nieważne, czy jest chrześcijaninem, Saracenem czy żydem. Liczy się, co ma w duszy, ważna jest jego odwaga, a nie pochodzenie czy rasa. Taki stan rzeczy odzwierciedla naturę tajemnicy, którą mamy chronić, bo ona jest własnością każdej wiary i żadnej. – Uśmiechnął się melancholijnie. – Przez dwa tysiące lat z okładem Noublesso de los Seres, choć nie zawsze pod tym samym mianem, strzegli tajemnicy. Czasami działaliśmy otwarcie, kiedy indziej musieliśmy się ukrywać.

Alaïs zwróciła się do Esclarmonde.

– Mój ojciec nie potrafi uwierzyć w twoją rolę.

– Spodziewał się kogoś zupełnie innego.

– Cały Bertrand! – wykrzyknął Simeon. – Zawsze taki sam.

– Nie przypuszczał, że piąty opiekun będzie kobietą – broniła go Alaïs słabo.

– W przeszłości zdarzało się to bardzo często – oznajmił Simeon. – W Egipcie, Asyrii, Rzymie i Babilonie, w starożytnych cywilizacjach, o których z pewnością słyszałaś, kobiety otaczano znacznie większym szacunkiem niż w naszych mrocznych czasach.

Dziewczyna popadła w zamyślenie.

– Jak sądzisz, panie – zapytała w końcu. – Czy Harif miał rację, sądząc, iż księgi będą bezpieczniejsze w górach?

Simeon uniósł ręce.

– Nie nam rozsądzać, gdzie leży prawda albo co będzie, a co nie. Naszym zadaniem jest strzec ksiąg i chronić je przed zagładą. Mieć pewność, że będzie można z nich skorzystać, gdy okażą się potrzebne.

– Dlatego Harif wybrał do ich przewiezienia właśnie twojego ojca, a nie któreś z nas – dokończyła Esclarmonde. – Wicehrabiowski intendent ma pod sobą ludzi i konie, jest doskonałym *envoi*, może podróżować całkiem swobodnie.

Dziewczyna nie bardzo wiedziała, jak wyrazić swoją wątpliwość, by nie narazić ojca na posądzenie o brak lojalności.

– Ojciec czuje, że powinien wspomagać wicehrabiego. Jest rozdarty na dwoje pomiędzy starymi a nowymi zobowiązaniami.

– Wszyscy przeżywamy takie dylematy – rzekł Simeon. – Każdy z nas musi decydować, którą drogą powinien podążyć. Bertrand jest szczęśliwym człowiekiem, bo długo żył w spokoju, nie musząc dokonywać takiego wyboru. – Ujął Alaïs za rękę. – Powinnaś go wspierać w dążeniu do wypełnienia obowiązków. Ponieważ Carcassona może upaść, choć nie zdarzyło się to nigdy wcześniej.

Alaïs wstała i podeszła do kominka, odprowadzana spojrzeniem Żyda. W jej głowie zrodziła się szaleńcza myśl. Serce zabiło szybciej.

– Czy kto inny może go zastąpić? – zapytała cicho.

Esclarmonde zrozumiała od razu.

– Nie przypuszczam, by ojciec na to pozwolił. Jesteś dla niego zbyt cenna.

Dziewczyna odwróciła się do przyjaciółki.

– Przed wyprawą do Montpelhièr uznał mnie za zdolną do wykonania tego zadania. Wobec czego w zasadzie już udzielił mi zezwolenia.

Simeon pokiwał głową w zamyśleniu.

– To prawda, jednak sytuacja zmienia się z dnia na dzień. Francuzi podchodzą coraz bliżej ziem wicehrabiego Trencavela, szlaki są coraz bardziej niebezpieczne, sama się o tym przekonałaś. Wkrótce jakakolwiek podróż będzie zbyt niebezpieczna.

– Przecież droga prowadzi w przeciwną stronę! – udowadniała Alaïs, przenosząc wzrok z jednego na drugie. – Nie odpowiedzieliście na moje pytanie. Jeżeli tradycje Noublesso nie zabraniają mi przejęcia zobowiązań ojca, zdejmę je z jego barków. Jestem doskonałym jeźdźcem, świetnie sobie radzę i z mieczem, i z łukiem. Nikt nie będzie nawet podejrzewał, że...

Simeon zatrzymał potok jej słów uniesieniem dłoni.

– Źle zrozumiałaś nasze wahanie, dziecko. Nie wątpimy w twoją odwagę ani zdecydowanie.

– Wobec tego dajcie mi swoje błogosławieństwo.

Simeon westchnął ciężko i zwrócił się do Esclarmonde.

– Co na to powiesz, siostro? Oczywiście jeżeli Bertrand się zgodzi.

– Błagam cię, Esclarmonde – odezwała się Alaïs. – Poprzyj mnie wobec ojca.

– Tego na razie nie mogę obiecać – odezwała się w końcu przyjaciółka – lecz z pewnością nie będę się twojemu pomysłowi sprzeciwiała.

Na twarzy Alaïs pojawił się lekki uśmiech.

– Trzeba jednak uszanować jego decyzję – podjęła Esclarmonde – i jeśli nie puści cię w drogę, wszyscy się z tym pogodzimy.

Na pewno mnie puści, pomyślała Alaïs. Już ja go przekonam.

– Oczywiście, będę posłuszna – powiedziała.

* * *

Otworzyły się drzwi. Do izby wpadł Sajhë, tuż za nim wszedł Bertrand Pelletier.

Uścisnął córkę, z ogromną ulgą ciepło powitał przyjaciela, następnie złożył formalne wyrazy szacunku Esclarmonde. Alaïs z Sajhë przynieśli chleb i wino, Simeon w skrócie wyjaśnił przyjacielowi, o czym rozmawiali przed jego przyjściem.

Ku zdumieniu Alaïs intendent Pelletier słuchał w milczeniu i bez komentarzy. Sajhë z początku miał oczy jak spodki, ale szybko zrobił się śpiący i w końcu zdrzemnął się, przytulony do babki. Dziewczyna nie brała udziału w rozmowie, wiedząc, iż Simeon i Esclarmonde przedstawią kwestię lepiej niż ona, tylko od czasu do czasu obrzucała ojca uważnym spojrzeniem. Twarz miał poszarzałą, poznaczoną zmarszczkami, wyglądał na wyczerpanego. Widać było wyraźnie, iż nie wie, jaką wybrać możliwość.

Wreszcie nie pozostało już nic do powiedzenia. Zapadła cisza pełna wyczekiwania. Nikt nie wiedział, jaką podejmie decyzję.

W końcu Alaïs przerwała milczenie.

– *Paire*? – odchrząknęła. – Co powiesz? Pozwolisz mi jechać?

Pelletier westchnął ciężko.

– Nie chcę cię narażać.

– Wiem, ojcze, i jestem ci wdzięczna za troskę. Ale chciałabym ci pomóc. I potrafię to zrobić.

– Mam propozycję, która może zadowolić was oboje – odezwała się cicho Esclarmonde. – Pozwól, panie, ruszyć Alaïs przodem, z trylogią, ale tylko część drogi, powiedzmy do Limoux. Mam tam przyjaciół, którzy zapewnią jej bezpieczne mieszkanie. Gdy zakończy się twoja rola tutaj i wicehrabia Trencavel będzie mógł cię zwolnić z obowiązków, dołączysz do córki i razem pojedziecie w góry.

Pelletier nadal miał chmurną minę.

– Nie widzę, w czym to ma pomóc. Przecież to szaleństwo ruszać w podróż w tak niespokojny czas. Wszyscy zwrócą na to uwagę, a przecież tego właśnie chcemy uniknąć. Zresztą trudno powiedzieć, jak długo obowiązki zatrzymają mnie w Carcassonie.

Alaïs rozbłysły oczy.

– Ależ jest doskonały pretekst! Mogę rozgłosić, że wybieram się z pielgrzymką błagać Pana o uzdrowienie mojego małżeństwa – rzekła, szybko układając w głowie fakty. – Zawiozę podarunek opatowi Sant-Hilaire. Stamtąd do Limoux już niedaleko.

– Taka nagła pobożność nikogo nie przekona – stwierdził Pelletier, rozbawiony pomysłem córki. – A już najmniej twojego męża.

Simeon pogroził mu palcem.

– To doskonały pomysł, Bertrandzie. Nikt nie sprzeciwi się pielgrzymce, zwłaszcza w tym czasie.

Pelletier poprawił się na krześle. Twarz miał zaciętą, upartą.

– Nadal uważam, że Trylogia najbezpieczniejsza będzie tutaj, w *ciutat*. Harif nie zna aktualnej sytuacji tak jak my. Carcassona nie wpadnie w ręce wroga.

– Każde miasto, niezależnie od tego jak silne, nawet takie, które ludzie uważają za niezdobyte, może upaść. Doskonale o tym wiesz. Instrukcje *navigatairé* są jasne: należy dostarczyć księgi do niego, w góry. – Przewiercił Pelletiera spojrzeniem czarnych oczu. – Zrozumiałe, że wahasz się opuścić wicehrabiego Trencavela w taki czas. Godzimy się z twoją rozterką. Twoje sumienie podpowiada ci, jakie wyjście jest najlepsze. – Przerwał. – Tymczasem jednak, skoro ty nie pojedziesz w góry, musi to zrobić ktoś inny.

Alaïs widziała, że wiele kosztuje ojca trzymanie emocji na wodzy. Poruszona do głębi ujęła go za rękę. Nie odezwał się, co prawda, ale uścisnął jej palce.

– *Aquò es vòstre* – powiedziała cicho. Pozwól mi cię wyręczyć.

Pelletier westchnął głęboko.

– Taka wyprawa jest bardzo niebezpieczna, *filha*.

Dziewczyna tylko pokiwała głową.

– I mimo wszystko chcesz jechać? – zapytał.

– Zaszczytem będzie dla mnie służyć ci w ten sposób.

Simeon położył rękę na ramieniu Bertranda.

– Twoja córka jest wyjątkowo dzielna. I uparta. Tak samo jak i ty, przyjacielu.

Alaïs ledwo śmiała odetchnąć.

– Moje serce sprzeciwia się takiemu rozwiązaniu – odezwał się Pelletier w końcu. – Rozum radzi inaczej. – Przerwał, jakby się bał tego, co ma powiedzieć. – Jeśli twój mąż i pani Agnès cię puszczą... i Esclarmonde pojedzie jako przyzwoitka, masz moje pozwolenie.

Alaïs ucałowała ojca serdecznie w oba policzki.

– Mądrze wybrałeś – rzekł rozpromieniony Simeon.

– Ilu ludzi możesz nam dać, intendencie? – zapytała Esclarmonde.

– Czterech zbrojnych. Najwyżej sześciu.

– Jak długo potrwają przygotowania?

– Około tygodnia – odparł Pelletier. – Nie można działać zbyt szybko, bo wzbudzimy podejrzenia. Muszę uzyskać pozwolenie od pani Agnès, a ty, córko, od swojego męża.

Alaïs już otworzyła usta, by powiedzieć, że Guilhem pewnie by nawet nie zauważył jej zniknięcia, ale na szczęście zdążyła się ugryźć w język.

– Jeśli twój plan ma się powieść, *filha* – podjął Pelletier – należy się ściśle trzymać wszelkich wymagań etykiety. – Zniknęło z jego głosu niezdecydowanie. Wstał. – Alaïs, wrócisz teraz do *château comtal* i odszukasz

François. Poinformujesz go o swoich zamierzeniach w najbardziej oszczędnych słowach i każesz mu na mnie zaczekać.

– Ty, ojcze, nie wracasz?

– Wkrótce.

– Rozumiem. Czy mam zabrać ze sobą księgę Esclarmonde?

Pelletier uśmiechnął się kącikiem ust.

– Skoro macie jechać we dwie, księga zapewne będzie u niej bezpieczna jeszcze przez kilka dni.

– Nie zamierzałam sugerować...

Bertrand Pelletier poklepał wypukłość pod płaszczem.

– Weźmiesz natomiast księgę Simeona. – Wyjął skórzaną kabzę, którą dziewczyna widziała krótko w Besièrs u Simeona. – Zabierz ją do zamku. Zaszyj w podróżnym odzieniu. Niedługo przyniosę Księgę Słów.

Alaïs włożyła książkę do swojej sakiewki. Podniosła oczy na ojca.

– Jestem ci wdzięczna, *paire*, za zaufanie. Za to, że we mnie wierzysz.

Pelletier, jak nigdy, spłonął rumieńcem.

Gdy dziewczyna ruszyła do drzwi, z ławy podniósł się Sajhë.

– Dopilnuję, żeby pani Alaïs bezpiecznie wróciła do domu – oznajmił.

Wszyscy się roześmieli.

– Bardzo dobrze, *gentilòme* – rzekł Pelletier, klepiąc go po plecach. – Na twoich barkach spoczywa nie lada odpowiedzialność.

* * *

– Widać u niej twoje zalety – rzekł Simeon, gdy szli we dwóch w stronę bramy, wiodącej z Sant-Miquel w stronę żydowskiego osiedla. – Jest odważna, lojalna i uparta. Nie poddaje się łatwo. Czy twoja starsza córka również jest tak bardzo do ciebie podobna?

– Oriane wdała się w matkę – odparł Bertrand krótko. – Przypomina Marguerite z wyglądu i z charakteru.

– Często się tak właśnie zdarza. Jedno dziecko wrodzi się w jednego rodzica, drugie w drugiego... – Przerwał. – Wyszła za *escrivan* wicehrabiego Trencavela?

– Nie jest to najszczęśliwsze z małżeństw – westchnął Pelletier. – Congost to człowiek już niemłody i na zachowania mojej córki patrzy krzywym okiem. Ale z drugiej strony, ma mocną pozycję na dworze.

Kilka kroków przeszli w milczeniu.

– Skoro Oriane przypomina Marguerite, z pewnością jest piękna.

– Ma wdzięk, urok i czar, które przyciągają oko. Wielu mężczyzn chętnie by się do niej zalecało. Niektórzy nawet nie robią z tego tajemnicy.

– Dobrze mieć takie wspaniałe córki.

Bertrand rzucił na Simeona krótkie spojrzenie.

– Alaïs jest wspaniałą córką – zawahał się. – Można mnie winić za to, że towarzystwo Oriane wydaje mi się mniej... Chcę być sprawiedliwy, ale obawiam się, że nie potrafię równo podzielić ojcowskiej miłości.

– Szkoda – mruknął Żyd.

Dotarli do bramy.

– Chciałbym cię przekonać, żebyś został w *ciutat* – odezwał się Pelletier. – A przynajmniej w Sant-Miquel. Jeżeli wróg podejdzie blisko, nie zdołam cię ochronić poza murami...

Simeon położył mu dłoń na ramieniu.

– Za dużo się martwisz, przyjacielu. Moja rola dobiegła końca. Oddałem ci księgę, którą mi powierzono. Pozostałe dwie także znajdują się w obrębie murów. Esclarmonde i córka ci pomogą. A ja już jestem całkiem nieważny. Co by kto miał ode mnie chcieć? – Spojrzał przyjacielowi prosto w oczy. – Moje miejsce jest z moim ludem.

Coś w jego głosie wzbudziło czujność Pelletiera.

– Nie rozstajemy się na zawsze – zapewnił żarliwie. – Zanim ten miesiąc dobiegnie końca, będziemy znowu razem pili wino. Wspomnisz moje słowa!

– Twoim słowom ufam, przyjacielu. Nie ufam mieczom Francuzów.

– Wiosną nikt już nie będzie o nich pamiętał. Wrócą do domu z podkulonymi ogonami, a hrabia Tolosy będzie szukał nowych sprzymierzeńców. My dwaj zaś będziemy wspominać młodość przy kominku.

– *Pas à pas se va luènh* – powiedział Simeon, ściskając Bertranda. – Przekaż ode mnie Harifowi najserdeczniejsze pozdrowienia. Powiedz mu, że ciągle czekam na rozegranie tej partii szachów, którą mi obiecał przed trzydziestu laty!

Pelletier uniósł dłoń w pożegnalnym geście, ale Simeon przeszedł przez bramę i zniknął, nie oglądając się za siebie.

– Intendencie Pelletier!

Bertrand Pelletier nie odrywał wzroku od tłumu podążającego w stronę rzeki, ale już nie dojrzał Simeona.

– *Messire!* – zawołał bez tchu posłaniec.

– O co chodzi?

– Jesteś, panie, potrzebny przy Bramie Narbońskiej. Jak najszybciej.

ROZDZIAŁ 45

Alaïs pchnęła drzwi do komnaty.

– Guilhem?

Choć potrzebowała teraz samotności i nie miała powodów spodziewać się męża w domu, mimo wszystko poczuła rozczarowanie na widok pustego wnętrza.

Zamknęła drzwi, odczepiła sakwę od pasa i położyła ją na stole. Wyjęła z niej księgę, otuloną kozią skórą. Miała ona wielkość kobiecego psałterza. Deski stanowiące okładki zostały obciągnięte skórą, całkowicie gładką, bez żadnych ozdób i napisów, leciuteńko przetartą na rogach.

Rozwiązała rzemienie, a wtedy księga rozkwitła jej w dłoniach, jak motyl ukazujący światu bajeczne skrzydła.

Na pierwszej stronie znajdował się tylko złoty symbol labiryntu naszkicowany na samym środku strony, błyszczący na żółtym pergaminie niczym klejnot. Był nie większy niż wzór na pierścieniu ojca, niż *merel*, który tak niedługo znajdował się w jej posiadaniu.

Odwróciła stronę. Na następnej widniały cztery linijki eleganckich czarnych znaków postawionych wprawną dłonią.

Wokół brzegów stronicy ciągnął się łańcuch obrazków i symboli, powtarzany jak haft wokół kaptura u jej płaszcza. Ptaki, zwierzęta, postacie z długimi ramionami i smukłymi palcami. Aż wstrzymała oddech.

Twarze i postacie z moich snów!

Przewróciła następną stronę, potem kolejną i jeszcze jedną. Wszystkie pokryte były rzędami ścisłego czarnego pisma, każda tylko po jednej stronie. Dziewczyna rozpoznawała słowa z języka Simeona, choć ich nie rozumiała. Pierwsza litera na każdej stronicy została pięknie wyróżniona, to na czerwono, to na niebiesko, albo na żółto, podświetlona złotym otoczeniem, ale poza tym nie było żadnych ozdób. Żadnych ilustracji na marginesie czy innych liter wyróżnionych z tekstu, a same słowa biegły jedno za drugim nieomal bez odstępów, bez znaków przestankowych i jakichkolwiek wskazówek, gdzie się jedna myśl zaczyna, a druga kończy.

Dotarła do papirusu ukrytego w środku księgi. Był grubszy i ciemniejszy niż pozostałe karty, podobny raczej do koźlej skóry niż cienkiego pergaminu. Zamiast symboli czy ilustracji znajdowało się na nim zaledwie kilkanaście słów oraz rzędy cyfr i jakichś wyliczeń. Przypominał mapę.

Zauważyła ledwo dostrzegalne strzałki wskazujące w różne strony. Niektóre były złote, lecz większość naszkicowano czarnym atramentem. Zaczęła odczytywać stronę od górnego lewego rogu, ale nie doszukała się w zapiskach żadnego sensu. Następnie spróbowała od dołu do góry, od prawej do lewej, jak w kościelnym witrażu, ale to także nie przyniosło skutku. Wreszcie składała znaki z co drugiej linijki albo wyszukiwała wyrazy z co trzeciej, nadal jednak nic nie rozumiała.

Spójrz poza widzialne, a dostrzeżesz ukryte tajemnice.

Zastanawiała się, myślała, rozważała... Każdemu opiekunowi przydzielono księgę pasującą do jego zdolności i wiedzy. Esclarmonde potrafiła leczyć, więc jej w opiekę oddał Harif Księgę Napojów. Simeon był uczonym, znał się na starożytnym żydowskim systemie liczenia, więc w jego ręce trafiła Księga Liczb.

A dlaczego jej ojciec został opiekunem Księgi Słów?

Głęboko pogrążona w myślach zapaliła lampę i podeszła do szafki nocnej. Wyjęła kilka arkuszy pergaminu, atrament oraz pióro.

Intendent Pelletier zdecydował, iż jego córki muszą posiąść umiejętność czytania i pisania, gdyż poznał wartość tej wiedzy, przebywając w Ziemi Świętej. Oriane nie była z tego powodu uszczęśliwiona, gdyż zależało jej wyłącznie na umiejętnościach, które przystoją prawdziwej damie – pięknie tańczyła i śpiewała, znała się na sokolnictwie, umiała haftować. Pisanie, co powtarzała do znudzenia, nadawało się dla starców i kapłanów.

Tymczasem Alaïs uchwyciła się możliwości nauki obiema rękami. Wchłonęła wiedzę szybko, i choć nieczęsto miała okazję ją wykorzystać, starała się jej nie utracić.

Rozłożyła na stole przybory do pisania. Nie rozumiała zapisków z papirusu, nie miała też nadziei na oddanie wyśmienitego warsztatu pisarza, kolorów ani stylu, mogła jednak przynajmniej stworzyć kopię stronicy, skoro przytrafiła jej się taka okazja.

Praca zajęła jej dużo czasu. Gdy wreszcie została ukończona, dziewczyna zostawiła pergamin na stole, do wyschnięcia. A potem nagle uświadomiła sobie, iż ojciec może lada moment wrócić do *château comtal* z Księgą Słów. Trzeba było szybko zająć się ukryciem ksiąg, jak jej radził.

Ulubiony czerwony płaszcz nie nadawał się do tego celu. Tkanina była zbyt delikatna, kaptur obszerny. Wobec tego może ciężki brązowy płaszcz, przeznaczony do noszenia zimą na polowania? Chyba będzie się nadawał. Zręcznymi palcami odpruła fragment *passementerie* na przedzie, by powstał otwór na tyle szeroki, iż dało się do środka wepchnąć książkę. Włóczka, którą dostała od Sajhë, idealnie pasowała kolorem do tkaniny. Alaïs przymocowała nią księgę na plecach.

Zarzuciła płaszcz na ramiona. Układał się nierówno, ale kiedy z drugiej strony dołoży Księgę Słów, wszystko będzie wyglądało jak dawniej.

Pozostało jej jeszcze jedno zadanie do wykonania. Zarzuciła płaszcz na oparcie krzesła i podeszła do stołu sprawdzić, czy atrament wyschł. Pamiętając, iż w każdej chwili może ktoś wejść do komnaty, złożyła kartkę i wsunęła ją do woreczka z lawendą. Zaszyła go starannie i ponownie wsunęła pod poduszkę.

Rozejrzała się wokół, zadowolona z dobrze wykonanej pracy i zaczęła sprzątać przybory do szycia.

* * *

Rozległo się pukanie. Alaïs śpiesznie otworzyła drzwi, spodziewając się ojca, jednak zamiast niego ujrzała na progu Guilhema, niepewnego, jakie go spotka przyjęcie. Ujmujący uśmiech zagubionego chłopca tym razem gdzieś mu się zapodział.

– Czy mogę wejść, pani? – zapytał cicho.

Najchętniej rzuciłaby mu się na szyję. Ostrożność ją powstrzymała. Zbyt wiele padło między nimi przykrych słów. Za mało sobie wzajemnie wybaczyli.

– Mogę? – powtórzył pytanie.

– Ty także mieszkasz w tej komnacie, panie – rzuciła lekko. – Nie mogę ci zabraniać wstępu.

– Jakie formalne słowa – rzekł, wchodząc i zamykając za sobą drzwi. – Miałem nadzieję, że uczucie, a nie obowiązek podyktuje ci odpowiedź.

– Jestem... – zawahała się, wytrącona z równowagi własną tęsknotą. – Jestem uradowana twoim widokiem, panie.

– Wyglądasz na zmęczoną – powiedział, wyciągając rękę ku jej twarzy. Jakże łatwo byłoby się poddać. Znaleźć ukojenie w jego ramionach.

Zamknęła oczy, omal poczuła palce męża na skórze. Pieszczota lekka jak puch i naturalna jak oddech. Wyobraziła sobie, jak się do niego przytula, jak on ją podnosi... Zakręciło jej się w głowie, poczuła słabość.

Nie mogę. Nie wolno mi się tak zachować. Otworzyła oczy i cofnęła się o krok.

– Nie – szepnęła. – Proszę.

Guilhem ujął jej dłoń. Był wyraźnie zdenerwowany.

– Jeśli Bóg nie zdecyduje inaczej, wkrótce staniemy przed wrogiem. Wyjedziemy na spotkanie nieprzyjaciela. Moi towarzysze, Alzeu, Thierry... Zapewne nie wszyscy wrócą.

– To prawda – rzekła Alaïs, marząc, by na twarz ukochanego wróciło trochę życia.

– Od powrotu z Besièrs traktowałem cię źle, Alaïs, choć nie było w tym twojej winy. Przepraszam za to i błagam o wybaczenie. Jestem często zazdrosny i zazdrość każe mi wypowiadać słowa... których potem żałuję.

Wytrzymała jego spojrzenie, ale niepewna, co właściwie czuje, nie ośmieliła się przemówić. Guilhem przysunął się o krok.

– Moje przyjście nie sprawia ci chyba przykrości...

Uśmiechnęła się smutno.

– Tak długo cię nie było, Guilhemie, że już nie wiem, co czuję.

– Czy życzysz sobie, abym wyszedł?

Łzy zakłuły ją pod powiekami, ale też dzięki nim zyskała odwagę, by podążać raz obraną drogą. Nie chciała przy nim płakać.

– Tak chyba będzie najlepiej. – Wyjęła zza dekoltu chusteczkę i włożyła mu ją w rękę. – Jest jeszcze czas, żeby się między nami wszystko ułożyło.

– Nie mamy czasu, Alaïs – sprzeciwił się Guilhem łagodnie. – Tego jednego nie mamy. Ale jeśli Bóg i Francuzi pozwolą, przyjdę jutro.

Alaïs pomyślała o księgach, o spoczywającej na jej barkach odpowiedzialności. Niedługo ruszy w drogę.

Może go już więcej nie zobaczę. Serce zamarło jej w piersiach. Zawahała się, a potem uścisnęła go żarliwie, jakby chciała wycisnąć na nim swój kształt. Potem, równie gwałtownie, jak się do niego przytuliła, puściła go i odstąpiła o krok.

– Nasz los jest w rękach Boga – rzekła. – Teraz już wyjdź, Guilhemie, proszę.

– Jutro?

– Zobaczymy.

Stała jak wykuta w kamieniu, z rękami splecionymi przed sobą, by ukryć ich drżenie. Nie poruszyła się, póki nie zamknął za sobą drzwi. Potem wróciła do stołu, zastanawiając się, co go tu przywiodło. Miłość? Żal? A może coś jeszcze innego?

ROZDZIAŁ 46

Simeon spojrzał w niebo. Szare chmury gromadziły się nad horyzontem, zasłaniając słońce. Odszedł już daleko od grodu, ale nie miał pewności, czy zdąży do osiedla przed burzą.

Dopiero gdy znalazł się w lesie oddzielającym równiny pod Carcassoną od rzeki, zwolnił kroku. Brakowało mu tchu, za stary już był na takie piesze wycieczki. Wsparł się ciężko na kiju i głęboko odetchnął. Już niedaleko. Esther na pewno przygotowała coś do jedzenia, może znajdzie się też kropelka wina?

Może Bertrand miał rację? Oby do wiosny było po wszystkim!

Nie zauważył dwóch mężczyzn, którzy za nim weszli na ścieżkę. Nie wiedział, że jeden z nich podniósł rękę z ciężką pałką. Potężny cios pogrążył Żyda w ciemnościach.

* * *

Zanim Pelletier dotarł do Bramy Narbońskiej, zebrał się tam już spory tłumek.

– Przepuśćcie mnie! – krzyknął, torując sobie drogę. Wyszedł przed wszystkich.

Ujrzał jakiegoś człowieka na klęczkach, z rozciętym czołem. Z rany płynęła krew.

Nad nieszczęsnym stało dwóch zbrojnych, z włóczniami wymierzonymi w jego kark. Obcy był najwyraźniej muzykiem, bo obok leżała złamana piszczałka, rzucona jak kości po uczcie, a przy niej przedziurawiony bębenek.

– Co tu się dzieje, na świętą Fides?! – zagrzmiał intendent. – Co zarzucacie temu człowiekowi?

– Nie zatrzymał się na wezwanie – odparł starszy z żołnierzy. Twarz miał całą w bliznach. – Nie pozwolono mu przejść.

Pelletier kucnął obok muzyka.

– Nazywam się Bertrand Pelletier, jestem intendentem wicehrabiego. Po co przybyłeś do Carcassony?

Obcy otworzył oczy.

– Intendent Pelletier? – Chwycił Bertranda za ramię.

– Tak jest, to ja. Mów, przyjacielu.

– *Besièrs es persa*. Besièrs padło.

Któraś kobieta, stojąca blisko, zdusiła okrzyk, zasłoniła dłonią usta. Wstrząśnięty Pelletier nawet nie wiedział, kiedy wstał.

– Ty – wskazał jednego z żołnierzy. – Znajdź sobie zastępstwo i zaprowadź tego człowieka do zamku. Jeśli przez was ucierpiał, popamiętacie. – Obrócił się do tłumu. – Zapamiętajcie moje słowa! – krzyknął. – Nikt z was nie będzie rozpowiadał o tym, co tutaj widział i słyszał. Wkrótce poznamy całą prawdę.

* * *

Gdy dotarli do *château comtal*, Pelletier rozkazał, by muzyka zabrano do kuchni, nakarmiono i opatrzono, a sam natychmiast udał się do wicehrabiego Trencavela.

Po niedługim czasie obcy, wzmocniony winem i miodem, został przyprowadzony do *donjon*.

Był blady, ale opanowany. Obawiając się, iż nogi mogą go nie utrzymać, Pelletier rozkazał przynieść mu stołek.

– Powiedz nam, jak masz na imię, *amic* – zaczął.

– Nazywam się Pierre de Murviel, *messire*.

Wicehrabia Trencavel siedział w środku półkola, po obu stronach miał przyjaciół i sprzymierzeńców.

– *Benvenguda*, Pierre de Murviel – rzekł. – Ponoć masz dla nas wieści.

Sztywno wyprostowany, z rękoma na kolanach i twarzą białą jak mleko, przybysz odchrząknął i zaczął mówić. Urodził się w Besièrs, a ostatnich kilka lat życia spędził na dworach Navarry i Aragonii. Fachu uczył się u samego Raimona de Mirvala, najwspanialszego trubadura Południa. Był w tym, co robił, tak dobry, że dostał zaproszenie na dwór Besièrs. Dostrzegł okazję odwiedzenia rodzinnych stron, więc zgodził się z ochotą.

Mówił tak cicho, że zebrani musieli wytężać słuch.

– Opowiedz nam o Besièrs – odezwał się Trencavel. – Ze wszystkimi szczegółami.

– Francuska armia podeszła pod mury miasta w dzień poprzedzający święto Marii Magdaleny i rozbiła się obozem wzdłuż lewego brzegu rzeki Orb. Najbliżej rozłożyli się pielgrzymi i najemnicy, żebracy i hołota, co to za cały majątek ma koszulę na grzbiecie, a o butach może tylko marzyć. Dalej powiewały nad pawilonami proporce w barwach baronów i ludzi Kościoła; zielone, czerwone i złote. Przybyli wznieśli maszty i zbudowali zagrody dla zwierząt.

– Kto został wysłany na pertraktacje?

– Biskup Besièrs, Renaud de Montpeyroux.

– Powiadają, że to zdrajca, *messire* – szepnął Pelletier wicehrabiemu do ucha.

– Biskup Montpeyroux powrócił z listą osób uznanych za heretyków, spisaną przez papieskich legatów. Nie wiem, ile było nazwisk na tej liście, *messire*, lecz z pewnością setki. Ludzie poważani, wpływowi, bogaci, szlachetni mieszczanie, a także wyznawcy nowego Kościoła, a nawet ci, których posądzano o to, że są *bons chrétiens*. Postawiono nam ultimatum: jeśli konsulowie wydadzą heretyków armii Północy, wówczas Besièrs ocaleje. W przeciwnym razie... – zawiesił głos.

– Jaką odpowiedź dali konsulowie? – spytał Pelletier. Była to pierwsza wskazówka, czy utrzymał się sojusz przeciwko Francuzom.

– Odpowiedzieli, że prędzej sami zginą, niż zdradzą swoich sąsiadów.

Trencavel niedostrzegalnie odetchnął z ulgą.

– Biskup wyszedł z Besièrs – podjął muzyk – wraz z garstką katolickich księży. Komendant naszego garnizonu, Bernard de Servian, zaczął szykować miasto do obrony. – Zamilkł, z trudem przełknął ślinę.

Nawet Congost, pracowicie schylony nad pergaminem, podniósł wzrok.

– Rankiem dwudziestego drugiego czerwca było gorąco już o brzasku. Garstka szumowin wlokących się za armią... to nawet nie byli żołnierze... przyszła nad brzeg rzeki, tuż pod południowymi umocnieniami. Obserwowano ich z murów. Z obu stron posypały się obraźliwe słowa. Jeden z *routiers* wszedł na most, przechwalał się i przeklinał. Tak to rozpaliło naszych młodych ludzi na murach, że uzbroili się w pałki i włócznie, sklecili naprędce sztandar oraz jakiś bęben i postanowili dać Francuzom nauczkę. Otworzyli bramy i zanim ktokolwiek zorientował się w rozwoju wypadków, pognali w dół zbocza, wrzeszcząc na całe gardło. Chwilę później było po wszystkim. Martwego *routier* zrzucili z mostu.

Pelletier spojrzał na Trencavela. Wicehrabia pobladł.

– Ludzie z murów nawoływali chłopców, by wracali jak najszybciej, ale oni byli zbyt oszołomieni bójką, by słuchać głosów rozsądku. Odgłosy bijatyki przyciągnęły uwagę kapitana najemników, Roi*, jak go nazywają jego ludzie. Zobaczywszy bramy stojące otworem, wydał rozkaz do ataku. Młodzi w końcu zdali sobie sprawę z niebezpieczeństwa, ale było już za późno. *Routiers* zarżnęli ich tam, gdzie stali. Tych kilku, którzy przeżyli, próbowało bronić dostępu do bram, ale napastnicy byli zbyt liczni, za dobrze uzbrojeni. Przebili się i utrzymali otwartą bramę. Francuzi błyskawicznie zaczęli atakować mury, a wyposażeni byli w haki i drabiny. Bernard de Servian robił, co mógł, w obronie fortyfikacji, lecz wypadki toczyły się zbyt szybko. Najemnicy zdobyli bramę na dobre. W chwili gdy krzyżowcy wdarli się do miasta, rozpoczęła się masakra. Wszędzie walały się okaleczone ciała, brodziliśmy po kolana we krwi. Wrogowie wyrywali dzieci z ramion matek, przebijali je włóczniami lub mieczami. Odcinali głowy i zatykali je na murach, wystawiali ptakom na żer. Wyglądało to, jakby krwawe rzygacze zrobione z ciała i kości, a nie z kamienia patrzyły na naszą porażkę. Francuzi zabijali wszystkich, każdego, na kogo się natknęli, nie bacząc na wiek ani płeć.

---

* król

Trencavel nie mógł dłużej milczeć.

– Dlaczego papiescy legaci albo francuscy baronowie nie powstrzymali tej rzezi?! Czyżby o niej nie wiedzieli?

De Murviel podniósł głowę.

– Wiedzieli, *messire*.

– Przecież masakra niewinnych istot ma się nijak do honoru i zasad sztuki wojennej! – oburzył się Pierre-Roger de Cabaret. – Choć opat Cîteaux słynie z gorliwości w wypełnianiu swoich zadań oraz nienawiści do herezji, trudno mi dać wiarę, iż przyzwoliłby na rzeź chrześcijańskich kobiet i dzieci!

– Ponoć spytano go, jak odróżnić dobrych katolików od heretyków – odparł muzyk cicho. – Powiedział wtedy: *Tuez-les tous. Dieu reconnaîtra les siens.* Zabijcie wszystkich. Bóg rozpozna swoich.

Trencavel i de Cabaret spojrzeli po sobie osłupiali.

– Mów dalej – rozkazał Pelletier ponuro.

– Wielkie dzwony Besièrs zabiły na alarm. Kobiety i dzieci stłoczyły się w kościele Świętego Judy Tadeusza i w drugim, pod wezwaniem świętej Marii Magdaleny. Tysiące ludzi gniotło się tam, jak zwierzęta w zagrodzie. Katoliccy księża włożyli odświętne szaty i śpiewali „Requiem", ale krzyżowcy wyważyli drzwi świątyń i wybili wszystkich. – Głos mu się załamał. – W ciągu kilku godzin zaledwie miasto zmieniło się w kostnicę. Zaczęło się plądrowanie. Najświetniejsze domy zostały odarte przez chciwych barbarzyńców ze wszystkiego. Dopiero wtedy francuscy baronowie, wiedzeni zachłannością, a nie sumieniem, zapragnęli odzyskać władzę nad *routiers*. Oni jednak nie mieli zamiaru oddać prawa do łupienia zdobytego miasta, więc podłożyli ogień. Drewniane zabudowania zajęły się jak pochodnia. Dach katedry stanął w ogniu i zawalił się, a wszyscy, którzy schronili się w środku, spłonęli. Pożar był tak potężny, że świątynia obróciła się w ruinę.

– Powiedz nam, *amic* – odezwał się Trencavel – ilu przeżyło?

Muzyk spuścił głowę.

– Nikt, *messire*. Tylko kilka osób zdołało ujść z miasta. Wszyscy, którzy tam pozostali, stracili życie.

– Dwadzieścia tysięcy ludzi zamordowanych w jeden dzień? W jeden ranek? – szepnął Raymond Roger. – Jak to możliwe?

Nikt nie odpowiedział. Mowa ludzka nie zna takich słów.

Trencavel podniósł głowę, spojrzał na muzyka.

– Widziałeś rzeczy, na które nie powinno patrzeć ludzkie oko. Wykazałeś się dzielnością i odwagą, przynosząc nam wieści. Carcassona ma wobec ciebie dług, dopilnuję, byś został szczodrze wynagrodzony. – Zamilkł na moment. – Zanim odejdziesz, chciałbym ci zadać jeszcze jedno pytanie. Czy brat mojej matki, Raymond, hrabia Tolosy, brał udział w plądrowaniu miasta?

– Nic mi o tym nie wiadomo, *messire*. Podobno został we francuskim obozie.

Trencavel spojrzał na Pelletiera.

– Przynajmniej tyle.

– Czy w drodze do Carcassony – zapytał Pelletier – napotkałeś kogoś? Czy wieść o masakrze się rozeszła?

– Tego nie wiem, *messire*. Nikogo nie spotkałem, trzymałem się z dala od głównych szlaków, szedłem starymi przejściami przez wąwóz Lagrasse. Nie widziałem po drodze żołnierzy.

Wicehrabia Trencavel potoczył wzrokiem po konsulach, czekając, czy mają pytania do przybysza. Nikt się nie odezwał.

– Wobec tego wszystko jasne – zwrócił się do muzyka. – Możesz odejść. Przyjmij raz jeszcze nasze podziękowania.

Gdy tylko wyprowadzono de Murviela, Trencavel zwrócił się do swojego intendenta.

– Dlaczego nie dostaliśmy wcześniej żadnej wiadomości? Powinny do nas dotrzeć chociaż plotki! Od masakry minęły cztery dni!

– Jeżeli de Murviel mówi prawdę, to kto miał nam przynieść pogłoski? – spytał de Cabaret ponuro.

– Mimo wszystko! – Trencavel niecierpliwie machnął ręką. – Wysłać natychmiast zwiadowców. Musimy wiedzieć, czy armia Północy nadal stacjonuje pod Besièrs, czy już maszeruje na wschód. Zwycięstwo z pewnością doda im skrzydeł.

Wstał, więc zebrani także się podnieśli i skłonili mu z szacunkiem.

– Niech konsulowie dopilnują, by rozgłoszono wieści po *ciutat*. Idę do *capèla* Sant-Maria. Przyślijcie tam moją żonę.

* * *

Pelletier miał nogi jak z drewna. Każdy krok na schodach ciążył mu ołowiem. Szedł do swojej komnaty. Jakaś obręcz ściskała mu pierś, nie mógł swobodnie oddychać.

Pod drzwiami czekała na niego Alaïs.

– Przyniosłeś księgę? – spytała. Ujrzawszy wyraz jego twarzy, zapomniała o Trylogii. – Co się stało?

– Nie byłem w Sant-Nasari, *filha*. Nadeszły straszne wieści. – Ciężko opadł na krzesło.

– Jakie to wieści? – spytała z drżeniem w głosie.

– Besièrs upadło – rzekł. – Trzy, może cztery dni temu. Nikt nie przeżył.

Alaïs osunęła się na ławę.

– Wszyscy stracili życie? – upewniła się, nie dowierzając. – Także kobiety i dzieci?

– Straszne czasy nastały, skoro okrucieństwa wojny dotykają niewinnych istot...

– Co teraz?

Po raz pierwszy w życiu Bertrand Pelletier usłyszał w głosie swojej młodszej córki strach.

– Możemy tylko czekać – powiedział.

– Ale to nie zmienia naszych postanowień – upewniła się Alaïs. – Pojadę z Trylogią.

– Sytuacja się zmieniła.

W oczach dziewczyny błysnął upór.

– Z całym szacunkiem, *paire*, rzeczywiście sytuacja się zmieniła. Dlatego powinniśmy jechać. Im później, tym trudniej będzie wywieźć księgi z *ciutat*. A z pewnością nie chcesz, żeby tu zostały. – Zamilkła, lecz nie doczekała się odpowiedzi. – Zdobyliście się dla tych ksiąg na tak wiele poświęceń, tyle lat ukrywaliście je i dbaliście, żeby były bezpieczne, i wszystko to ma teraz pójść na marne?

– Wypadki z Besièrs tutaj się nie powtórzą – rzekł ojciec z mocą. – Carcassona przetrwa oblężenie. Z pewnością. Księgi będą tu bezpieczne.

Alaïs sięgnęła przez stół po jego dłoń.

– Błagam cię, nie cofaj danego słowa.

– *Arèst*, Alaïs – odrzekł sucho. – Nie wiemy, gdzie teraz jest armia. Besièrs upadło kilka dni temu, choć my usłyszeliśmy o tym dopiero dzisiaj. Możliwe, że francuska straż przednia podchodzi już do grodu. Pozwalając ci wyruszyć w drogę, wysłałbym cię na pewną śmierć.

– Ale...

– Zabraniam ci tej wyprawy. Jest zbyt niebezpieczna.

– Jestem gotowa podjąć ryzyko.

– Nie! – krzyknął. Strach pozbawił go panowania nad emocjami. – Nie poświęcę dla sprawy własnego dziecka. Obowiązek dostarczenia ksiąg spoczywa na moich barkach.

– Jedź ze mną, ojcze. Ruszajmy dziś wieczorem. Wywieźmy stąd księgi, póki jeszcze możemy.

– To zbyt niebezpieczne – powtórzył uparcie.

– Wiem o tym. Wiem, że nasza wyprawa może się skończyć źle. Ale lepiej umrzeć od francuskiego miecza, robiąc co należy, niż ze strachu nie robić nic.

Ku jej zdumieniu ojciec się uśmiechnął.

– Odwaga dobrze o tobie świadczy, *filha* – powiedział. – Ale księgi zostaną w *ciutat*.

Alaïs chwilę patrzyła na niego oniemiała, potem wstała i wybiegła z komnaty.

ROZDZIAŁ 47
Besièrs

Przez dwa dni po niespodziewanej wiktorii pod Besièrs krzyżowcy pozostali na żyznych łąkach otaczających miasto. Odniesienie takiego zwycięstwa tak niewielkim kosztem zakrawało na cud. Bóg nie mógł im dać wyraźniejszego sygnału prawości ich uczynków.

Nad głowami rycerstwa płonęły ruiny miasta, które jeszcze tak niedawno zadziwiało świetnością. Płaty szarego popiołu wzbijały się w niestosownie błękitne i czyste letnie niebo, wiatr roznosił je po podbitej ziemi. Od czasu do czasu uszu zwycięzców dobiegał hurgot walącej się ściany lub huk belek poddających się niszczycielskiej sile ognia.

Kolejnego ranka armia zwinęła obóz i ruszyła przez urodzajne niziny na południe, w stronę rzymskiego miasta Narbonne. Na przedzie kolumny podążał opat Cîteaux, po jego bokach papiescy legaci. Jego autorytet wzrósł niepomiernie po miażdżącym zwycięstwie odniesionym nad miastem, które miało czelność dawać schronienie herezji. Każdy biały czy złoty krzyż lśnił dumnie na szatach bojowników Boga. Każdy krucyfiks promieniał nieomal jak słońce.

Zwycięska armia niczym gigantyczny wąż pełzła przez ziemie Południa, białe tam, gdzie odparowywano wodę, by otrzymać z niej sól, niebieskie od spokojnych stawów i żółte od kwitnących krzewów chłostanych porywistym wiatrem wiejącym od Zatoki Liońskiej. Wzdłuż drogi pięła się dzika winorośl, rosły drzewa oliwkowe i migdałowe.

Francuscy żołnierze, nienawykli do południowego klimatu, pierwszy raz widzieli taki kraj. Często czynili znak krzyża, dostrzegając w krajobrazie dowody, iż rzeczywiście znaleźli się na ziemi opuszczonej przez Boga.

* * *

Delegacja pod przywództwem arcybiskupa i wicehrabiego Narbonne spotkała się z krzyżowcami w Capestang dwudziestego piątego lipca.

Narbonne było zamożnym ośrodkiem handlowym, portem nad brzegiem Morza Śródziemnego, choć samo centrum miasta znajdowało się nieco w głębi lądu.

Zarówno Kościół, jak i władze świeckie mieli świeżo w pamięci straszny los Besièrs. Włodarze chcieli uchronić Narbonne przed podobnym losem, toteż gotowi byli w imię bezpieczeństwa grodu poświęcić niepodległość i honor.

W obliczu świadków dostojnicy miejscy uklękli przed opatem Cîteaux i całkowicie poddali się Kościołowi. Zgodzili się wydać legatom wszystkich heretyków, skonfiskować majątki Żydów i katarów, a nawet zapłacić podatek od własnych majętności – w celu wsparcia krucjaty.

Ustalenie warunków zajęło ledwie parę godzin. Narbonne ocalało. Nigdy dotąd nie zapełniono wojennego skarbca z taką łatwością.

Jeśli nawet opat Cîteaux oraz papiescy wysłannicy byli zaskoczeni, że mieszkańcy morskiego portu tak szybko zrezygnowali ze swoich praw, wcale tego po sobie nie pokazali. Jeżeli ludzi spod cynobrowych sztandarów hrabiego Tolosy zawstydził brak odwagi u współziomków, nic o tym nie mówili.

Wydano rozkazy i armia obrała sobie nowy cel. Miała spędzić noc pod Narbonne, a rankiem wyruszyć do Olonzac. Potem już tylko kilka dni marszu dzieliło ją od samej Carcassony.

* * *

Następnego dnia poddała się forteca Azille. Otworzyła przed najeźdźcami bramy na oścież. Kilka rodzin zadenuncjowanych jako heretycy spłonęło na stosie, pośpiesznie ustawionym na rynku. Tłusty czarny dym spłynął krętymi uliczkami grodu na niziny.

Mniejsze zamki i miasteczka poddawały się bez walki. Pierwsze poszło za przykładem Azille sąsiednie La Redorte, potem inne sioła. Niektóre *places fortes** opustoszały, francuscy baronowie nie znaleźli w nich żywego ducha.

Armia brała, co chciała, ze spichlerzy pękających w szwach oraz mijanych sadów. Jeśli napotykała opór, tłumiła go w zarodku z całym okrucieństwem. Wyprzedzała ją zła sława, niczym mroczny cień. Dzień za dniem słabła pradawna więź między ludem wschodniej Langwedocji a dynastią Trencavelów.

* * *

W przeddzień święta Sant-Nasari, tydzień po zwycięstwie nad Besièrs, straż przednia armii północnej dotarła do Trèbes, o dwa dni wyprzedzając główne siły.

Przez całe popołudnie robiło się coraz bardziej duszno. Przedwieczorna mgiełka pociągnęła świat perłową szarością. Przetoczyło się przez niebo kilka grzmotów, po nich ciemność rozdarły ostre błyski. Gdy spadły na ziemię pierwsze krople deszczu, krzyżowcy wjechali do miasta przez szeroko otwarte bramy, pozbawione jakiejkolwiek straży.

---

* warownie

Na ulicach nie było nikogo. Ludzie zniknęli, jak duchy, jak zjawy.

Na smoliście czarnym niebie posiniaczone chmury pędzące tuż nad horyzontem otwierały fioletowe rany. Wreszcie spadła burza. Omiotła gniewnym wybuchem równiny wokół miasta. Grzmot przetoczył się po niebiosach, jakby miał je rozdzielić na pół.

Konie ślizgały się na mokrym bruku. Każda uliczka, każde przejście zmieniło się w rwący strumień. Deszcz bezlitośnie chłostał zbroje. Nawet szczury szukały schronienia, przycupnęły pod kościelnymi schodami. W pewnej chwili piorun trafił w wieżę, na szczęście nie zapłonął ogień.

Żołnierze z Północy padli na kolana, żegnali się znakiem krzyża i zanosili do Boga modły, błagając, by ich oszczędził. Na równinach wokół Chartres, na polach Burgundii ani w lasach Szampanii nie widzieli nic podobnego.

Nawałnica odeszła równie szybko, jak się pojawiła. Zostawiła po sobie cudownie świeże powietrze. Zza chmur wyszło słońce. Krzyżowcy usłyszeli dzwony z pobliskiego klasztoru, niosące przez świat podziękowanie za ocalenie. Pojęli, iż to znak, że najgorsze minęło. Zabrali się do pracy. Giermkowie wyszukali pastwiska dla koni, służba rozpakowywała bagaże swoich panów i szukała drewna na opał.

Stopniowo obóz nabierał kształtów.

Nadciągał zmierzch. Niebo przybrało się w róże i fiolety. Gdy zniknęły ostatnie białe chmury, przybysze z Północy po raz pierwszy ujrzeli na horyzoncie wieże Carcassony.

Kamienna forteca spoglądała na świat z wyżyn swojej wspaniałości. Żadne opowieści nie oddawały prawdy o tym grodzie, który zapierał dech w piersiach. Który mieli zdobyć. Nie było słów na oddanie jego okazałości.

Miasto było wyniosłe, wspaniałe, władcze. Niezdobyte.

ROZDZIAŁ 48

Simeon na dobre odzyskał przytomność. Nie znajdował się już w lesie, ale w jakiejś oborze. Dłuższy czas go wieziono, przerzuconego przez koński grzbiet. Każde żebro przypominało mu o niewygodnej podróży.

Potworny smród zatykał nos. Czuć było potem, kozami, przegniłą słomą i czymś jeszcze, czego nie potrafił nazwać, jakąś mdłą słodyczą, jaką wydzielają więdnące kwiaty. Na ścianie dostrzegł kilka uprzęży, w kącie stały widły, drzwi były niskie, sięgały dorosłemu mężczyźnie najwyżej do ramienia. W ścianie naprzeciwko wejścia znajdowało się pięć lub może sześć metalowych kół, służących do przywiązywania bydła.

Ręce i nogi miał skrępowane. Tuż obok niego leżał na ziemi worek, który przez całą drogę miał na głowie. Zakaszlał, by pozbyć się szorstkich nici drażniących mu gardło. Z niemałym trudem usiadł. Był posiniaczony i zesztywniały. Powoli, kosztem ogromnego wysiłku, przesunął się do ściany. Cudownie było zyskać wreszcie solidne oparcie. Gdy po dłuższej chwili zdołał wstać, okazało się, że głową nieomal sięga powały. Z całej siły wyrżnął pięściami w drzwi. Drewno skrzypnęło, zawiasy jęknęły, ale belka zamykająca wejście od zewnątrz ani drgnęła.

Simeon nie miał żadnego pojęcia, gdzie się znajduje: czy jest nadal w pobliżu Carcassony, czy też gdzieś znacznie dalej. W głowie pozostały mu niewyraźne wspomnienia z podróży, najpierw lasem, a potem równiną. Nie znał dobrze okolicy, więc jedynie się domyślał, że jest przetrzymywany gdzieś pod Trèbes.

Spod drzwi sączyło się światło. Strużka granatu, jeszcze nie była to atramentowa czerń nocy. Przycisnąwszy ucho do ziemi, usłyszał nieodległe głosy swoich porywaczy.

Czekali na czyjeś przybycie.

Świadomość ta zmroziła mu krew w żyłach, bo zyskał potwierdzenie swoich domysłów: nie był to zwykły bandycki napad.

Wycofał się w najdalszy kąt obory. Wkrótce nadeszła noc. Raz po raz zapadał w niespokojną drzemkę.

Obudziły go jakieś krzyki. Usłyszał, jak porywacze, wyrwani ze snu, niezdarnie gramolą się na nogi, potem ciężka belka z hukiem spadła z drzwi.

W przejściu zjawiły się trzy postacie, zarysowane czarno na tle słonecznego dnia. Simeon zamrugał, oślepiony jaskrawym blaskiem.

– *Où est-il?* Gdzie on jest?

To był głos człowieka z Północy, zimny i władczy.

Zapadła cisza. Jeden z trzech mężczyzn podniósł wyżej pochodnię, wtedy jej blask wyłowił Simeona z cienia.

– Dawać go tu.

Ważniejszy z napastników chwycił Żyda pod pachy i rzucił przed Francuzem na kolana.

Simeon wolno podniósł wzrok.

Mężczyzna miał twarz okrutną, oczy barwy krzemienia, pozbawione wyrazu. Ubrany był w doskonałej jakości tunikę i spodnie, uszyte na modłę północną, lecz nie zdradzające jego statusu ani pozycji.

– Gdzie ona jest? – zapytał.

– Nie rozumiem – odparł Żyd w jidysz.

Kopnięcie go zaskoczyło. Poczuł, że pęka mu żebro, zatoczył się do tyłu, upadł. Mocne dłonie ujęły go pod ramiona, został postawiony na nogi.

– Wiem, kim jesteś – powiedział Francuz. – Nie ma sensu bawić się ze mną w kotka i myszkę. Zapytam jeszcze raz: gdzie jest księga?

Simeon nie powiedział nic.

Tym razem oprawca uderzył go w twarz. Rozciął mu wargi, wybił kilka zębów.

W głowie Simeona eksplodował ból, po języku i gardle spłynęła krew.

– Tropiłem cię jak zwierzę, Żydzie – wycedził Francuz. – Z Chartres do Besièrs, a potem tutaj. I wytropiłem. Ale zmarnowałem na to sporo czasu. Więc nie dziw się, że brakuje mi cierpliwości. – Podszedł o krok bliżej, by pojmany mógł dojrzeć w jego szarych oczach nienawiść. – Gdzie jest księga? Dałeś ją Pelletierowi? *C'est ça?*

Dwie myśli przyszły Simeonowi do głowy jednocześnie: pierwsza, że nie ma już dla niego ratunku. I druga, że musi chronić przyjaciół. Przynajmniej tyle mógł zrobić.

– Powiedz mi, jak się nazywasz. Mam prawo znać imię wroga – rzucił hardo. – Będę się za ciebie modlił.

Obcy zmrużył oczy.

– Najpierw mi powiesz, gdzie ukryłeś księgę. – Krótkim ruchem głowy wydał jakiś rozkaz.

Dwaj bandyci zerwali z Żyda odzienie, położyli go na brzuchu płasko na wozie i przytrzymali za ręce i za nogi.

Simeon usłyszał suchy trzask skórzanego rzemienia i w następnej chwili ciężka klamra rozorała mu skórę.

– Gdzie ona jest?

Zacisnął powieki. Pas znowu świsnął w powietrzu.

– Już w Carcassonne? Czy ciągle ty ją masz, Żydzie?

Uderzenia spadały jak grad jedno za drugim.

– Powiesz mi. Albo ty, albo oni.

Spod zdartej skóry wystawało żywe mięso. Krew płynęła szerokimi strugami. Simeon zaczął się modlić zwyczajem swoich ojców i dziadów, święte słowa rzucane w ciemność odgradzały jego umysł od bólu.

– *Où – est – le – livre**? – powtarzał Francuz, skandując słowa.

Więcej Simeon nie usłyszał, bo wreszcie zamknęły się nad nim miłosierne ciemności.

---

* Gdzie jest księga?

ROZDZIAŁ 49

Straż przednia krucjaty przybyła pod Carcassonę w dniu święta Sant-Nasari. Pojawiła się na drodze od Trèbes. Wartownicy na Tour Pinte zapalili ogień. Rozdzwoniły się dzwony.

Do wieczora, dnia pierwszego sierpnia, francuski obóz na drugim brzegu rzeki urósł do imponujących rozmiarów, aż w końcu przekształcił się w drugie miasto zbudowane z namiotów i pawilonów, przetykane chorągwiami oraz złotymi krzyżami błyszczącymi w zachodzącym słońcu. Zamieszkali w nim baronowie Północy, gaskońscy najemnicy, żołnierze z Chartres, Burgundii oraz Paryża, łucznicy, księża i liczna służba.

W porze gdy dzwony wzywały na nieszpory, wicehrabia Trencavel wyszedł na mury. Towarzyszyli mu Pierre Roger de Cabaret, Bertrand Pelletier i kilku innych. Zapatrzyli się w siwe smużki dymu pełznące spiralnie za srebrną wstęgą rzeki.

– Jest ich wielu.

– Nie więcej, niż się spodziewaliśmy, *messire* – odparł Pelletier.

– Kiedy, twoim zdaniem, nadciągną główne siły?

– Trudno mieć pewność. Wielka armia przemieszcza się powoli. Upał także im przeszkadza.

– Ale ich nie zatrzyma.

– Przygotowaliśmy się na ich nadejście, *messire*. *Ciutat* jest dobrze zaopatrzone. *Hourds** na murach gotowe, wróg nie zdoła podłożyć pod murami ładunków wybuchowych. Wszystkie uszkodzenia naprawione, słabe punkty wzmocnione, wieże obsadzone. – Pelletier machnął ręką. – Cumy utrzymujące młyny na rzece odcięte, plony spalone. Francuzom nie będzie łatwo.

Trencavel z błyskiem w oku odwrócił się do de Cabareta.

– Osiodłajmy konie, zróbmy *sortie***. Nim noc zapadnie, zanim słońce zajdzie, weźmy cztery setki najlepszych ludzi, tych, którzy sobie świetnie radzą z lancą i mieczem, przegońmy Francuzów z naszej ziemi. Zaskoczymy ich! Pelletier, co ty na to?

Wicehrabiowski intendent sam miałby ochotę na taki wypad. Ale też doskonale zdawał sobie sprawę, iż byłby on czystym szaleństwem.

---

* huhdycje – drewniana galeria wznoszona na murach obronnych
** wypad

– Tam na równinie są całe bataliony, *messire*. A oprócz nich *routiers* i ci, którym spieszno do bitewnej chwały.

– Szkoda ludzi, Raymondzie – poparł go de Cabaret.

– Ale gdybyśmy uderzyli pierwsi...

– Jesteśmy przygotowani do oblężenia, *messire*, nie do otwartej walki. Nasz garnizon jest silny. Są w nim najlepsi, najdzielniejsi i najbardziej doświadczeni *chevaliers*. Tylko czekają na szansę udowodnienia swojej wartości.

– Ale...? – westchnął Trencavel.

– Nie zechcesz poświęcić ich życia na darmo – dokończył de Cabaret.

– Twój lud ci ufa i darzy cię miłością – poparł go Pelletier. – Oddamy za ciebie życie, jeśli będzie trzeba. Ale teraz musimy czekać. Niech Francuzi zrobią pierwszy krok.

– Obawiam się, że wszyscy ucierpimy z powodu mojej dumy – powiedział wicehrabia cicho. – Nie spodziewałem się, że aż do tego dojdzie. – Uśmiechnął się niewesoło. – Pamiętasz, Bertrandzie, jak moja matka zawsze dbała, żeby zamek rozbrzmiewał śpiewem? Żeby w nim nie zabrakło tańca? Sprowadzała największych, najsławniejszych trubadurów i artystów. Któż tu dla niej nie występował! Aiméric de Pegulham, Arnaut de Carcassès, nawet Guilhem Fabre i Bernat Alanham z Narbonne. Zawsze była okazja do świętowania.

– Słyszałem, że był to najwspanialszy dwór w Pays d'Oc. – Intendent położył dłoń na ramieniu swego pana. – I będzie taki znowu.

Dzwony ucichły.

Gdy wicehrabia przemówił do swoich ludzi, Pelletier z dumą stwierdził, iż w głosie Trencavela nie ma śladu niepewności. Młody władca nie był już chłopcem wspominającym dzieciństwo, lecz wodzem w przededniu bitwy.

– Każ pozamykać drzwi i zaryglować bramy, Bertrandzie. Wezwij dowódcę garnizonu do *donjon*. Powitamy Francuzów tak, jak na to zasługują.

– Może wysłać posiłki do Sant-Vicens, *messire* – zaproponował de Cabaret. – Armia uderzy przede wszystkim właśnie tam. A nie możemy zrezygnować z dostępu do rzeki.

Trencavel skinął głową.

* * *

Pelletier został na murach po odejściu innych. Objął wzrokiem krajobraz, jakby go sobie chciał wyryć w pamięci.

Na północy widział mury Sant-Vicens. Niskie i słabo chronione przez wieże. Jeśli wróg przedostanie się do podgrodzia, to korzystając z osłony domów, szybko dojdzie na odległość strzału z łuku do murów grodu. Południowe podgrodzie, Sant-Miquel, utrzyma się dłużej.

Carcassona rzeczywiście była gotowa na oblężenie. Zgromadzono dużo jedzenia: chleba, sera, fasoli, spędzono kozy, by nie zabrakło mleka. Ale też w murach miasta skupiło się za dużo ludzi i Pelletier martwił się o wodę. Na jego rozkaz rozpoczęto racjonowanie i przy każdej studni postawiono straż.

Zszedł z Tour Pinte na dziedziniec. W pewnej chwili uświadomił sobie, że znów myśli o Simeonie. Dwa razy w ciągu ostatnich dni posłał François do żydowskiego *quartier** po wieści i dwa razy służący wrócił z niczym. Dlatego Pelletier coraz bardziej się niepokoił.

Szybkim, wprawnym spojrzeniem omiótł dziedziniec i zdecydował, że może się wyrwać na kilka godzin.

Ruszył do stajni.

* * *

Wybrał najkrótszą drogę przez równinę, a potem przez las, świadom wroga rozłożonego obozem nie tak znowu daleko.

Choć osiedle żydowskie było zatłoczone, choć po ulicach przelewały się tłumy, panowała nienaturalna cisza. Nad domami zawisła trwoga, widoczna na każdej twarzy, czy to młodej czy starej. Wszyscy wiedzieli, iż niedługo rozpoczną się walki.

Gdy jechał wąskimi uliczkami, kobiety i dzieci szukały w jego spojrzeniu nadziei. Na próżno.

Nikt nie słyszał o Simeonie. Pelletier bez większego trudu znalazł jego dom, ale drzwi były zamknięte na głucho. Zsiadł z konia, zapukał do domu naprzeciwko.

– Szukam człowieka imieniem Simeon – rzekł, gdy jakaś kobieta lękliwie uchyliła drzwi. – Czy wiesz, o kim mówię?

Pokiwała głową.

– Przybył z innymi z Besièrs.

– Pamiętasz, kiedy go widziałaś po raz ostatni?

– Kilka dni temu, zanim nadeszły wieści o zdobyciu Besièrs, wybrał się do Carcassony. Przyszedł po niego jakiś człowiek.

– Jaki człowiek? – zdziwił się intendent.

– Sługa jakiegoś pana. Rudy – odpowiedziała, marszcząc nos. – Simeon go znał.

Pelletier był zdumiony. Opis pasował do François, ale to chyba niemożliwe? Przecież powiedział, że nie znalazł Żyda.

– I Simeon nie wrócił z Carcassony?

– Wcale mu się nie dziwię. Każdy z odrobiną rozsądku zostałby w grodzie. Tam jest bezpieczniej niż tutaj.

– Czy jest możliwe, że wrócił, ale ty tego nie zauważyłaś? – Nie było to mądre pytanie, ale chwytał się ostatniej szansy, jak tonący brzytwy. – Może spałaś?

– Spójrz, *messire*. – Kobieta wskazała na dom Simeona. – Przecież od razu widać. *Vuèg*. Pusto.

---

* tu: osiedle

ROZDZIAŁ 50

Oriane na palcach przemknęła korytarzem do komnaty siostry.

– Alaïs! – zawołała niegłośno od progu. W zasadzie była pewna, iż młodsza siostra znowu przebywa w towarzystwie ojca, ale wolała zachować ostrożność. – *Sòrre?*

Ponieważ nikt nie odpowiedział, weszła do środka. Z wprawą złodzieja zaczęła przeszukiwać rzeczy Alaïs. Zajrzała do flaszek, mis i słojów, przetrząsnęła szafę, szuflady z ubraniami oraz woreczkami pachnących ziół.

Zerknęła pod poduszki, ale tam znalazła tylko saszetkę z lawendą, nic interesującego. Pod łóżkiem odkryła jedynie pajęczyny.

Wstała, rozejrzała się po komnacie. Zwrócił jej uwagę ciężki brązowy płaszcz zimowy przewieszony przez oparcie krzesła, na którym Alaïs siadała do haftowania. Na podłodze leżały kawałki rudej przędzy.

Po co komu zimowy płaszcz o tej porze roku? I dlaczego Alaïs szyła sama, jeśli trzeba było coś naprawić? Powinna to zlecić służącej. Na dodatek okrycie wisiało dziwnie krzywo.

Oriane szybko się zorientowała, że w płaszczu coś zaszyto. Zręcznie rozpruła ścieg, wcisnęła dłoń do środka i wyciągnęła niewielki prostokątny przedmiot, zawinięty w lnianą szmatkę.

Właśnie miała mu się przyjrzeć bliżej, gdy zaalarmował ją odgłos kroków na korytarzu. Błyskawicznie ukryła paczuszkę pod suknią.

Ciężka dłoń spoczęła na jej ramieniu.

Oriane podskoczyła.

– Co ty tu robisz?

– Guilhem! – wykrzyknęła, przyciskając rękę do piersi. – Przestraszyłeś mnie.

– Co robisz w komnacie Alaïs?

Starsza siostra uniosła wyżej brodę.

– Mogłabym ci zadać to samo pytanie.

Mina mu wyraźnie zrzedła, więc natychmiast odgadła, iż trafiła w samo sedno.

– Mam prawo tu przebywać – odparł hardo. – W przeciwieństwie do ciebie. – Spojrzał na płaszcz, po czym przeniósł wzrok z powrotem na kochankę. – Słucham, co tu robisz?

Odpowiedziała mu śmiałym spojrzeniem.

– Moja wizyta tutaj nie ma nic wspólnego z tobą.

Guilhem piętą zatrzasnął drzwi.

– Zapominasz się, pani – syknął, chwytając ją za nadgarstek.

– Nie bądź głupcem, Guilhemie – wycedziła przez zęby. – Otwórz drzwi. Obojgu nam nie wyjdzie na zdrowie, jeśli ktoś nas tu zastanie razem.

– Nie igraj ze mną, Oriane. Nie mam nastroju do zabawy. I nie wypuszczę cię, dopóki się nie dowiem, po co tu przyszłaś. Czy to on cię tu przysłał?

Kompletnie zbił ją z tropu.

– Nie wiem, o kim mówisz, Guilhemie. Daję słowo.

Ścisnął ją za rękę mocniej.

– Myślisz, że nie zauważyłem, è? Widziałem was razem.

Odetchnęła z ulgą. Zrozumiała nareszcie powód jego wściekłości. A zakładając, że Guilhem nie rozpoznał jej towarzysza, mogła z nieporozumienia wyciągnąć nie lada korzyści.

– Puść mnie – zażądała, usiłując oswobodzić rękę. – Może zechcesz sobie przypomnieć, *messire*, że to ty, a nie kto inny, powiedziałeś, iż nie chcesz się już ze mną spotykać. – Ruchem głowy odrzuciła na plecy gęste czarne włosy i zatopiła w jego źrenicach palące spojrzenie. – Więc nie możesz mnie winić, że szukam pocieszenia gdzie indziej. Nie masz do tego prawa.

– Co to za jeden?

Oriane myślała gorączkowo. Potrzebne jej było jakieś imię, które go usatysfakcjonuje.

– Zanim ci powiem, *messire*, obiecaj mi, że nie uczynisz nic... niemądrego – poprosiła, grając na zwłokę.

– Moja pani, w tej chwili nie jesteś w sytuacji umożliwiającej stawianie warunków.

– Wobec tego przynajmniej przejdźmy w inne miejsce. Do mojej komnaty, na dziedziniec... Gdziekolwiek. Jeżeli wróci Alaïs...

Od razu wiedziała, że przyzna jej rację. Czytała w jego twarzy jak w otwartej księdze. Niczego teraz nie bał się tak bardzo, jak możliwości, że żona odkryje jego niewierność.

– Niech będzie – odparł szorstko. Szerokim gestem otworzył drzwi i nieomal wypchnął Oriane na korytarz.

A ona po chwili miała już w głowie gotową intrygę.

– Mów, pani – zażądał, gdy tylko znaleźli się w jej komnacie.

Ze wzrokiem wbitym w podłogę przyznała się do przyjęcia zalotów nowego wielbiciela, syna jednego ze sprzymierzeńców wicehrabiego, który od dawna pragnął dostąpić tego zaszczytu.

– Mówisz prawdę? – upewnił się Guilhem.

– Przysięgam na własne życie – szepnęła, rzucając mu niepewne spojrzenie spod rzęs zwilżonych łzami.

Nadal nie pozbył się podejrzeń, ale w jego oczach pojawiło się niezdecydowanie.

– To jednak nie tłumaczy, co robiłaś w komnacie mojej żony.

– Och, znalazłam się tam z troski o twoją reputację, *messire* – odpowiedziała. – Chciałam zwrócić pewien przedmiot prawowitemu właścicielowi.

– Jaki to przedmiot?

– Mój mąż znalazł w naszej komnacie broszę od męskiego płaszcza. – Dłońmi zarysowała w powietrzu okrągły kształt. – Mniej więcej tej wielkości, ukuta z miedzi i srebra.

– Zgubiłem taką broszę – przyznał du Mas.

– Jehan postanowił odszukać właściciela i rozgłosić jego imię. Ponieważ wiedziałam, że brosza należy do ciebie, uznałam, iż najwłaściwiej będzie odnieść ją do twojej komnaty.

– A nie oddać ją mnie? – zapytał Guilhem z marsową miną.

– Unikasz mnie, *messire* – rzekła miękko. – Nie wiedziałam kiedy, a nawet czy w ogóle cię spotkam. A przy tym... gdyby nas razem spostrzeżono, niektórzy zyskaliby dowody na to, co niegdyś nas łączyło... Może uznasz moje uczynki za szalone, ale nie możesz wątpić w moje intencje.

Najwyraźniej nie był całkiem przekonany, ale też nie miał śmiałości drążyć kwestii.

Położył dłoń na rękojeści sztyletu przy pasie.

– Jeżeli szepniesz Alaïs choćby jedno słowo – zagroził – zabiję cię, jak mi Bóg miły.

– Ode mnie twoja żona nic nie usłyszy – odparła starsza siostra z uśmiechem. – Chyba że nie będę miała innego wyjścia. Muszę dbać przede wszystkim o własne bezpieczeństwo. Przy okazji – zrobiła pauzę, a Guilhem wstrzymał oddech – chcę cię prosić o przysługę.

Zmrużył oczy.

– Spodziewasz się, że ci nie odmówię?

– Chciałabym jedynie wiedzieć, czy Alaïs dostała od ojca coś wartościowego na przechowanie. Nic więcej.

– Żądasz, bym szpiegował własną żonę? – spytał z niedowierzaniem. – Tego nie zrobię, moja pani. A ty nie ważysz się zrobić nic, co by wzburzyło Alaïs.

– Coś podobnego! Tylko strach przed odkryciem prawdy budzi w tobie tę rycerską postawę! To ty zdradzałeś żonę przez te wszystkie noce, które spędziłeś u mojego boku, Guilhemie. A ja proszę cię jedynie o wiadomość. Dowiem się tego, co chcę wiedzieć, także bez twojej pomocy. Ale skoro mi utrudniasz sprawę... – Groźba zawisła w powietrzu.

– Nie odważysz się.

– Alaïs uwierzy mi z łatwością. Wystarczy jej powiedzieć, co mi szeptałeś nocą, pokazać, jakie upominki mi podarowałeś. Duszę nosisz na twarzy jak drugą skórę.

Chory ze wstrętu do samego siebie Guilhem gwałtownie otworzył drzwi.

– Niech cię piekło pochłonie – rzucił i wypadł na korytarz.

Oriane uśmiechnęła się szeroko.

Miała go w ręku.

* * *

Alaïs przez całe popołudnie szukała ojca. Nikt go nie widział. Odważyła się nawet wyjść do grodu, w nadziei że porozmawia przynajmniej z Esclarmonde. Tymczasem jednak nie znalazła w Sant-Miquel ani jej, ani Sajhë. Wszystko wskazywało na to, że nie wrócili do domu.

W końcu, zmęczona i niespokojna, znalazła się sama w swojej komnacie. Nie potrafiła się położyć. Była zbyt zdenerwowana, zbyt rozedrgana. Zapaliła lampę i usiadła przy stole.

Dzwony już dawno wybiły pierwszą, gdy obudziły ją kroki na korytarzu. Podniosła głowę.

– Rixende? – szepnęła w półmrok. – Czy to ty?

– Nie, nie Rixende – odezwał się głos.

– Guilhem.

Wszedł w krąg światła, z półuśmiechem na ustach, niepewny przyjęcia.

– Wybacz mi. Obiecałem, że nie będę cię niepokoił, ale... Czy mogę?

Alaïs milczała.

– Byłem w kaplicy – podjął. – Modliłem się, lecz wątpię, by moje słowa wzbiły się w niebo. – Usiadł w nogach łoża.

Alaïs, po chwili wahania, podeszła bliżej.

– Pomogę ci – szepnęła.

Rozwiązała mu buty i pomogła rozpiąć pas. Klamra z brzękiem spadła na podłogę.

– Co przewiduje wicehrabia? – zapytała.

Guilhem położył się na plecach i zamknął oczy.

– Jego zdaniem armia zaatakuje najpierw Sant-Vicens, a potem Sant-Miquel, żeby się dostać pod mury samego *ciutat*.

Alaïs usiadła na łóżku, odgarnęła ukochanemu włosy z twarzy. Zadrżała. Taką ciepłą miał skórę...

– Powinieneś odpocząć, *messire*. Będziesz potrzebował sił do walki.

Uchylił leniwie powieki.

– Pomożesz mi?

Z uśmiechem sięgnęła do szafki nocnej po olejek z rozmarynu. Uklękła obok męża i zaczęła mu wmasowywać chłodny płyn w skronie.

– Szukając ojca – odezwała się – przechodziłam obok komnaty mojej siostry. Myślę, że miała męskie towarzystwo.

– To na pewno był Congost – rzucił Guilhem stanowczo.

– Raczej nie. Jehan Congost przebywał z innymi pisarzami w Tour Pinte, na wypadek gdyby ich potrzebował wicehrabia. – Zamilkła. – Poza tym – podjęła – Oriane się śmiała.

Guilhem położył jej palec na ustach.

– Dosyć o Oriane – szepnął. Zsunął rękę na plecy Alaïs, objął ją w pasie i przytulił. Jego wargi smakowały winem. – Pachniesz rumiankiem i miodem – powiedział. Jedną ręką zwolnił spinkę przytrzymującą włosy, spłynęły po ramionach gęstą falą.

– Mon còr.

Powoli, ostrożnie, nie spuszczając z jej twarzy spojrzenia brązowych oczu, mąż zsunął suknię z ramion żony, opuścił ją do talii. Alaïs podniosła się i pozwoliła, by tkanina spłynęła na ziemię, jak nikomu niepotrzebna zimowa szata.

Guilhem uniósł pled i położył Alaïs przy sobie, na poduszkach, na których ciągle jeszcze pozostało jego wspomnienie. Jakiś czas leżeli tak jedno obok drugiego, ramię przy ramieniu, głowa przy głowie, jej chłodne stopy dotykały jego ciepłej skóry.

Kiedy się nad nią pochylił, jego oddech owiał jej twarz jak letnia bryza. Dołączyły do niego wargi i język, zsunęły się z ust na piersi.

Alaïs wstrzymała oddech.

A Guilhem podniósł głowę i spojrzał na nią z tym swoim rozbrajającym uśmiechem. Nie spuszczając wzroku, wsunął się między jej nogi.

Patrzyła na niego z powagą, bez zmrużenia.

– Mon còr – powiedział raz jeszcze.

Delikatnie, ostrożnie i powoli wsunął się w nią aż do końca i zastygł w bezruchu, jakby odpoczywał.

Alaïs czuła się silna, potężna, wszechmocna. W takiej chwili mogła zrobić wszystko, podjąć się każdej roli. Po jej ciele rozchodziło się hipnotyczne, ciężkie ciepło, wypełniało ją, ogarniało zmysły. W uszach miała pulsowanie własnej krwi. Straciła poczucie rzeczywistości, miejsca i czasu. Był tylko Guilhem i chybotliwe cienie.

Zaczął się wolno poruszać.

– Alaïs.

Położyła mu rękę na plecach, palce szeroko rozpostarte utworzyły kształt gwiazdy. Wyczuwała w nim siłę skrytą w opalonych ramionach, w mocnych udach, łagodność w muskających jej twarz włosach. Jego język wdarł się między jej wargi, gorący i głodny pieszczot.

Guilhem oddychał coraz szybciej, jego ruchami zaczęło kierować pożądanie i pragnienie spełnienia. Gdy wykrzyknął jej imię, przycisnęła go do siebie z całej siły. Zadrżał i znieruchomiał.

Stopniowo cichł w jej głowie szum, aż w końcu została tylko cisza komnaty.

Później, gdy już wyszeptali w mroku wzajemne obietnice, odpłynęli w sen. Oliwa się wypaliła. Płomyk w lampce zaiskrzył i skonał.

Oni tego nie zauważyli. Nie wiedzieli o podróży srebrnego księżyca po niebie ani o liliowym świcie, który zakradł się przez okno.

Wiedzieli tylko, że są we dwoje. Spali czule objęci, mąż i żona, na nowo kochankowie.

Pojednani. Spokojni.

ROZDZIAŁ 51

Alice otworzyła oczy na kilka sekund przed dzwonkiem budzika. Zorientowała się, że leży między zadrukowanymi kartkami. Tuż przed oczami miała drzewo genealogiczne. Uśmiechnęła się nieznacznie. Zupełnie jak za starych dobrych studenckich czasów. Zawsze zasypiała przy nauce.

Czuła się zupełnie przyzwoicie. Mimo wczorajszych odwiedzin nieproszonego gościa dziś była w całkiem dobrym humorze. Zadowolona, w zasadzie nawet szczęśliwa.

Przeciągnęła się, wstała, otworzyła okno i okiennice. Na niebie pojawiły się blade smugi światła i płaskie obłoczki. Dachy grodu jeszcze spowijał cień, a trawiaste nasypy pod murami lśniły od porannej rosy. Strzyżyki i skowronki dawały wspólny koncert. Wszędzie widoczne były ślady gwałtownej burzy: śmieci zatrzymane przez ogrodzenia, rozmiękłe kartony na podwórzu hotelu, gazety jak barwne kałuże u stóp latarni na parkingu.

Niepokoiła ją myśl o wyjeździe z Carcassonne, jak gdyby jej decyzja miała przyśpieszyć jakieś burzliwe wydarzenia. Mimo wszystko musiała coś zrobić, a jak na razie Chartres stanowiło jedyny ślad prowadzący do Shelagh.

Wstawał doskonały dzień na podróż.

Spakowała wszystkie papiery i bez większego trudu przekonała siebie, że zachowuje się w jedyny rozsądny sposób. Przecież nie będzie, jak ostatnia ofiara, siedziała i czekała na powrót nocnego gościa.

Powiedziała recepcjonistce, że wyjeżdża z miasta na jeden dzień, ale chce zatrzymać pokój.

– Ktoś na panią czeka, madame – rzekła dziewczyna. – Tamta kobieta. Właśnie miałam do pani dzwonić.

– Tak? – Alice spojrzała we wskazanym kierunku. – Powiedziała, czego chce?

Recepcjonistka pokręciła głową.

– Rozumiem. Dziękuję.

– I jeszcze przyszedł do pani list.

Alice przyjrzała się stemplowi. Nadany wczoraj we Foix. Już miała go otworzyć, gdy zbliżyła się czekająca na nią kobieta.

– Pani Tanner? – spytała. Wyglądała na zdenerwowaną.

Alice włożyła list do kieszeni kurtki. Przeczyta później.

– Słucham.

– Mam dla pani wiadomość od Audrica Baillarda. Chciałby się z panią spotkać. Na cmentarzu.

Kobieta wydała się Alice jakby znajoma.

– Czy my się już gdzieś nie spotkałyśmy?

Posłanniczka wyraźnie się zawahała.

– Widziałyśmy się w kancelarii prawnej – powiedziała w końcu. – *Notaires.*

Alice przyjrzała jej się dokładniej. Nie pamiętała jej, ale też w biurze było sporo ludzi...

– Monsieur Baillard czeka na panią przy grobie Giraud–Biau.

– Tak? – zdziwiła się Alice. – Dlaczego nie przyszedł tutaj?

– Czas na mnie. – Kobieta odwróciła się i odeszła.

Alice, kompletnie zbita z tropu, odwróciła się do recepcjonistki z pytaniem w oczach. Dziewczyna tylko wzruszyła ramionami.

Spojrzała na zegarek. Czas się zbierać. Miała przed sobą długą drogę. W końcu dziesięć minut jej nie zbawi.

– *A demain* – rzuciła recepcjonistce, ale ta już zniknęła na zapleczu.

Zahaczyła jeszcze o samochód, by zostawić w nim plecak, a potem, lekko zirytowana, ruszyła na cmentarz.

* * *

W chwili gdy przekroczyła wysoką metalową bramę, atmosfera uległa diametralnej zmianie. Poranną krzątaninę Cité budzącego się do życia zastąpił nieziemski spokój.

Po prawej znajdował się niski budynek z białego kamienia, na ścianie równym rządkiem wisiały kanki i konewki. Alice zajrzała przez okno do środka, zobaczyła starą kurtkę powieszoną na oparciu krzesła i otwartą gazetę na stole, jak gdyby ktoś dopiero co wyszedł.

Wolno poszła główną aleją. Czuła się dziwnie spięta. Ciążył jej nastrój cmentarza. Szare pomniki, białe porcelanowe kamee i czarne granitowe płyty z napisami głoszącymi o narodzinach i śmierci, grobowce postawione przez miejscowe rodziny *à perpétuité**, znaczące ich przemijanie.

Fotografie tych, którzy odeszli młodo, ściągały uwagę przechodnia, konkurując ze zdjęciami starych. U stóp wielu grobów złożono kwiaty; prawdziwe, umierające w skwarze, albo sztuczne, z jedwabiu, plastiku czy porcelany.

Korzystając ze wskazówek otrzymanych od Karen Fleury szybko i łatwo odnalazła grób Giraud–Biau. Była to spora szara płyta pod koniec głównej alei, zwieńczona kamiennym aniołem z otwartymi ramionami i złożonymi skrzydłami.

---

* na wieczność

Rozejrzała się dookoła. Ani śladu Baillarda.

Przeciągnęła palcami po chropowatej płycie. Tu leżała większość przodków Jeanne Giraud, kobiety, o której wiedziała tylko tyle, że stanowiła jakieś połączenie między Audrikiem Baillardem i Grace. Dopiero teraz, gdy patrzyła na wyryte w kamieniu nazwisko rodu, uświadomiła sobie, jak niezwykły był fakt, iż została tutaj pochowana także jej ciotka.

Ciszę zmąciły jakieś dźwięki dochodzące z którejś z bocznych alejek. Rozejrzała się, szukając wzrokiem starszego pana z fotografii.

– Pani Tanner?

Stanęło przed nią dwóch mężczyzn w letnich garniturach. Obaj mieli ciemne włosy i oczy ukryte za ciemnymi okularami.

– Słucham.

Niższy mignął w jej stronę odznaką.

– Policja. Mamy do pani kilka pytań.

Alice zmartwiała.

– Na jaki temat?

– To nie potrwa długo.

– Chciałabym zobaczyć jakieś dowody tożsamości.

Mniejszy sięgnął do kieszeni na piersi i wyjął *carte d'identité*. Nie miała pojęcia, czy to autentyczny dokument, ale pistolet w kaburze pod marynarką wyglądał na prawdziwy.

Puls jej przyśpieszył. Udawała, że ogląda dowód z zajęciem, ale w rzeczywistości rozglądała się spod oka po cmentarzu. Nikogo. Wszystkie alejki puste.

– O co chodzi? – zapytała pewnym tonem.

– Pani pozwoli z nami.

Nic mi nie zrobią za dnia w miejscu publicznym.

A jednak. Po niewczasie uświadomiła sobie, dlaczego kobieta, która przekazała wiadomość, wydała jej się znajoma. Miała podobne rysy twarzy jak człowiek, którego przelotnie widziała w swoim pokoju.

Ten człowiek.

Kącikiem oka dostrzegła betonowe stopnie prowadzące do najnowszej części cmentarza. Za nimi była brama.

Jeden z policjantów położył jej dłoń na ramieniu.

– *Maintenant, mademoiselle Tanner...* *.

Alice wyrwała do przodu jak doświadczony sprinter przy starcie. Zaskoczyła go. Nie zdążył zareagować. Krzyknął coś, ale ona była już na schodach, sekundę później minęła bramę i wypadła na Chemin des Anglais.

Jakiś samochód wyhamował z piskiem opon, Alice nawet nie pomyślała, by zwolnić. Przeskoczyła rozchwiane drewniane ogrodzenie farmy i pognała między rzędami winorośli, potykając się o bruzdy ziemi. Czuła na karku oddech goniących, dystans się skracał. Krew tętniła jej w uszach, mięśnie nóg miała napięte jak struny, ale biegła.

---

* Teraz, panno Tanner...

Na dole winnicę zamykało gęste i wysokie ogrodzenie z drutu kolczastego. Przeskoczyć nie da rady. Rzuciła się na ziemię i przeczołgała na drugą stronę, czując jak ostre kamienie wbijają jej się w dłonie i kolana. W pewnej chwili zaczepiła o drut kurtką. Szarpnęła się jak mucha uwięziona w pajęczej sieci i uwolniła nadludzką siłą. Na płocie został kawałek niebieskiego dżinsu.

Znalazła się w ogrodzie warzywnym, gdzie w równych rzędach stały skrzynki z bakłażanami, cukinią i fasolką szparagową. Ukryła się między nimi, biegła zygzakiem, pochylona, na wpół ugiętych nogach. Zdążała ku budynkom, tam chciała szukać schronienia.

Nagle zabrzęczał ciężki łańcuch i zza kolejnych skrzynek, ujadając wściekle, rzucił się na nią potężny mastiff. Zdusiła krzyk, odskoczyła do tyłu.

Wyjście z farmy prowadziło bezpośrednio na główną ulicę u stóp wzgórza. Wydostała się na chodnik i wtedy pozwoliła sobie na zerknięcie przez ramię. Nikogo. Cisza i spokój. Zrezygnowali.

Oparła dłonie na kolanach. Dyszała ciężko, ale też odczuła wielką ulgę. Czekała, aż minie drżenie nóg i jednocześnie zastanawiała się, co dalej.

Co oni teraz zrobią?

Zapewne pójdą do hotelu i tam na nią zaczekają. Nie powinna więc tam wracać. Na szczęście nie zgubiła kluczyków od samochodu. A plecak miała pod przednim siedzeniem.

Zadzwoń do Noubela.

Oczyma wyobraźni widziała kartonik z numerem jego telefonu. Został w plecaku. Otrzepała spodnie. Dopiero przy tej okazji zorientowała się, że są rozdarte na jednym kolanie. Nie miała innego wyjścia. Musiała się dostać do samochodu. Pozostało mieć cichą nadzieję, że tam akurat ich nie było.

Poszła rue Barbacane, minęła kościół i skrótem dotarła do wąskiej uliczki po prawej, rue de la Gaffe.

Kto ich nasłał?

Szła szybko, trzymając się cienia. Domy stały ciasno, jeden tuż obok drugiego, trudno było ocenić, gdzie się który zaczyna i kończy. Nagle ogarnęło ją dziwne przeczucie. Stanęła, spojrzała na prawo, na wdzięczny domek o żółtych ścianach. Spodziewała się zobaczyć kogoś w progu, ale drzwi były zamknięte. Okiennice także. Po chwili wahania ruszyła dalej.

Może lepiej nie jechać do Chartres?

Nie. Potwierdzenie, że naprawdę coś jej groziło, że niebezpieczeństwo nie było tylko dziełem jej wyobraźni, jedynie wzmocniło postanowienie. Im więcej o tym myślała, tym większą zyskiwała pewność, iż za całą sprawą stał Authié. W jego najświętszym przekonaniu ukradła pierścień. Najwyraźniej był zdecydowany go odzyskać.

Zadzwoń do Noubela.

Kolejny raz zignorowała własną dobrą radę. Jak dotąd inspektor nie zrobił nic. Policjant stracił życie, Shelagh zaginęła... Lepiej polegać na sobie.

Znalazła się u podnóża schodów łączących rue Trivalle z tyłem parkingu. Doszła do wniosku, że jeśli na nią czekają, to raczej przed głównym wjazdem.

Stopnie były strome, kończyły się murem, który jej zasłaniał widok, za to odsłaniał pełną panoramę przed kimś patrzącym z góry. Jeśli tam na nią czekali, przekona się o tym, kiedy będzie już za późno.

Istniał tylko jeden sposób, by się dowiedzieć, jak jest naprawdę.

Odetchnęła głęboko kilka razy i pobiegła w górę, pchana buzującą w żyłach adrenaliną. Na szczycie zatrzymała się i rozejrzała dokoła. Zobaczyła dwa autokary i kilka samochodów, ale ludzi nie było prawie wcale.

Jej auto stało tam, gdzie je zostawiła. Podbiegła do niego przygarbiona, chowając się za innymi wozami. Cały czas nerwowo zerkała na boki. W wyobraźni słyszała krzyki ścigających ją mężczyzn. Drżącymi rękami otworzyła drzwiczki, wślizgnęła się za kierownicę i natychmiast zablokowała zamki. Wcisnęła kluczyk w stacyjkę.

Pobielałe dłonie zacisnęła na kierownicy. Odczekała, aż wyjeżdżający campingbus znajdzie się przy szlabanie i gdy parkingowy podniósł jaskrawą belkę, pierwsza wystrzeliła na ulicę. Przerażony chłopak krzyknął i ledwo zdążył odskoczyć, lecz Alice nie zwróciła na niego uwagi.

Jechała.

ROZDZIAŁ 52

Audric Baillard i Jeanne stali na dworcu kolejowym we Foix. Czekali na pociąg do Andory.

– Jeszcze dziesięć minut – powiedziała Jeanne, spoglądając na zegarek.

– Jeszcze nie jest za późno. Może jednak zmienisz zdanie i pojedziemy razem?

Uśmiechnął się.

– Dobrze wiesz, że nie mogę.

Niecierpliwie machnęła ręką.

– Poświęciłeś opowiadaniu ich historii trzydzieści lat własnego życia. Alaïs, jej siostra, jej ojciec, jej mąż... Tyle czasu spędziłeś w ich towarzystwie. – Głos jej złagodniał. – A co z żywymi?

– Żyję losem tych ludzi – odparł z powagą. – Słowa są naszą jedyną bronią wobec kłamstw historii. Musimy nieść świadectwo prawdy. Jeśli się wycofamy, nasi ukochani umrą po raz drugi. – Przerwał. – Nie odnajdę spokoju, póki się to nie skończy.

– Po ośmiuset latach? Prawda może być pogrzebana zbyt głęboko. – Jeanne się zamyśliła. – I może tak byłoby lepiej. Niektórych tajemnic lepiej nie wydobywać na światło dzienne.

Baillard zapatrzył się na góry.

– Przykro mi, że tyle smutku wniosłem w twoje życie.

– Nie o to mi chodziło.

– Ale odkrycie prawdy i zaprzeczanie kłamstwom – ciągnął, jakby jej nie usłyszał – jest dla mnie sensem istnienia.

– Ech, ta prawda! A co z tymi, z którymi walczysz, Audricu? Czego im potrzeba? Prawdy? Szczerze wątpię.

– Rzeczywiście – przyznał po namyśle. – Raczej nie do tego dążą.

– Posłuchaj. Wyjeżdżam, tak jak mi poradziłeś. Chyba teraz już możesz mi wszystko powiedzieć?

Nadal się wahał.

– Czy Noublesso Véritable i Noublesso de los Seres to dwie nazwy tej samej organizacji? – naciskała.

– Nie. – Jedno słowo, a zabrzmiało ostro, ostrzej, niż zamierzał. – Nie – powtórzył łagodniej.

– Wobec tego jak to jest?

Audric westchnął ciężko.

– Noublesso de los Seres zostali wyznaczeni na opiekunów zwojów Graala. Wypełniali swoje zadanie przez tysiące lat. Aż do czasu, gdy pergaminy zostały rozdzielone. – Zamilkł, szukając najwłaściwszych słów. – Natomiast Noublesso Véritable uaktywnili się zaledwie sto pięćdziesiąt lat temu, gdy zapomniany język papirusów zaczął być na nowo rozumiany. Słowo *véritables*, oznaczające prawdziwych, rzeczywistych opiekunów, zostało użyte celowo.

– To znaczy, że Noublesso de los Seres już nie istnieją?

– Skoro Trylogia znalazła się w cudzych rękach, nie mieli już czego strzec.

– Nie próbowali odzyskać utraconych papirusów?

– Z początku tak – przyznał. – Lecz im się nie udało. Z czasem zaczęli się obawiać utraty ostatniego dokumentu przy próbie odzyskania dwóch pozostałych. Skoro nikt nie umiał odczytać tekstu, nikt też nie potrafił odsłonić tajemnicy. A jedyna osoba... – Zamilkł. – Czuł na sobie spojrzenie Jeanne. – Jedyna osoba, umiejąca odczytać starożytne znaki, postanowiła nie przekazywać nikomu swojej wiedzy.

– Co się wobec tego zmieniło?

– Przez czterysta lat nie zmieniało się nic. A potem, w tysiąc siedemset dziewięćdziesiątym ósmym, cesarz Napoleon popłynął do Egiptu, zabierając ze sobą, obok żołnierzy, mędrców i uczonych. Odkryli oni pozostałości starożytnych cywilizacji, które rządziły tymi ziemiami przed tysiącami lat. Do Francji wywieziono setki skarbów archeologicznych, świętych tablic i kamieni. Wówczas już tylko kwestią czasu było odszyfrowanie starożytnych rodzajów pisma: demotycznego, klinowego i hieroglifów. Jak wiesz, Jean-François Champollion był pierwszym człowiekiem, który uświadomił sobie, iż hieroglify powinny być czytane nie jako symbole myśli czy rzeczy, ale jako fonetyczny alfabet. W tysiąc osiemset dwudziestym drugim złamał szyfr, jeśli wolno mi się tak potocznie wyrazić. Dla starożytnych Egipcjan umiejętność pisania była darem bożym, słowo hieroglif oznacza boską mowę.

– Skoro papirusy Graala zostały napisane w języku starożytnego Egiptu... – zastanowiła się Jeanne. – Jeśli cię dobrze rozumiem... – Pokręciła głową. – Wierzę, że istniało takie stowarzyszenie jak Noublesso. I że Trylogia zawierała jakiś sekret z czasów starożytnych. Ale w całą resztę trudno jest uwierzyć.

– Jak najlepiej ukryć tajemnicę? – uśmiechnął się Audric. – Pod inną tajemnicą. Całe cywilizacje przetrwały dzięki przyswojeniu potężnych symboli, wielkich idei innych społeczeństw.

– Co masz na myśli?

– Ludzie szukają prawdy. Kiedy sądzą, że ją odnaleźli, przestają szukać i nawet im w głowie nie postanie, że najbardziej zdumiewające odkrycia pozostały dla nich tajemnicą. W historii pełno jest przykładów symboli religijnych, tradycji i rytuałów, zapożyczonych z jednej społeczności do konstruowania innej. Choćby dzień Bożego Narodzenia obchodzony przez chrześcijan jako dzień narodzin Jezusa z Nazaretu, dwudziesty piąty grudnia, jest w rzeczywistości dawnym pogańskim świętem Słońca Niezwyciężonego oraz świętem przesilenia. Chrześcijański krzyż, a także pojęcie Graala to *ankh*, starożytne symbole egipskie przypisane chrześcijaństwu przez cesarza Konstantyna. Ponoć ujrzał na niebie świecący krzyż podpisany słowami *in hoc signo vinces* – pod tym znakiem zwyciężaj. A swastyka wykorzystywana przez Trzecią Rzeszę? Przecież to starożytny indyjski symbol odrodzenia.

– Labirynt również jest zapożyczony.

– *L'antica simbol del Miègjorn*. Starożytny symbol Południa.

Jeanne siedziała zamyślona, z dłońmi na podołku, z nogami skrzyżowanymi w kostkach.

– I co teraz? – odezwała się w końcu.

– Skoro jaskinia została otwarta, reszta jest już tylko kwestią czasu – odparł Audric. – Nie ja jeden zdaję sobie z tego sprawę.

– Jak to możliwe... Przecież naziści przeczesywali Montagnes du Sabarthès przez calutką wojnę. Niemieccy poszukiwacze Świętego Graala znali pogłoski, według których katarski skarb został ukryty w tych górach. Lata całe kopali wszędzie, gdzie się dało. Jak to się stało, że nie odnaleziono tej jaskini przed sześćdziesięciu laty?

– Zadbaliśmy o to.

– Byłeś tu wtedy? – zdumiała się Jeanne.

– W łonie Noublesso Véritable zrodził się konflikt – powiedział Baillard, ignorując pytanie. – Przywódczynią stowarzyszenia jest Marie-Cécile de l'Oradore. Wierzy w moc Graala i chce ją wykorzystać. – Przerwał. – Ale jest tam też inny człowiek... – Twarz mu sposępniała. – Którym kierują całkiem odmienne motywy.

– Musisz porozmawiać z inspektorem Noubelem – powiedziała Jeanne z naciskiem.

– A jeśli on także dla nich pracuje? Nie, nie. Ryzyko jest zbyt duże.

Ciszę panującą na stacji rozdarł gwizd lokomotywy. Oboje zwrócili się w stronę pociągu zwalniającego przy wtórze zgrzytu hamulców.

Rozmowa skończona.

– Nie chcę cię tu zostawiać samego.

– Wiem, wiem... – Pomógł jej wsiąść do pociągu. – Ale tak to się właśnie ma skończyć.

– Skończyć? – Otworzyła okno, wyciągnęła do niego rękę. – Uważaj na siebie, proszę. Bądź ostrożny.

Ciężkie drzwi przedziałów zamykały się z trzaskiem, pociąg zaczął się toczyć po szynach.

Z początku wolno, potem coraz szybciej, aż zniknął między dwiema górami.

ROZDZIAŁ 53

Shelagh czuła, że ktoś jest z nią w tym pomieszczeniu.
Z trudem trzymała głowę prosto. Było jej niedobrze. W ustach miała sucho, głowę rozsadzał tępy ból, w uszach jej szumiało, jakby siedziała tuż przy włączonej na najwyższe obroty klimatyzacji. Nie mogła się ruszyć. Jakiś czas zajęło jej stwierdzenie faktu, że ręce ma związane za plecami, a nogi przywiązane do nóg krzesła.
Ktoś się poruszył, skrzypnęła deska w podłodze.
– Kto tu jest?
Dłonie miała lepkie od potu. Bała się. Zimny strumyczek spływał jej po plecach. Na siłę otworzyła oczy, lecz nadal nic nie widziała. Przerażona potrząsnęła głową, zamrugała, ale i to nic nie dało. Uświadomiła sobie, że ma coś na głowie. Jakiś worek. Cuchnący ziemią i mułem.
Czy nadal znajdowała się na farmie? Pamiętała ukłucie igły. Ten sam mężczyzna, który przynosił jedzenie, zrobił jej zastrzyk.
Niechże ktoś ją w końcu uwolni. Najwyższy czas.
– Kto tu jest? – powtórzyła. Nikt nie odpowiedział, choć czuła kogoś bardzo blisko. – Czego chcesz?
Zgrzyt otwieranych drzwi. Kroki. Wyczuwalna zmiana w atmosferze. Zadziałał instynkt samozachowawczy, bezwiednie szarpnęła więzy. Lina zacisnęła się mocniej. Ściągnęła jej ramiona do tyłu, zadając więcej bólu.
Drzwi zatrzasnęły się ze złowieszczym hukiem.
Znieruchomiała.
Jakiś czas nie słychać było żadnego dźwięku. Potem rozległy się kroki. Coraz bliższe. Skuliła się. Kroki ucichły tuż przed nią. Skurczyła się, jakby ją kto ścisnął tysiącem sznurków. A ten człowiek, jak drapieżnik krążący wokół ofiary, obszedł krzesło dookoła.
Chwycił ją za ramiona od tyłu.
– Kim jesteś? Przynajmniej zdejmij mi ten worek!
– Musimy porozmawiać jeszcze raz, pani O'Donnell.
Znała ten głos. Zimny, precyzyjny, tnący jak nóż. Tak, to on. Ten, którego się spodziewała. Ten, którego się bała.
Gwałtownie przechylił krzesło do tyłu.
Shelagh krzyknęła przerażona, nie mogła powstrzymać upadku.

Upadku nie było. Zatrzymał ją kilka centymetrów nad podłogą. Leżała prawie płasko, głowa zwisała jej nad oparciem krzesła, stopy sterczały w powietrzu.

– Nie ma pani najlepszej pozycji do stawiania żądań.

Tkwiła w zawieszeniu przez całą wieczność.

Nagle postawił krzesło pionowo. Shelagh o mało nie urwało głowy. Kompletnie straciła orientację, jak w ciuciubabce.

– Dla kogo pani pracuje?

– Nie mogę oddychać.

Jakby nie usłyszał. Pstryknął palcami, ktoś podsunął mu stołek. Usiadł i przyciągnął ją do siebie tak, że kolanami naciskał na jej uda.

– Wróćmy do poniedziałkowego wieczoru. Dlaczego pozwoliła pani przyjaciółce kopać akurat w tamtym miejscu?

– Ona nie ma z tym nic wspólnego! – krzyknęła Shelagh. – Na nic jej nie pozwalałam. Sama tam poszła. W ogóle o tym nie wiedziałam. Ona o niczym nie wie.

– Proszę mi wobec tego powiedzieć, co pani wie, droga Shelagh. – Jej imię zabrzmiało jak groźba.

– Nic nie wiem! Powiedziałam już wszystko, co wiedziałam! W poniedziałek, powiedziałam wszystko, przysięgam.

Uderzenie spadło znikąd, jak grom z jasnego nieba. Na odlew, w prawy policzek. Głowa odskoczyła jej do tyłu. W ustach pojawiła się krew. Spłynęła po języku do gardła.

– Czy pani przyjaciółka wzięła pierścień? – Zimny głos, wyprany z emocji.

– Nie. Ona go nie wzięła.

– Wobec tego kto? – naciskał. – Pani była sama w jaskini dostatecznie długo. Wiem to z całą pewnością. Od doktor Tanner.

– Po co miałabym go brać? Przecież dla mnie on nie ma żadnej wartości.

– Skąd ta pewność, że nie wzięła go pani Tanner?

– To nie w jej stylu. Po prostu nie w jej stylu! – krzyknęła. – Tyle osób tam wchodziło... każdy mógł go wziąć. Doktor Brayling, policja... – Urwała raptownie.

– Jak pani słusznie zauważyła, policja. Każdy z policjantów mógł wziąć pierścień. Na przykład Yves Biau.

Shelagh zamarła. Słyszała oddech oprawcy, głęboki, spokojny. Wiedział.

– Pierścienia tam nie było.

Westchnął.

– Czy Biau go pani dał? Prosił o przekazanie przyjaciółce?

– Nic nie rozumiem.

Uderzył znowu. Tym razem pięścią. Z nosa poszła jej krew, polała się na brodę.

– Nie pojmuję jedynie – podjął, jak gdyby nic się nie stało – dlaczego nie dał pani także księgi.

– Nic mi nie dał – wykrztusiła.

– Doktor Brayling twierdzi, że w poniedziałek wieczorem opuściła pani obóz archeologów, niosąc jakąś paczkę.

– Kłamie.

– Dla kogo pani pracuje? – powtórzył cicho. – Wystarczy mi to powiedzieć i wszystko się skończy. Jeśli pani przyjaciółka nie jest zamieszana w sprawę, nie ma powodu, by cierpiała.

– Nie jest... – zakwiliła Shelagh. – Alice nie wie...

Położył rękę na jej szyi w parodii czułego gestu. Zaczął zaciskać palce, coraz mocniej, uścisk miał żelazny.

Shelagh usiłowała się wyrwać, ale nie dała rady.

– Czy oboje z Biau dla niej pracujecie?

Sekundy dzieliły ją od utraty przytomności, gdy puścił. Zsunął rękę do guzików bluzki, zaczął je rozpinać jeden po drugim.

– Co pan robi...? – wyszeptała. Zimny kliniczny dotyk budził w niej wstręt.

– Nikt pani nie szuka. – Dało się słyszeć pstryknięcie, poczuła zapach benzyny do zapalniczek. – Nikt się tu nie zjawi.

– Niech pan mi nie robi krzywdy...

– Pani i Biau pracowaliście razem?

Kiwnęła głową.

– Dla madame de l'Oradore?

Ten sam gest.

– Jej syn – powiedziała z trudem. – François-Baptiste. Rozmawiałam z nim tylko...

Płomień liznął skórę.

– A co z księgą?

– Nie znalazłam jej. Yves też nie.

Cofnął rękę.

– Wobec tego, po co Biau pojechał do Foix? Wie pani, że był w hotelu doktor Tanner?

Usiłowała pokręcić głową, ale sama próba obudziła nową falę bólu.

– Coś jej przekazał – wycedził zimny głos.

– Nie księgę – wykrztusiła.

Otworzyły się drzwi, usłyszała przyciszone głosy w korytarzu, poczuła tanią wodę po goleniu i pot.

– Jak miała pani przekazać księgę madame de l'Oradore?

– Przez syna. – Każde słowo było torturą. – Na Pic de... Miałam zadzwonić... – Poczuła jego dłoń na piersi. – Proszę...

– Widzi pani, przy odrobinie dobrej woli współpraca układa się doskonale. Teraz pani zadzwoni do syna madame de l'Oradore.

– Jeśli się dowiedzą, że ich zdradziłam, zabiją mnie – zaprotestowała.

– Jeśli natomiast pani do niego nie zadzwoni, ja zabiję i panią, i mademoiselle Tanner – oznajmił. – Wybór należy do pani.

Nie wiedziała, czy więził także Alice. Nie miała jak się dowiedzieć.

– François-Baptiste spodziewa się pani telefonu w wypadku, gdy odnajdzie pani księgę, zgadza się?

Nie miała już odwagi kłamać. Kiwnęła głową.

– Ale bardziej niż księga i pierścień obchodzi ich ten krążek. – Z przerażeniem zdała sobie sprawę, że wyjawiła mu jedyną tajemnicę, o której nie miał pojęcia.

– Do czego służy ten krążek?

– Nie wiem.

Ogień sparzył jej skórę, krzyknęła głośno, ale nic to nie dało. Krzyczała cały czas.

– Do czego służy ten krążek? – powtórzył. W jego głosie nie było śladu emocji.

Słodkawy smród przypalanego ciała przyprawiał ją o mdłości. Nie poznawała już słów, ból odbierał jej świadomość. Odpływała gdzieś, zaczynała tracić przytomność.

– Zaraz zemdleje. Zdjąć worek.

Ktoś ściągnął jej z głowy szorstką tkaninę, zrywając strupy.

– Pasuje do pierścienia. – Jej głos brzmiał, jakby dochodził spod powierzchni wody. – To klucz. Do labiryntu.

– Kto jeszcze o tym wie?!

Krzyczał, ale wiedziała, że już nic jej nie zrobi. Głowa opadła jej na piersi. Chwycił ją za włosy, odsłonił gardło.

Jedno oko miała całkiem spuchnięte, drugie zdołała jeszcze rozewrzeć. Ale widziała tylko rozmazane zarysy twarzy.

– Ona nie ma pojęcia...

– Kto?! De l'Oradore? Jeanne Giraud?

– Alice – szepnęła.

ROZDZIAŁ 54

Alice dotarła do Chartres późnym popołudniem. Znalazła sobie hotel, kupiła mapę i od razu poszła pod adres uzyskany w informacji. Z niemałym zdumieniem obejrzała elegancki mieszczański dom z błyszczącą mosiężną kołatką, taką samą skrzynką na listy, gustownymi roślinami w skrzynkach podokiennych i donicami na schodach. Jakoś trudno jej było sobie wyobrazić, że Shelagh miała tutaj przyjaciół.

Co powiesz, kiedy otworzą ci drzwi?, zastanowiła się przelotnie.

Wzięła głęboki oddech, weszła po schodach i nacisnęła dzwonek. Żadnej odpowiedzi. Odczekała chwilę, cofnęła się o krok i popatrzyła w okna. Zadzwoniła do drzwi jeszcze raz. Nikt nie otwierał. Wybrała numer zapisany w komórce. Kilka sekund później gdzieś w domu rozległ się dzwonek telefonu.

Przynajmniej trafiła pod właściwy adres.

Z jednej strony przeżyła zawód, z drugiej – poczuła ulgę. Konfrontacja, siłą rzeczy, musiała poczekać.

* * *

Skwer przed katedrą pękał w szwach. Turyści ściskali w rękach aparaty i przewodniki, natomiast przewodnicy trzymali wysoko w górze chorągiewki lub barwne parasolki. Podstarzali Niemcy, wyniośli Anglicy, rozgadani Włosi i cisi Japończycy oraz do wszystkiego entuzjastycznie nastawieni Amerykanie. Dzieci, niezależnie od narodowości, wyglądały na śmiertelnie znudzone.

W czasie długiej podróży na północ Alice doszła do wniosku, że nie musi się dowiadywać niczego na temat labiryntu w Chartres, ponieważ zdawał się tak ewidentnie powiązany z symbolem z jaskini na Pic de Soularac, z Grace oraz z nią samą, iż było to zbyt oczywiste. Z drugiej strony, miała jednak ochotę zbadać ten fałszywy trop.

W końcu więc kupiła bilet, by zwiedzić katedrę z anglojęzyczną grupą, która ruszała za pięć minut. Jej przewodniczką okazała się operatywna kobieta w średnim wieku o stanowczym głosie, nieco z góry patrząca na zwiedzających.

– Nam współcześnie katedry wydają się szarymi bryłami wzniesionymi z powodów religijnych. Dobrze jest jednak uświadomić sobie, iż w czasach średniowiecza były one barwne, podobnie jak świątynie w Indiach czy Tajlandii. Figury i tympanony zdobiące portale, zarówno w Chartres jak i gdzie indziej, pokryte były polichromią. – Wskazała parasolką fragment ostrołukowego pola w górnej części portalu, nad nadprożem. – Jeśli się państwo przyjrzą, zobaczą w pęknięciach płaskorzeźb barwniki: różowy, błękitny i żółty.

Wszyscy zwiedzający posłusznie przytaknęli.

– W tysiąc sto dziewięćdziesiątym czwartym czwartym – podjęła przewodniczka – pożar strawił większą część miasta oraz samą katedrę. Z początku uważano, że spłonęła także przechowywana tutaj relikwia – *sancta camisia*, suknia, którą ponoć najświętsza Maria miała na sobie podczas narodzin Chrystusa. Tymczasem po trzech dniach relikwię odnaleziono, ponieważ mnisi ukryli ją w krypcie. Wydarzenie to zostało uznane za cud, za znak, iż katedra powinna zostać odbudowana. Ostateczny kształt, który możemy podziwiać dzisiaj, zyskała w roku tysiąc dwieście dwudziestym trzecim, a w tysiąc dwieście sześćdziesiątym stała się pierwszą świątynią we Francji poświęconą Dziewicy Maryi.

Alice słuchała jednym uchem, aż przeszli na północną stronę katedry. Przewodniczka zwróciła uwagę zwiedzających na wyrzeźbionych w kamieniu władców wymienionych w Starym Testamencie.

Wtedy Alice ogarnęło nerwowe podniecenie.

– Jest to jedyny element nawiązujący do Starego Testamentu – ciągnęła oprowadzająca, zapraszając zwiedzających bliżej. – Na tym filarze natomiast znajduje się rzeźba, w przekonaniu wielu osób przedstawiająca Arkę Przymierza wywiezioną z Jerozolimy przez Menelika, syna króla Salomona i królowej Saby, choć historycy twierdzą, iż legenda o Meneliku nie była w Europie znana aż do piętnastego wieku. A tutaj – opuściła nieco ramię – kolejna tajemnica. Ci z państwa, którzy mają dobry wzrok, dojrzą zapewne łacińską sentencję: HIC AMITITUR ARCHA CEDERIS. – Powiodła spojrzeniem po swojej grupie i uśmiechnęła się jak kot na widok tłustej śmietanki. – Osoby znające łacinę od razu sobie uświadomią, iż napis ten nie ma żadnego sensu. Niektóre przewodniki tłumaczą „Archa cederis" jako: masz pracować, jak stanowi Arka, a całość napisu rozumieją w słowach: „Oto jest rzeczy początek, masz pracować, jak stanowi Arka". Jeśli natomiast odczytać słowo *cederis* jako *foederis*, jak je widzą niektórzy badacze, napis oznaczałby: „Oto jest, pozwólcie działać Arce Przymierza". – Zamilkła, dając zwiedzającym czas na przyswojenie jej słów. – Te drzwi są jednym z powodów, dla których wokół katedry narosło tyle mitów i legend. Innym zastanawiającym faktem jest ten, że nie znamy nazwisk budowniczych katedry. Możliwe, iż nie zostały one z jakichś powodów utrwalone w dokumentach i z czasem poszły w zapomnienie. Tymczasem jednak osoby o, powiedzmy, bujniejszej wyobraźni, skłonne są interpretować brak tej informacji całkowicie odmiennie. Najpowszechniejszy jest pogląd, iż katedra została zbudowana przez spadkobierców Ubogich Rycerzy Chrystusa, templariuszy, i stanowi kamienną księgę szyfrów, gigantyczny rebus, który rozwiązać potrafią wyłącznie wtajemniczeni. Wiele osób sądzi, iż pod labiryntem są pogrzebane szczątki Marii Magdaleny. A może nawet sam Święty Graal.

– Czy ktoś to sprawdzał? – wyrwało się Alice. Karcące spojrzenia przyszpiliły ją jak punktowe reflektory.

Przewodniczka znacząco uniosła brwi.

– Ależ oczywiście. I to niejeden raz. Nie będą państwo jednak zdziwieni, jeśli powiem, że nic nie znaleziono. To jedynie kolejny mit. – Przerwała. – Zapraszam do środka.

Dziewczyna z nietęgą miną poszła za grupą do zachodniego wejścia i karnie stanęła w kolejce. Wchodząc, zwiedzający automatycznie ściszali głos. Obejmowała ich charakterystyczna woń kadzideł i chłodna wilgoć starych murów. Przy głównym wejściu i w bocznych kaplicach migotały rzędy świec.

Alice spięła się, oczekując jakiejś gwałtownej reakcji, może wizji z przeszłości, podobnych do tych, jakie ją spotkały w Tuluzie i w Carcassonne. Tu jednak nie poczuła nic, więc po kilku chwilach odprężyła się i zaczęła naprawdę korzystać ze zwiedzania. Wiedziała już od jakiegoś czasu, iż w tej właśnie katedrze znajduje się niespotykanej urody kolekcja witraży, największa na świecie. Mimo wszystko nie była przygotowana na to, co zobaczyła. Z okien wylewała się szerokim strumieniem prawdziwa feeria barw. Kalejdoskop świetlistych kolorów ukazywał sceny z życia codziennego oraz wydarzenia opisane w Biblii. Okno róż, okno Błękitnej Dziewicy, okno Noego ukazujące potop i zwierzęta parami wchodzące do arki...

Wędrując dookoła świątyni, usiłowała sobie wyobrazić, jak wyglądało to wnętrze, gdy ściany były pokryte freskami, ozdobione gęsto tkanymi gobelinami ze wschodnich warsztatów tkackich, zawieszone jedwabnymi szarfami haftowanymi złotem. W oczach ludzi średniowiecza kontrast między przepychem panującym w domu bożym a szarą codziennością musiał być przeogromny. Może stanowił dowód bożej chwały na ziemi.

– I wreszcie – rozległ się głos przewodniczki – docieramy do sławnego labiryntu, składającego się z jedenastu kręgów. Ukończony około roku tysiąc dwieście dwudziestego jest największy w Europie. Kamień środkowy zniknął już dawno, ale reszta pozostała nietknięta. Dla średniowiecznych chrześcijan stanowił okazję podjęcia duchowej pielgrzymki, zastępującej podróż do Jerozolimy. Od tego czasu labirynty umieszczane na posadzkach, w przeciwieństwie do labiryntów naściennych, zyskały nazwę *chemin de Jérusalem*, co oznacza drogę czy też podróż do Jerozolimy. Pielgrzymi szli ścieżką wyznaczoną między kręgami labiryntu aż do jego środka, co symbolizowało wzrastające zrozumienie wiary lub zbliżanie się do Boga. Nie należało do rzadkości pokonywanie tej trasy na kolanach, co zabierało nawet kilka dni.

Alice z bijącym sercem wysunęła się przed grupę. Dopiero teraz zdała sobie sprawę, że podświadomie odwlekała ten moment.

Teraz.

Wzięła głęboki oddech.

Choć symetrię zakłócały rzędy krzeseł ustawionych po obu stronach nawy na czas wieczornego nabożeństwa, choć znała wymiary labiryntu z tekstów i rysunków, widok zaparł jej dech w piersiach. Symbol całkowicie zdominował katedrę.

Powoli, w tempie innych zwiedzających, ruszyła wąską ścieżką, coraz mniejszymi okręgami, aż znalazła się w samym środku.

Nie poczuła nic. Żadnego dreszczu, olśnienia, przemiany. Zupełnie nic. Kucnęła, dotknęła kamienia. Gładki, chłodny – i niemy.

Uśmiechnęła się krzywo.

A czego się spodziewałaś?

Nie musiała wyciągać z plecaka swojego szkicu, by wiedzieć, że nie miała tu czego szukać. Skinieniem głowy pożegnała się z przewodniczką i opuściła świątynię.

* * *

Po skwarze południa przydała się Alice odmiana w postaci łagodniejszego klimatu, toteż następną godzinę z przyjemnością poświęciła na zwiedzanie malowniczego historycznego centrum miasta. Przy okazji rozglądała się za rogiem, na którym Grace i Audric pozowali do zdjęcia.

Nie potrafiła go znaleźć. Może znajdował się poza obszarem ujętym na mapie. Większość ulic otrzymała nazwy pochodzące od zawodów wykonywanych dawniej przez tutejszych mieszkańców: zegarmistrzów, garbarzy, kowali i skrybów. Stanowiły testament świadczący o wielkości Chartres jako centrum papiernictwa i introligatorstwa we Francji w dwunastym i trzynastym wieku. Nie było, niestety, rue des Trois Degrés.

W końcu wróciła tam, skąd wyruszyła, przed zachodnie wejście do katedry. Usiadła na murku pod ogrodzeniem. I w tej samej chwili jej wzrok padł na tabliczkę wiszącą na ścianie naprzeciwko: RUE DE L'ÉTROIT DEGRÉ, DITE AUSSI RUE DES TROIS DEGRÉS (DES TROIS MARCHES).

Ach, więc to tak! Nazwa ulicy została zmieniona. Uśmiechając się do siebie, wstała, zrobiła krok w bok, żeby lepiej widzieć – i wpadła na jakiegoś mężczyznę zatopionego w lekturze gazety.

– *Pardon* – odezwała się i cofnęła.

– Nie, nie, to ja przepraszam – zaprotestował z miło brzmiącym amerykańskim akcentem. – To moja wina. Szedłem, nie patrząc. Nic się pani nie stało?

– Nie, nic.

Młody mężczyzna przyglądał jej się z natężeniem.

– Czy coś się... – zaczęła.

– Masz na imię, Alice, prawda?

– Taaak... – przyznała ostrożnie.

– Oczywiście! To ty! – Przeczesał włosy palcami. – Niesamowite!
– Wybacz, ale...
– William Franklin. – Wyciągnął do niej rękę. – Will. Poznaliśmy się w Londynie... Kiedy to było...? Chyba w dziewięćdziesiątym dziewiątym? Na jakiejś większej imprezie. Chodziłaś z takim... jak on się nazywał... A, już wiem: Oliver. Zgadza się? Ja wtedy byłem w odwiedzinach u kuzyna.

Alice miała w pamięci mgliste wspomnienie jakiegoś popołudnia w zatłoczonym mieszkaniu, gdzie zebrali się przyjaciele Olivera z uczelni. Wydawało jej się, że pamięta chłopaka z Ameryki, miłego i niebrzydkiego, ale była zakochana i poza swoim wybrankiem świata nie widziała.

Czyli: to był ten chłopak?

– Masz dobrą pamięć – zauważyła, ściskając jego dłoń. – To było strasznie dawno.

– Nietrudno cię było poznać, bo wcale się nie zmieniłaś – odparł z uśmiechem. – A co u Olivera?

Alice skrzywiła się lekko.

– Nie jesteśmy już razem.

– Aha. – Nastąpiła krótka przerwa. – Kto jest na tym zdjęciu?

Alice kompletnie zapomniała, że trzyma w ręku fotografię.

– Moja ciotka. Ciekawa byłam, czy znajdę miejsce, gdzie zrobiono to zdjęcie. – Uśmiechnęła się szeroko. – Było trudniej, niż można by się spodziewać.

Will przyjrzał się zdjęciu uważniej.

– A ten mężczyzna?

– To jej przyjaciel. Pisarz.

Znowu milczenie. Jakby oboje chcieli podtrzymać rozmowę, ale żadne z nich nie wiedziało, co powiedzieć. Pierwszy odezwał się Will.

– Wygląda na miłą kobietę.

– Tak? Mnie się bardziej kojarzy z zacięciem i determinacją. Ale to tylko domysły. Wcale jej nie znałam.

– Jak to? To dlaczego biegasz po Chartres z jej zdjęciem?

Alice wetknęła fotografię do plecaka.

– To dość skomplikowana historia.

– Nie boję się komplikacji. Pokazał wszystkie zęby w szerokim uśmiechu. – Posłuchaj... Masz może ochotę na jakąś kawę? Czy się śpieszysz?

Dziwne, ale myślała o tym samym.

– Wszystkie dawne znajome zapraszasz na kawę?

– Nie wszystkie. Pytanie, czy ty dasz się zaprosić.

* * *

Alice miała wrażenie, że obserwuje z góry scenę rodzajową. Widzi młodego mężczyznę oraz kobietę, podobną do niej jak dwie krople wody, wchodzących do stylizowanej *pâtisserie*, gdzie w długich szklanych gablotach leżą bułki i ciasta.

Nie do wiary.

Obrazy, dźwięki, zapachy. Kelnerzy pojawiający się przy stolikach, lekko cierpki smak kawy, syk mleka w dystrybutorze, dźwięczne stuknięcie widelczyka o talerz – wszystko ostre i wyraźne. A przede wszystkim Will, jego uśmiech, przechylenie głowy, palce błądzące w czasie rozmowy po srebrnym łańcuszku na szyi.

Usiedli przy stoliku na zewnątrz. Widzieli smukłą wieżę katedry nad dachami. Najpierw oboje milczeli, potem razem zaczęli mówić. Alice roześmiała się, Will przeprosił.

– Co to za lektura tak cię wciągnęła? – spytała dziewczyna, odwracając gazetę w swoją stronę.

– Normalnie miejscowa prasa nie jest szczególnie interesująca – przyznał Will – ale tu jest wyjątkowo smakowity kąsek. Czytałem o znalezieniu w rzece zwłok mężczyzny. Wyobraź sobie, w samym centrum miasta. Ktoś biedakowi związał ręce i nogi i wsadził mu nóż pod łopatkę. Media dostały białej gorączki. Uważają to za mord rytualny i doszukują się powiązań z zeszłotygodniowym zniknięciem dziennikarki, która szykowała artykuł na temat tajnych stowarzyszeń religijnych.

Uśmiech spełzł z twarzy Alice.

– Mogę przeczytać?

– Jasne.

Z każdą linijką rósł w niej niepokój. Noublesso Véritable. Dziwnie znajoma nazwa.

– Alice, wróć na ziemię...

Podniosła głowę.

– Wybacz. Niedawno sama... Taki zbieg okoliczności...

– Zbieg okoliczności? Ciekawe...

– To długa historia.

– Ja się nigdzie nie śpieszę – zapewnił Will, opierając łokcie na stole. Uśmiechnął się zachęcająco.

Od długiego czasu nie miała okazji z nikim porozmawiać. W dodatku Will był w pewnym sensie dawnym znajomym...

Możesz mu powiedzieć tylko tyle, ile zechcesz.

– Nie wiem, jaki to ma sens... – zaczęła. – Dwa miesiące temu dowiedziałam się, kompletnie zaskoczona, że moja ciotka, o której w życiu nie słyszałam, zostawiła mi w spadku cały swój majątek, między innymi dom we Francji.

– Ta kobieta ze zdjęcia.

Alice kiwnęła głową.

– Nazywała się Grace Tanner. Wybierałam się do Francji tak czy inaczej, miałam odwiedzić przyjaciółkę, pracującą przy wykopaliskach w Pirenejach, więc postanowiłam połączyć przyjemne z pożytecznym. – Zamyśliła się. – W trakcie wykopalisk doszło do pewnych zdarzeń... nie będę cię zanudzała szczegółami, ale w każdym razie okazało się... Zresztą, nieważne. – Odetchnęła głębiej. – Wczoraj, po spotkaniu z prawnikiem, pojechałam do domu ciotki i znalazłam tam kilka rzeczy... Natrafiłam na symbol, który widziałam w czasie wykopalisk. – Umilkła. – I książkę niejakiego Audrica Baillarda. Jestem prawie na sto procent pewna, że to ten ze zdjęcia.

– On żyje?

– O ile mi wiadomo tak. Ale go nie znalazłam.

– Kim był dla twojej ciotki?

– Nie wiem. Mam nadzieję, że on mi to powie. I wyjaśni parę innych drobiazgów.

Na przykład kwestię labiryntu, drzewa genealogicznego, dziwacznych snów.

Gdy podniosła wzrok na Willa, sprawiał wrażenie cokolwiek zdezorientowanego.

– Nie mogę powiedzieć, żebym był dużo mądrzejszy – przyznał z uśmiechem.

– Trudno uznać, że cokolwiek wyjaśniłam – przyznała. – Może porozmawiamy o czymś mniej skomplikowanym. Nie powiedziałeś mi jeszcze, co właściwie robisz w Chartres.

– Jak każdy Amerykanin we Francji, usiłuję pisać.

– Zgodnie z tradycją powinieneś tkwić w Paryżu.

– Tam zacząłem, ale szybko doszedłem do wniosku, że Paryż jest... zbyt bezosobowy, rozumiesz, o co mi chodzi? A że moi rodzice mają tu znajomych, zmieniłem miejsce pobytu. Spodobało mi się tutaj i jestem już jakiś czas.

Alice kiwnęła głową, czekała na ciąg dalszy. A tymczasem Will wrócił do szczegółu, o którym ona wspomniała wcześniej.

– Ten symbol z wykopalisk, powtórzony w domu ciotki, był jakiś szczególny?

– To labirynt – odpowiedziała po chwili wahania.

– Dlatego przyjechałaś do Chartres? Zwiedzić katedrę?

– Nie jest taki sam. – Ostrożność kazała jej zamilknąć. – Szukam tutaj przyjaciółki. Shelagh. – Wyjęła z plecaka kawałek papieru z adresem. – Byłam tam rano, ale nikogo nie zastałam. Zajrzę jeszcze raz, myślę, za jakąś godzinę.

Will pobladł. Najwyraźniej odebrało mu glos.

– Co ci jest? – spytała.

– Dlaczego uważasz, że twoja przyjaciółka będzie akurat tam? – spytał cicho.

– Nie mam żadnej pewności... – Alice była zdumiona zmianą, jaka nagle zaszła w Willu.

– Czy to jest ta sama osoba, którą odwiedzałaś przy wykopaliskach?

Pokiwała głową.

– I ona także widziała labirynt?

– Chyba tak, chociaż mnie o tym nie mówiła. Bardziej interesowało ją coś, co znalazłam i... – Przerwała, bo Will wstał. – O co chodzi?

Wziął ją za rękę.

– Chodź. Muszę ci coś pokazać.

* * *

– Dokąd idziemy? – Ledwo za nim nadążała.

Gdy skręcili za róg, uświadomiła sobie, że znaleźli się na drugim końcu rue du Cheval Blanc. Will szybkim krokiem podszedł do znanego jej budynku i wszedł po schodach.

– Myślisz, że ktoś już wrócił?

– Nikogo nie ma.

– Skąd wiesz? – Oniemiała ze zdumienia, gdy Amerykanin wyjął z kieszeni klucz i otworzył nim frontowe drzwi.

– Wchodź. Prędko.

– Masz klucz! – wyrwało jej się niezbyt lotnie. – Chciałabym usłyszeć, co tu się właściwie dzieje.

Will zbiegł ze schodów, chwycił ją za rękę.

– Pokażę ci labirynt – syknął. – Chodź!

Czy to zasadzka?

Powinna się czegoś nauczyć po tym, co przeszła do tej pory. Nie ryzykować bez sensu. Przecież nawet nikt nie wiedział, gdzie jej szukać!

Ciekawość wygrała ze zdrowym rozsądkiem.

Alice spojrzała Willowi głęboko w oczy i postanowiła mu zaufać.

ROZDZIAŁ 55

Znalazła się w sporym holu, przypominającym bardziej muzeum niż prywatny dom. Will podszedł od razu do gobelinu wiszącego na wprost wejścia. Odciągnął go na bok.

– Co robisz? – Podeszła do niego.

W drewnianym panelu ujrzała płaską miedzianą klamkę. Will pchnął, pociągnął i ręce mu opadły.

– Cholera! Zamknięte od drugiej strony.

– To drzwi.

– Owszem.

– I za nimi jest labirynt?

– Najpierw schody, korytarz, a na końcu dziwaczny pokój z egipskimi symbolami na ścianach i takim jakby grobowcem z labiryntem wyrzeźbionym na wierzchu. Sama widzisz: ta notka z gazety, twoja przyjaciółka miała ten adres...

– Wyciągasz daleko idące wnioski z bardzo kruchych przesłanek.

Will opuścił gobelin na miejsce i zdecydowanym krokiem ruszył ku drzwiom po drugiej stronie holu. Alice po chwili wahania poszła za nim.

– Co robisz? – szepnęła.

W bibliotece panowała atmosfera elitarnego klubu dla mężczyzn. Okiennice były przymknięte, więc do mrocznego wnętrza wpadały płaskie smugi ciepłego blasku, rozpostarte na dywanie jak pasy złotej tkaniny. Czuć tu było wieki tradycji, dawny porządek i tchnienie starożytności. Na trzech ścianach od podłogi do sufitu biegły półki na książki, do najwyższych trzeba się było wspiąć po drabinie na kółkach. Will dokładnie wiedział, czego szuka. Od razu podszedł do sekcji przeznaczonej na opracowania traktujące o Chartres, gdzie albumy fotograficzne stały w towarzystwie poważniejszych pozycji na temat architektury i historii.

Alice z bijącym sercem patrzyła, jak wyciągnął wolumin z herbem rodowym wytłoczonym na pierwszej stronie okładki. Położył go na stole. Przerzucał kolejne strony: kolorowe fotografie, stare mapy Chartres, atramentowe rysunki, aż wreszcie natrafił na szukany fragment.

– Co to za księga?

– Historia domu rodu de l'Oradore – rzekł. – Tego domu. Od samego początku, od czterystu lat mieszka w nim ta sama rodzina. Tutaj znajdziesz plany każdej kondygnacji. – Odwrócił jeszcze kilka kartek. – Spójrz. – Podsunął książkę Alice. – Taki?

– O Boże! – szepnęła.
Przed oczami miała wierny obraz swojego labiryntu.

* * *

Trzasnęły drzwi wejściowe. Oboje podskoczyli.
– Will! Drzwi! Zostawiliśmy otwarte!
Dobiegły ich stłumione głosy z holu. Kobiecy i męski.
– Idą tutaj! – syknęła Alice.
Will wcisnął jej książkę w ręce.
– Wskakuj! – rozkazał, wskazując rozłożystą skórzaną sofę pod oknem. – Ja się nimi zajmę.
Wpełzła w szparę między ścianą a meblem. Zapach kurzu wiercił ją w nosie.
Will z brzękiem zamknął szafkę, w której brakowało jednej książki, i chwycił z biurka jakiś kolorowy magazyn. W tej chwili otworzyły się drzwi biblioteki.
– *Qu'est-ce que vous faites là?!*
Głos młodego człowieka.
Alice przekrzywiła głowę. Ledwo, ale widziała jego odbicie w szklanych drzwiczkach. Był mniej więcej tego samego wzrostu co Will, choć bardziej kościsty. Miał czarne kręcone włosy i prosty, patrycjuszowski nos. Zmarszczyła brwi w zastanowieniu. Kogoś jej przypominał.
– O, cześć, François-Baptiste – odezwał się Will głosem tak radosnym, że fałsz czuć było na kilometr.
– Co ty tu robisz, do cholery? – powtórzył po angielsku.
– Szukam czegoś do czytania.
François-Baptiste zerknął na tytuł czasopisma.
– Raczej nie w twoim stylu – prychnął.
– Niby dlaczego?
– Zacznij myśleć o pakowaniu – wycedził François-Baptiste. – Niedługo jej się znudzisz, jak wszyscy twoi poprzednicy. Pewnie nawet nie wiedziałeś, że wyjechała z miasta, co?
– Układy między nią a mną nie powinny cię obchodzić. A teraz, jeśli pozwolisz...
François-Baptiste zastąpił mu drogę.
– Dokąd ci się tak śpieszy?
– Nie zadzieraj ze mną. Możesz się niemile zdziwić.
Najmłodszy de l'Oradore położył dłoń na piersi Willa. Amerykanin strącił jego rękę.
– Nie dotykaj mnie.
– A co mi zrobisz?
– *Ça suffit!**

_____
* Dosyć tego!

Obaj odwrócili się w stronę wejścia. Alice chciała zobaczyć tę kobietę, ale dopóki tamta stała w progu, nie było żadnych szans.

– Co tu się dzieje? – spytała madame de l'Oradore. – Zachowujecie się jak dzieci. François-Baptiste? William?

– *Rien, maman. Je lui demandais...**

Will wyglądał na zdziwionego.

– Marie-Cécile... Nie wiedziałem... – Umilkł. – Nie przypuszczałem, że już wróciłaś.

Kobieta weszła do biblioteki, a wówczas Alice wyraźnie ujrzała jej twarz.

Niemożliwe.

Tym razem była ubrana bardziej oficjalnie, miała na sobie komplet w kolorze ochry: elegancki żakiet i spódnicę do kolan.

Tak czy inaczej bez wątpienia była to ta sama kobieta, którą widziała przed Hôtel de la Cité w Carcassonne. Marie-Cécile de l'Oradore.

Przeniosła wzrok z matki na syna. Rodzinne podobieństwo rzucało się w oczy. Ten sam profil, ten sam władczy sposób bycia.

– W zasadzie ja też chciałabym się dowiedzieć, co ty tu robisz.

– Szukałem... czegoś do czytania. Bez ciebie... czułem się samotny.

Alice skrzywiła się niemiłosiernie. Kiepski aktor z tego Willa.

– Samotny... – powtórzyła Marie-Cécile. – No proszę. A z twojej twarzy można wyczytać coś całkiem przeciwnego. – Pocałowała go w usta.

Było to zachowanie stanowczo zbyt intymne jak na te okoliczności. Will zacisnął pięści, atmosfera zgęstniała.

Jest mu przykro, że ja to widzę, zrozumiała Alice.

Była to myśl zdumiewająca, ale wydawała się niepozbawiona słuszności. Zniknęła równie szybko, jak się pojawiła.

Marie-Cécile odsunęła się od kochanka. Na twarzy miała uśmiech pełen satysfakcji.

– Will, muszę teraz porozmawiać z synem. *Desolé*. Wybacz, proszę.

– Tutaj?

Za szybko. Podejrzanie.

Gospodyni zmrużyła oczy.

– Są jakieś przeciwwskazania?

– Nie, skądże.

– *Maman. Il est dix-huit heures déjà***.

– *J'arrive* – powiedziała, nadal mierząc Willa podejrzliwym spojrzeniem.

– *Mais, je ne...*

– *Va le chercher* – rzuciła. Przynieś.

François-Baptiste wypadł z biblioteki. Marie-Cécile objęła Willa w pasie i przyciągnęła do siebie. Krwistoczerwone paznokcie odcinały się kon-

---

* Nic, mamo. Pytałem go tylko...
** Mamo, już szósta.

trastem od białej koszulki. Alice bardzo chciała odwrócić wzrok, ale jakoś nie mogła.

– *Tiens* – odezwała się Marie-Cécile po chwili. – *A bientôt**.
– Przyjdziesz niedługo? – spytał Will. W jego głosie brzmiał strach. Nie chciał zostawiać Alice samej.
– *Tout à l'heure*. Niedługo.

Dziewczyna usłyszała kroki wychodzącego Willa.

* * *

W progu minął się z François-Baptiste'em.

– Proszę – rzekł młody de l'Oradore, podając matce to samo wydanie gazety, które wcześniej czytał Will.
– Jakim cudem znaleźli go tak szybko?
– Nie mam pojęcia – przyznał naburmuszony. – Może Authié...?

Alice zesztywniała.

Ten sam Authié?
– To domysły czy pewność? – spytała Marie-Cécile.
– Ktoś musiał im powiedzieć. Policja wysłała nurków we wtorek i to od razu we właściwe miejsce. Wiedzieli, czego szukają. Wystarczy się zastanowić: kto twierdził, że w Chartres jest przeciek? A czy przedstawił jakieś dowody, że to Tavernier rozmawiał z dziennikarką?
– Co za Tavernier?
– Ten wyłowiony – wycedził François-Baptiste lodowatym tonem.
– Ach, tak, oczywiście. – Marie-Cécile zapaliła papierosa. – W raporcie wymienia się nazwę Noublesso Véritable.
– Authié ją zna, oczywiście.
– Póki nic nie wiąże Taverniera z tym domem, nie ma problemu – oceniła znudzonym głosem. – Coś jeszcze?
– Zrobiłem, co kazałaś.
– Wszystko gotowe na sobotę?
– Tak. Tyle tylko że bez pierścienia i księgi nie ma powodu się fatygować.

Czerwone wargi Marie-Cécile rozciągnęły się w uśmiechu.
– Właśnie dlatego Authié nadal jest nam potrzebny, choć mu nie ufasz – powiedziała. – Twierdzi, iż *par miracle*** odzyskał pierścień.
– Dlaczego mi nie powiedziałaś?!
– Właśnie ci mówię. Podobno jego ludzie znaleźli go w Carcassonne, w pokoju hotelowym tej Angielki.

Alice zmartwiała. To niemożliwe.
– Twoim zdaniem mówi prawdę?
– Nie bądź idiotą, François-Baptiste – warknęła. – Oczywiście, że kła-

---

* No to do zobaczenia.
** cudem

mie. Gdyby ta cała Tanner rzeczywiście miała pierścień, Authié nie potrzebowałby czterech dni na jego odzyskanie. Zresztą ja z kolei kazałam przeszukać jego mieszkanie i biuro.

– Wobec tego...

– Jeżeli – wpadła mu w słowo – powtarzam: jeżeli się mylę i Authié rzeczywiście ma pierścień, w co bardzo wątpię, to albo od babki Biau, albo miał go cały czas. Na przykład sam wyniósł z jaskini.

– Co za różnica?

Rozległ się głośny dzwonek telefonu. Alice o mało nie podskoczyła. François-Baptiste spojrzał na matkę.

– Odbierz – poleciła.

Podniósł słuchawkę.

– *Oui.*

Alice nie śmiała głośniej odetchnąć.

– *Oui, je comprends. Attends**. – Zakrył dłonią mikrofon. – Dzwoni O'Donnell. Twierdzi, że ma księgę.

– Zapytaj, dlaczego się nie odzywała.

Pokiwał głową.

– Gdzie pani była od poniedziałku? – Słuchał w milczeniu. – Czy ktoś jeszcze wie, że pani ją ma? – Tym razem odpowiedź była krótka. – OK. *A vingt-deux heur*es. *Demain soir***.

Odłożył słuchawkę.

– Jesteś pewien, że to była ona?

– Jej głos, na pewno. No i znała wszystkie ustalenia.

– Na pewno słuchał rozmowy.

– Nie rozumiem. – François-Baptiste wyraźnie się zgubił. – Kto?

– Na litość boską, a jak ci się wydaje? – jęknęła Marie-Cécile. – Authié oczywiście!

– Ja...

– Shelagh O'Donnell znika w tajemniczych okolicznościach, ale natychmiast po moim powrocie do Chartres cudem się odnajduje. Najpierw pierścień, potem księga, teraz pani archeolog.

François-Baptiste wreszcie stracił cierpliwość.

– Przed chwilą go broniłaś! – krzyknął. – Ja twierdziłem, że jest zdrajcą. Skoro wiesz, że tak jest rzeczywiście, dlaczego mi o tym nie powiedziałaś, dlaczego pozwoliłaś mi robić z siebie głupca?! A co ważniejsze, dlaczego nie zamierzasz go powstrzymać? Czy zastanawiałaś się, po co mu właściwie te księgi? Co zamierza z nimi zrobić? Wystawi je na licytację, czy jak?

– Doskonale wiem, po co mu księgi – odparła z lodowatym spokojem.

– Wiecznie to samo. Ciągle mnie poniżasz!

– Koniec dyskusji – oznajmiła Marie-Cécile. – Jutro ruszamy. Zdążysz

---

* Tak, rozumiem. Chwileczkę.
** O dwudziestej drugiej. Jutro.

na spotkanie z O'Donnell, a ja się spokojnie przygotuję. Ceremonia odbędzie się zgodnie z planem, o północy.

– Ja mam się z nią spotkać? – spytał François-Baptiste zdumiony.

– Oczywiście. – Po raz pierwszy w jej głosie pojawił się cień emocji. – Chcę dostać tę księgę.

– A jeśli on jej nie ma?

– Nie zadawałby sobie tyle trudu.

François-Baptiste otworzył drzwi.

– A co z tym twoim... – Młody de l'Oradore odzyskał ikrę. – Przecież go tu nie zostawisz.

– Niech cię o Willa głowa nie boli.

* * *

Will ukrył się w schowku obok kuchni. Ciasno mu tam było i drażnił go zapach skórzanych płaszczy, starych butów oraz wywoskowanych marynarek, ale tylko stamtąd miał dobry widok. Widział, jak François-Baptiste przeszedł z biblioteki do gabinetu, chwilę później opuściła pokój Marie-Cécile. Gdy zniknęła, Will pognał do Alice.

– Wychodź! – szepnął. – Musisz uciekać. Nie wiem, jak cię przepraszać. Nic ci się nie stało, mam nadzieję?

– Nic.

Była śmiertelnie blada.

Wyciągnął do niej rękę, ale nie przyjęła pomocy.

– O co tu chodzi? Skąd ty się wziąłeś w tym wszystkim? Mieszkasz tutaj, znasz tych ludzi, a chcesz pomagać obcej osobie. To nie ma sensu.

Najchętniej stwierdziłby, że nie jest dla niego obca, ale ugryzł się w język.

– Ja... – Nie wiedział, co powiedzieć. Przestał dostrzegać bibliotekę. Widział jedynie drobną twarzyczkę w kształcie serca i szczere spojrzenie brązowych oczu, które potrafiło zajrzeć mu w głąb serca.

– Dlaczego mi nie powiedziałeś, że... że ty i ona... że tu mieszkasz?

Nie umiał odpowiedzieć.

Alice patrzyła na niego jeszcze chwilę, wreszcie minęła go i ruszyła do holu.

– Co zrobisz? – spytał przyciszonym głosem.

– Dowiedziałam się, co łączy Shelagh z tym domem – powiedziała. – Moja przyjaciółka dla nich pracuje.

– Jak to? – Otworzył przed nią frontowe drzwi. – Nie rozumiem.

– Tak czy inaczej tu jej nie ma. Madame de l'Oradore z synem także jej szukają. – Byli już na zewnątrz, u podnóża schodów. – Z tego, co usłyszałam, domyślam się, że jest przetrzymywana gdzieś w pobliżu Foix. – Odwróciła się gwałtownie. – Zostawiłam plecak! Za sofą. Książkę też.

A Will myślał w tej chwili jedynie o tym, jak bardzo chciałby ją pocałować. Trudno było o gorszy moment, nie dość że zostali wplątani w coś, czego do końca nie rozumieli, to jeszcze Alice mu nie ufała. A jednak...

właśnie takie zachowanie wydało mu się najwłaściwsze. Odruchowo podniósł rękę, by pogładzić ją po twarzy. Znał ten dotyk, wiedział, jak gładka i chłodna jest jej skóra, zupełnie jakby robił to już tysiące razy. Przypomniał sobie jednak, iż może za wcześnie na takie gesty na tym etapie znajomości, i zatrzymał dłoń, o włos od jej policzka.

– Przepraszam... – zająknął się, jakby Alice mogła czytać mu w myślach.

Krótki uśmiech musnął jej stroskaną twarz.

– Nie chciałem cię obrazić... – brnął. – To tylko...

– Nieważne. – Głos miała miękki.

Will odetchnął z ulgą. Z pewnością się myliła, ponieważ to, co się działo między nimi, było najważniejsze na świecie, ale teraz znaczenie miało jedynie to, że się nie gniewała.

– Will – odezwała się nieco ostrzej. – Co z moim plecakiem? Mam w nim wszystkie notatki.

– A, tak, oczywiście... Wybacz. Przyniosę go. Przyniosę ci go do hotelu. – Usiłował się skupić. – Gdzie mieszkasz?

– Hôtel Petit Monarque. Na Place des Epars.

– Dobrze. – Wbiegł po schodach. – Będę za pół godziny.

* * *

Will patrzył za Alice, aż zniknęła mu z oczu, potem wrócił do środka. Spod drzwi gabinetu wypływała srebrna smuga światła.

Nagle stanęły otworem. Przywarł do ściany. Z pokoju wyszedł François-Baptiste. Skierował się do kuchni. Po chwili zapadła cisza.

Amerykanin przycisnął twarz do szpary, ciekaw, co robi Marie-Cécile. Siedziała przy biurku, oglądając jakiś przedmiot, który przy każdym poruszeniu odbijał światło.

Will zapomniał, po co wrócił do jej domu. Zafascynowany patrzył, jak kochanka wstaje i unosi jeden z obrazów wiszących za nią na ścianie. Było to jej ulubione dzieło sztuki. Opowiadała mu o nim kiedyś, w początkach znajomości. Płótno, na którym dominowała złocista barwa, przedstawiało francuskich żołnierzy patrzących na przewrócone filary i pałace starożytnego Egiptu. „Patrząc na piaski czasu – 1798". Pamiętał doskonale. Tak to szło.

Za obrazem znajdowały się wmurowane w ścianę drzwiczki z czarnego metalu, obok elektroniczna klawiatura cyfrowa. Marie-Cécile wstukała sześć cyfr. Rozległo się głośne kliknięcie i sejf stanął otworem. Wyjęła z niego dwa czarne pakunki i ostrożnie położyła na biurku. Will poprawił się, żeby lepiej widzieć.

Tak był zajęty obserwacją, że nie usłyszał kroków.

– Nie ruszaj się.

– François-Baptiste, ja...

Lufa wbiła mu się w bok.

– I trzymaj ręce w górze.

Chciał się obrócić, ale François-Baptiste chwycił go za kark i rozkwasił mu twarz o ścianę.

– *Qu'est-ce qui se passe?** – zawołała Marie-Cécile.

François-Baptiste pchnął Willa mocniej.

– *Je m'en occupe*** – powiedział. – Wszystko pod kontrolą.

* * *

Alice kolejny raz spojrzała na zegarek.

Powinien był zjawić się już dawno.

Stała przy hotelowej recepcji, wzrok utkwiła w szklanych drzwiach, jakby mogła w ten sposób ściągnąć Willa. Już prawie godzina minęła, odkąd wróciła z rue du Cheval Blanc. Nie wiedziała, co robić. Portmonetkę, telefon i kluczyki miała w kieszeni kurtki, ale całą resztę w plecaku.

Nieważne. Zabieraj się stąd.

Im dłużej czekała, tym większe miała wątpliwości co do motywów działania Willa. Pojawił się znikąd. I dalej też nie było lepiej. W pamięci odtworzyła sekwencję wypadków.

Czy rzeczywiście przypadek zetknął ich przed katedrą?

Nikomu nie mówiła, dokąd się wybiera, więc skąd miałby to wiedzieć?

O wpół do dziewiątej uznała, iż nie może czekać dłużej. Powiedziała recepcjonistce, że zwalnia pokój, zostawiła wiadomość dla Willa – na wypadek gdyby jednak się zjawił, podała swój numer telefonu komórkowego i poszła.

Rzuciła kurtkę na przednie siedzenie. Wtedy dostrzegła wystającą z kieszeni żółtawą kopertę. List, który oddano jej w hotelu. Całkiem o nim zapomniała. Wyjęła go i położyła na desce rozdzielczej. Przeczyta w czasie jakiegoś postoju.

Wkrótce zapadła noc. Reflektory samochodów jadących z naprzeciwka świeciły jej prosto w oczy. Drzewa i krzewy wyskakiwały z ciemności jak duchy. Przemykały obok niej drogowskazy kierujące do Orléans, Poitiers, Bordeaux.

Zatopiona w myślach Alice godzina za godziną zadawała sobie ciągle na nowo te same pytania. I za każdym razem dochodziła do innego wniosku.

Dlaczego miałby to zrobić? Oczywiście dla informacji. Podała mu je na tacy. Wszystkie notatki, rysunki, zdjęcie Grace i Baillarda...

Obiecał pokazać pokój z labiryntem.

Nie zobaczyła nic. Tylko rysunek w książce.

Pokręciła głową. Nie chciała uwierzyć w taką wersję zdarzeń.

Dlaczego w takim razie pomógł jej uciec?

Proste. Ponieważ już dostał to, czego chciał. A w zasadzie to, czego chciała madame de l'Oradore. I żeby mogli cię śledzić.

---

* Co się dzieje?
** Ja się tym zajmę.

ROZDZIAŁ 56
Carcassona

Francuzi przypuścili atak na Sant-Vicens trzeciego sierpnia, w poniedziałek. O świcie.

Alaïs wspięła się po drabinach Tour du Major i razem z ojcem obserwowała zmagania. Wzrokiem szukała w tłumie Guilhema, lecz nie potrafiła go znaleźć.

Ponad szczękiem mieczy i bojowymi okrzykami żołnierzy szturmujących niewysokie mury obronne niosła się pieśń śpiewana na wzgórzu Gravèta.

Veni creator spiritus
Mentes tuorum visita!

– Księża! – Ze zdumienia nieomal odebrało jej głos. – Mordują nas, śpiewając na chwałę Boga!

Przedmieście już płonęło. Dym unosił się w powietrze siną spiralą, ludzie i zwierzęta w panice rozbiegali się na wszystkie strony.

Haki spadały na mury szybko i gęsto, obrońcy nie nadążali ich odcinać. Do ścian przystawiano dziesiątki drabin. Żołnierze z wicehrabiowskiego garnizonu z łatwością skopywali je na dół albo podpalali, ale było ich tak wiele, że tu i ówdzie któraś została na miejscu. Francuscy piechurzy zaroili się jak mrówki. Zdawało się, iż na miejscu każdego zabitego staje trzech następnych.

U podnóża muru, po obu jego stronach, rosły sterty ciał ludzi ranionych i zabitych w walce. Wkrótce zaczęły przypominać stosy drewna na opał. Z każdą mijającą godziną śmierć zbierała coraz obfitsze żniwo.

Krzyżowcy podtoczyli do wałów katapultę i zaczęli bombardować fortyfikacje. Głuche dudnienie wstrząsnęło posadami Sant-Vicens, przedmieście utonęło w powodzi strzał i innych pocisków.

Mury zaczęły się kruszyć.

– Przeszli! – krzyknęła Alaïs. – Przerwali umocnienia!

Wicehrabia Trencavel i jego ludzie już czekali na wroga. Wywijając mieczami i toporami, po dwóch, po trzech ramię w ramię natarli na atakujących. Ogromne konie bojowe druzgotały potężnymi podkowami wszystko, co im stanęło na drodze, czaszki pękały jak łupiny orzecha, ze zmiażdżonych kończyn wyzierały białe kości, lała się krew. Ulica za ulicą walki rozprzestrzeniały się na całe podgrodzie. Rzeka przerażonych mieszkańców wpływała do grodu przez Porte de Rodez, uciekając przed brutalnością bitwy. Starcy, chorzy, kobiety i dzieci. Każdy sprawny mężczyzna chwytał za broń i walczył na równi z żołnierzami z garnizonu. Większość z nich traciła życie bardzo szybko. Pałki nie mogły się równać z mieczami krzyżowców.

Obrońcy bili się dzielnie, ale napastników było dziesięć razy więcej. Niczym fala przypływu wdzierająca się na ląd, brnęli naprzód, krusząc umocnienia, robiąc coraz to nowe wyłomy w murach.

Trencavel i jego ludzie robili, co w ich mocy, ale sytuacja była beznadziejna. Na rozkaz wicehrabiego odtrąbiono odwrót.

Przy wtórze zwycięskiego wycia Francuzów otwarto ciężkie podwoje Porte de Rodez i wpuszczono do grodu tych, którzy przeżyli. Gdy wicehrabia Trencavel prowadził swoje zwyciężone wojsko rzędem do *château comtal*, Alaïs, oniemiała z przerażenia, obserwowała sceny rozgrywające się w podgrodziu. Wiele razy widziała śmierć, ale nigdy na taką skalę. Czuła się skażona brutalnością wojny, jej bezsensownym marnotrawieniem życia.

Czuła się także oszukana. Zdała sobie sprawę, że *chansons de gestes**, które tak lubiła w dzieciństwie, kłamały. Wojna nie była szlachetna. Niosła ze sobą tylko cierpienie.

* * *

Alaïs zeszła z murów i na dziedzińcu przyłączyła się do innych kobiet czekających przy bramie. Modliła się w duchu, by Guilhem wrócił z żywymi.

Niech nadejdzie zdrów i cały.

W końcu usłyszała stukot podków na moście. A gdy zobaczyła męża, odetchnęła z ulgą. Twarz i zbroję miał zakurzone i poplamione krwią, w oczach błyszczał mu ogień walki, ale nie odniósł żadnej rany.

Zauważył ją wicehrabia Trencavel.

– Twój mąż walczył odważnie, pani Alaïs – rzekł. – Położył wielu wrogów i licznych żołnierzy ocalił od śmierci. Cieszy nas jego wprawne ramię i odwaga. – Dziewczyna spłonęła rumieńcem. – Czy wiesz, gdzie znajdę twojego ojca?

_____
* pieśni o czynach rycerskich

Wskazała północno-zachodni narożnik dziedzińca.

– Obserwowaliśmy walkę z *ambans, messire*.

Guilhem zsiadł z konia, podał wodze *écuyer*.

Alaïs podeszła do niego, niepewna przyjęcia.

– *Messire*.

Ujął jej białą dłoń i podniósł do ust.

– Thierry jest ciężko ranny – rzekł głucho. – Już go przynieśli.

– Tak mi przykro, *messire*.

– Jest dla mnie jak brat. – Alzeu także... tylko miesiąc nas dzielił. Zawsze byliśmy razem, wspólnie pracowaliśmy na miecze i kolczugi. Zostaliśmy pasowani na rycerzy w tę samą Wielkanoc.

– Wiem. – Ujęła jego twarz w dłonie. – Zrobię dla Thierry'ego, co w mojej mocy. – Ujrzała łzy w jego oczach, więc śpiesznie odwróciła wzrok. Wiedziała, że nie chciał ich pokazać. – Chodź, Guilhemie – powiedziała cicho. – Zaprowadź mnie do niego.

* * *

Thierry'ego zaniesiono do wielkiej sali i złożono obok innych ciężko rannych. Powstały już trzy długie rzędy umierających mężczyzn. Kobiety opatrywały rany. Alaïs, z włosami splecionymi w warkocz puszczony przez ramię wyglądała wśród nich jak dziecko.

Mijały godziny. Powietrze w sali gęstniało, przesycone zapachem śmierci, przybywało natrętnych much. Kobiety pracowały w ciszy, skupione na swoim zadaniu, świadome, że przerwa w walkach nie potrwa długo. Między rzędami leżących chodzili księża, wysłuchując spowiedzi, udzielając ostatniego namaszczenia. Znalazło się tam także dwóch *parfaits* ukrytych pod czarnymi szatami, którzy błogosławili wyznawców nowego Kościoła *consolament*.

Thierry był bardzo poważnie ranny. Został trafiony kilka razy. Miał złamaną kostkę, a lanca przebiła mu udo, gruchocząc kość. Alaïs od razu się zorientowała, że stracił już zbyt wiele krwi, lecz ze względu na Guilhema opatrzyła rany. Rozmieszała z gorącym woskiem wywar z korzeni i liści żywokostu i gdy tylko kompres odpowiednio wystygł, przyłożyła go rannemu.

Potem zostawiła Guilhema z przyjacielem i zajęła się tymi, którzy mieli szanse przeżyć. Rozpuściła proszek z korzenia dzięgla w wodzie ostowej i z pomocą kuchcika, niosącego za nią cebrzyk, wlewała lek w usta tych, którzy mogli przełykać. Jeśli uda się powstrzymać infekcję i krew pozostanie niezakażona, rany będą się goiły.

Wracała do Thierry'ego najczęściej jak mogła. Zmieniała mu opatrunki, choć widziała bez wątpienia, iż nie ma już dla niego żadnej nadziei. Był nieprzytomny, a jego skóra nabrała sinawego odcienia, w jaki przyoblekа człowieka tylko śmierć.

Położyła rękę na ramieniu Guilhema.

– Niestety – szepnęła. – Wkrótce odejdzie.

Guilhem tylko skinął głową.

Alaïs szła powoli na drugi koniec sali, pomagając, komu tylko się dało. W pewnej chwili jakiś młody *chevalier*, niewiele starszy od niej, krzyknął głośno. Zatrzymała się, przyklękła. Dziecinną twarz chłopca wykrzywiał ból. Wargi miał rozbite, a z brązowych oczu wyzierał strach.

– Ciii... spokojnie – odezwała się Alaïs cicho. – Nie masz nikogo bliskiego?

Usiłował pokręcić głową, ale nie bardzo mu to szło.

Położyła mu rękę na czole i podniosła okrycie. Niepotrzebnie. Chłopak miał strzaskane ramię – kawałki białej kości wystawały z poszarpanej skóry jak wrak z wody w czasie odpływu. Między żebrami ziała wielka dziura, z której stale płynęła krew, rozlewająca się w czerwoną kałużę.

Prawą dłoń miał nadal zaciśniętą na rękojeści miecza. Alaïs próbowała wyjąć mu broń z ręki, lecz zesztywniałe palce nie dały się rozewrzeć. Oddarła pas materiału od spódnicy i przyłożyła do rany w boku. Z sakwy wyjęła fiolkę z walerianą i wlała chłopcu do ust dwie miarki, by złagodzić ból ostatnich chwil życia. Nic więcej nie mogła dla niego zrobić.

Śmierć była nieprzejednana, przychodziła powoli. Stopniowo mokre grzechotanie w piersiach chłopca brzmiało coraz głośniej, oddech był coraz trudniejszy. Oczy mu pociemniały, bał się. Płakał. Została z nim do końca. Śpiewała mu i głaskała go po głowie, aż dusza opuściła młode ciało.

– Boże, przyjmij go do siebie – szepnęła, zamykając mu oczy. Przykryła twarz chłopca prześcieradłem i przeszła do następnego rannego.

Pracowała cały dzień, przyrządzając maści i opatrując rany, aż oczy zaczęły jej odmawiać posłuszeństwa. Ręce miała po łokcie czerwone od krwi. Pod wieczór przez wysokie okna na zachodniej ścianie wpłynęły do sali skośne promienie słońca. Wynoszono zmarłych. Żywym starano się ulżyć w cierpieniu.

Była wyczerpana, ale myśl o nadchodzącej nocy, o uścisku ukochanego dodawała jej sił. Bolał ją każdy mięsień, a chyba i każda kość, ale to już nie miało znaczenia.

* * *

Korzystając z zamieszania panującego w *château comtal*, Oriane wymknęła się do swojej komnaty i oczekiwała tam na informatora.

– Czas najwyższy – burknęła, gdy się wreszcie pojawił. – Mów, czego się dowiedziałeś.

– Żyd wyzionął ducha, nic nie powiedziawszy, ale mój pan jest przekonany, iż przekazał księgę twojemu ojcu.

Oriane uśmiechnęła się, samym kącikiem ust, ale nic nie powiedziała. Nikomu nie zdradziła, co znalazła w płaszczu siostry.

– A co z Esclarmonde de Servian?

– Była bardzo dzielna, jednak w końcu powiedziała mu, gdzie znaleźć księgę.

Zielone oczy Oriane rozbłysły.

– Masz ją?

– Jeszcze nie.

– Ale jest w *ciutat*? Pan Evreux o tym wie?

– Polega na tobie, pani. Oczekuje informacji od ciebie.

Oriane popadła w zamyślenie.

– Mówisz, że starucha nie żyje? Chłopak też? Czyli wiedźma nie pokrzyżuje nam planów, nie prześle wiadomości do mojego ojca.

Informator uśmiechnął się z rezerwą.

– Kobieta nie żyje. Dzieciak uciekł, ale trudno się spodziewać, żeby nam przysporzył kłopotów. Zabijemy go, kiedy go znajdę.

Pokiwała głową.

– Zawiadomiłeś pana Evreux, że jestem... zainteresowana.

– Oczywiście, pani. Był zaszczycony, że zechciałaś rozważyć wyświadczenie mu takiej przysługi.

– A moje warunki? Zorganizuje bezpieczne wyjście z *ciutat*?

– Pod warunkiem, że ty, pani, dostarczysz księgi.

Oriane wstała i zaczęła krążyć po komnacie.

– Dobrze. Bardzo dobrze. Załatwisz kwestię mojego męża?

– Jeśli powiesz mi, pani, gdzie i kiedy, będę na miejscu. – Zamilkł. – Choć to będzie, rzecz jasna, kosztowało więcej niż normalnie. Ryzyko jest znacznie większe, nawet w dzisiejszych niespokojnych czasach. To jednak pisarz wicehrabiego Trencavela. Człowiek znany i poważany.

– Zdaję sobie z tego sprawę – rzuciła lodowatym tonem. – Ile?

– Trzy razy tyle, co za Raoula.

– To niemożliwe! – zaprotestowała natychmiast. – Nie mam skąd wziąć takiej ilości złota.

– Niezależnie od tego, pani, taka jest moja cena.

– A księga?

Tym razem uśmiechnął się szeroko.

– To jest temat do osobnych negocjacji.

ROZDZIAŁ 57

Bombardowanie trwało aż do nocy – ciągłe głuche dudnienie odłamków skał i kamieni, podnoszących z ziemi tumany kurzu.

Z okna komnaty Alaïs widać było, że po domach na równinie zostały tylko dymiące zgliszcza. Dusząca chmura sinawego tumanu wisiała nad czubkami drzew jak czarna mgła schwytana przez konary. Niektórzy mieszkańcy przedostali się do ruin Sant-Vicens i stamtąd do grodu. Większość jednak straciła życie w czasie ucieczki.

W kaplicy na ołtarzu płonęły świece.

* * *

O świcie czwartego sierpnia, we wtorek, wicehrabia Trencavel i Bertrand Pelletier ponownie weszli na mury.

Obóz Francuzów zdawał się drżeć, okryty wczesną mgiełką znad rzeki. Namioty, zagrody, pawilony i zwierzęta stworzyły całe miasto, pozornie ukorzenione na zawsze. Intendent podniósł wzrok na niebo. Zapowiadał się kolejny skwarny dzień. Utrata dostępu do rzeki na tak wczesnym etapie oblężenia była bardzo niebezpieczna. Bez wody nie wytrzymają długo. Susza i pragnienie pokonają ich prędzej niż Francuzi.

Wczoraj córka doniosła mu o pierwszym przypadku dyzenterii, nazywanej chorobą oblężonych. Wystąpił on w *quartier* przy Porte Rodez, gdzie znalazła schronienie większość uciekinierów z Sant-Vicens. Poszedł przekonać się na własne oczy, choć miejscowy konsul stanowczo zaprzeczał. I jego zdaniem, niestety, Alaïs miała rację.

– Zamyśliłeś się, przyjacielu.

Bertrand obrócił się do wicehrabiego.

– Wybacz, *messire*.

Trencavel gestem zbył przeprosiny.

– Spójrz, Bertrandzie. Tylu ich jest... A nam brakuje wody...

– Piotr II, władca Aragonii, znajduje się ponoć tylko o dzień drogi od nas – powiedział Pelletier. – Jesteś jego wasalem, *messire*. Ma obowiązek przybyć ci z odsieczą.

Doskonale wiedział, że szanse są niewielkie. Piotr był gorliwym katolikiem, a do tego szwagrem Raymonda VI, hrabiego Tolosy, choć trzeba przyznać, iż nie darzyli się wzajemną miłością. Z drugiej strony jednak warto było pamiętać o silnych historycznych więziach pomiędzy rodem Trencavelów a dynastią rządzącą w Aragonii.

– Dyplomatyczne ambicje króla – podjął – są ściśle związane z losem Carcassony, *messire*. Piotr II z pewnością nie chciałby ujrzeć Pays d'Oc pod panowaniem Francuzów. Pierre-Roger de Cabaret oraz inni twoi sprzymierzeńcy także liczą na jego pomoc.

Trencavel uderzył dłonią w mur.

– Tak twierdzą, to prawda.

– Czy wobec tego pchniesz do niego posłańca, panie?

* * *

Piotr odpowiedział na prośbę swojego wasala i przybył do Carcassony w środę po południu, piątego sierpnia.

– Otworzyć bramy! – Rozległo się wołanie. – Otworzyć bramy dla *lo Rèi*!

Otwarto bramy zamku.

Alaïs przyciągnął do okna niezwykły hałas. Szybko zbiegła na dół sprawdzić, co się dzieje. Z początku miała zamiar jedynie wypytać o wieści, ale gdy spojrzała w wysokie okna sali narad, zwyciężyła w niej ciekawość. Zbyt często ostatnio otrzymywała wiadomości z trzeciej albo nawet czwartej ręki.

Za kotarami odgradzającymi wielką salę od przejścia do prywatnych komnat wicehrabiego Trencavela, znajdowała się niewielka nisza. Dziewczyna chowała się tam, gdy będąc dzieckiem, podglądała swojego ojca przy pracy. Nie miała pewności, czy jeszcze się w niej zmieści, ale warto było spróbować.

Stanęła na kamiennej ławie i sięgnęła do najniższego okna Tour Pinte wychodzącego na Cour du Midi. Podciągnęła się w górę, stanęła na kamiennym parapecie i przecisnęła przez szczelinę.

Jak na razie, szczęście jej dopisywało. W komnacie nie było nikogo. Miękko zeskoczyła z okna, na palcach podeszła do drzwi, po czym uchyliwszy je, wślizgnęła się za kotarę i po cichutku ułożyła w niszy.

Wicehrabia Trencavel stał z rękoma założonymi za plecami. Znalazła się tak blisko, iż mogła dotknąć jego dłoni.

Zjawiła się akurat na czas. W następnej chwili otworzyły się na oścież podwoje wielkiej sali. Wmaszerował jej ojciec, za nim król Aragonii oraz kilku sprzymierzeńców Carcassony, między nimi *seigneurs* Lavaur i Cabaret.

Wicehrabia Trencavel zgiął kolano przed swoim seniorem.

– Dajmy spokój – rzekł Piotr, gestem każąc mu wstać.

Fizycznie dwaj mężczyźni bardzo się od siebie różnili. Król, starszy od swojego wasala o całe pokolenie, był wysoki i potężnie zbudowany, na twarzy nosił znaki licznych wojennych potyczek. Rysy miał grubo ciosane, podkreślone czarnymi wąsami, zarysowanymi na ciemnej twarzy grubą linią. Włosy, nadal kruczoczarne, jedynie na skroniach nosiły delikatne ślady siwizny.

– Odpraw swoich ludzi – powiedział. – Chcę z tobą porozmawiać w cztery oczy.

– Za twoim pozwoleniem, królu – odezwał się Trencavel – chciałbym, aby mój intendent pozostał. Cenię sobie jego mądrość.

Król zawahał się, lecz w końcu skinął głową.

– Brak mi słów – zaczął wicehrabia – by wyrazić naszą wdzięczność...

– Nie przyjechałem was wspierać – przerwał mu król. – Zjawiłem się, aby ci pomóc dostrzec kardynalne błędy, jakie popełniasz od dłuższego czasu. Znalazłeś się w fatalnej sytuacji, ponieważ odmówiłeś rozprawienia się z heretykami mieszkającymi na twoich ziemiach. Miałeś cztery lata, cztery długie lata, by odnieść się do tej sprawy, a nie zrobiłeś nic. Pozwalasz katarskim biskupom otwarcie odprawiać modły, twoi wasale nie kryjąc się, wspierają *bons homes*...

– Żaden wasal...

– Czy zaprzeczysz, że na twoich ziemiach bezkarnie atakowano świętych mężów i księży? Poniżano ludzi Kościoła? W twoich miastach i siołach heretycy nie kryją się ze swoimi praktykami. Twoi sprzymierzeńcy ich chronią. Powszechnie wiadomo, iż hrabia Foix znieważa święte relikwie, odmawiając oddawania im pokłonu, a jego siostra posunęła się do tego, że złożyła śluby *parfaite*! Jakby tego było mało, hrabia uznał za stosowne uczestniczyć w tej ceremonii!

– Nie mogę odpowiadać za hrabiego Foix.

– Jest twoim wasalem i sojusznikiem – odparł król. – Dlaczego pozwalasz, by utrzymywał się taki stan rzeczy?

– Panie, odpowiadasz na własne pytania – odrzekł wicehrabia. – Od wieków żyjemy po sąsiedzku z ludźmi, których nazywasz heretykami. Wyrastaliśmy razem, nierzadko mamy wśród nich krewnych. *Parfaits* to duchowni, którzy prowadząc swoje rosnące grono wiernych, wiodą uczciwe życie. Nie mogę ich wygnać, tak samo jak nie mogę powstrzymać codziennej wędrówki słońca po niebie!

Jego słowa nie poruszyły króla.

– Jedyną twoją nadzieją jest odwołanie się do Kościoła. Jesteś równy statusem każdemu z baronów Północy, którzy przyłączyli się do opata i tak cię będą traktowali, jeśli wyrazisz skruchę i postanowisz poprawę. Ale jeśli dasz im choćby najmarniejszy dowód, iż nadal skłonny jesteś wspierać herezję, choćby sercem, jeśli nawet nie czynem, zmiażdżą cię bez litości. – Westchnął ciężko. – Naprawdę sądzisz, że zdołasz im się przeciwstawić? Jest ich sto razy więcej niż obrońców miasta.

– Mamy pod dostatkiem żywności.

– Owszem, ale nie macie wody. Straciliście dostęp do rzeki.

Alaïs dostrzegła, że ojciec rzucił wicehrabiemu ostrzegawcze spojrzenie. Najwyraźniej obawiał się, by młody władca nie stracił opanowania.

– Nie chcę ci się, panie, sprzeciwiać – odpowiedział Trencavel – ani stawiać się ponad twoje dobre rady, ale przecież widać gołym okiem, że wojna toczy się o ziemskie, a nie duchowe dobra. Nie jest prowadzona ku chwale Boga, ale przez ludzką chciwość. To jest armia okupacyjna, *sire*. Jeżeli uchybiłem Kościołowi, jeżeli ciebie obraziłem, proszę o wybaczenie. Ale nie jestem winien poddaństwa hrabiemu Nevers ani opatowi Cîteaux. Nie mają oni prawa ani boskiego, ani ludzkiego rządzić na moich ziemiach. I właśnie z tego powodu nie zdradzę swego ludu i nie wydam go na pastwę francuskich szakali.

Alaïs była dumna ze swojego władcy. Jej ojciec także. Widać to było wyraźnie. Odwaga i determinacja Trencavela zrobiła wrażenie nawet na królu.

– Twoje słowa są szlachetne, wicehrabio, niestety, one ci nie pomogą. Przez wzgląd na twój lud, który tak ukochałeś, pozwól mi przynajmniej przekazać opatowi Cîteaux, że wysłuchasz jego warunków.

Trencavel podszedł do okna.

– Nie wystarczy nam wody dla wszystkich? – spytał z zaciśniętymi zębami.

Pelletier pokręcił głową.

– Nie wystarczy.

Tylko pobielałe dłonie, przyciśnięte do kamiennego parapetu zdradzały, ile kosztowały wicehrabiego następne słowa.

– Niech więc będzie. Wysłucham, co opat ma do powiedzenia.

* * *

Po wyjściu króla przez jakiś czas panowała cisza. Trencavel stał przy oknie, patrząc, jak słońce schodzi z nieba. Wreszcie, gdy zapalono świece, usiadł. Pelletier nakazał służbie przynieść jedzenie i napitek.

Alaïs nie śmiała drgnąć, by jej ktoś nie odkrył. Ręce i nogi ścierpły jej już dawno, nie mogła się pozbyć wrażenia, że mury się nad nią zamykają, ale nie miała wyjścia – musiała tkwić na miejscu. Ojciec chodził niecierpliwie w tę i z powrotem, od czasu do czasu dobiegał ją pomruk ściszonych głosów.

Król Piotr II wrócił późno. Z wyrazu jego twarzy od razu się domyśliła, że misja nie przyniosła oczekiwanego skutku. Innymi słowy, właśnie straciła ostatnią sposobność wywiezienia Trylogii z grodu, przed rozpoczęciem regularnego oblężenia.

– Jakie masz, panie, dla mnie wieści? – spytał Trencavel, podnosząc się na powitanie gościa.

– Nie takie, jakie chciałbym ci przekazać, wicehrabio – odparł król. – Zniewagą jest dla mnie samo powtórzenie tych obraźliwych słów. – Wziął ofiarowany mu puchar wina i opróżnił go jednym haustem. – Opat Cîteaux pozwoli tobie oraz dwunastu wybranym przez ciebie ludziom opuścić zamek. Możecie zabrać tyle, ile uniesiecie.

Wicehrabia zacisnął pięści.

– A Carcassona?

– *Ciutat* stanie się własnością armii. Jego mieszkańcy także. Baronowie Północy potraktują to jako wynagrodzenie za straty poniesione na
skutek niefortunnego obrotu spraw w Besièrs.

Gdy przebrzmiały jego słowa, zapadła kamienna cisza.

Wreszcie Trencavel dał upust wściekłości: z całej siły cisnął pucharem
w ścianę.

– Jak on śmie nas znieważać! – ryknął. – Jak śmie obrażać naszą dumę
i honor! Nie zostawię na pastwę francuskich szakali najmarniejszego sługi!

– *Messire* – zmitygował go Pelletier cicho.

Wicehrabia wsparł dłonie na biodrach. Przymknął oczy i oddychając
głośno, czekał, aż przeminie gniew. Wreszcie odwrócił się do króla.

– Panie, jestem ci wdzięczny za wstawiennictwo i wszelkie kroki, jakie
poczyniłeś dla naszego dobra. Tymczasem jednak, skoro nie zamierzasz...
lub nie możesz walczyć u naszego boku, musimy się rozstać. Powinieneś
wracać.

Piotr II tylko skinął głową, temat został zamknięty.

– Niech Bóg będzie z tobą, Trencavel – rzekł grobowym głosem.

– Wierzę, że już jest – odparł wicehrabia, patrząc mu prosto w oczy.

Gdy Pelletier wyprowadzał króla z sali, Alaïs skorzystała z okazji i wymknęła się z ukrycia.

* * *

Przemienienie Pańskie minęło dość spokojnie, żadna ze stron nie poczyniła szczególnych postępów. Trencavel zasypywał krzyżowców gradem
strzał i pocisków, oni bez ustanku odpowiadali waleniem w mury kamieniami miotanymi przez katapulty. Po obu stronach ginęli ludzie, ale ani
obrońcy, ani atakujący nie przesunęli wyraźnie granic oblężenia.

Równina przypominała kostnicę. Ciała zabitych leżały przez nikogo
niezabierane, spuchnięte z gorąca, wydane na żer rojów czarnych much.
Kanie i sokoły krążące nad polem bitwy obierały kości do czysta.

W piątek, siódmego sierpnia, krzyżowcy przypuścili atak na południowe podgrodzie, na Sant-Miquel. Udało im się opanować rowy pod murami, lecz nie na długo – zostali stamtąd odparci, zasypał ich grad strzał
i kamieni. Po kilku godzinach zmagań Francuzi, narażeni na stałe zaciekłe
ataki, wycofali się spod murów, ścigani triumfalnymi okrzykami mieszkańców Carcassony.

* * *

Następnego dnia o świcie, gdy świat połyskiwał srebrem wczesnego poranka, delikatna mgiełka pieściła zbocza wzgórza, na którym stanął tysiąc
krzyżowców. Atak rozpoczął się na nowo.

Hełmy i zbroje, miecze i piki błyszczały w bladym słońcu. Równie mocno płonął ogień w oczach żołnierzy. Każdy z nich miał na piersi krzyż, błyszczący nieskazitelną bielą na tle hrabiowskich barw: Nevers, Burgundii, Chartres i Szampanii.

Wicehrabia Trencavel sam stanął na murach Sant-Miquel, ramię w ramię ze swoimi ludźmi, gotów odpierać atak.

Dardasiers naciągnęli łuki, cięciwy drżały w gotowości. Niżej zebrali się żołnierze uzbrojeni w topory, miecze i włócznie. W grodzie czekali na wezwanie *chevaliers*.

Gdzieś w oddali obudził się warkot werbli. Francuzi zaczęli włóczniami stukać w twardą ziemię, aż echo poszło przez zamarłą w oczekiwaniu okolicę.

I tak to się zaczęło.

Alaïs stała na murach u boku ojca. Raz zerkała na strumień krzyżowców na stoku, raz szukała wzrokiem męża wśród rycerzy.

Gdy armia znalazła się w zasięgu strzału z łuku, wicehrabia Trencavel uniósł ramię i wydał rozkaz. Chmura strzał zasłoniła niebo.

Po obu stronach umocnień padali ludzie. Przystawiono do murów pierwsze drabiny. Ciężka strzała z kuszy świsnęła w powietrzu, rozłupała belkę, pozbawiła drabinę równowagi. Ta zaczęła się przewracać, z początku powoli, stopniowo nabierając szybkości, aż w końcu runęła na ziemię, a wraz z nią żołnierze, którzy się po niej wspinali. U podnóża fortyfikacji legł kłąb ciał, ludzie z połamanymi kośćmi, zbryzgani krwią, przywaleni belkami.

Krzyżowcom udało się podciągnąć do murów podgrodzia machinę oblężniczą, *gata*. Pod jej osłoną, ociekając potem, zaczęli kopać jamy, w których umieścili ładunki wybuchowe.

Trencavel rozkazał łucznikom zniszczyć machinę. Znów grad pocisków oraz płonących strzał poleciał w stronę nacierających. Niebo skryło się za czarnym dymem ze smoły, aż wreszcie drewniana konstrukcja zajęła się ogniem, a wraz z nią ubrania ludzi, którzy uciekali z płonącej klatki tylko po to, by paść od strzał.

Niestety, za późno. Obrońcy mogli tylko patrzeć, jak krzyżowcy odpalali ładunek za ładunkiem.

Alaïs odruchowo zasłoniła twarz, gdy niedaleko trysnął w powietrze gejzer kamieni, kurzu i ognia.

Przez większy wyłom w murze atakujący zaczęli się wlewać na przedmieścia. Ryk płomieni zagłuszał nawet krzyki kobiet i dzieci uciekających z piekła.

Otwarto ciężkie bramy *ciutat* i do ataku ruszyli *chevaliers* z Carcassony.

Chroń go, błagam, szepnęła bezwiednie Alaïs, zupełnie jakby słowa mogły powstrzymać ostre groty.

Krzyżowcy strzelali z katapult głowami zabitych, szerzyli panikę i zamieszanie. Wicehrabia Trencavel poprowadził ludzi do obrony. Jako jeden z pierwszych upuścił krwi wrogowi; czystym pchnięciem wbił ostrze w szyję francuskiego żołnierza, mocnym kopnięciem zdjął go z miecza.

Guilhem był niedaleko za władcą, prowadził bojowego rumaka przez zbitą masę atakujących, tratując wszystko, co znalazło się pod kopytami. Alaïs dostrzegła u jego boku Alzeu de Preixan. Nagle koń rycerza poślizgnął się i upadł. Guilhem natychmiast zawrócił. Ogromny wierzchowiec, podniecony zapachem krwi i szczękiem stali, wspiął się na zadnie nogi i zmiażdżył krzyżowca, który zamierzył się na Alzeu, dzięki czemu rycerz zdążył wstać i uniknął śmierci.

Napastników było wielu. Obrońcom przeszkadzały tłumy rannych oraz przerażonych kobiet i dzieci, uciekających do grodu. Armia Północy niezmordowanie posuwała się naprzód. Ulica za ulicą zdobywała teren.

W końcu Alaïs usłyszała głośny rozkaz:

– *Repli! Repli!* Odwrót!

Później, gdy noc zapadła, garstka obrońców przedostała się do zdewastowanego przedmieścia. Zabili krzyżowców pozostawionych na straży i podłożyli ogień pod ocalałe domy, by przynajmniej pozbawić Francuzów osłony, spod której mogliby prowadzić ostrzał grodu.

Tak czy inaczej trzeba było spojrzeć prawdzie w oczy: oba przedmieścia, zarówno Sant-Vicens, jak i Sant-Miquel wpadły w ręce najeźdźców.

Carcassona została sama.

ROZDZIAŁ 58

Na polecenie wicehrabiego Trencavela rozstawiono w wielkiej sali stoły. Władca oraz jego żona, pani Agnès, szli między jedzącymi, dziękując im za pomoc, której udzielili, i za tę, na którą Trencavelowie mogli liczyć w niedalekiej przyszłości.

Pelletier czuł się coraz gorzej. Zapachy spalającego się wosku, potu, zimnego jedzenia i ciepłego piwa przyprawiały go o zawrót głowy. Ledwo je znosił. Bóle brzucha stawały się coraz częstsze i silniejsze.

Usiłował wziąć się w garść, trzymać prosto i robić, co do niego należało, lecz w pewnej chwili, gdy przystanął wraz z Trencavelem przy kolejnym rycerzu, nogi się pod nim ugięły i odmówiły posłuszeństwa. Uchwycił się krawędzi stołu, złożył wpół, skręcony z bólu, strącając z blatu jadło i naczynia. Miał wrażenie, że wnętrzności pożera mu jakieś dzikie zwierzę.

Wicehrabia obrócił się zaskoczony, ktoś zaczął krzyczeć. Służba skoczyła go podtrzymać, ktoś wołał Alaïs.

Podniosły go czyjeś silne ramiona, został poprowadzony do drzwi. Z nicości wypłynęła twarz któregoś sługi. Intendentowi zdawało się, że słyszy głos młodszej córki wydającej rozkazy, ale dochodził on z bardzo daleka i brzmiały w nim same obce wyrazy.

– Alaïs! – zawołał Pelletier, sięgając po rękę córki w ciemnościach.

– Jestem. Zaniesiemy cię do komnaty.

Poczuł na twarzy chłodniejsze powietrze. Z pewnością byli na *cour d'honneur*. Potem wnieśli go po schodach.

Wolno. Za wolno.

Skurcze żołądka gwałtownie przybrały na sile. Dopadła go epidemia, zatruła jego krew i oddech.

– Alaïs – szepnął, tym razem przerażony.

* * *

Gdy tylko dotarli do komnaty ojca, Alaïs posłała Rixende po François i leki. Dwie inne służki miały przynieść z kuchni cenną wodę.

Kazała położyć ojca na łóżku. Ściągnęła z niego poplamioną wierzchnią odzież, zwinęła ją w tobołek przeznaczony do spalenia. Zaraza zdawała się wypływać mu przez pory. Ataki dyzenterii stawały się coraz częstsze, gwałtowniejsze i poważniejsze, chory odkrztuszał żółć i krew. Dziewczyna rozkazała spalać zioła i kwiaty, by zamaskować przykry zapach choroby, lecz ani lawenda, ani rozmaryn nie mogły ukryć rzeczywistego stanu ojca.

Rixende wróciła bardzo szybko i pomogła rozmieszać suszone czerwone borówki w gorącej wodzie. Alaïs przykryła ojca świeżym czystym prześcieradłem i łyżeczką wlała płyn między jego blade wargi.

Pierwszą porcję leku połknął, po czym natychmiast zwymiotował. Ponowiła próbę. Tym razem się udało, choć okupił sukces potwornymi skurczami.

Czas stracił wszelkie znaczenie. Ani płynął, ani uciekał. Alaïs robiła wszystko, co w ludzkiej mocy, by zwolnić postępy choroby. O północy w komnacie pojawił się wicehrabia Trencavel.

– Jakie masz dla mnie wieści, pani?

– Jest bardzo chory, *messire*.

– Czy czegoś ci potrzeba? Medyka? Leków?

– Jeszcze trochę wody, jeśli to możliwe. Jakiś czas temu posłałam Rixende po François, ale się nie pokazał...

Władca skinął głową.

– Dlaczego to się stało tak szybko? – zapytał, patrząc na łoże.

– Trudno powiedzieć, dlaczego ta choroba w jednych uderza fatalnie, a innych całkiem omija, *messire*. Mój ojciec od czasu pobytu w Ziemi Świętej miał wrażliwy żołądek. – Zawahała się. – Jeśli Bóg pozwoli, zaraza się nie rozniesie.

– Więc nie ma wątpliwości, że to choroba oblężonych? – rzekł wicehrabia ponuro.

Alaïs kiwnęła głową.

– Jestem niepocieszony – powiedział Trencavel. – Przyślij po mnie, pani, jeśli jego stan ulegnie zmianie.

Godziny płynęły wolno jedna za drugą, a w Bertrandzie Pelletierze pozostawało coraz mniej życia. Zdarzały mu się chwile całkowitej przytomności, gdy zdawał sobie sprawę z tego, co się z nim dzieje. Ale były też momenty, gdy najwyraźniej nie wiedział, kim jest ani gdzie się znajduje.

Na krótko przed świtem zmienił mu się oddech. Stał się szybki i płytki. Alaïs drzemiąca u boku ojca natychmiast czujnie podniosła głowę.

– *Filha*...

Ujęła jego dłoń, dotknęła czoła i już wiedziała, że nie zostało mu dużo czasu. Gorączka spadła, skóra była chłodna.

Dusza chciała się wyzwolić z ciała.

– Pomóż mi... – odezwał się słabo –... usiąść.

Razem z Rixende zdołały go posadzić. Choroba w jedną noc przemieniła silnego mężczyznę w zniedołężniałego starca.

– Nic nie mów – szepnęła Alaïs. – Oszczędzaj siły.

– Córko, przecież wiesz, że nadszedł mój czas – napomniał ją łagodnie. Gdy walczył o oddech, z jego piersi wydobywało się rzężenie. Oczy miał zapadnięte i podkrążone, skórę na twarzy pożółkłą. Na dłoniach i karku pojawiły mu się brązowe plamy. – Poślij po *parfait*, dobrze? – Z wysiłkiem rozwarł powieki. – Chcę dobrze zakończyć życie.

– Życzysz sobie błogosławieństwa, *paire*? – zapytała ostrożnie.

Pelletier uśmiechnął się blado. Przez krótką chwilę znów wyglądał na człowieka, którego wszyscy darzyli szacunkiem.

– Słuchałem z uwagą słów *bons chrétiens*. Nauczyłem się *melhorer* i *consolament*... – Zabrakło mu głosu. – Urodziłem się jako chrześcijanin – podjął po chwili – i jako taki umrę, ale nie w gnijących objęciach Kościoła, który w imię Boga przyprowadził pod nasze bramy wojnę. Jeśli dobrze przeżyłem swój czas, to za sprawą bożej łaskawości dołączę do duchów w niebie. – Przerwał mu ostry kaszel.

Alaïs już wiedziała, co robić. Najpierw posłała sługę z wiadomością do wicehrabiego Trencavela, że stan jej ojca się pogorszył. Natychmiast po jego wyjściu wezwała do siebie Rixende.

– Przyprowadź tu, proszę, *parfaits*. Wieczorem widziałam ich na dziedzińcu. Powiedz im, że umierający potrzebuje *consolament*.

Służka była przerażona.

– Nikt cię nie będzie winił – uspokoiła ją Alaïs – za przekazanie wiadomości. Nie musisz tu z nimi wracać. – Bertrand Pelletier się poruszył. Córka zerknęła przez ramię na łoże. – Prędzej, Rixende, pośpiesz się. – Wróciła do ojca. – Jestem z tobą, *paire*.

Usiłował coś powiedzieć, ale słowa nie mogły mu się przedrzeć przez gardło. Córka wlała mu do ust odrobinę wina i przetarła zaschnięte wargi wilgotną szmatką.

– Graal jest słowem Boga. Tak uczył mnie Harif, choć nigdy tego nie pojąłem. – Znów głos odmówił mu posłuszeństwa. – Musi być *merel* – wychrypiał. – Bez niego prawda labiryntu jest fałszywą drogą.

– Po co jest *merel*? – szepnęła, nic nie rozumiejąc.

– Miałaś rację, *filha*, uparty jestem jak osioł. Powinienem był cię puścić.

Alaïs usiłowała jakoś powiązać jego słowa w sensowną całość.

– Jaka fałszywa droga?

– Nie widziałem jaskini – mamrotał – i już jej nie zobaczę. Niewielu ją widziało.

Alaïs zerknęła na drzwi.

Gdzie ta Rixende?

Z korytarza dobiegł ją odgłos śpiesznych kroków. Po chwili w progu stanęła służąca, a z nią dwóch *parfaits*. Alaïs rozpoznała starszego, człowieka o ciemnej karnacji i gęstej brodzie oraz łagodnym spojrzeniu. Spotkała go kiedyś u Esclarmonde. Obaj byli ubrani jednakowo: w granatowe szaty, przepasane plecioną liną spiętą klamrą w kształcie ryby.

Skłonili się.

– Pani Alaïs – odezwał się starszy, spoglądając w stronę łoża. – Czy to twój ojciec, intendent Pelletier życzy sobie otrzymać błogosławieństwo?

Dziewczyna kiwnęła głową.

– Czy zdoła mówić?

– Znajdzie siłę.

W tej chwili otwarto drzwi i w komnacie stanął wicehrabia Trencavel.

– *Messire* – odezwała się Alaïs śpiesznie. – Ojciec kazał wezwać *parfaits*... chce godnie zakończyć życie.

W oczach władcy błysnęło zdziwienie. Nakazał zamknąć drzwi.

– Zostanę – zdecydował.

Dziewczyna z trudem odwróciła od niego zdumiony wzrok. *Parfaits* poprosili ją o pomoc.

– Intendent Pelletier bardzo cierpi, ale umysł ma trzeźwy i nadal jest odważnym człowiekiem – oznajmił starszy.

Alaïs tylko kiwnęła głową.

– Czy nie zrobił nic, by zaszkodzić naszemu Kościołowi? – upewniał się *parfait* – i czy nie jest nam nic winien?

– Jest obrońcą wszystkich przyjaciół Boga.

Alaïs i Raymond Roger odstąpili od łoża, a *parfaits* pochylili się nad umierającym człowiekiem. Bertrand Pelletier szeptem odmawiał *melhorer*, błogosławieństwo.

– Czy przysięgasz kierować się sprawiedliwością i prawdą oraz oddać siebie Bogu i Kościołowi *bons chrétiens*?

– Przysięgam – powiedział z wysiłkiem wicehrabiowski intendent.

Kapłani ułożyli na jego głowie pergamin z Nowym Testamentem.

– Niech cię Bóg błogosławi, niech pozwoli ci być dobrym chrześcijaninem i poprowadzi cię do godnego końca. – *Parfait* wyrecytował *benedicte*, a następnie trzy razy *adoremus*.

Alaïs była poruszona prostotą udzielania sakramentu.

Wicehrabia Trencavel patrzył wprost przed siebie. Zdawało się, iż najwyższą siłą woli narzucał sobie spokój.

– Bertrandzie Pelletierze, czy jesteś gotów otrzymać dar modlitwy pańskiej?

Umierający szeptem wyraził zgodę.

Dwaj duchowni pasterze szczerymi czystymi głosami siedem razy odmówili *Pater noster*, przerywając jedynie wówczas, gdy chory miał im odpowiadać.

– Jest to modlitwa, którą przyniósł na ten świat Jezus Chrystus, nauczył jej *bons chrétiens*. Od tej pory odmawiaj ją zawsze przed jedzeniem albo piciem, w przeciwnym razie zaniedbasz swoje obowiązki i będziesz musiał odprawić pokutę.

Pelletier z trudem skinął głową. Świsty w jego piersi stały się głośniejsze niż podmuchy wiatru w jesiennych drzewach.

Jeden z *parfaits* zaczął czytać Ewangelię według świętego Jana. „Na początku było Słowo, a Słowo było u Boga i Bogiem było Słowo. Ono było na początku u Boga. – Spojrzał na wymizerowanego człowieka. – I poznacie prawdę, a prawda was wyzwoli".

Pelletier nagle otworzył szeroko oczy.

– *Vertat* – szepnął. – Tak, to prawda.

Alaïs chwyciła go za rękę. Odchodził. Światło w jego źrenicach gasło. *Parfait* mówił szybciej, jakby się bał, że zbraknie mu czasu na dokończenie obrzędu.

– Musi wymówić kończącą frazę – zwrócił się do Alaïs. – Pomóż mu.

– *Paire*, trzeba... – Głos jej się załamał.

– Za każdy grzech... jaki popełniłem... słowem albo czynem... – wychrypiał – błagam o wybaczenie... Boga, Kościół... i wszystkich obecnych.

Parfait z widoczną ulgą złożył ręce na głowie Pelletiera i obdarował go pocałunkiem pokoju.

Alaïs wstrzymała oddech.

Na twarzy ojca dojrzała ukojenie. *Consolament* przyniosło mu ulgę. Nastąpił moment zrozumienia i przemiany. Transcendencja. Duch wicehrabiowskiego intendenta mógł już opuścić chore ciało oraz ziemię.

– Jego dusza jest gotowa do drogi – oznajmił *parfait*.

Dziewczyna pokiwała głową. Siedziała na krawędzi łóżka, trzymając ojca za rękę. Po drugiej stronie stanął wicehrabia. Pelletier, choć ledwo przytomny, wyczuł jego obecność.

– *Messire*?

– Jestem, Bertrandzie.

– Carcassona nie może upaść.

– Na honor i wspólne powinności, które łączyły nas przez tyle lat, przysięgam, iż uczynię wszystko co w mojej mocy, by do tego nie dopuścić.

Pelletier próbował unieść dłoń z prześcieradła.

– Zaszczytem było służyć ci, panie.

Oczy wicehrabiego wypełniły się łzami.

– To ja tobie dziękuję, przyjacielu.

Umierający chciał podnieść głowę. Na próżno.

– Alaïs? – wyszeptał.

– Jestem, ojcze – odpowiedziała szybko.

Z twarzy mówiącego uciekły ostatnie ślady koloru. Pod oczami zwisała poszarzała skóra.

– Jesteś najwspanialszą córką na świecie.

Wydawało się, że westchnął, gdy życie opuściło jego ciało. Potem nastała cisza.

Przez moment Alaïs siedziała zmieniona w słup soli, bez ruchu, nawet bez oddechu. Potem straszliwy żal wezbrał w niej potężną falą i jej ciałem wstrząsnął głośny szloch.

ROZDZIAŁ 59

W progu stanął żołnierz.

– Panie?

Trencavel odwrócił głowę.

– O co chodzi?

– Mamy złodzieja, *messire*. Kradł wodę z Place du Plô.

Władca gestem dał znać, że już idzie.

– Pani, muszę cię opuścić.

Dziewczyna tylko pokiwała głową. Nie miała siły się odezwać.

– Dopilnuję, by pochowano go z honorami należnymi jego pozycji. Był mężnym człowiekiem, lojalnym doradcą i wiernym przyjacielem.

– Jego Kościół nie wymaga takiego pochówku, *messire*. Ciało jest dla tych ludzi bez znaczenia. A jego duch już odszedł. Mój ojciec wolałby, żebyś myślał o żywych.

– Wobec tego potraktujemy to jako moją egoistyczną zachciankę. Chcę złożyć wyrazy szacunku i oddać hołd twojemu ojcu, pani. Każę przenieść jego ciało do *capèla* Santa-Maria.

– Byłby zaszczycony takimi dowodami uczucia.

– Czy przysłać ci, pani, kogoś do towarzystwa? Twojego męża nie mogę zwolnić ze służby, ale może pragniesz towarzystwa siostry? Lub kobiet, które pomogą ci w przygotowaniach?

Alaïs gwałtownie uniosła głowę. Dopiero teraz uświadomiła sobie, że ani razu nie pomyślała o starszej siostrze. Kompletnie zapomniała zawiadomić ją o chorobie ojca.

Ona go nie kochała.

Uciszyła niepokorny głos w myślach. Nie dopełniła obowiązku, zarówno w stosunku do siostry, jak i do ojca.

Wstała.

– Pójdę do siostry, *messire*.

Skłoniła się wychodzącemu Trencavelowi i znów usiadła na łożu. Nie potrafiła odejść od ojca. Zaczęła przygotowywać ciało do pochówku. Nakazała zmienić pościel, skażone pokrycia odesłała do spalenia. Z pomocą Rixende przygotowała prześcieradła i olejki. Sama oczyściła ojca, zaczesała mu włosy z czoła, żeby po śmierci wyglądał na takiego człowieka, jakim był za życia.

Jeszcze czas jakiś przyglądała się nieruchomej twarzy.
Nie możesz dłużej zwlekać.
– Rixende, zawiadom wicehrabiego, że ciało jest gotowe do przeniesienia do *capèla*. Ja pójdę zawiadomić siostrę.

* * *

Pod drzwiami komnaty starszej siostry spała jej ulubiona służąca, Guirande.
Alaïs przeszła nad dziewczyną i pchnęła drzwi. Tym razem nie były zamknięte na klucz. Oriane leżała w ubraniu, sama w małżeńskim łożu o podciągniętych kotarach. Czarne loki rozsypały się po poduszce, tworząc w świetle poranka kontrastowe tło dla mlecznobiałej cery.
Jak ona w ogóle może spać?
– Siostro!
Oriane otworzyła kocie oczy. Na jej twarzy odbiło się zaskoczenie, ale szybko ukryła je pod zwykłą maską pogardy.
– Przynoszę ci złe wieści – rzekła Alice. Głos uwiązł jej w gardle.
– Nie mogą poczekać? Jeszcze nie dzwonili na primę.
– Nie mogą. Nasz ojciec... – umilkła. Czy te słowa mogą być prawdziwe?
Nabrała głęboko powietrza.
– Nasz ojciec nie żyje.
Przez chwilę widać było po Oriane, że jest wstrząśnięta.
– Coś powiedziała? – spytała, mrużąc oczy.
– Nasz ojciec zmarł dziś rano. Tuż przed świtem.
– Jak? Co mu się stało?
– Tylko to cię obchodzi? – krzyknęła.
Oriane wyskoczyła z łóżka.
– Mów! Jak umarł?!
– Zachorował. Nie trwało to długo.
– Byłaś z nim w godzinie śmierci?
Młodsza siostra kiwnęła głową.
– Ale nie uznałaś za stosowne mnie zawiadomić?! – syknęła wściekle starsza.
– Wybacz mi – szepnęła Alaïs. – Jakoś... nie zdążyłam. Wiem, że powinnam była...
– Kto jeszcze przy nim był?
– Nasz pan, wicehrabia Trencavel...
Oriane nieomylnie odgadła wahanie w jej głosie.
– Czy nasz ojciec wyznał grzechy i otrzymał ostatnie namaszczenie? – zapytała. – Umarł jak człowiek wierzący?
– Odszedł rozgrzeszony – odparła Alaïs, ostrożnie dobierając słowa. – Pojednał się z Bogiem.
Domyśliła się.

– Jakie to ma znaczenie?! – krzyknęła, przerażona gruboskórnością siostry. – Umarł nasz ojciec! Czy to nie ma dla ciebie znaczenia?

– Zaniedbałaś swoje obowiązki, siostrzyczko. – Oriane dźgnęła ją palcem. – Jako starsza mam większe prawa niż ty. Powinnam była być przy nim w ostatniej godzinie. Na dodatek dowiaduję się, że pozwalasz heretykom pastwić się nad umierającym... Nie łudź się, nie puszczę ci tego płazem.

– Oriane, nie czujesz smutku, żalu?

Nie musiała słyszeć odpowiedzi, widziała ją na twarzy siostry.

– Nie czuję więcej, niżbym czuła na widok bezpańskiego psa! – wycedziła Oriane. – Nigdy mnie nie kochał. Już od lat jest mi obojętny jego los. Dlaczego więc teraz miałabym czuć smutek albo żal? – Zaśmiała się szyderczo. – Kochał tylko ciebie. W tobie widział swoje odbicie. – Uśmiechnęła się zimno. – Tobie się zwierzał. Ukochanej młodszej córeczce powierzał największe tajemnice.

Alaïs poczuła, że na twarz wypłynęły jej rumieńce.

– O czym ty mówisz? – zapytała, bojąc się odpowiedzi.

– Doskonale wiesz, o czym mówię – syknęła Oriane. – Naprawdę sądziłaś, że nic mi nie wiadomo o waszych rodzinnych pogaduszkach w środku nocy? – Prychnęła pogardliwie. – Teraz twoje życie się zmieni, siostrzyczko. Już tatuś nie będzie cię chronił. Stanowczo za długo wszystko było po twojemu! – Chwyciła Alaïs za rękę. – Mów. Gdzie jest trzecia księga?

– Nie wiem, o co ci chodzi.

Oriane uderzyła ją w twarz otartą dłonią.

– Gdzie ona jest? – syknęła. – Wiem, że ją masz.

– Puść mnie.

– Nie baw się ze mną w kotka i myszkę, siostrzyczko. Musiał ci ją dać. Bo komóż innemu? Nikomu nie ufał tak, jak tobie. Powiedz mi, gdzie ona jest. Muszę ją mieć.

– Nic mi nie zrobisz. Zaraz ktoś tu przyjdzie.

– A niby kto? Zapomniałaś, że tatuś nie stanie więcej w twojej obronie?

– Guilhem.

Oriane wybuchnęła śmiechem.

– Ach, tak, oczywiście! Zapomniałam, że się pogodziłaś z mężem! A czy wiesz, co twój małżonek naprawdę o tobie myśli? Wiesz?!

Gwałtownie pchnięte drzwi huknęły o ścianę.

– Dosyć tego! – krzyknął Guilhem. W dwóch krokach znalazł się przy żonie. Objął ją i przytulił. – *Mon còr*, przyszedłem, jak tylko usłyszałem złe wieści. Ogromnie ci współczuję.

– Jaka wzruszająca scena! – zaśmiała się Oriane. – Zapytaj go, dlaczego wrócił do twojego łoża! – rzuciła zjadliwie, nie spuszczając wzroku z Guilhema. – Czy może się boisz tego, co możesz usłyszeć? Zapytaj, siostrzyczko. Nie była to miłość ani pożądanie. Do pojednania doszło z powodu księgi, nie czego innego.

– Uważaj, co mówisz! – zagroził jej Guilhem.

– A co? Boisz się moich słów?

Alaïs wyczuwała między nimi dziwne napięcie. Wzajemne zrozumienie. I w tej chwili pojęła także ona. O nie. Tylko nie to.

– On nie ciebie pragnie, siostrzyczko. On chce dostać księgę. Dlatego wrócił do twojej komnaty. Przecież nie jesteś ślepa!

Alaïs odsunęła się od męża.

– Czy Oriane mówi prawdę?

– Kłamie. Przysięgam na własne życie, nic mnie nie obchodzi ta księga. Niczego jej nie powiedziałem. Bo i nic nie wiedziałem.

– Przeszukał komnatę, kiedy spałaś. Temu nie zaprzeczy.

– Zaprzeczam! – krzyknął.

Alaïs przyjrzała mu się uważnie.

– Ale wiedziałeś o istnieniu księgi?

Przestrach w jego oczach potwierdził jej najgorsze obawy.

– Próbowała mnie szantażować, ale odmówiłem pomocy. – Głos mu się załamał. – Odmówiłem, przysięgam.

– Czym cię szantażowała? – zapytała cicho, prawie szeptem.

Guilhem chciał ją wziąć za rękę, ale cofnęła się o krok. Nawet teraz chciałabym, żeby zaprzeczył, pomyślała.

Opuścił dłoń.

– Kiedyś zdarzyło się... Wybacz mi.

– Trochę późno na wyrzuty sumienia – szydziła Oriane.

Alaïs nie zwróciła na nią uwagi.

– Kochasz ją?

Guilhem potrząsnął głową.

– Alaïs, najdroższa, zobacz, co ona robi! Chce nas poróżnić!

Nie mieściło jej się w głowie, że miał nadzieję zyskać jej zaufanie. Znowu wyciągnął rękę.

– Kocham cię, najmilsza.

– Dosyć tego dobrego – syknęła Oriane, stając między nimi. – Gdzie jest księga?

– Ja jej nie mam – oświadczyła Alaïs.

– Wobec tego kto? – zapytała starsza siostra z groźbą w głosie.

Młodsza nie zamierzała ustępować.

– Po co ci ona? Dlaczego jest dla ciebie taka ważna?

– Po prostu powiedz mi, gdzie jest – rzuciła Oriane – i na tym zakończymy sprawę.

– A jeśli nie powiem?

– Tak łatwo teraz zachorować... A ty opiekowałaś się ojcem... Może już się w tobie rozwija zaraza? – Odwróciła się do Guilhema. – Oczywiście rozumiesz, co mówię, mój drogi. Nie powinieneś mi stawać na drodze.

– Nie dam jej skrzywdzić!

Oriane zaśmiała się głośno.

– Czym ty chcesz mi grozić, drogi panie? Mam dość dowodów, by cię za zdradę posłać na stryczek!

– Sama je wymyślasz! – krzyknął. – Wicehrabia ci nie uwierzy.

– Nie doceniasz mnie, Guilhemie. Sądzisz, że pozwoliłam sobie na pozostawienie jakichkolwiek wątpliwości? Ośmielisz się zaryzykować? – Zwróciła się do Alaïs. – Albo mi powiesz, gdzie schowałaś księgę, albo pójdę do wicehrabiego.

Alaïs z trudem przełknęła ślinę. Co zrobił Guilhem? Jakim niegodnym czynem się zhańbił? Nie wiedziała, co myśleć. Była na niego rozgniewana, to prawda, miała do niego żal, ale dopuścić do denuncjacji, skazać go na śmierć...? To zupełnie co innego.

– François – powiedziała wreszcie. – Księgę ma François.

Po twarzy Oriane przemknął wyraz zdziwienia, ale zniknął równie szybko, jak się pojawił.

– Doskonale. Ostrzegam cię, siostrzyczko, jeśli skłamałaś, pożałujesz. – Odwróciła się i ruszyła do drzwi.

– Dokąd idziesz?

– Pożegnać się z ojcem, rzecz jasna. A gdzież by indziej? Przedtem jednak dopilnuję, byś dotarła bezpiecznie do własnej komnaty.

Alaïs spojrzała jej w oczy.

– Twoja troska jest całkowicie zbędna.

– Wręcz przeciwnie. Jeśli François nie zdoła mi pomóc, będę chciała porozmawiać z tobą raz jeszcze.

– Alaïs – odezwał się Guilhem. – Ona kłamie. Nie zrobiłem nic złego.

– Twoje uczynki – odparła spokojnym głosem – nie mają już dla mnie najmniejszego znaczenia. Wiedziałeś, co robisz, kiedy kładłeś się z moją siostrą. Teraz zostaw mnie w spokoju.

Z uniesioną wysoko głową poszła do swojej komnaty. Oriane i Guilhem deptali jej po piętach.

– Wkrótce wrócę. Tylko porozmawiam z François – oznajmiła starsza siostra.

– Jak sobie życzysz.

Oriane zatrzasnęła drzwi. W następnej chwili dał się słyszeć szczęk zaskakującego zamka. A potem jakieś protesty Guilhema.

Nie chciała słyszeć ich głosów. Usiłowała wyrzucić z myśli koszmarne obrazy przesączone zazdrością. Guilhem i Oriane w miłosnym uścisku. Jej mąż szepczący jej siostrze do ucha intymne słowa, które ona tak dobrze znała i przechowywała w pamięci niczym najcenniejsze skarby.

Przycisnęła drżące dłonie do piersi. Serce waliło jej jak młotem, zdradzone, oniemiałe.

Nie myśl o sobie.

Otworzyła oczy, opuściła ręce. Zacisnęła dłonie w pięści. Nie mogła sobie teraz pozwolić na słabość, bo wówczas Oriane odbierze jej wszystko, co dla niej cenne. Nie czas teraz na żal, na szukanie winnych. Teraz musiała dotrzymać słowa danego ojcu i zadbać o bezpieczeństwo ksiąg. I to było ważniejsze niż złamane serce. Z ogromnym trudem wyrzuciła z myśli Guilhema.

Pozwoliła się uwięzić we własnej komnacie z powodu dwóch słów Oriane. „Trzecia księga". Starsza siostra spytała, gdzie jest trzecia księga. Podbiegła do płaszcza, wiszącego ciągle na oparciu krzesła, sprawdziła miejsce, gdzie wszyła książkę.

Pusto. Opadła na krzesło, w duszy narastało jej zniechęcenie. Oriane miała księgę Simeona. Lada moment odkryje kłamstwo na temat François i wróci.

A co z Esclarmonde?

Uświadomiła sobie, że nie słychać już Guilhema na korytarzu. Poszedł z Oriane?

Nie wiedziała, co o tym myśleć, ale to i tak nie miało znaczenia. Zdradził ją raz, zdradzi drugi i kolejny. Musiała ukryć swoją krzywdę głęboko w sercu. I uciekać, póki jeszcze mogła.

Rozdarła saszetkę z lawendą i wyjęła ze środka kopię papirusu z Księgi Liczb. Ostatni raz rozejrzała się po komnacie, która miała zawsze być jej domem.

Wiedziała, że już tu nie wróci.

Potem, z sercem w gardle, podeszła do okna i przyjrzała się dachowi. Była to jedyna droga. Musiała na nią wejść. I to szybko, zanim wróci Oriane.

* * *

Starsza siostra nie czuła nic. W migoczącym blasku świec stała przy marach i patrzyła na ciało ojca.

Odmówiła modlitwy i pochyliła się, jakby miała zamiar ucałować dłoń zmarłego. Zamknęła rękę wokół jego palców i zsunęła pierścień z kciuka. Ledwo mogła uwierzyć, że Alaïs go nie wzięła. Jej głupota nie miała granic.

Wyprostowała się, wsunęła pierścień do kieszeni. Poprawiła prześcieradła, przyklękła przed ołtarzem, przeżegnała się i poszła szukać François.

ROZDZIAŁ 60

Alaïs przełożyła nogę przez parapet. W głowie jej się kręciło na samą myśl o tym, co zamierzała zrobić.

Spadniesz.

A nawet jeśli, to co? Jakie to miało znaczenie? Ojciec nie żył. Małżonek dla niej nie istniał. W końcu okazało się, iż znający życie Bertrand Pelletier miał rację co do charakteru *chevalier* Guilhema du Masa.

Co mam do stracenia?

Wzięła głęboki oddech i ostrożnie postawiła prawą nogę na dachówkach. Potem, szepcąc modlitwę, stanęła drugą, puściła parapet.

W tej samej chwili poślizgnęła się, padła na brzuch i zaczęła zjeżdżać po śliskim dachu. Desperacko szukała jakiegoś punktu zaczepienia: jakiegoś występu, szczeliny między płytkami, czegokolwiek, co powstrzyma upadek.

Zdawało jej się, że spada całą wieczność.

Nagle poczuła mocne szarpnięcie i zatrzymała się gwałtownie. Okazało się, że rąbek spódnicy zaczepił o pękniętą dachówkę. Leżała całkiem nieruchomo, nie mając odwagi głębiej odetchnąć. Jej życie zależało od napiętej tkaniny. Materiał był dobrej jakości, ale jego wytrzymałość ma pewne granice.

Z duszą na ramieniu, rozpłaszczona, nieomal przylepiona do dachu, podpełzła wyżej. Jeszcze kawałek, jeszcze odrobinę. Dotarła do dachówki i odczepiła spódnicę. Podciągnęła się na szczyt dachu połączonego z zewnętrznym murem zamku od zachodniej strony. Planowała wejść na galerie przez szparę między murem obronnym a drewnianą konstrukcją. W każdym razie zamierzała spróbować.

Unikając gwałtownych ruchów, podniosła się na kolana. Po plecach płynęła jej zimna strużka potu, dłonie i kolana, otarte na szorstkich dachówkach, paliły żywym ogniem.

Centymetr za centymetrem dotarła wreszcie do *ambans*. Z całej siły uchwyciła się drewnianej rozpory. Wreszcie kucnęła na szczycie dachu i wcisnęła się w szczelinę pomiędzy drewnianymi umocnieniami a murem. Szpara była wąska. Alaïs włożyła tam prawą nogę, zaparła się nią i podciągnęła w górę.

Wszystko ją bolało, ale jakoś zdołała się przecisnąć między belką a kamieniami i po chwili stała na drewnianej galerii. Prędko ruszyła wzdłuż muru. Wiedziała, że strażnicy nie wydadzą jej przed Oriane, ale też im prędzej wydostanie się z *château comtal* i dotrze do Sant-Nasari, tym lepiej.

Zerknęła w dół i upewniwszy się, że nikogo nie ma u stóp fortyfikacji, po drabinach szybko dostała się na ziemię. Zeskoczyła z kilku ostatnich szczebli, nogi niespodziewanie się pod nią ugięły i wylądowała na wznak. Solidnie gruchnęła o twarde podłoże, aż straciła dech w piersiach. Rzuciła szybkie spojrzenie w stronę kaplicy. Ani śladu Oriane czy François. Trzymając się blisko ścian, przeszła przez stajnie. Na chwilę zatrzymała się przy boksie Tatou. Klaczka bardzo chciała pić i Alaïs chętnie by ją napoiła, ale woda należała się tylko rumakom bojowym.

* * *

Na ulicach roiło się od uciekinierów. Dziewczyna zakryła usta rękawem. Smrodliwy zaduch cierpienia i choroby wisiał nad miastem jak gęsta mgła. Mijała rannych mężczyzn i kobiety z dziećmi w ramionach, ludzi bez dachu nad głową, patrzących na nią niewidzącymi oczami pozbawionymi nadziei.

Dziedziniec przed Sant-Nasari także był zatłoczony. Obejrzała się przez ramię raz i drugi, a kiedy nabrała przekonania, iż nikt jej nie śledzi, wślizgnęła się do katedry. W nawach spali ludzie od niedawna bezdomni. Przerażeni, pogrążeni w żałobie, niepewni własnego losu, nie zwracali na nią specjalnej uwagi.

Na ołtarzu płonęły świece.

Alaïs podążyła do północnego transeptu, do rzadko odwiedzanej bocznej kaplicy z niewielkim prostym ołtarzem, dokąd któregoś razu zabrał ją ojciec. Jakaś mysz uciekła przed nią, szukając schronienia, na kamieniu zastukały twarde pazurki. Dziewczyna przyklękła i sięgnęła za ołtarz, tak jak jej ojciec pokazał. Przesunęła palcami po ścianie. Niechcący zerwała pajęczynę. Jej właściciel przemknął po dłoni i zniknął gdzieś w półmroku.

Rozległo się niegłośne kliknięcie. Powoli, ostrożnie poluzowała kamień i przesunęła go w bok. Następnie wsunęła rękę w zakurzoną niszę. Znalazła w niej długi smukły klucz, zmatowiony przez czas. Włożyła go w zamek drewnianych koronkowych drzwiczek. Zawiasy skrzypnęły, drewno zaszurało na podłodze.

Miała wrażenie, że ojciec stoi tuż obok. Zagryzła wargi. Teraz nie wolno jej było się załamać.

Przynajmniej tyle możesz dla niego zrobić.

Przejętym od niego gestem ostrożnie wyciągnęła skrzyneczkę, nie większą niż szkatułka na biżuterię, bez żadnych ozdób, z najzwyklejszym pod słońcem zatrzaskiem. Uniosła wieko. W środku znajdowała się sakwa z owczej skóry, tak samo jak wówczas, gdy ojciec pokazał jej ten schowek. Odetchnęła z ulgą, dopiero teraz uświadomiwszy sobie, iż cały czas drżała z obawy, czy aby Oriane nie dotarła tu wcześniej.

Czas gonił. Ukryła księgę pod suknią, zamknęła skrytkę. Jeżeli Oriane jakimś cudem tu trafi, przynajmniej straci jeszcze kilka cennych chwil na wyjmowanie skrzynki.

Śpiesznym krokiem opuściła kościół. Twarz skryła pod kapturem płaszcza. Gdy pchnęła drzwi katedry, połknął ją bezimienny tłum ludzi pogrążonych w cierpieniu, błądzących po dziedzińcu bez celu. Choroba, która zgasiła życie jej ojca, zbierała obfite żniwo. Na ulicach pełno było rozkładających się trupów, padłej zwierzyny – kóz i owiec, a nawet bydła. Smród napuchniętej padliny zatruwał powietrze.

* * *

Nogi same zaniosły Alaïs do domu Esclarmonde. Nie miała powodu sądzić, iż kogoś tam zastanie, skoro tyle razy wcześniej w ciągu ostatnich dni na nikogo nie natrafiła, ale nie bardzo wiedziała, gdzie indziej miałaby się podziać.

Większość budynków w południowej *quartier* grodu była zamknięta na cztery spusty. Dom Esclarmonde nie stanowił wyjątku. Mimo to Alaïs zastukała do drzwi.

– Esclarmonde? – Zapukała raz jeszcze. Naparła ramieniem na drzwi, ale były solidnie zaryglowane. – Sajhë?

Tym razem dobiegły ją ze środka jakieś niewyraźne dźwięki. Szuranie bosych stóp na podłodze?

Ktoś jednak odsunął zasuwę.

– Pani Alaïs?

– Sajhë, dzięki Bogu! Wpuść mnie, szybko.

Chłopiec otworzył drzwi nieco szerzej, dziewczyna wślizgnęła się do środka.

– Gdzieś ty się podziewał? – Uścisnęła go z całej siły. – Co się dzieje? Gdzie Esclarmonde?

Poczuła w swojej dłoni rączkę chłopca.

– Chodź, pani, ze mną.

Zaprowadził ją na tyły izby, za kurtynę. Tam otworzył ukryte drzwi w podłodze.

– Cały czas tkwiliście tutaj? – zdumiała się Alaïs. Spojrzała w głąb ziemi. Przy najniższym stopniu drabiny stała zapalona *calèlh*. – Czy moja siostra wróciła...?

– To nie ona – powiedział chłopiec drżącym głosem. – Prędzej, pani.

Zeszła pierwsza. Sajhë zwolnił podpory i zapadnia z trzaskiem odcięła ich od świata. Zeskoczył z dwóch ostatnich szczebli.

– Tędy.

Wilgotnym tunelem dotarli do piwnicznej izby. Gdy Sajhë podniósł wyżej lampę, Alaïs dostrzegła Esclarmonde, leżącą bez ruchu na stercie futer i pledów.

– Nie!

Podbiegła do leża. Przyjaciółka miała grubo obandażowaną głowę. Alaïs zasłoniła usta dłonią, zdusiła krzyk. Lewe oko kobiety powleczone było grubą warstwą zaschniętej krwi. Miała świeżo zmieniony opatrunek, ale z policzka zwisał płat skóry, odsłaniając pogruchotany oczodół.

– Umiesz jej pomóc? – zapytał Sajhë .

Dziewczyna podniosła pled. Żołądek podszedł jej do gardła. Przez klatkę piersiową starej kobiety biegły wściekle czerwone linie poparzeń. Tam, gdzie przypalano ją dłużej, skóra nabrała żółtawego odcienia, tam, gdzie ją spalono, była czarna.

– Esclarmonde – szepnęła dziewczyna. – Słyszysz mnie? To ja, Alaïs. Kto ci to zrobił?

Zdawało jej się, że dostrzegła na twarzy przyjaciółki jakieś drgnienie. Odwróciła się do chłopca.

– Jakżeś ty ją tu przyniósł?

– Gaston z bratem mi pomogli.

– Co się z nią stało?

Chłopak tylko pokręcił głową.

– Nic ci nie powiedziała?

– Ona... – Po raz pierwszy odkąd się spotkali, stracił opanowanie. – Nie może mówić. Język...

Alaïs pobladła jak śmierć.

– Nie... – szepnęła przerażona. Zaraz jednak wzięła się w garść. – Powiedz mi wobec tego wszystko, co wiesz – poprosiła cicho.

Musieli oboje być silni. Dla Esclarmonde.

– Kiedy usłyszeliśmy o upadku Besièrs, *menina* bała się, że intendent Pelletier zmieni zdanie i nie pozwoli ci, pani, zabrać Trylogii do Harifa.

– Miała rację – przyznała Alaïs ponuro.

– *Menina* wiedziała, że będziesz, pani, próbowała przekonać ojca, ale uznała, że tylko Simeon potrafi tego dokonać. Nie chciałem, żeby tam szła... – zaszlochał – ale mnie nie słuchała. Poszła do żydowskiego osiedla. Ja skradałem się za nią, trzymałem się z daleka, żeby mnie nie zobaczyła, no i w lesie straciłem ją z oczu. Bałem się. Zaczekałem do zachodu słońca, a potem, jak sobie pomyślałem, co mi powie, kiedy mnie nie zastanie w domu, szybko zawróciłem. I wtedy... – Głos mu się załamał, bursztynowe oczy płonęły w bladej twarzy. – Od razu ją poznałem. Upadła przed bramą. Stopy miała pokrwawione, jakby szła z bardzo daleka. – Podniósł wzrok na Alaïs. – Chciałem cię wezwać, pani, ale nie śmiałem. Gaston z bratem przynieśli ją tutaj. Zrobiłem, co mogłem, ale nie wiem wszystkiego o ziołach... – Bezradnie wzruszył ramionami. – Starałem się.

– Doskonale sobie poradziłeś – pochwaliła go dziewczyna szczerze. – Esclarmonde będzie z ciebie bardzo dumna.

Jakieś poruszenie na prowizorycznym łożu przyciągnęło ich uwagę.

– Esclarmonde? – odezwała się Alaïs. – Słyszysz mnie? Jesteśmy przy tobie oboje. Jesteś bezpieczna.

– Chce ci coś powiedzieć.

Dziewczyna wpiła wzrok w ruchliwe dłonie staruszki.

– Chyba prosi o pergamin i pióro.

Z pomocą chłopca staruszka z mozołem nakreśliła jedno słowo.

– To chyba imię... François? – domyśliła się Alaïs.

– Ale co ma znaczyć?

– Nie wiem. Może u niego powinniśmy szukać pomocy? Posłuchaj mnie, Sajhë. Mam złe wieści. Simeon prawie na pewno nie żyje. Mój ojciec... mój ojciec zmarł dzisiaj...

Chłopak wziął ją za ręce. Gest ten był tak czuły i serdeczny, że do oczu Alaïs napłynęły łzy.

– Bardzo ci, pani, współczuję.

Dziewczyna przygryzła wargi. Udało się. Zatrzymała łzy.

– W jego imieniu... a także w imieniu Simeona i Esclarmonde muszę dotrzymać słowa i dotrzeć do Harifa. Muszę... – zamilkła. – Niestety, mam tylko Księgę Słów.

– Przecież intendent Pelletier dał ci, pani, księgę Simeona.

– Ma ją moja siostra. Mój mąż okazał się zdrajcą. Nie można mu ufać. Dlatego właśnie nie mogę wrócić do zamku. Po śmierci ojca nie ma tam dla mnie miejsca.

Sajhë popatrzył na babkę, potem przeniósł wzrok z powrotem na Alaïs.

– Czy babcia przeżyje? – zapytał cicho.

– Ma poważne obrażenia. Nie będzie widziała na lewe oko, ale... Nie wdała się infekcja. Esclarmonde jest silna duchem. Wyzdrowieje, o ile będzie tego chciała.

Sajhë tylko kiwnął głową, nagle przybyło mu lat.

– Wezmę jej księgę, jeśli mi pozwolisz – rzekła Alaïs.

Przez chwilę miała wrażenie, że chłopak się rozpłacze.

– Ta księga również przepadła – odpowiedział w końcu.

– Nie! Jak to?

– Ci ludzie, którzy... torturowali babcię, odebrali jej księgę. *Menina* wzięła ją ze sobą, idąc do żydowskiego osiedla. Widziałem, jak ją wyjmowała ze skrytki.

– Więc została tylko jedna księga! – Alaïs sama była bliska łez. – Wobec tego przegraliśmy. Wszystko stracone.

* * *

Przez następnych kilka dni wiedli dziwną egzystencję.

Na zmianę wychodzili na ulice pod osłoną ciemności, szukali jedzenia i picia. Szybko się zorientowali, iż nikt nie wyjdzie z grodu niezauważony. Oblężenie zostało zamknięte. Przy każdej bramie, w każdym przejściu, pod każdą wieżą stały straże. Ciasny pierścień ludzi w zbrojach otaczał gród. Dniem i nocą machiny oblężnicze bombardowały mury, aż mieszkańcy Carcassony nie wiedzieli, czy słyszą spadające kamienie, czy ich echo we własnych głowach.

Powrót do chłodnego wilgotnego tunelu, gdzie czas stanął w miejscu, gdzie człowiek nie wiedział, czy jest dzień czy noc, przynosił prawdziwą ulgę.

ROZDZIAŁ 61

Guilhem stał w cieniu ogromnego wiązu na *cour d'honneur*.

Niedawno pojawił się pod Bramą Narbońską hrabia Auxerre i w imieniu opata Cîteaux zaproponował bezpieczny przejazd na pertraktacje. Wicehrabia Trencavel, urodzony optymista, odzyskał humor. Zarażał swoim nastawieniem otoczenie.

Powody nagłej zmiany stosunku opata do władcy Carcassony były dyskusyjne. W porównaniu z dotychczasowym przebiegiem wojny krzyżowcy robili niewielkie postępy, ale też z drugiej strony, oblężenie trwało zaledwie nieco ponad tydzień. Wicehrabia był zdania, iż przyczyny odmiany nie są ważne. Przemawiał do ludzi z prawdziwą pasją.

Guilhem prawie nie słuchał, zatopiony w myślach. Wpadł we własnoręcznie zastawioną pułapkę i nie miał pojęcia, jak się z niej wydostać. Ani słowa nie wydawały mu się pomocne, ani miecz. Stał na skraju przepaści. Alaïs zniknęła przed pięcioma dniami. Wysłał dyskretnie kilku ludzi na poszukiwania w grodzie, sam obszedł zamek od piwnic po dachy, lecz nadal nie miał pojęcia, gdzie Oriane przetrzymuje więźnia. Wpadł w sieć własnych kłamstw. Zbyt późno sobie uświadomił, iż starsza siostra od dawna knuła intrygę. Jeśli nie będzie jej posłuszny, zostanie zadenuncjowany jako zdrajca. W ten sposób też nie pomoże Alaïs.

– Wobec tego, przyjaciele – zakończył Trencavel – chciałbym wiedzieć, kto dotrzyma mi towarzystwa w czasie tej wyprawy.

Guilhem poczuł kłujący palec Oriane na plecach. Nawet nie wiedząc kiedy, wystąpił przed szereg. Przykląkł i z dłonią na rękojeści miecza zadeklarował swoje usługi. Gdy Raymond Roger Trencavel w podziękowaniu położył mu rękę na ramieniu, spłonął rumieńcem wstydu.

– Jestem ci ogromnie wdzięczny, Guilhemie. Kto jeszcze pojedzie z nami?

Zgłosiło się sześciu innych *chevaliers*.

A wówczas przed mężczyzn wystąpiła Oriane. Nisko skłoniła się przed władcą.

– *Messire*, za twoim pozwoleniem.

Congost nie zauważył wcześniej żony w tłumie mężczyzn. Jego twarz przybrała niezdrowy czerwony kolor, zamachał rękami w zakłopotaniu, jakby się oganiał od stada much.

– Cofnij się, pani – wyjąkał drżącym głosem. – Nie jest to miejsce dla ciebie.

Oriane udała, że go nie słyszy. Tym bardziej że Trencavel podniesieniem ręki wezwał ją do siebie.

– Co chcesz powiedzieć, pani?

– Wybacz mi, *messire*, szlachetni *chevaliers*, przyjaciele... małżonku. Z twoim pozwoleniem, wicehrabio, i z bożym błogosławieństwem chciałabym pojechać jako członek tej wyprawy. Straciłam ojca, a najpewniej także siostrę. Ciężko jest znieść taki smutek. Jeżeli mój małżonek zezwoli, chciałabym uwolnić się od ciągłych myśli o tej bolesnej stracie, a jednocześnie okazać tym czynem miłość i oddanie swojemu władcy. Tego życzyłby sobie mój ojciec.

Congost wyglądał, jakby chciał zapaść się pod ziemię. Guilhem wbił wzrok we własne stopy. Wicehrabia Trencavel nie potrafił ukryć zaskoczenia.

– Z całym szacunkiem, pani Oriane, nie jest to wyprawa dla kobiet.

– Wobec tego oferuję siebie jako zakładnika, *messire*. Moja obecność będzie dowodem twoich czystych intencji, panie, oraz nieomylną wskazówką, iż Carcassona dotrzyma warunków układu.

Trencavel rozmyślał przez chwilę, po czym zwrócił się do Congosta.

– Pani Oriane jest twoją żoną. Czy zechcesz ją zwolnić, by przysłużyła się naszej sprawie?

Jehan wymamrotał coś pod nosem, wytarł spocone dłonie w tunikę. Nie chciał udzielić zezwolenia, lecz widział wyraźnie, iż prośba żony wydała się wicehrabiemu szlachetna.

– Zrobię wszystko, by dobrze ci służyć, panie – bąknął wreszcie.

Trencavel nakazał Oriane wstać.

– Twój ojciec a mój wierny przyjaciel byłby dzisiaj z ciebie dumny.

Kobieta podniosła na niego wilgotne spojrzenie spod długich ciemnych rzęs.

– Za twoim pozwoleniem, panie, czy François może jechać z nami? On także jest, jak my wszyscy, pogrążony w smutku i żałobie po odejściu mojego ojca. Z radością przyjmie szansę pomocy swemu panu.

Guilhemowi zrobiło się niedobrze. Nie wierzył własnym oczom i uszom. Najwyraźniej zebrani ufali tej kobiecie bez zastrzeżeń! Na wszystkich twarzach malowało się uwielbienie. Oprócz twarzy Congosta. Guilhem skrzywił się okrutnie. Tylko oni dwaj znali prawdziwą Oriane. Pozostali dali się omamić jej urodzie i gładkim słowem. Nic nowego.

Spojrzał na François. Sługa teścia stał na skraju grupy zebranych, jak zwykle niewzruszony, z twarzą nieprzeniknioną niczym doskonała maska.

– Jeśli sądzisz, że to posłuży naszemu celowi, pani – odparł wicehrabia Trencavel – masz moją zgodę.

Oriane raz jeszcze skłoniła się dwornie.

– Dziękuję, *messire*.

Raymond Roger klasnął w ręce.

– Siodłać konie! – rozkazał.

* * *

Oriane trzymała się blisko Guilhema. Droga po zboczu, usianym dobrze widocznymi śladami starć, do pawilonu hrabiego Nevers, gdzie miały się odbyć pertraktacje, nie trwała długo. Na murach grodu stali ci, którzy mieli siłę utrzymać się na własnych nogach i w ciszy obserwowali wyjazd przedstawicielstwa.

Gdy tylko oddział wjechał do obozu krzyżowców, Oriane odłączyła się od grupy. Ignorując wulgarne przycinki żołnierzy, jechała za François przez morze barwnych namiotów, aż znaleźli się w okolicy znaczonej srebrno-zielonymi barwami Chartres.

– Tędy, pani – mruknął François, wskazując pawilon rozstawiony nieco na uboczu.

Strażnicy stojący przed wejściem zagrodzili im drogę włóczniami. Jeden z nich uniesieniem brody zażądał wyjaśnień.

– Powiedz swojemu panu, że przybyła pani Oriane, córka zmarłego intendenta Carcassony. Życzy sobie uzyskać audiencję u pana Evreux.

Oriane podjęła ogromne ryzyko. Od François wiedziała o wybuchowym charakterze i okrucieństwie Francuza. Igrała z ogniem.

– W jakiej sprawie? – zapytał żołnierz.

– Moja pani będzie rozmawiała wyłącznie z samym panem Evreux.

Strażnik zawahał się, lecz w końcu zanurkował pod płótno i zniknął w namiocie. Moment później zjawił się ponownie, gestem zaprosił przybyłych do środka.

Pierwsze spojrzenie na Guy d'Evreux nie rozwiało obaw Oriane. Gdy weszli do namiotu, stał do nich tyłem. Odwrócił się, podniósł na przyszłów szare oczy błyszczące zimnym ogniem. Czarne włosy, nasmarowane oliwą, miał na francuską modłę sczesane z czoła. Przywodził na myśl sokoła szykującego się do ataku.

– Wiele o tobie słyszałem, pani – odezwał się głosem pozbawionym emocji. Brzmiała w nim stalowa nuta. – Nie spodziewałem się jednak spotkać cię osobiście. Czego ode mnie chcesz?

– Mam nadzieję, że bardziej na miejscu okaże się pytanie, czego ty, panie, możesz chcieć ode mnie – odparła.

Evreux błyskawicznie chwycił ją za nadgarstek.

– Radzę ci nie bawić się ze mną w gierki słowne, pani. Twoje wiejskie wychowanie właściwe mieszkance tej południowej krainy nie zda się tu na nic. Masz dla mnie wieści czy nie masz? Mów.

Oriane zniosła tę próbę dzielnie.

– Nie tak traktuje się kogoś, kto przynosi rzecz najbardziej upragnioną, panie – rzekła, patrząc mu prosto w oczy.

Evreux zamierzył się na nią, ale zatrzymał dłoń w pół gestu.

– Mogę z ciebie wydobyć tę informację. Ale jeśli powiesz sama, obojgu nam zaoszczędzisz czasu.

Oriane nie spuściła wzroku. Nawet nie mrugnęła.

– W ten sposób dowiesz się, panie, tylko części tego, co mam ci do powiedzenia – oznajmiła najspokojniej, jak mogła. – Wiele czasu i środków zainwestowałeś w poszukiwania Trylogii Labiryntu, a ja... mogę ci dać to, czego pragniesz.

Evreux jakiś czas przyglądał jej się uważnie, po czym opuścił rękę.

– Jesteś, pani, odważna. Muszę ci to przyznać. Czy masz także rozum, o tym się jeszcze przekonamy.

Pstryknął palcami i na ten znak służący podał tacę z winem. Oriane nie mogła przyjąć poczęstunku, bo za mocno drżały jej ręce.

– Nie, panie, dziękuję.

– Jak sobie życzysz. – Gestem zaprosił ją do zajęcia miejsca. – Zacznijmy od twoich warunków.

– Jeśli dam ci to, czego chcesz, wracając do domu, zabierzesz mnie ze sobą. – Od razu się zorientowała, że w końcu go jednak zaskoczyła. – Jako swoją żonę.

– Masz, pani, męża – zauważył Evreux, szukając nad jej głową potwierdzenia u François. – Jest nim, o ile dobrze słyszałem, pisarz Trencavela. Czyżbym się mylił?

Oriane wytrzymała jego spojrzenie.

– Z przykrością muszę stwierdzić, iż mój mąż padł ofiarą morderstwa. Został zabity w czasie pełnienia swoich obowiązków.

– Moje kondolencje. – Evreux złożył ręce na piersiach. – Oblężenie Carcassony może trwać lata całe. Skąd pewność, że zamierzam niedługo wracać do domu?

– Wierzę, iż twoja obecność, panie – rzekła, uważnie dobierając słowa – jest związana z konkretnym celem. Jeżeli z moją pomocą zdołasz zrealizować cel swojego pobytu na Południu szybciej, nie będziesz miał powodu pozostawać tu dłużej niż czterdzieści dni, jakich wymaga obowiązek służby.

Evreux uśmiechnął się kwaśno.

– Nie wierzysz, pani, w siłę perswazji wicehrabiego Trencavela?

– Z całym szacunkiem dla tych, pod których barwami przebywasz tutaj, panie, nie wierzę, by w zamiarach czcigodnego opata leżało rozwiązywanie tego konfliktu środkami dyplomatycznymi.

Evreux przyglądał jej się bez zmrużenia oka.

Oriane wstrzymała oddech.

– Dobrze rozgrywasz swoje karty, pani – przyznał w końcu.

Skłoniła głowę bez słowa.

– Zgadzam się na twoją propozycję – rzekł, podając jej puchar.

Tym razem go przyjęła.

– Jest jeszcze jeden drobiazg, panie... – odezwała się, przechylając głowę. – W oddziale wicehrabiego Trencavela jest pewien *chevalier*, Guilhem du Mas. To mąż mojej siostry. Byłoby wskazane, jeśli leży to w twojej mocy, panie, poczynić kroki zmierzające do powstrzymania jego wpływów.

– Na dobre?

Oriane pokręciła głową.

– Może jeszcze odegrać pewną rolę w naszych planach. Ale dobrze byłoby ograniczyć jego możliwości. Wicehrabia Trencavel bardzo go sobie ceni, a teraz, gdy zabrakło mojego ojca...

Evreux odprawił François i usiadł.

– Teraz, moja droga pani Oriane – rzekł, gdy zostali sami – koniec z wykrętami. Mów, co masz do zaoferowania.

ROZDZIAŁ 62

– Alaïs! Alaïs! Obudź się, pani!

Ktoś ją szarpał za ramię. Fatalnie. Właśnie siedziała nad brzegiem rzeki, w cętkowanym cieniu drzew, na swojej ulubionej polanie. Chłodna woda obmywała jej stopy świeżą pieszczotą, policzki gładziło jej ciepłe słońce. W ustach miała smak wonnego trunku z Corbières, w nozdrzach rozkoszną woń pszenicznego chleba.

Obok, w soczystej trawie, spał Guilhem.

Świat był zielony, niebo błękitne.

Nagle usiadła, całkowicie rozbudzona. Znajdowała się w przejmująco wilgotnym półmroku. Nad nią stał Sajhë.

– Musisz wstać, pani.

– Co się stało? Esclarmonde...?

– Wicehrabia Trencavel został pojmany.

– Jak to: pojmany? – Nic nie rozumiała. – Gdzie pojmany? Przez kogo?

– Ludzie mówią, że to zdrada. Że Francuzi zwabili go do swojego obozu, a potem go pojmali. A inni gadają, że sam się oddał w niewolę, żeby ratować *ciutat*. I jeszcze... – przerwał nagle. Nawet w niepewnym świetle jednej lampki Alaïs dostrzegła, że się zarumienił.

– O co chodzi?

– I jeszcze mówią, że pani Oriane i *chevalier* du Mas byli z wicehrabią. – Zawahał się. – I oni także nie wrócili.

Alaïs zerwała się na równe nogi. Zerknęła na Esclarmonde, która trwała pogrążona w spokojnym śnie.

– Może zostać na kilka chwil bez opieki. Nic jej nie będzie. Chodź. Musimy się dokładnie o wszystko wywiedzieć.

Pobiegli tunelem do wyjścia, wspięli się po drabinie. Alaïs pchnęła drzwi w podłodze, Sajhë wyszedł tuż za nią.

Ulice były zatłoczone, ludzie kręcili się bez celu, zdumieni obrotem spraw.

– Co się dzieje? – krzyknęła Alaïs do jakiegoś mężczyzny.

Ten tylko potrząsnął głową i poszedł dalej.

Sajhë wziął Alaïs za rękę i pociągnął ją do niewielkiego domku po drugiej stronie ulicy.

– Gaston będzie wiedział.

Gdy weszli, obaj bracia podnieśli się na powitanie.

– Pani – odezwał się Pons.

– Czy to prawda, że wicehrabia został schwytany? – zapytała bez wstępów.

– Tak – odpowiedział Gaston. – Wczoraj rano hrabia z Auxerre przedstawił mu propozycję spotkania z hrabią Nevers w obecności opata. Wicehrabia pojechał z niewielkim towarzystwem, była w tej grupie także twoja siostra, pani. Co się stało później, nikt nie potrafi powiedzieć. Albo nasz pan poddał się, by w ten sposób kupić nam wolność, albo został zdradzony.

– Nikt nie wrócił z obozu krzyżowców – dodał Pons.

– Tak czy inaczej walk nie będzie – powiedział Gaston cicho. – Garnizon się poddał. Francuzi już obsadzili główną bramę i wieże.

– Co takiego?! – wyrwało się Alaïs. Z niedowierzaniem przenosiła wzrok z jednego brata na drugiego. – Jakie są warunki kapitulacji?

– Wszyscy mieszkańcy miasta, katarzy, żydzi i katolicy, mogą opuścić Carcassonę bez obaw o życie, zabierając ze sobą jedynie to, co mają na sobie.

– Nie będzie przesłuchań? Palenia na stosie?

– Najwyraźniej nie. Cała ludność miasta ma zostać wygnana, ale nie skrzywdzona.

Alaïs opadła na krzesło.

– A co z panią Agnès?

– Razem z młodym paniczem zapewniono jej bezpieczne przejście na ziemie hrabiego Foix, pod warunkiem iż w imieniu syna zrzeknie się wszelkich roszczeń do władzy. – Gaston odchrząknął. – Przykro mi, że straciłaś, pani, męża i siostrę.

– Czy ktokolwiek zna los *chevaliers*, którzy pojechali z wicehrabią?

Pons pokręcił głową.

– Jak sądzicie, czy to zasadzka? – spytała Alaïs z ogniem w oczach.

– Nie ma sposobu się tego dowiedzieć, pani. Dopiero kiedy zacznie się exodus, zobaczymy, czy Francuzi dotrzymają słowa.

– Wszyscy mają wychodzić przez jedną bramę, Porte d'Aude, w czasie gdy dzwony będą biły o zmierzchu.

– A więc to już koniec – szepnęła dziewczyna. *Ciutat* się poddało.

Dobrze, że los oszczędził ojcu wiadomości o pojmaniu wicehrabiego, pomyślała.

– Esclarmonde czuje się lepiej z dnia na dzień – powiedziała – lecz nadal jest bardzo słaba. Czy mogę was prosić, byście jej pomogli wydostać się z grodu? – Zamilkła. – Z powodów, których nie ośmielam się zdradzić – podjęła – w równym stopniu dla dobra jej i waszego, najrozsądniej będzie, jeśli wyjdziemy z miasta osobno.

– Wiemy, pani – rzekł Gaston. – Obawiasz się tych, którzy zadali jej te straszne rany. Boisz się, że mogą jej szukać.

Dziewczyna spojrzała na niego zdumiona.

– Tak – przyznała po chwili. – To prawda.

– Zaszczytem dla nas będzie pomóc ci, pani. – Mężczyzna zaczerwienił się lekko. – Twój ojciec... był wspaniałym człowiekiem.

Alaïs pokiwała głową.

* * *

Gdy gasnące promienie zachodzącego słońca musnęły mury *château comtal* ostrym pomarańczowym światłem, korytarze i wielką salę spowiła cisza. Zamek opustoszał.

Przy Porte d'Aude zbił się tłum przestraszonych, zdezorientowanych ludzi, rozpaczliwie starających się nie zgubić z oczu rodziny i przyjaciół. Wszyscy odwracali oczy od Francuzów, którzy patrzyli na tłum z pogardą, jakby mieli do czynienia z istotami niższego rzędu, gorszymi niż bydło. Dłonie wsparli na rękojeściach mieczy i tylko czekali na najmniejszy pretekst.

Alaïs mogła już tylko żywić nadzieję, że jest dobrze przebrana. Szurając o wiele za dużymi męskimi butami, trzymała się tuż za plecami jakiegoś mężczyzny. Owinęła sobie piersi bandażem, by je spłaszczyć, a jednocześnie ukryć księgę i pergamin. W spodniach, luźnej koszuli oraz bezkształtnym słomianym kapeluszu, wyglądała na pospolitego chłopaka. Policzki wypchała sobie kamykami, by zmienić kształt twarzy. Włosy obcięła i natarła ziemią, żeby pociemniały.

Tłum wolno parł do przodu. Dziewczyna uparcie wpatrywała się w ziemię, by przypadkiem nie spojrzeć na kogoś, kto mógłby ją rozpoznać. Im bliżej bramy, tym szczuplejsza stawała się kolejka, w przejściu ciekła już tylko pojedynczym rzędem. Stało tam czterech krzyżowców o pochmurnych, nienawistnych twarzach. Od czasu do czasu zatrzymywali kogoś, zmuszali do zdjęcia ubrania i sprawdzali, czy nic nie przemyca.

Widziała, że zatrzymali braci niosących nosze z Esclarmonde. Gaston, z chusteczką przy ustach, wyjaśnił, że jego matka jest bardzo chora. Strażnik odsunął zasłonę i natychmiast się cofnął. Alaïs skryła uśmiech. Nie na darmo zaszyła gnijące mięso w świński pęcherz i zawinęła stopy przyjaciółki poplamionymi, skrwawionymi bandażami.

Wartownik odprawił ich szybkim gestem.

Sajhë czekał kilka rodzin dalej. Przygarnęli go *sénher* i *na* Couza, którzy mieli szóstkę własnego drobiazgu, o podobnej karnacji jak chłopiec o bursztynowych oczach. Jemu także przyciemniła włosy brudem. Tylko z oczami nie mogła nic zrobić, więc nakazała mu surowo patrzeć stale w ziemię.

Rząd ludzi znów przesunął się do przodu.

Teraz moja kolej, pomyślała.

Umówili się, że jeśli ktoś coś do nich powie, będą udawali, że nie rozumieją.

– *Toi! Paysan. Qu'est-ce que tu portes là?**.

Nie podniosła głowy, oparła się pokusie, by dotknąć bandaży krępujących jej ciało.

– *Eh, toi!*

Włócznia ze świstem przecięła powietrze, Alaïs skurczyła się w oczekiwaniu na cios. Niepotrzebnie.

Uderzenie wymierzone było w dziewczynkę idącą dwie osoby przed nią. Mała upadła. Na czworakach popełzła po kapelusz. Uniosła ku Francuzowi przestraszoną twarzyczkę.

– *Canhòt.*

– Co ona tam gada? Nic nie rozumiem.

– *Chien.* Ma szczeniaka.

Żołnierz wyrwał psiaka z dziecięcego uścisku i przeszył go włócznią. Krew zbryzgała i jego, i ziemię, i dziewczynkę.

– *Allez! Vite***.

Dziecko zmieniło się w słup soli.

Alaïs pomogła małej wstać i poprowadziła za rączkę, przez bramę, za miasto.

Całą siłą woli powstrzymywała się przed oglądaniem na Sajhë.

Jeszcze chwila i znalazła się za murami.

Oto oni.

Na wzgórzu za bramą stali francuscy baronowie. Nie ci najważniejsi, nie wodzowie. Tamci najpewniej czekali, aż skończy się ewakuacja. Tu byli rycerze w barwach Burgundii, Nevers i Chartres.

Na końcu rzędu, bliżej ścieżki, którą podążali wygnańcy, siedział na pięknym siwym ogierze wysoki szczupły mężczyzna. Mimo pięknego lata cerę miał białą jak mleko. Obok niego tkwił François. A przy jego boku Alaïs ujrzała znajomą bordową suknię Oriane.

Nie dostrzegła Guilhema.

Idź spokojnie i nie podnoś wzroku.

Była tak blisko, że czuła zapach skórzanego siodła i uprzęży. Spojrzenie Oriane paliło ją jak ogień.

Wtedy jakiś stary człowiek o oczach przepełnionych bólem położył jej rękę na ramieniu. Potrzebował pomocy na stromym stoku. Alaïs chętnie ujęła go pod ramię. Prawdziwy łut szczęścia. Razem wyglądali jak dziadek z wnukiem. Przeszła tuż przed nosem starszej siostry nierozpoznana.

Droga zdawała się trwać w nieskończoność, wreszcie jednak dotarli do lasku u stóp wzgórza, gdzie grunt opadał gładko ku moczarom. Alaïs dopilnowała, by jej towarzysz odnalazł syna oraz synową, wówczas oddzieliła się od ludzkiego strumienia i wtopiła między drzewa.

Na osobności przede wszystkim pozbyła się kamieni z ust. Wewnętrzną stronę policzków miała wyschniętą i obolałą. Roztarła szczękę, zdjęła

---

* Ej! Ty tam! Co niesiesz?
** Dalej! Prędzej!

kapelusz, przeczesała palcami sztywne włosy. Przypominały słomę, kłuły nieprzyjemnie w kark.

Nagle od bramy dobiegły jakieś krzyki.

Nie, byle nie on, pomyślała.

A jednak. Żołnierz trzymał za kołnierz właśnie Sajhë. Chłopak kopał i wił się jak piskorz. Trzymał coś w rękach. Pudełeczko.

Serce Alaïs zamarło. Nie mogła wrócić, było to zbyt duże ryzyko. Zresztą i tak by nic nie poradziła. *Na* Couza kłóciła się o coś z Francuzem, w pewnej chwili żołnierz uderzył ją w głowę, aż upadła. Sajhë skorzystał z okazji: wyrwał się mężczyźnie z uchwytu i wyprysnął jak z procy. *Sénher* Couza pomógł żonie wstać.

Alaïs wstrzymała oddech. W pierwszej chwili wydawało się, że przygoda dobrze się skończy. Żołnierz stracił zainteresowanie niesfornym dzieciakiem. Niestety, wówczas dał się słyszeć rozkazujący kobiecy głos. To Oriane wołała, wskazując na Sajhë, każąc strażnikowi go zatrzymać.

Rozpoznała chłopaka.

Sajhë nie był tak smakowitym kąskiem jak Alaïs, lecz także nie do pogardzenia.

Natychmiast się zakotłowało. Dwóch strażników puściło się w pościg, ale że chłopiec był zwinny i szybki, dorośli mężczyźni w zbrojach i z bronią nie mieli szans go dogonić. Alaïs poganiała chłopaka w myślach, a on pędził jak wiatr, przeskakując zdradzieckie dołki i górki, i był coraz bliżej lasku.

Oriane uświadomiła sobie, że dzieciak jej się wymknie. Posłała za nim François. Kopyta jego konia zadudniły na trakcie. Zwierzę ślizgało się na stromym stoku, ale pędziło galopem. Odległość między uciekającym a goniącym szybko się kurczyła. Gdy Sajhë dopadł pierwszych zarośli, François deptał mu po piętach.

* * *

Wtedy Alaïs uświadomiła sobie, że chłopiec kieruje się na bagniste moczary, gdzie do Aude wpadało kilka dopływów. Ziemia tam była zielona i wyglądała jak wiosenna łąka, lecz był to teren śmiertelnie niebezpieczny. Okoliczni mieszkańcy trzymali się od niego z daleka.

Dziewczyna wspięła się na drzewo. Teraz widziała wyraźnie, że François albo nie zdawał sobie sprawy z tego, dokąd go Sajhë prowadzi, albo się tym wcale nie przejmował. Gnał za chłopcem co koń wyskoczy, spiął wierzchowca ostrogą.

Dopadnie go w końcu!

Sajhë potknął się, prawie upadł, ale udało mu się podeprzeć i pobiegł dalej, lawirując między niskimi zaroślami, jeżynami i ostami.

Nagle François zawył wściekle. I zaraz wściekłość zmieniła się w strach. Bagnisty grunt uwięził zadnie nogi wierzchowca. Przerażone zwierzę zaczęło bić kopytami, a każda desperacka próba tylko przyśpieszała nieuniknione.

François wyskoczył z siodła, chciał dopłynąć do brzegu bagien, lecz zdradzieckie błoto zaczęło go pogrążać od razu. Zamykały się nad nim mokradła, wciągały go spokojnie i bezlitośnie, aż nad powierzchnią zostały tylko czubki palców.

Wtedy zapadła cisza. Alaïs odniosła wrażenie, że nawet ptaki zamilkły. Niespokojna o los Sajhë, zeskoczyła z drzewa – i od razu zobaczyła chłopca. Twarz miał szarą jak popiół, dolna warga mu drżała, lecz nadal przyciskał do piersi drewnianą szkatułkę.

– Wywiodłem go na bagna – powiedział.

Alaïs położyła mu ręce na ramionach.

– Postąpiłeś bardzo mądrze.

– On też był zdrajcą?

Przytaknęła kiwnięciem głowy.

– Chyba właśnie to usiłowała nam powiedzieć Esclarmonde. – Zacisnęła usta. Dobrze, że ojciec tego nie dożył. Zdradził go najbliższy sługa, człowiek, który winien był mu wdzięczność! – A po co ci to pudełko? – Pokręciła głową. – O mało nie zapłaciłeś za nie życiem.

– *Menina* powiedziała, że trzeba je zabrać.

Rozłożył palce pod dnem skrzyneczki i nacisnął z obu stron jednocześnie. Rozległo się suche kliknięcie. Chłopiec odwrócił skrzynkę do góry nogami i pokazał Alaïs płytką szufladkę. Wyjął z niej kawałek tkaniny.

– To jest mapa. *Menina* powiedziała, że będzie nam potrzebna.

Alaïs pojęła wszystko w mgnieniu oka.

– Esclarmonde nie wybierze się z nami – powiedziała smutno, walcząc ze łzami.

Sajhë przytaknął.

– Dlaczego mnie nie uprzedziła? – zapytała drżącym głosem. – Nie ufa mi wcale?

– Nie zostawiłabyś jej.

Alaïs oparła się o drzewo. Przygniatała ją wielkość zadania, ciężar odpowiedzialności. Jak miała bez Esclarmonde znaleźć siłę, by dokonać tego, czego od niej oczekiwano?

– Będę się tobą opiekował – oznajmił Sajhë, jakby słyszał jej myśli. – A jak już oddamy księgę, wrócimy do niej. *Si es atal es atal.* Co będzie, to będzie.

– Gdybyśmy wszyscy mieli twoją mądrość...!

Sajhë się zaczerwienił.

– Tutaj musimy dotrzeć – wskazał odpowiednie miejsce. – Nie ma tej wioski na żadnej mapie, *menina* nazywa ją Los Seres.

Oczywiście. To takie logiczne. Nie tylko imię strażników, lecz także nazwa miejsca.

– Wiesz, gdzie to? – spytał Sajhë. – W Montagnes du Sabarthès.

Alaïs pokiwała głową.

– Tak. Tak, wiem. Tak mi się przynajmniej wydaje.

POWRÓT W GÓRY

ROZDZIAŁ 63
Montagnes du Sabarthès

Audric Baillard siedział przy stole z wypolerowanego drewna w swoim domu, pobudowanym w cieniu góry.

Powała wisiała mu nisko nad głową, podłogę wyłożono dużymi kwadratowymi płytkami w kolorze czerwonej górskiej gleby. Niewiele się tu zmieniło. Z dala od cywilizacji, próżno by szukać elektryczności, bieżącej wody, telefonu oraz garażu czy parkingu. Jedynym sztucznym dźwiękiem było tykanie zegara.

Na stole stała lampka oliwna, teraz zgaszona. Obok niej przysadzista szklanica, nieomal po brzegi napełniona guignoletem, z którego w powietrze unosiła się subtelna woń alkoholu i wiśni. Na drugim końcu stołu znajdowała się miedziana taca, na niej dwa kieliszki oraz butelka czerwonego wina, jeszcze nieotwarta. Przy niej drewniana płaska miseczka pełna wonnych biszkoptów, zakryta białą płócienną serwetką.

Baillard otworzył okiennice. Chciał zobaczyć wschód słońca. Wiosną drzewa kąpały się w srebrnych plamkach. Zdobiły swoje korony w białe pąki, a u stóp miały nieśmiałe żółte i różowe kwiatki wychylające się z żywopłotów i nasypów. Później niewiele zostawało z tych kolorów, tylko zieleń i szarość gór, w których odwiecznym towarzystwie żył tak długo.

Część sypialną oddzielała zasłona. Cała jedna ściana obwieszona była wąskimi półkami, teraz prawie pustymi. Został tylko stary moździerz z tłuczkiem, dwie miski, łyżki, kilka słoików. A także książki, zarówno przez niego napisane, jak i reprezentujące potężne głosy z katarskiej historii. Któż o nich nie słyszał: Delteil, Duvernoy, Nelli, Marti, Brenon, Rouquette. Dzieła arabskiej filozofii obok tłumaczeń starożytnych tekstów judaistycznych, monografie pisane przez autorów dawnych i współczesnych. Całe rzędy wydań broszurowych niestosownych w takim otoczeniu, zajmujących miejsce niegdyś przeznaczone na leki, wywary i zioła.

Był przygotowany na czekanie.

Podniósł szklankę do ust, pociągnął długi łyk.

A jeśli ona się nie zjawi? Jeśli nie dane mu będzie poznać prawdy tych ostatnich godzin?

Westchnął ciężko. Jeśli się nie zjawi, będzie musiał ostatnie kroki na tej długiej drodze postawić sam. Czego się obawiał od zawsze.

ROZDZIAŁ 64

Zanim świt zaczął wstępować na niebo, Alice znalazła się zaledwie kilka kilometrów na północ od Tuluzy. Skręciła na stację benzynową i dla uspokojenia wypiła dwa kubki gorącej słodkiej kawy.

Przeczytała list raz jeszcze. Został nadany we Foix w środę rano. List od Audrica Baillarda, ze wskazówkami, jak trafić do jego domu. Z całą pewnością niepodrobiony. Rozpoznała koronkowe pismo mężczyzny, litery starannie nakreślone czarnym atramentem.

Nie miała wyboru. Musiała tam pojechać.

Rozpostarła mapę na blacie, szukając celu swojej podróży. *Hameau**, gdzie mieszkał Baillard, nie znalazła na mapie. Na szczęście dysponowała sporą liczbą charakterystycznych punktów krajobrazu oraz nazwami sąsiednich miasteczek, toteż szybko zyskała pojęcie, dokąd ma jechać.

Napisał, że jest przekonany, iż kiedy dotrze na miejsce, rozpozna je bez najmniejszych wątpliwości.

* * *

Na wszelki wypadek oddała wypożyczony na lotnisku samochód i wymieniła go na inny. Powinna była to zrobić wcześniej. Ot, z ostrożności, gdyby jej szukali.

Pojechała dalej na południe. Minęła Foix, skierowała się na Andorę, przejechała przez Tarascon, w Luzenac skręciła na Lordat, a tam na Bestiac. Krajobraz się zmieniał. Przypominał Alice alpejskie stoki. Tu i ówdzie kępki kwiatów, wysoka trawa, domy jak szwajcarskie chatki.

Mijała kamieniołomy podobne do gigantycznych białych blizn znaczących górskie stoki. Na niebie rysowały się potężne pylony słupów energetycznych oraz czarne linie przewodów elektrycznych, zasilających zimowe kurorty.

Przejechała przez rzekę Lauze i musiała wrzucić drugi bieg, bo droga pięła się coraz bardziej stromo, a zakręty były coraz ciaśniejsze. Zaczynało jej się już kręcić w głowie od górskich wiraży, gdy całkiem niespodziewanie wjechała do jakiegoś miasteczka.

---

* wioska

Były w nim dwa sklepy oraz kawiarenka, z kilkoma stolikami wystawionymi na chodnik. Alice doszła do wniosku, iż dobrze byłoby się upewnić, że nadal podąża właściwą drogą. W kawiarence powietrze było gęste od dymu, przy barze siedzieli przygarbieni mężczyźni o twarzach pobrązowiałych od słońca, ubrani głównie w niebieskie kombinezony i dżinsowe ogrodniczki.

Zamówiła kawę, ostentacyjnie rozłożyła mapę na ladzie. Niechęć do obcych, a już zwłaszcza do obcych kobiet, wyraziła się tym, iż przez dłuższą chwilę nikt się do niej nie odezwał. W końcu jednak udało jej się nawiązać rozmowę. Nikt z obecnych nie słyszał o Los Seres, lecz wszyscy znali okolicę i w miarę swoich możliwości pomogli jej ustalić właściwą trasę.

Stopniowo oswajała się z nową sytuacją. Jechała coraz wyżej. W którymś momencie szosa zmieniła się w drogę, a jakiś czas później całkiem się skończyła. Dziewczyna wysiadła z samochodu. Dopiero teraz, gdy stanęła pośród znajomego krajobrazu, gdy jej nos napełniły rześkie górskie wonie, zdała sobie sprawę, że wróciła do punktu wyjścia, że znalazła się na Pic de Soularac. Wspięła się na najwyższą skałkę w okolicy i przesłoniła dłonią oczy. Oczywiście. Szybko znalazła *étang* de Tort, jeziorko o charakterystycznym kształcie, za którym kazali jej się rozglądać bywalcy baru. Niedaleko znajdowało się drugie lustro wody, nazywane przez miejscowych Czarcim Stawem.

Wreszcie odszukała wzrokiem Pic de Saint Barthélémy, znajdujący się pomiędzy Pic de Soularac i Montségur.

Między zielonymi krzewami i żółtymi gałązkami janowca wiła się stromo pod górę wąska ścieżka. Ciemnozielone liście bukszpanu pachniały oszałamiająco. Dotknęła ich, roztarła w palcach rosę.

W krótkim czasie ścieżka wyprowadziła ją na polanę. Znalazła się u celu.

Przed oczami miała parterowy domek z szarego kamienia, otoczony jakimiś ruinami. Stapiał się z górą w tle. W progu stał mężczyzna, człowiek szczupły i leciwy, z bujną czupryną siwych włosów, ubrany w jasny garnitur. Pamiętała go z fotografii.

Nogi niosły ją same. Przy ostatnich krokach skończył się stok, szła po równej polanie. Baillard patrzył na nią w milczeniu. Stał bez ruchu. Nie uśmiechnął się ani nie podniósł dłoni na powitanie. Nawet gdy znalazła się bliżej, nie przemówił słowem ani gestem. Nie spuszczał oczu z jej twarzy. A oczy te miały niespotykany kolor.

Bursztyn na tle jesiennych liści.

Stanęła przed nim i wtedy wreszcie na jego ustach pojawił się uśmiech. Jak słońce, wychodzące zza chmur, rozjaśnił jego twarz.

– *Madomaisèla* Tanner – odezwał się Baillard. Głos miał stary, jak wiatr na pustyni. – *Benvenguda*. Wiedziałem, że pani przyjdzie. – Przepuścił ją do środka. – Zapraszam.

Alice, trochę zdenerwowana, schyliła się pod nadprożem i weszła do izby, stale czując na sobie spojrzenie gospodarza. Jakby chciał wyryć ją sobie w pamięci.

– Monsieur Baillard – odezwała się, odwracając do niego. I umilkła. Nie potrafiła wydobyć z siebie słowa, bo dech w piersiach jej zaparł jego zachwyt, radość z jej przybycia, głęboka wiara w jej decyzję... Nie sposób było w tych warunkach toczyć zwyczajnej rozmowy.

– Bardzo ją pani przypomina – powiedział wolno. – Widzę ją w pani twarzy.

– Widziałam ją tylko na zdjęciach, ale chyba rzeczywiście byłyśmy podobne.

– Nie mówię o Grace – uśmiechnął się ciepło. I zamilkł, jakby już powiedział za dużo. – Proszę, proszę, niechże pani usiądzie.

Alice rozejrzała się dyskretnie po wnętrzu. Natychmiast rzucił jej się w oczy brak jakichkolwiek nowoczesnych urządzeń. Nie było lamp, ogrzewania, nic na prąd. Zastanowiła się przez chwilę, czy tu w ogóle jest kuchnia.

– Monsieur Baillard – zaczęła raz jeszcze. – Cieszę się, że wreszcie pana poznałam. Ciekawa jestem, jak panu się udało mnie znaleźć.

– Czy to ważne? – Znów się uśmiechnął.

Alice zastanowiła się nad tym chwilę i uznała, iż rzeczywiście nie.

– *Madomaisèla* Tanner, wiem, co się zdarzyło na Pic de Soularac. Mam tylko jedno pytanie, ale muszę je zadać, zanim powiem cokolwiek więcej. Czy pani znalazła księgę?

Bardzo chciała udzielić mu odpowiedzi, na którą miał nadzieję. Niestety...

– Przykro mi. – Pokręciła głową. – On też mnie o to pytał, ale ja naprawdę jej nie widziałam.

– On?

Zmarszczyła brwi.

– Paul Authié.

Baillard wolno pokiwał głową.

– Ach tak – powiedział w taki sposób, że nie musiał już nic wyjaśniać. – To jednak pani znalezisko, jak sądzę? – Położył lewą dłoń na stole, jak dziewczyna pokazująca koleżankom pierścionek zaręczynowy. Na kciuku miał kamienny pierścień. Tak znajomy, tak ukochany, choć trzymała go w ręku zaledwie przez kilka sekund.

Odchrząknęła.

– Czy mogę...?

Zdjął pierścień. Alice obróciła go w palcach, znowu speszona wzrokiem gospodarza.

– Czy on należy do pana? – spytała, sama nie wiedząc, dlaczego. Bała się, że usłyszy potwierdzenie, obawiała się wszystkiego, cokolwiek by to mogło oznaczać.

– Nie – odpowiedział po krótkiej zwłoce. – Choć i ja kiedyś miałem taki.

– Wobec tego czyj jest ten?

– Naprawdę pani nie wie?

Przez ułamek sekundy miała wrażenie, że wie. Lecz moment olśnienia szybko zgasł i jej myśli znowu spowiła mgła.

– Nie mam pewności – wyznała. – Ale wydaje mi się, że brakuje tego. – Wyjęła z kieszeni kamienny krążek z symbolem labiryntu. – Znalazłam go między kartkami z drzewem genealogicznym, w domu ciotki. – Podała mu kamienny drobiazg. – Czy to pan jej go przesłał?

Baillard nie odpowiedział na pytanie.

– Grace była czarującą osobą – rzekł – doskonale wykształconą i mądrą. Już w czasie pierwszej rozmowy odkryliśmy, że mamy ze sobą wiele wspólnego, łączy nas niejedno zainteresowanie i doświadczenie.

– Do czego on służy? – spytała Alice. Nie chciała zmieniać tematu.

– Nazywa się *merel*. Kiedyś wcale nie był rzadkością. Teraz pozostał tylko ten jeden. – Wsunął krążek w obrączkę. – *Aquì*. Tu jest jego miejsce. – Uśmiechnął się i włożył pierścień na palec.

– Czy to tylko ozdoba, czy do czegoś służy?

Był wyraźnie zadowolony, zupełnie jakby właśnie przeszła jakiś sprawdzian.

– To klucz – powiedział cicho. – Bardzo potrzebny.

– Do czego?

Znowu nie odpowiedział na pytanie.

– Przypuszczam, że Alaïs odwiedza panią we śnie.

Zbiła ją z tropu nagła zmiana tematu. Nie wiedziała, co powiedzieć.

– Przeszłość mamy w żyłach – oświadczył. – Alaïs jest z panią całe życie. Strzeże pani. Odziedziczyła pani po niej wiele zalet. Odwagę, zdecydowanie, lojalność i wierność. – Przerwał, podniósł na gościa rozpromienione spojrzenie. – Ona także miała sny. O dawnych dniach, o czasach początku. Odsłaniały jej przeznaczenie. Nie kwapiła się, żeby je przyjąć.

Alice miała wrażenie, że słowa docierają do niej z daleka, jakby nie miały nic wspólnego z nią samą czy z Baillardem, tylko istniały od zawsze gdzieś w niewiadomym czasie i przestrzeni.

– Zawsze o niej śniłam – powiedziała, nie wiedząc, skąd się biorą te wyrazy. – O ogniu, górze i księdze. To była ta góra? – Baillard pokiwał głową. – Czuję, że Alaïs chce mi coś powiedzieć. Ostatnio jej twarz jest znacznie wyraźniejsza, ale ciągle nie słyszę, co mówi. – Zawahała się. – Nie wiem, czego ode mnie chce.

– A może to pani chce czegoś od niej? – podsunął jej gospodarz. Nalał wina, podał Alice kieliszek.

Choć godzina była jeszcze wczesna, chętnie wypiła kilka łyków. Alkohol spłynął jej po gardle ciepłym aksamitem i rozgrzał od środka.

– Monsieur Baillard, chciałabym wiedzieć, co się stało z Alaïs. W przeciwnym razie nic nie będzie miało sensu. A pan to wie, prawda? – Na jego twarzy pojawił się wyraz bezbrzeżnego smutku. – Niech mi pan powie... Przeżyła oblężenie Carcassonne, prawda? Nie została... Nie złapali jej?

Położył dłonie płasko na stole. Szczupłe, poznaczone brązowymi plamkami, były świadkami upływu czasu. Przypominały ptasie szpony.

– Alaïs odeszła, gdy wypełnił się jej czas – rzekł, starannie dobierając słowa.

– To mi nic nie mówi... – zaczęła Alice.

Baillard uniósł rękę.

– Na Pic de Soularac rozpoczęła się seria zdarzeń, które dadzą pani... nam dadzą upragnione odpowiedzi. Tylko przez zrozumienie teraźniejszości może się narodzić prawda o przeszłości. Szuka pani przyjaciółki, *oc*?

Znów gwałtowna zmiana tematu.

– Skąd pan wie o Shelagh?

– Wiem o wykopaliskach i wiem, co tam się stało. Przyjaciółka zniknęła, pani jej szuka.

Uznała, iż nie ma sensu dociekać, skąd miał informacje.

– Wyszła z kwater archeologów dwa dni temu. Od tej pory nikt jej nie widział. Wiem, że jej zniknięcie łączy się z odkryciem labiryntu. – Zamilkła niezdecydowana. – W zasadzie domyślam się też, kto może za tym stać. Z początku sądziłam, że Shelagh ukradła pierścień...

Baillard pokręcił głową.

– To Yves Biau go wziął i wysłał swojej babce, Jeanne Giraud.

Kolejny element układanki znalazł się na właściwym miejscu.

– Yves i pani przyjaciółka – podjął Baillard – pracowali dla pewnej kobiety, niejakiej madame de l'Oradore. Na szczęście Yves nie był wobec niej lojalny. Wydaje się, iż pani przyjaciółka także.

– Biau przekazał mi numer telefonu. Później dowiedziałam się, że Shelagh dzwoniła w to samo miejsce. Zdobyłam adres i pojechałam jej szukać. To był dom madame de l'Oradore. W Chartres.

– Wybrała się pani do Chartres? – zapytał Baillard z roziskrzonym wzrokiem. – Proszę mi powiedzieć, co pani tam widziała?

Milcząc, słuchał w skupieniu, aż opowiedziała mu o wszystkim, co widziała i słyszała.

– Ten młody człowiek, Will, w końcu jednak nie zaprowadził pani do pokoju z labiryntem?

– Po jakimś czasie zaczęłam wątpić, czy taki pokój w ogóle tam istnieje.

– Istnieje.

– Zostawiłam w tamtym domu plecak ze wszystkimi notatkami na temat labiryntu, z fotografią, na której był pan i moja ciotka. Pójdą jak po nitce do kłębka. – Przerwała. – Will miał mi go przynieść do hotelu.

– A teraz obawia się pani, że przydarzyło mu się coś złego?

– Szczerze mówiąc, nie bardzo wiem, co myśleć. Z jednej strony, bardzo się o niego boję. Z drugiej, nie mam pewności, czy i on nie siedzi w tym po uszy.

– A dlaczego w pierwszej chwili uznała pani, że może mu zaufać? – W jego głosie zaszła zaskakująca zmiana. – Czy odniosła pani wrażenie, że jest mu coś winna?

– Ja? Jemu? – zdziwiła się Alice. – Nie, nie. Właściwie prawie go nie znam. Chyba go zwyczajnie polubiłam. Czułam się dobrze w jego towarzystwie, miałam wrażenie...

– *Que*? Że?

– Raczej odwrotnie. Wydawało mi się, że to on ma poczucie, iż ma wobec mnie jakiś dług.

Baillard odsunął krzesło, na którym siedział, i podszedł do okna. Był wyraźnie poruszony. Alice czekała, nie rozumiejąc, co się dzieje. W końcu się do niej odwrócił.

– Opowiem pani historię Alaïs – rzekł. – Dzięki niej znajdziemy odwagę, by stawić czoło nadchodzącym wypadkom. Jest jednak istotna kwestia, *madomaisèla* Tanner. Gdy pani pozna dzieje Alaïs, będzie pani musiała podążać wyznaczoną ścieżką aż do końca.

– Czy to jest ostrzeżenie? – Alice zmarszczyła brwi.

– Nie! – zaprzeczył z całą stanowczością. – Nic podobnego. Ale nie wolno nam zapomnieć o pani przyjaciółce. Z tego, co pani usłyszała w domu madame de l'Oradore, wynika, iż możemy przyjąć, że pani O'Donnell nic nie zagraża, przynajmniej do dzisiejszego wieczoru.

– Niestety, nie wiem, gdzie ma się odbyć to spotkanie – przypomniała Alice. – François-Baptiste o tym nie wspomniał. Wiem jedynie, że dzisiaj o dwudziestej drugiej.

– Domyślam się, gdzie to ma być – odrzekł Baillard spokojnie. – Dotrzemy tam po zmierzchu, będziemy na nich czekać. Mamy dużo czasu na rozmowę.

– A jeśli się pan myli?

– Trzeba mieć nadzieję.

Alice długą chwilę milczała.

– Chcę znać prawdę – odezwała się wreszcie, zaskoczona zdecydowaniem we własnym głosie.

– *Ieu tanben* – uśmiechnął się Audric Baillard. – Ja także.

ROZDZIAŁ 65

Will czuł, że ktoś go ciągnie wąskimi schodami do piwnicy, potem betonowym korytarzem, przez jedne drzwi, następnie drugie. Głowa zwisała mu na piersiach. Zapach kadzideł, choć zelżał, nadal wisiał w zastygłym półmroku jak mgliste wspomnienie.

Z początku był przekonany, że zabiorą go do pokoju w piwnicy i tam zabiją. Stale miał przed oczami obraz kamiennego bloku u stóp grobowca i krew na posadzce. Tymczasem zawleczono go po kolejnych schodach w górę i wkrótce poczuł na twarzy powiew świeżego powietrza. Uświadomił sobie, że znajduje się w jakiejś bocznej uliczce na tyłach rue du Cheval Blanc. Miasto budziło się ze snu: czuł świeżo parzoną kawę, słyszał nawoływania piekarzy i warkot śmieciarki. Zapewne tą samą drogą wynieśli z domu ciało Taverniera. A potem wrzucili je do rzeki.

Ze strachu chciał się zerwać na równe nogi, ale więzy hamowały każdy ruch. Usłyszał, jak ktoś otwiera bagażnik samochodowy. Podniesiono go i wrzucono do środka. Ale nie bezpośrednio do samego bagażnika. Znalazł się w jakimś pudle. Śmierdziało plastikiem.

Przetoczył się na bok i wyrżnął głową w bok pojemnika. Rozeszła się skóra wokół rany, pociekła krew. Drażniący, irytujący strumyczek. Nie miał jak go otrzeć.

Przypomniało mu się, że jakiś czas temu stał przed drzwiami gabinetu Marie-Cécile. Potem François-Baptiste uderzył go pistoletem w skroń. W głowie eksplodował oślepiający ból, nogi się pod nim ugięły, usłyszał jeszcze raz głos Marie-Cécile, pytającej, co się dzieje.

Teraz ktoś bezceremonialnie chwycił go za rękę, czubek igły przebił skórę. Tak samo jak przedtem. Później – trzask naciągów przy mocowaniu brezentu zasłaniającego skrzynię.

Narkotyk rozchodził się po żyłach, niósł ze sobą ukojenie. Lekką mgiełkę. Will raz po raz odpływał w nieświadomość. Wiedział, że samochód przyśpiesza. Zaczęło mu się zbierać na wymioty, bo głowa kolebała się na zakrętach z boku na bok. Myślał o Alice. Oddałby wszystko, żeby ją zobaczyć. Zapewnić ją, że się starał. Że jej nie oszukał.

Miał halucynacje. Widział i czuł, jak mroczne, zielonkawe wody Eure wypełniają mu usta, nos i płuca. Czepiał się obrazu Alice jak koła ratunkowego, zatopił spojrzenie w jej poważnych brązowych oczach, szczerym uśmiechu. Jeśli zdoła zatrzymać przy sobie jej wspomnienie, może wszystko dobrze się skończy.

Tymczasem jednak strach przed utopieniem, przed tragiczną śmiercią w dalekim obcym kraju okazał się silniejszy. Will stracił przytomność.

* * *

W Carcassonne Paul Authié spoglądał z balkonu na rzekę Aude. W ręku trzymał filiżankę czarnej kawy. Wykorzystał O'Donnell jako przynętę, dzięki której dotarł do François-Baptiste'a, ale odrzucił pomysł, by dać chłopakowi fałszywą księgę dla matki. Młody de l'Oradore od razu się zorientuje w oszustwie. No i nie powinien widzieć, w jakim stanie znajduje się O'Donnell. Wtedy też dojdzie do wniosku, iż został wystawiony do wiatru.

Postawił filiżankę na stole i poprawił rękawy śnieżnobiałej koszuli. Istniało tylko jedno wyjście: musiał się spotkać z François-Baptiste'em sam na sam i oznajmić mu, że dostarczy O'Donnell – razem z księgą – na Pic de Soularac, bezpośrednio na ceremonię.

Żałował, że nie odzyskał pierścienia. Lecz z drugiej strony, miał niezbitą pewność, iż Giraud przekazała go Baillardowi, a Baillard niechybnie pojawi się na Pic de Soularac. Na pewno był niedaleko i świetnie się we wszystkim orientował.

Nieco większy problem stanowiła Alice Tanner. Krążek, o którym wspomniała O'Donnell, dał mu nieco do myślenia, tym bardziej że nie rozumiał jego znaczenia. Tanner okazała się wyjątkowo skuteczna w zacieraniu za sobą śladów. Uciekła Domingo i Braissartowi na cmentarzu. Wczoraj stracili z oczu jej samochód, a kiedy go znaleźli, dziś rano, stał na parkingu Hertza na lotnisku w Tuluzie.

Authié zacisnął palce na krzyżyku. Przed północą będzie po wszystkim. Ubliżające Panu heretyckie teksty oraz sami heretycy zostaną zniszczeni.

W dali dzwon katedralny zaczął nawoływać wiernych do uczestnictwa w piątkowej mszy. Authié spojrzał na zegarek. Powinien iść do spowiedzi. Gdy grzechy zostaną mu wybaczone, uklęknie w stanie łaski przed ołtarzem i przyjmie komunię świętą. Wtedy będzie gotów, w duszy i na ciele, wypełnić posłannictwo boże.

* * *

Will czuł, jak samochód zwalnia, potem skręca z asfaltu w wiejską drogę.

Kierowca prowadził ostrożnie, starannie omijając dziury i wyboje. Mimo wszystko wóz szarpał i podskakiwał niemiłosiernie.

W końcu się zatrzymali. Wyłączono silnik.

Samochód zakołysał się, gdy wysiedli z niego dwaj mężczyźni, następnie trzasnęły drzwiczki, jak dwa wystrzały. Potem rozległ się szczęk centralnego zamka. Will był odrętwiały, wykręcone do tyłu ramiona piekły go żywym ogniem.

Otwarto bagażnik. Znieruchomiał. Serce miał w gardle. Ktoś ściągnął brezentową plandekę, otwarto pokrywę. Jeden z mężczyzn chwycił go pod pachy, drugi za nogi. Wyciągnęli go z kontenera, rzucili na ziemię.

Mimo otępienia po narkotykach od razu się zorientował, że znajdują się całe lata świetlne od jakiejkolwiek cywilizacji. Słońce ostro prażyło, powietrze pachniało świeżością. Świat spowijała prawdziwa cisza. Całkowity bezruch. Żadnych samochodów. Żadnych tłumów. Zamrugał kilkakrotnie, lecz nie udało mu się skupić wzroku, było za jasno. Słońce wypalało mu oczy, powlekało wszystko jaskrawą bielą.

Znów poczuł ukłucie igły i znajomy efekt działania narkotyku. Mężczyźni brutalnie postawili go na nogi i zaczęli ciągnąć pod górę. Zbocze było strome, więc po chwili ciężko dyszeli, zmęczeni i zgrzani.

Najpierw miał pod stopami żwir i kamienie, potem drewniane stopnie osadzone w zboczu, jeszcze później miękką trawę.

A gdy odpływał w nieświadomość dotarło do niego jeszcze, że ciche pogwizdywanie w uszach to wiatr.

ROZDZIAŁ 66

Komisarz policji Haute Pyrenées wkroczył do biura inspektora Noubela i zatrzasnął za sobą drzwi.

– Obyś miał naprawdę ważny powód.

– Dziękuję, że pan się pofatygował, panie komisarzu. Nie przeszkadzałbym panu w obiedzie, gdybym nie miał przekonania, iż sprawa jest wyjątkowo pilna.

– Zidentyfikowałeś zabójców Biau?

– To Cyrille Braissart i Mavier Domingo – powiedział Noubel, podnosząc faks, który spłynął dosłownie przed kilkoma minutami. – Mam dwie pozytywne identyfikacje. Jedna tuż przed wypadkiem we Foix, w poniedziałek wieczorem, druga tuż po zdarzeniu. Samochód został porzucony na granicy między Andorą a Hiszpanią. – Noubel otarł pot z czoła. – Obaj sprawcy pracują dla Paula Authié.

Potężny komisarz ostrożnie przycupnął na krawędzi biurka.

– Słucham uważnie.

– Zna pan zarzuty wysuwane pod adresem Authiégo? Że jest członkiem Noublesso Véritable?

Zwierzchnik przytaknął.

– Rozmawiałem z policją w Chartres – podjął Noubel. – Doprowadził mnie do nich wątek poszukiwania Shelagh O'Donnell. Poinformowali mnie, że dopatrują się powiązań między tą organizacją a morderstwem, jakie miało tam miejsce w tym tygodniu.

– Co to ma wspólnego z Authiém?

– Ciało zostało odkryte wyjątkowo szybko, dzięki anonimowemu informatorowi.

– Mają jakieś dowody, że był nim Authié?

– Nie – przyznał Noubel – ale są dowody, iż spotkał się z dziennikarką, która następnie zniknęła w tajemniczych okolicznościach. Policja z Chartres łączy te wydarzenia. – Dostrzegł na twarzy szefa wyraźny sceptycyzm. – Wykopaliska na Pic de Soularac – podjął szybko – zostały sfinansowane przez madame de l'Oradore. Nie afiszowała się z tymi poczynaniami, ale tak czy inaczej dała pieniądze na to przedsięwzięcie. Doktor Brayling, szef wykopalisk, twierdzi, iż O'Donnell zniknęła, bo ukradła jakieś znaleziska. Jej przyjaciele jednak są przeciwnego zdania. – Przerwał. – Jestem w zasadzie pewien, że tę dziewczynę przetrzymuje Authié. Albo na polecenie madame de l'Oradore, albo z sobie tylko wiadomych powodów.

– Cienka ta twoja historyjka, Noubel.

– Madame de l'Oradore przebywała w Carcassonne od wtorku do czwartku. W tym czasie dwukrotnie spotkała się z Authié. Moim zdaniem pojechała z nim na Pic de Soularac.

– To jeszcze nie zbrodnia.

– Dziś rano czekała na mnie wiadomość nagrana na sekretarce. I wtedy właśnie uznałem, iż mamy dość informacji, by zacząć działać. – Wcisnął odtwarzanie wiadomości.

Z automatu popłynął głos Jeanne Giraud. Komisarz słuchał uważnie, mina mu posępniała z każdą chwilą.

– Co to za jedna? – Wysłuchał nagrania po raz drugi.

– Babka Yves'a Biau.

– A ten Audric Baillard?

– Pisarz i jej przyjaciel. Był z nią w szpitalu we Foix.

Komisarz spuścił głowę w zamyśleniu. Najwidoczniej rachował potencjalne szkody, w razie gdyby nie udało im się przygwoździć Authiégo.

– Jesteś na sto procent pewien, że zdołasz powiązać Dominga i Braissarta zarówno z Biau jak i z Authiém?

– Rysopisy do nich pasują, szefie.

– Rysopisy pasują do połowy mężczyzn w Ariège – warknął komisarz.

– O'Donnell nie ma już trzy dni.

Komisarz westchnął i dźwignął się z biurka.

– Co chcesz zrobić?

– Najpierw zamknąć Braissarta i Dominga.

Szef pokiwał głową.

– Potrzebny mi też nakaz rewizji. Authié ma kilka nieruchomości, między innymi opuszczoną farmę w Montagnes du Sabarthès, zarejestrowaną na byłą żonę. Jeżeli przetrzymuje O'Donnell w okolicy, to może właśnie tam. Gdyby pan osobiście zadzwonił do prefekta...

– Dobrze, dobrze, dobrze. – Komisarz wycelował w Noubela pożółkłym od nikotyny palcem. – Ale pamiętaj, Claude, jeśli spieprzysz sprawę, będziesz się tłumaczył sam. Authié jest wpływowym człowiekiem, a madame de l'Oradore... – Opuścił rękę. – Jeżeli nawalisz, rozedrą cię na strzępy, a ja nie będę miał jak ci pomóc. – Odwrócił się i podszedł do drzwi. Jeszcze się zatrzymał w progu. – Przypomnij mi, kto to ten Baillard? Czy ja gdzieś o nim słyszałem? Nazwisko wydaje mi się znajome.

– Pisał o katarach. Jest ekspertem od starożytnego Egiptu.

– To nie to...

Noubel czekał cierpliwie.

– Nie, nic z tego – poddał się komisarz wreszcie. – Pamiętaj, że madame Giraud może robić z igły widły.

– To możliwe, szefie, ale muszę przyznać, że nie dałem rady odszukać

Baillarda. Nikt go nie widział od czasu, gdy razem z madame Giraud wyszedł ze szpitala. Czyli od środy wieczór.

– Zadzwonię do ciebie, jak dokumenty będą gotowe. Siedzisz w biurze?

– W zasadzie... – zaczął Noubel niepewnie – miałem zamiar jeszcze porozmawiać z tą Angielką. Jest przyjaciółką Shelagh O'Donnell. Może coś o niej wie.

– Jakoś cię znajdę.

Po wyjściu komisarza Noubel wykonał kilka telefonów, po czym wziąwszy marynarkę, poszedł do wozu. Znając życie, wiedział, że ma mnóstwo czasu, zanim wyschnie atrament na podpisie prefekta pod nakazem rewizji. Na pewno zdąży zrobić wypad do Carcassonne.

* * *

O wpół do piątej Noubel siedział u swojego kolegi po fachu w Carcassonne, Arnauda Moureau. Zaprzyjaźnieni byli od wieków, więc wiedział, że może mówić otwarcie. Przesunął po blacie stołu skrawek papieru.

– Pani Tanner powiedziała, że zatrzyma się w tym hotelu.

Kilka minut zajęło sprawdzenie, iż rzeczywiście jest tam zameldowana.

– Miły hotelik, tuż pod murami Cité, dosłownie pięć minut od rue de la Gaffe. Podrzucić cię?

Recepcjonistka była wyprowadzona z równowagi samym faktem, iż przesłuchuje ją policja. Nie była wartościowym świadkiem, głównie walczyła ze łzami. Noubel już prawie stracił cierpliwość, gdy na szczęście wyręczył go Moureau. Spokojniejsze podejście przyniosło lepsze rezultaty.

– Powiedz mi, Sylvie – zagaił mimochodem lokalny glina. – O ile dobrze zrozumiałem, pani Tanner opuściła hotel wczoraj, z samego rana, tak? – Dziewczyna kiwnęła głową. – I powiedziała, że dzisiaj wróci, tak?

– *Oui*.

– Rozumiem. I nie zmieniała tej decyzji. Nie zadzwoniła z informacją, że zwalnia pokój?

Tym razem dziewczyna pokręciła głową.

– Dobrze. To już nam dużo daje. A teraz pomyśl chwilę, czy powinnaś nam o czymś powiedzieć? Może na przykład ktoś ją odwiedził?

Sylvie zastanawiała się dłuższą chwilę.

– Wczoraj przyszła tu do niej jakaś kobieta – odparła wreszcie. – Z samego rana. Miała dla niej wiadomość.

– O której? – nie wytrzymał Noubel.

Moureau uciszył go gestem.

– Z samego rana to bardzo wcześnie?

– Zaczęłam pracę o szóstej. No i zaraz ona przyszła.

– Czy to była jakaś znajoma pani Tanner? Może przyjaciółka?

– Nie wiem. Nie, chyba nie... Myślę, że pani Tanner się zdziwiła.

– Bardzo nam pomogłaś, Sylvie – powiedział Moureau. – Dlaczego sądzisz, że pani Tanner była zdziwiona?

– Ta kobieta powiedziała, że ktoś chce się z panią Tanner spotkać na cmentarzu. Dziwne miejsce na umawianie się, prawda?

– Kto? – wtrącił się Noubel. – Słyszała pani nazwisko?

Sylvie, jeszcze bardziej przerażona, potrząsnęła głową.

– I nie wiem, czy ona tam w ogóle poszła.

– Nic nie szkodzi, nic nie szkodzi – łagodził Moureau. – Przecież nie sposób wiedzieć wszystkiego! A może pamięta pani coś jeszcze?

– Przyszedł do niej list.

– Pocztą? Czy ktoś zostawił wiadomość?

– I zmieniała pokój! – zawołał ktoś z zaplecza. – Gorsze niż wrzód na...

– O co chodziło? – zainteresował się Noubel natychmiast.

– Mnie tu wtedy nie było – zastrzegła się Sylvie.

– Ale na pewno zna pani sprawę.

– Pani Tanner powiedziała, że ktoś się włamał do jej pokoju. W środę wieczorem. Zażądała zmiany pokoju.

Noubel urósł w oczach. Przeszedł na zaplecze.

– Taka przeprowadzka to dla wszystkich dodatkowe zajęcie – współczuł recepcjonistce Moureau.

Noubel, idąc za zapachem jedzenia, szybko znalazł młodego chłopaka siedzącego przy stole za stertą kartonowych pudeł.

– Byłeś tu w środę wieczorem?

Chłopak uśmiechnął się z zadowoleniem.

– Miałem zmianę w barze.

– Widziałeś coś?

– Jakaś babka wpadła jak burza i pognała za facetem. Wtedy nie wiedziałem, że to pani Tanner.

– Przyjrzałeś się mężczyźnie?

– Niespecjalnie. Raczej ona rzucała się w oczy.

Noubel wyjął z kieszeni zdjęcia i pokazał chłopakowi.

– Poznajesz któregoś?

– Tego jakbym gdzieś widział. Ładny garnitur. To nie turysta. Kręcił się tutaj. We wtorek, może w środę... nie pamiętam.

Zanim Noubel wrócił do holu, Moureau na powrót sprowadził uśmiech na usta Sylvie.

– Chłopak widział Dominga. Mówi, że się kręcił po hotelu.

– To jeszcze nie robi z niego włamywacza – mruknął Moureau.

Noubel położył zdjęcia przed Sylvie.

– Czy któryś z tych mężczyzn wydaje się pani znajomy?

– Nie. – Pokręciła głową. – Chociaż... – Zawahała się, wreszcie wskazała na Dominga. – Ta kobieta, która pytała o panią Tanner, była do niego podobna.

Noubel zerknął na Moureau.

– Siostra?

– Każę sprawdzić.

– Musimy panią prosić o wpuszczenie do pokoju pani Tanner.

– Nie mogę!

Moureau szybko rozproszył wątpliwości recepcjonistki.

– Zajmie nam to najwyżej pięć minut. Tak będzie naprawdę łatwiej. Jeśli będziemy musieli iść do właściciela po pozwolenie, wrócimy z całą ekipą. A to przecież nie jest nikomu na rękę.

Sylvie wzięła klucz z haczyka i zaprowadziła ich do pokoju Alice. Został z niej kłębek nerwów.

Ponieważ okna były zamknięte i zasłonięte, w pokoju panowała duchota. Łóżko zasłano, w łazience wisiały świeże ręczniki, wymieniono także szklanki na wodę.

– Od ostatniej wizyty sprzątaczki nikogo tu nie było. Czyli od wczoraj rano.

W łazience nie znaleźli żadnych osobistych drobiazgów.

– Masz coś? – zapytał Moureau.

Noubel pokręcił głową i przeszedł do szafy. Tam znalazł spakowaną walizkę Alice.

– Wygląda na to, że się nie rozpakowała po zmianie pokoju. Zdaje się, że najważniejsze rzeczy ma ze sobą – uznał, przesuwając dłońmi wzdłuż brzegu materaca. Następnie przez chusteczkę otworzył szufladę nocnego stolika. Znalazł tam srebrne opakowanie tabletek od bólu głowy i książkę Audrica Baillarda. – Moureau! – zawołał. Spomiędzy kartek wysunął się kawałek papieru.

– Co to jest?

Noubel podniósł papier i podał koledze.

– To jest pismo Yves'a Biau – powiedział. – Numer z Chartres. – Wyjął telefon, ale nie zdążył wbić numeru, bo odezwał się dzwonek. – Noubel – rzucił w słuchawkę. Moureau przyglądał mu się uważnie. – To doskonała wiadomość, szefie. Tak jest. Natychmiast. – Rozłączył się. – Mamy nakaz rewizji – oznajmił, idąc do drzwi. – Szybciej, niż przypuszczałem.

– Nie ma się czemu dziwić – rzucił Moureau. – Sytuacja jest niewesoła.

ROZDZIAŁ 67

– Wyjdziemy przed dom? – zaproponował Audric. – Posiedzimy sobie na trawie, zanim nastanie skwar.

– Chętnie.

Alice miała wrażenie, że jest bohaterką snu. Poruszała się w zwolnionym tempie. Baillard także. Cały świat mieścił się w bezkresnych górach i przepastnym niebie. Opadało z niej napięcie z ostatnich dni.

– O, tu nam będzie dobrze – ocenił Baillard, zatrzymując się przy trawiastym pagórku. Usiadł, wyciągnął nogi przed siebie, jak mały chłopiec.

Alice podciągnęła kolana pod brodę, objęła nogi ramionami.

Audric uśmiechnął się na ten widok.

– O co chodzi? – spytała, nie całkiem przytomna.

– *Los reasons.* Wspomnienia. Proszę mi wybaczyć, *madomaisèla* Tanner. Jestem starym człowiekiem.

Nadal nie wiedziała, co wywołało uśmiech na jego twarzy, natomiast cieszyło ją zadowolenie Baillarda.

– Proszę mi mówić po imieniu. *Madomaisèla* brzmi bardzo oficjalnie.

Skłonił głowę.

– Dobrze.

– Woli pan język oksytański od francuskiego?

– Używam obu.

– A zna pan jeszcze jakieś?

Uśmiechnął się nieśmiało.

– Angielski, arabski, hiszpański, hebrajski. Każda opowieść zmienia charakter, przybiera inne barwy w zależności od użytych słów, od języka, w jakim się ją opowiada. Staje się poważniejsza lub bardziej zabawna, może zyskać własną melodię. Tutaj, w środku krainy, która teraz nazywana jest Francją, lud zamieszkujący te ziemie od zarania zawsze używał *langue d'oc.* Natomiast *langue d'oïl*, poprzednik dzisiejszego francuskiego, był językiem najeźdźców. Takie sprawy różniły ludzi. – Odgonił czas przeszły gestem dłoni. – Nie to chciałaś usłyszeć. Chcesz poznać losy ludzi, nie teorie języka, prawda?

Tym razem Alice się uśmiechnęła.

– Przeczytałam jedną z pańskich książek. Znalazłam ją w domu ciotki.

– Sallèles d'Aude to piękne miejsce. *Canal de jonction...* *. Wzdłuż brzegów rosną drzewa cytrynowe i *pins parasols...* **. – Zamilkł. – Czy wiesz, że przywódca krucjaty, Arnald Amalric dostał dom w tym miasteczku? Mieszkał także w Carcassonie i w Besièrs...

– Nie wiedziałam. Powiedział pan, że Alaïs odeszła, gdy wypełnił się jej czas. Czy przeżyła upadek Carcassonne? – Sama była zdziwiona, jak szybko bije jej serce.

– Alaïs opuściła Carcassonę w towarzystwie pewnego chłopca, Sajhë, wnuka opiekunki księgi należącej do Trylogii Labiryntu. – Spojrzeniem zapytał Alice, czy potrzebuje dodatkowych wyjaśnień. Nie potrzebowała.

– Skierowali się tutaj. W to miejsce. W dawnym języku Los Seres oznacza górską grań, grzbiet górski.

– Dlaczego chcieli dotrzeć tutaj?

– Tu czekał na nich *navigatairé*, przywódca Noublesso de los Seres, stowarzyszenia, któremu ojciec Alaïs oraz babka Sajhë przysięgli wierność. Ponieważ Alaïs obawiała się, iż mogą być śledzeni, obrali okrężną drogę. Najpierw skierowali się na zachód, do Fanjeaux, potem na południe, ku Puivert i Lavelanet, wreszcie znów na zachód, w stronę Montagnes du Sabarthès. Po upadku Carcassony roiło się tutaj od francuskich żołnierzy i bandytów, bez litości prześladujących uciekinierów. Alaïs i Sajhë podróżowali wczesnym rankiem oraz późną nocą, w dzień chroniąc się przed palącymi promieniami słońca. Lato było wówczas szczególnie upalne, toteż sypiali pod gołym niebem. Żywili się tym, co znaleźli: jagodami, orzechami, owocami. Omijali miasta, wstępując do nich wyłącznie wówczas, gdy mieli pewność, iż znajdą tam bezpieczne schronienie.

– Skąd wiedzieli, dokąd iść? – spytała Alice, pamiętając o własnych kłopotach z dotarciem na miejsce.

– Sajhë dostał mapę od... – Głos mu się załamał.

Alice odruchowo ujęła go za rękę. Uspokoił się nieco.

– Podróżowali dość szybko, dotarli do Los Seres na krótko przed dniem świętego Michała, w końcu września, gdy świat oblekał się w złoto. Tutaj, w górach, już pachniało jesienią i wilgotną ziemią. Nad polami wisiał dym z palonych ściernisk. Dla nich był to zupełnie inny świat, przecież właściwie całe życie spędzili w cieniu budynków na wąskich uliczkach Carcassony i w tłocznych salach zamkowych. A tu – tyle światła, taki przestwór niebios... – Zamilkł, objął wzrokiem rozległy krajobraz. – Rozumiesz, o czym mówię?

Kiwnęła głową.

– Harif, *navigatairé*, usłyszawszy od nich najnowsze wieści, zapłakał nad duszą Simeona i ojca Alaïs. Nad utratą ksiąg i mądrością Esclarmonde, która dbając o bezpieczeństwo Księgi Słów, pozwoliła Alaïs i Sajhë wyruszyć bez opieki. – Przerwał i milczał jakiś czas.

---

* to samo co Canal du Midi – Kanał Południa
** parasolowate sosny

Alice nie przeszkadzała mu ani go nie poganiała. Opowieść musiała się toczyć we własnym rytmie. Baillard przemówi, kiedy będzie gotów.

Twarz mu złagodniała.

– Nastał dobry czas, w górach i na nizinach. Tak się w każdym razie z początku wydawało. Mimo straszliwego pogromu Besièrs wielu mieszkańców Carcassony wierzyło, iż wkrótce dane im będzie powrócić do domu. Skoro heretycy zostali wygnani z miasta, należało dążyć do normalnego życia.

– Ale krzyżowcy nie opuścili Carcassonne.

– Wojna toczyła się o dobra ziemskie, a nie wartości duchowe. Gdy *ciutat* padło, w sierpniu tysiąc dwieście dziewiątego roku, Szymon de Montfort został obrany wicehrabią, choć Raymond Roger Trencavel jeszcze żył. Współczesnym umysłom trudno pojąć, jak nieprawdopodobna była to obraza. *Seigneur* mógł stracić swe ziemie wyłącznie na skutek popełnienia ciężkiej zbrodni. Jedynie wówczas przekazywano je innemu arystokracie. Trudno o wyraźniejsze okazanie pogardy, jaką przybysze z Północy żywili wobec władców Okcytanii.

– Co się stało z wicehrabią Trencavelem? – spytała Alice. – W grodzie napotyka się pamiątki po nim niemal na każdym kroku.

– Był to człowiek wart zapamiętania. Umarł... został zamordowany po trzech miesiącach uwięzienia w lochach *château comtal*. W listopadzie tysiąc dwieście dziewiątego roku de Montfort ogłosił, iż Trencavel zmarł na dyzenterię. Nikt w to nie uwierzył. Stale dochodziło do coraz to nowych rozruchów i niepokojów, aż w końcu de Montfort zmuszony był przyznać dwuletniemu synowi Raymonda Rogera roczną rentę w wysokości trzech tysięcy *sol* w zamian za prawne oddanie tytułu wicehrabiowskiego.

Alice zobaczyła oczyma wyobraźni poważną twarz kobiety pięknej, pobożnej, oddanej mężowi i synowi.

– Pani Agnès – szepnęła.

Baillard dłuższy czas przyglądał jej się bez słowa.

– O niej także warto pamiętać – rzekł cicho. – De Montfort był gorliwym katolikiem. Jako jeden z nielicznych, a może nawet jedyny spośród krzyżowców wierzył, iż wypełnia wolę bożą. Dla dobra Kościoła nałożył podatek od domu lub paleniska oraz dziesięcinę od pierwszych owoców i dróg północnych. *Ciutat* zostało zdobyte, ale fortece Minervois, Montagne Noire i Pirenejów nie chciały się poddać. Król Aragonii, Piotr, nie uznał w de Montforcie swojego wasala, Raymond VI, wuj wicehrabiego Trencavela wrócił do Tolosy, hrabiowie Never, Saint-Pol oraz inni, jak choćby Guy d'Evreux, odjechali na północ. Szymon de Montfort miał Carcassonę, ale został sam. Kupcy, domokrążcy, tkacze przywozili tu wieści o kolejnych bitwach i oblężeniach, dobre i złe. Montréal, Preixan, Saverdun i Pamiers upadły. Cabaret się utrzymało. Wiosną w kwietniu tysiąc dwieście dziesiątego Montfort zajął miasto Bram. Nakazał swoim żołnierzom okrążyć zdobyty garnizon i wszystkim wyłupić oczy. Oszczędzono tylko jednego człowieka, który poprowadził tę procesję okaleczonych przez cały kraj, aż do Cabaret. Trudno o wyraźniejsze ostrzeżenie, że ci, którzy stawiają opór, nie mogą liczyć na litość. Represje przybierały na sile. W lipcu tysiąc dwieście dziesiątego de Montfort oblegał górską fortecę Minerve. Gród jest z dwóch stron chroniony głębokimi skalistymi wąwozami, wyrzeźbionymi przed setkami lat przez rzeki. De Montfort wpadł na iście szatański pomysł i wysoko nad miastem zbudował *trébuchet*, katapultę, znaną jako La Malvoisine, czyli zła sąsiadka. – Spojrzał na Alice. – Teraz postawiono na jej miejscu kopię... niezapomniany widok, zaiste. Przez półtora miesiąca Montfort bombardował miasto. Gdy w końcu Minerve się poddało, stu czterdziestu katarskich *parfaits*, kobiet i mężczyzn, odmówiło wyrzeczenia się wiary i spłonęło na stosie. W maju tysiąc dwieście jedenastego po miesięcznym oblężeniu najeźdźcy zajęli Lavaur. Katolicy nazywali to miasto siedliskiem szatana i ze swojego punktu widzenia mieli rację. Była to siedziba katarskiego biskupa Tolosy, żyły tam setki *parfaits*. – Baillard uniósł szklankę do ust i pociągnął solidny łyk. – Spalono tam prawie czterystu *credentes* i *parfaits*, między nimi Amaury'ego de Montréal, który dowodził obrońcami, a także osiemdziesięciu jego rycerzy. Pod ciężarem skazanych zawalił się stos. Francuzi byli zmuszeni podrzynać im gardła. Rozochoceni rozlewem krwi ruszyli na poszukiwanie pani Lavaur, Geraldy, chroniącej i wspierającej *bons homes*. Pojmali ją, zniewolili. Wlekli ulicami jak pospolitą zbrodniarkę, po czym wrzucili do studni i ukamienowali. Została pochowana żywcem. Albo utopiona.

– Czy Alaïs i Sajhë wiedzieli, że tak źle się dzieje?

– Docierały do nich pewne wieści, ale nierzadko nawet kilka miesięcy po wydarzeniach. Wojna ciągle toczyła się raczej na równinach. A oni żyli, skromnie, lecz szczęśliwie tutaj, w Los Seres. Z Harifem. Zbierali drewno, solili mięso na długie zimowe miesiące, wprawiali się w pieczeniu chleba i kładzeniu strzechy ze słomy, by się uchronić przed zimowymi burzami. – Głos Baillarda złagodniał. – Harif uczył Sajhë czytać, potem pisać. Najpierw w *langue d'oc*, potem w języku najeźdźców, wreszcie trochę po arabsku i po hebrajsku. – Uśmiechnął się. – Chłopak był nieuważny, wolał ćwiczenia ciała niż umysłu, lecz z pomocą Alaïs czynił postępy.

– Pewnie chciał jej udowodnić, że jest coś wart.

Audric Baillard zerknął na Alice, lecz nie skomentował jej słów.

– Żyli tak aż do Wielkiej Nocy po trzynastych urodzinach Sajhë. Wtedy Harif powiedział mu, że przeprowadzi się na dwór Pierre'a Rogera de Mirepoix i wkrótce rozpocznie nauki jako *chevalier*.

– A co na to Alaïs?

– Cieszyła się razem z Sajhë. Chłopiec zawsze o tym marzył. Jeszcze w Carcassonne, gdy patrzył na *écuyers* polerujących buty i hełmy rycerzy. Podkradał się na *lices*, turnieje, żeby podpatrywać walki. Życie *chevalier* nie było pisane ludziom jego stanu, a jednak marzył, iż któregoś dnia wyruszy w świat pod własnymi barwami. I oto zyskał szansę, by udowodnić swoją wartość.

– Pojechał?

– Tak. Pierre Roger Mirepoix był wymagającym, ale uczciwym panem, cieszył się reputacją dobrego nauczyciela. Sajhë pracował ciężko, a że był mądry i wytrwały, szybko osiągał wyniki. Nauczył się szarżować z kopią na manekin, ćwiczył z mieczem, maczugą, korbaczem i sztyletem, wprawiał się w prostym trzymaniu w wysokim siodle. – Zapatrzył się na góry, zatonął w myślach. Te postacie z przeszłości, które w tak ogromnym stopniu wypełniły mu życie, stały się dla niego prawdziwymi ludźmi z krwi i kości.

– A co się działo w tym czasie z Alaïs?

– Gdy Sajhë przebywał w Mirepoix, Alaïs uczyła się od Harifa rytuałów i obrzędów Noublesso. Już od dawna cieszyła się szacunkiem jako zielarka i uzdrowicielka. Mało której choroby nie potrafiła uleczyć, a umiała się zająć i ciałem, i duszą. Harif przekazał jej ogromną wiedzę o gwiazdach, o prawach rządzących światem, znanych już starożytnym w jego kraju. Oczywiście zdawała sobie sprawę, iż łączy się to z dalekosiężnymi planami. Wiedziała, że Harif przygotowuje ją i Sajhë do wypełnienia ważnego zadania. Tymczasem Sajhë nie myślał w tamtym czasie o Los Seres. Od czasu do czasu docierały do Mirepoix przynoszone przez pasterzy lub *parfaits* okruchy wiadomości o Alaïs, lecz ona sama nie pojawiała się z wizytą. Za sprawą działań własnej siostry, Oriane, znalazła się na liście poszukiwanych uciekinierów, wyznaczono cenę za jej głowę. Harif podsyłał Sajhë pieniądze na kupno kolczugi, wierzchowca, zbroi oraz miecza. Chłopiec został pasowany na rycerza, mając zaledwie piętnaście lat. – Baillard zawahał się, lecz zaraz podjął opowieść na nowo. – Wkrótce potem wyruszył na wojnę. W tamtym czasie wielu z tych, którzy wcześniej przyłączyli się do Francuzów, licząc na łaskę, odwróciło się od najeźdźcy. Był między nimi także hrabia Tolosy, który poprosił Piotra II, króla Aragonii, aby zechciał przyjąć w jego osobie wasala. Król się zgodził i w styczniu tysiąc dwieście trzynastego wyprawili się na Północ, wsparci przez siły hrabiego Foix, dzięki czemu mogli się zmierzyć z osłabionymi wojskami de Montforta. We wrześniu tego samego roku pod Muret starły się dwie armie. Piotr był odważnym przywódcą i uzdolnionym strategiem, lecz atak został źle przeprowadzony i w środku bitwy władca stracił życie. Południe straciło wodza. – Zamilkł na kilka chwil. – Pomiędzy walczącymi z Francuzami był pewien *chevalier* z Carcassony... Guilhem du Mas. Odkupił swoje winy. Ludzie do niego lgnęli.

Dziwny jakiś ton wkradł się do jego głosu, podziw zabarwiony uczuciem, którego Alice nie potrafiła rozpoznać. Nie miała jednak czasu się nad tym zastanowić.

– Dwudziestego piątego dnia czerwca – podjął Baillard – w roku tysiąc dwieście osiemnastym wilk stracił życie.

– Wilk?

Gospodarz uniósł dłonie w przepraszającym geście.

– Wybacz mi. W pieśniach tamtego czasu... ot, choćby w „Canso de lo Crosada" Montfort nazywany był wilkiem. Zginął podczas oblężenia Tolosy. Został trafiony w głowę kamieniem z katapulty. Ludzie mówią, iż pocisk wypuściła kobieta.

Alice nie mogła się powstrzymać od uśmiechu.

– Jego ciało zabrano do Carcassony – ciągnął Baillard. – Pochowano go na sposób północny. Serce, wątroba i żołądek zostały złożone w Sant-Cerni, a kości w Sant-Nasari, pod płytą nagrobną, która teraz znajduje się na ścianie w południowym transepcie bazyliki. – Zwrócił spojrzenie na Alice. – Może zwróciłaś na nią uwagę, gdy zwiedzałaś *ciutat*?

Alice spłonęła gorącym rumieńcem.

– Ja nie... Nie mogłam wejść do katedry – wyznała.

Baillard rzucił w jej stronę szybkie spojrzenie, ale nie powiedział już nic na temat kamienia.

– Władzę po Szymonie de Montfort przejął jego syn, Amaury, lecz nie był urodzonym wodzem, jak ojciec, więc szybko zaczął tracić podbite ziemie. W tysiąc dwieście dwudziestym czwartym rozpoczął odwrót. Ród de Montfort zrezygnował z roszczeń do włości Trencavelów. Sajhë mógł wrócić do domu. Pierre Roger de Mirepoix nie chciał go puścić, ale chłopak musiał... – Baillard przerwał niespodziewanie. Wstał, zszedł kilka kroków po stoku. – Miał dwadzieścia sześć lat – podjął, nie odwracając się do Alice. – Alaïs była od niego starsza, lecz mimo wszystko... miał nadzieję. Patrzył na nią innymi oczami, już nie czuł się jej bratem. Wiedział, że nie mogą się pobrać, ponieważ Guilhem du Mas nadal był między żywymi, ale marzył, iż teraz, gdy udowodnił swoją wartość, może się między nimi pojawić coś więcej niż przyjaźń.

Alice poszła za Baillardem. Gdy położyła mu dłoń na ramieniu, drgnął zaskoczony, jakby w ogóle zapomniał o jej istnieniu.

– Czy jego marzenia się spełniły? – spytała cicho, dziwnie zaniepokojona. Czuła się trochę tak, jakby podsłuchiwała czyjeś intymne zwierzenia.

– Zebrał się na odwagę i poprosił ją o rozmowę. – Głos odmówił mu posłuszeństwa. – Harif oczywiście wszystkiego się domyślił. Gdyby Sajhë poprosił go o radę, byłby mądrzejszy.

– A może wiedział, że nie chce słyszeć jego rady?

Baillard uśmiechnął się kącikiem ust.

– *Benlèu* – powiedział. – Możliwe. – I umilkł.

– Co dalej? – spytała Alice po jakimś czasie. – Czy Sajhë powiedział jej, co czuje?

– Tak.

– Co mu Alaïs odpowiedziała?

Audric Baillard spojrzał jej prosto w oczy.

– Nie wiesz? – szepnął. – Obyś nigdy nie zaznała miłości bez nadziei na wzajemność.

– Przecież ona go kochała! – Alice sama nie wiedziała dlaczego, lecz musiała bronić Alaïs. – Kochała go jak brata. Czy to nie dosyć?

Baillard uśmiechnął się smutno.

– Musiał na to przystać. Musiał się tym zadowolić. Czy to nie dosyć? –

powtórzył. – Nie. O, nie. – Odwrócił się i ruszył w stronę domu. – Wejdźmy do środka – poprosił. – Zrobiło się gorąco. Na pewno jesteś zmęczona po długiej podróży.

Dopiero teraz Alice zauważyła, iż staruszek wyraźnie pobladł. Poczuła ukłucie winy. Zerknęła na zegarek i zaskoczona stwierdziła, że rozmawiali znacznie dłużej, niż jej się zdawało. Dochodziło południe.

– Chodźmy. – Wzięła go pod ramię.

Wolnym krokiem poszli do chatki.

– Zechciej mi wybaczyć – rzekł, gdy znaleźli się w chłodnym wnętrzu. – Muszę się zdrzemnąć. Może także odpoczniesz?

– Rzeczywiście, jestem zmęczona – przyznała.

– Później przyszykuję jedzenie i dokończę opowieść. Nim zapadnie zmierzch i zajmiemy się innymi sprawami.

Alice odczekała, aż gospodarz zniknął na tyłach domku i zaciągnął kotarę. Ją także siły opuściły. Zabrała koc, poduszkę i wyszła na zewnątrz. Ułożyła się pod drzewem.

Dopiero wtedy sobie uświadomiła, iż pochłonięta zdarzeniami z przeszłości ani razu nie pomyślała o Shelagh ani o Willu.

ROZDZIAŁ 68

– Co robisz? – spytał François-Baptiste, wchodząc do pokoju w niewielkiej, niepozornej chatce niedaleko Pic de Soularac.

Marie-Cécile nawet nie podniosła wzroku. Siedziała przy stole. Na blacie, na specjalnej czarnej podkładce, leżała Księga Liczb.

– Przypominam sobie układ komnaty.

François-Baptiste usiadł obok matki.

– Z jakiegoś szczególnego powodu?

– Chcę sobie uświadomić różnice między tym wykresem a samą jaskinią.

Zajrzał jej przez ramię.

– Dużo tych różnic?

– Nie. – Czerwony paznokieć obciągnięty ochronną bawełnianą rękawiczką zawisł nad księgą. – Nasz ołtarz jest tutaj, tak jak zaznaczono. W jaskini znajduje się bliżej ściany.

– Wobec tego labirynt jest umieszczony w cieniu.

Przeniosła na syna zdumione spojrzenie. Niespotykany u niego przejaw inteligencji.

– Jeśli jednak dawni opiekunowie ksiąg – ciągnął François-Baptiste – korzystali przy ceremoniach z tej samej Księgi Liczb co Noublesso Véritable, to wynik powinien być taki sam.

– Tak by się mogło wydawać – odparła Marie-Cécile. – Od razu widać, że nie ma grobowca, prawda? Interesujące jednak, że szkielety zostały złożone dokładnie w tym samym miejscu...

– Wiadomo coś więcej o tych szczątkach? – zapytał.

Marie-Cécile tylko pokręciła głową.

– Więc nadal nie wiemy, kto to był?

– Czy to ma jakiekolwiek znaczenie?

– Pewnie nie – odpowiedział, choć widać było, że sprawa nie daje mu spokoju.

– Nie przypuszczam – ciągnęła – by którykolwiek z tych szczegółów miał znaczenie. Najważniejszy jest wzór, ścieżka, którą szedł *navigataire*, gdy padały kolejne słowa.

– Jesteś pewna, że odczytasz pergamin z Księgi Słów?

– Zakładając, że pochodzi z tego samego okresu, co inne, tak. Hieroglify są stosunkowo mało skomplikowane.

Nie mogła się doczekać. Dzisiejszej nocy wypowie zapomniane słowa i zapanuje nad czasem. Zstąpi na nią moc Graala.

– A jeśli O'Donnell kłamie? – denerwował się François-Baptiste. – Jeśli nie ma księgi? Albo Authié jeszcze jej nie znalazł?

Marie-Cécile, gwałtownie wyrwana z marzeń, zamknęła oczy. Ten ton! Wyzywający, ostry... Spojrzała na syna z odrazą.

– Księga Słów tam jest – oznajmiła.

Rozeźlona zamknęła Księgę Liczb i wsunęła ją na powrót do sakwy. Na podkładce położyła tymczasem Księgę Napojów.

Z wierzchu księgi były identyczne. Takie same okładki z desek obciągniętych skórą, tak samo zawiązywane na cienkie rzemyki.

Pierwsza strona Księgi Napojów, prawie pusta, zawierała tylko jeden znak: niewielki złoty kielich pośrodku. Na drugiej – nic. Na trzeciej znajdowały się słowa i rysunki, które umieszczono także na ścianach pod sufitem w piwnicznej komnacie w domu przy rue du Cheval Blanc.

Każda pierwsza litera na stronie była wyróżniona czerwoną, niebieską lub złotawożółtą otoczką, ale pozostały tekst ciągnął się nieprzerwanym wężem, w którym jedno słowo przechodziło w drugie bez żadnego odstępu czy znaku przestankowego, który by wskazywał, gdzie się jedno słowo kończy, a drugie zaczyna.

Marie-Cécile otworzyła księgę pośrodku, jej oczom ukazał się pergamin. Tutaj hieroglify przeplecione zostały filigranowymi rysunkami roślin i symbolami wykonanymi zielonym atramentem. Dziadek Marie-Cécile po latach badań prowadzonych przez uczonych, wspieranych fortuną rodu de l'Oradore, doszedł do słusznego wniosku, iż żadna z ilustracji nie ma istotnego znaczenia.

Liczyły się wyłącznie hieroglify uwiecznione na papirusach. Cała reszta – słowa, rysunki, barwy, wyróżnienia – wszystko to znajdowało się w księgach wyłącznie po to, by ukryć prawdę.

– Jest tam – oznajmiła z mocą, przewiercając syna wzrokiem. Widziała na jego twarzy zwątpienie, ale też mądrze postanowił go nie wyrażać słowami. – Przynieś moje rzeczy – rozkazała ostrym tonem. – A potem sprawdź, gdzie jest samochód.

* * *

Po chwili wrócił ze sporą prostokątną szkatułką.

– Gdzie postawić?

– Tutaj. – Wskazała toaletkę.

Szkatułka, prezent od dziadka, obciągnięta była miękką brązową skórą, na wierzchu złociły się inicjały właścicielki.

Marie-Cécile odchyliła wieko. Po wewnętrznej stronie znajdowało się lustro oraz kieszonki na pędzle, gąbki, szmatki i niewielkie złote nożyczki. Kosmetyki rozmieszczono w równych rzędach na górnej tacy: szminki, cienie i kredki do oczu, tusze do rzęs, puder i róż. Niżej znajdowały się trzy czerwone skórzane kasetki na biżuterię.

– Gdzie są? – spytała, nie odwracając się od lustra.

– Już niedaleko. – odpowiedział François-Baptiste.

W jego głosie znać było napięcie.

– W jakim on jest stanie?

Syn położył matce ręce na ramionach.

– Czy to ma jakieś znaczenie, *maman*?

Marie-Cécile przyjrzała się swojemu odbiciu w lustrze, potem przeniosła spojrzenie na syna, upozowanego jak do portretu. Ton głosu był niedbały, ale spojrzenie go zdradziło.

– Nie – odparła i ujrzała na jego twarzy wyraźną ulgę. – Po prostu jestem ciekawa.

Ścisnął ją za ramiona i zaraz cofnął dłonie.

– Żyje – powiedział. – A w końcu o to chodzi. Sprawiał kłopoty, kiedy go wyciągali. Musieli go uciszyć.

Marie-Cécile uniosła brwi.

– Mam nadzieję, że nie za mocno. Z nieprzytomnego nie będę miała żadnego pożytku.

– Ty? – spytał napastliwie.

Marie-Cécile zbyt późno ugryzła się w język. Potrzebowała pomocy syna.

– My – poprawiła się posłusznie.

ROZDZIAŁ 69

Baillard obudził Alice po dwóch godzinach.

– Naszykowałem jedzenie – powiedział.

Po drzemce wyglądał lepiej. Jego skóra straciła żółtawy odcień wosku, oczy nabrały blasku.

Alice wzięła koc i poduszkę i poszła za gospodarzem do chatki. Na stole czekał kozi ser, oliwki, pomidory, brzoskwinie oraz dzban wina.

– Zapraszam. Smacznego.

Siedli do stołu. Audric Baillard jadł niewiele, natomiast wina sobie nie żałował.

Alice cisnęły się na usta pytania.

– Czy Alaïs próbowała odzyskać księgi?

– Od chwili gdy nad Pays d'Oc zawisła groźba wojny, Harif dążył do połączenia Trylogii. Tymczasem jednak Alaïs trudno było podróżować, skoro za jej głowę wyznaczono nagrodę. Jeśli już schodziła do miasta, to wyłącznie w przebraniu. Podróż na Północ byłaby szaleńczą wyprawą. Sajhë kilkakroć planował wyprawę do Chartres.

– Ze względu na Alaïs?

– Częściowo tak, ale także przez wzgląd na swoją babkę, Esclarmonde. Czuł się zobowiązany do działania dla dobra Noublesso de los Seres, tak jak Alaïs w imieniu ojca.

– Co się stało z Esclarmonde?

– Większość *bons homes* uciekła do północnej Italii, lecz Esclarmonde nie miała siły na tak daleką podróż. Toteż Gaston z bratem przygarnęli ją do niewielkiej społeczności w Navarre, gdzie przeżyła ostatnich kilka lat. Sajhë odwiedzał ją, kiedy tylko mógł. – Przerwał. – Alaïs była ogromnie zasmucona, że nigdy się już nie spotkały.

– A co z Oriane? – zapytała Alice po chwili. – Czy Alaïs wiedziała, co się z nią dzieje? Jakie wieści docierały z Chartres?

– O siostrze wiedziała niewiele. Ludzie mówili głównie o budowie labiryntu w katedrze Notre Dame. Nikt nie wiedział, z czyjego polecenia powstaje ten wzór ani co ma oznaczać. Między innymi z tego właśnie powodu Evreux i Oriane tam właśnie zamieszkali, zamiast wrócić do jego majątku, dalej na północy.

– Ale księgi rzeczywiście pozostały w Chartres.

– To prawda. Natomiast labirynt w kościele został stworzony po to, by odciągnąć uwagę od wzoru w jaskini.

– Widziałam go wczoraj – powiedziała.

To było wczoraj?, pomyślała jednocześnie. Nie przed wiekami?

– Nic nie poczułam – dodała. – To znaczy, jest piękny, imponujący, rzeczywiście robi wrażenie, ale nic więcej.

Audric pokiwał głową.

– Oriane dostała, czego chciała. Guy d'Evreux zabrał ją na Północ jako żonę. W zamian za to ona dała mu Księgę Napojów, Księgę Liczb oraz przysięgła, iż będzie szukała Księgi Słów.

– Pobrali się? – zdziwiła się Alice. – Ale co z...

– Jehanem Congostem? Był dobrym człowiekiem. Może pozbawionym poczucia humoru, zazdrosnym i pedantycznym, ale jednocześnie wiernym i lojalnym sługą. Zabił go François. Na polecenie Oriane. – Umilkł na dłuższą chwilę. – Ten także nie cieszył się życiem długo, ale zasłużył na śmierć. Skończył marnie.

Alice pokręciła głową.

– Mnie chodziło o Guilhema.

– Został na Południu.

– Czy nie miał planów związanych z Oriane?

– Był niestrudzony w walce z krzyżowcami. Z upływem lat zbudował w górach silne stronnictwo. Z początku oddał swój miecz i słowo pod rozkazy Pierre'a Rogera de Mirepoix. Potem, gdy syn wicehrabiego Trencavela starał się odzyskać ziemie ukradzione ojcu, stanął u jego boku.

– Co go tak odmieniło? – zdumiała się Alice.

– Nie, to nie tak... – Baillard westchnął. – Guilhem du Mas nigdy nie zdradził wicehrabiego Trencavela. Był głupcem, co do tego nie ma dwóch zdań, ale nie zdrajcą. Oriane go wykorzystała. Został uwięziony w tym samym czasie co Raymond Roger Trencavel, po upadku Carcassony. Tyle że jemu udało się uciec. – Stary człowiek głęboko nabrał powietrza, jakby się szykował do trudnego zadania i przyznał raz jeszcze: – Nie był zdrajcą.

– Alaïs sądziła inaczej.

– Był kowalem własnego losu.

– Tak, oczywiście, ale... mimo wszystko... Żyć z przekonaniem, że Alaïs ma go za...

– Guilhem nie zasługuje na współczucie – przerwał jej Baillard stanowczo. – Zdradził Alaïs, złamał przysięgę małżeńską, poniżył swoją żonę. A ona mimo to... – Przerwał. – Proszę mi wybaczyć. Czasami trudno zachować obiektywizm...

Co go tak irytuje?

– Nigdy nie próbował spotkać się z Alaïs? – zapytała.

– Kochał ją – odpowiedział Audric po prostu. – Więc nie chciał ryzykować, że po jego śladach trafią do niej Francuzi.

– I ona także nie starała się z nim zobaczyć?

Baillard wolno pokręcił głową.

– Ty byś to zrobiła na jej miejscu? – spytał cicho.

Alice na jakiś czas zatonęła w myślach.

– Sama nie wiem... Skoro go kochała, mimo wszystko...

– Docierały tu czasem wieści o potyczkach Guilhema. Alaïs ich nie komentowała, ale była dumna z jego poczynań.

Alice poprawiła się na krześle. Baillard wyczuł jej zniecierpliwienie i zaczął mówić szybciej.

– Przez pięć lat od powrotu Sajhë panował względny spokój. Dobrze im się żyło we trójkę. W okolicznych górach osiedliło się wielu dawnych mieszkańców Carcassony, między nimi także służąca Alaïs, Rixende. Ta mieszkała w najbliższej osadzie. Wiedli życie proste i spokojne. – Przerwał, porządkując w głowie fakty. – W tysiąc dwieście dwudziestym dziewiątym wszystko się zmieniło. Nowy król Francji, Ludwik Święty był gorliwym sługą Kościoła. Herezja nie dawała mu spać po nocach. Mimo długich lat prześladowań na Południu pięciu katarskich biskupów – z Tolosy, Albi, Carcassony, Agen i Razès, cieszyło się większym szacunkiem i wpływami niż dostojnicy Kościoła katolickiego. Z początku zmiana sytuacji w kraju nie wywarła wpływu na życie Alaïs i Sajhë. Oboje robili swoje. Sajhë zimą podróżował do Hiszpanii, by zbierać pieniądze i broń na wsparcie rebeliantów. Alaïs pomagała mu na Południu Francji. Świetnie jeździła konno, doskonale strzelała z łuku, bardzo dobrze radziła sobie z mieczem i nie brakowało jej odwagi, więc niosła wieści do przywódców sił Południa w Ariège i całych Montagnes du Sabarthès. Pomagała w ucieczce „doskonałym", zapewniała im jedzenie, schronienie i przynosiła wiadomości o tym, gdzie odbędą się modły. *Parfaits* żyli wtedy ciągle w drodze, utrzymywali się z pracy własnych rąk. Gręplowali wełnę, piekli chleb, przędli. Zwykle podróżowali parami, nauczyciel z uczniem. Dwóch mężczyzn albo dwie kobiety. – Audric uśmiechnął się do przeszłości. – Tak jak Esclarmonde wychowywała swoją następczynię w Carcassonie. I tak mogłoby się toczyć życie na Południu: tu i ówdzie jakaś ekskomunika, tam znowu pobłażanie krzyżowcom, od czasu do czasu tak zwana nowa kampania wykorzeniania herezji... Gdyby nie działania nowego papieża. Grzegorz IX nie miał cierpliwości. W tysiąc dwieście trzydziestym pierwszym powołał świętą inkwizycję. Jej zadanie polegało na wykorzenieniu herezji. Pomagali mu w tym dziele dominikanie.

– Myślałam, że inkwizycja zaczęła się w Hiszpanii. Zawsze się o niej słyszy w tym kontekście.

– To powszechne mniemanie – zgodził się Baillard – ale z gruntu fałszywe. W rzeczywistości inkwizycja powstała w celu wytępienia katarów. Nastał czas prawdziwego terroru. Inkwizytorzy wędrowali od miasta do miasta, niczym nieskrępowani, oskarżając, skazując i wykonując wyroki. Wszędzie roiło się od szpiegów. Dochodziło nawet do ekshumacji, ciała pochowane w świętej ziemi palono jako szczątki heretyków. Porównując zeznania, inkwizytorzy kreślili mapę ścieżek, którymi podążali, tropiąc katarską herezję przez miasta, miasteczka i wsie. Pays d'Oc, kraina spokoju i piękna, na nowo spłynęła krwią. Skazywano niewinnych ludzi, także katolików. Ze strachu sąsiad zwracał się przeciwko sąsiadowi. W każdym większym mieście od Tolosy po Carcassonę ustanowiono trybunał inkwizycyjny. A duchowni sędziowie oddawali swoje ofiary sądowi świeckiemu, by ten je więził, katował, okaleczał albo palił. Sami mieli czyste ręce. Mało kogo uniewinniano. A ci szczęśliwcy, którzy ocalili życie, musieli nosić na ubraniu żółty krzyż, który był znakiem ich nieprawowierności.

W pamięci Alice odżyło wspomnienie. Bieg przez las, ucieczka przed pogonią. Upadek. Kawałek tkaniny w kolorze jesiennego liścia płynący nad nią w powietrzu.

Czy to był sen?

Spojrzała na Audrica i na jego twarzy dostrzegła tak wielkie strapienie, że aż jej się serce ścisnęło.

– W maju tysiąc dwieście trzydziestego czwartego inkwizytorzy przybyli do Limoux. Pech chciał, że w tym samym czasie przejeżdżała tamtędy Alaïs z Rixende. Wyglądały jak *parfaites* – dwie kobiety w podróży... Zostały aresztowane i zabrane do Tolosy.

Tego się bałam.

Nie podały swoich prawdziwych imion, więc minęło kilka dni, zanim Sajhë usłyszał fatalne wieści. Wyruszył od razu, niepomny, że naraża się na niebezpieczeństwo. Szczęście mu nie sprzyjało. Ponieważ większość przesłuchań była prowadzona w katedrze Sant-Sernin, tam właśnie wybrał się szukać Alaïs. Tymczasem ona wraz z Rixende została zabrana do kościoła Sant-Etienne.

Alice wstrzymała oddech. Pamiętała zjawę, kobiecą postać ciągniętą przez mnichów o twarzach ukrytych pod czarnymi kapturami.

– Byłam tam – wykrztusiła.

– Więźniów przetrzymywano w strasznych warunkach. W brudzie, bez światła i ciepła, bito ich i poniżano. Tylko krzyki torturowanych odróżniały dzień od nocy. Wielu zatrzymanych zmarło w tych murach, oczekując procesu.

– Czy ona... – Wyschnięte usta nie pozwoliły jej powiedzieć więcej.

– Człowiek może znieść bardzo wiele, ale gdy się raz podda, załamuje się całkowicie – ciągnął Baillard, jakby nie słyszał jej pytania. – Do tego właśnie doprowadzali inkwizytorzy. Pozbawiali nas hartu ducha, z równą zajadłością, jak na torturach obdzierali ze skóry i łamali kości. Aż w końcu już nie wiedzieliśmy, kim jesteśmy.

– Niech pan mi opowie – poprosiła.

– Sajhë się spóźnił – powiedział cicho. – Na szczęście Guilhem zdążył na czas. Usłyszał, że jakaś zielarka, kobieta z gór, została sprowadzona na przesłuchanie i cudem domyślił się w tych plotkach wieści o Alaïs, choć przecież nawet jej imię nie znalazło się w ewidencji. Przekupił strażników, a może ich zastraszył... tego nie wiem. Odszukał żonę. We dwie z Rixende były trzymane w osobnej celi, dzięki czemu łatwiej było do nich trafić. Potem szybko zabrał je z Sant-Etienne i wywiózł z Tolosy, zanim inkwizytorzy zorientowali się w ich zniknięciu.

– Ale...

– Alaïs była przekonana, iż to Oriane nakazała je uwięzić. Na szczęście nie były przesłuchiwane.

– Czy Guilhem zawiózł je z powrotem w góry? – Alice otarła łzy wierzchem dłoni. – Wróciła do domu?

– Tak – powiedział szybko. – W miesiącu *agost*, na krótko przed świętem Wniebowzięcia Najświętszej Marii Panny przybyły tu we dwie, Alaïs i Rixende.

– Guilhem się nie zjawił?

– Nie. I nie spotkali się, aż... – zamilkł. – Pół roku później Alaïs urodziła córkę – powiedział. – Dała jej na imię Bertrande, na pamiątkę po swoim ojcu, Bertrandzie Pelletier.

* * *

Słowa Audrica długo wypełniały ciszę.

Kolejna zagadka rozwiązana.

– Guilhem i Alaïs – szepnęła Alice. Przypomniała sobie drzewo genealogiczne rozłożone na podłodze w domku ciotki Grace, w Sallèles d'Aude. ALAÎS PELLETIER-DU MAS (1193–) wypisane czerwonym atramentem. Nie potrafiła wtedy rozczytać sąsiedniego imienia, widziała tylko słowo Sajhë, wypisane niżej i z boku, na zielono. Alaïs i Guilhem.

Przodkowie w prostej linii.

Chciała wiedzieć, co się działo przez te trzy miesiące wspólnej podróży. Dlaczego się rozstali? Dlaczego symbol labiryntu został wyrysowany obok imion Alaïs i Sajhë ?

I przy moim.

Podniosła wzrok na Baillarda, chciała go zasypać pytaniami, ale wyraz jego twarzy powiedział jej wyraźnie, iż zbyt długo rozprawiali o Guilhemie.

– Co się działo dalej? – spytała więc cicho. – Czy Alaïs z córką zostały w Los Seres z Sajhë i Harifem?

Po lekkim uśmiechu Audrica poznała, iż był jej wdzięczny za zmianę tematu.

– Mała była cudownym dzieckiem. Pogodna, zawsze roześmiana, rozśpiewana. Wszyscy ją uwielbiali, Harif w szczególności. Bertrande godziny całe spędzała w jego towarzystwie, słuchając opowieści o Ziemi Świętej i o swoim dziadku, Bertrandzie Pelletier. Gdy nieco podrosła, biegała dla niego na posyłki, w wieku sześciu lat nauczyła się grać w szachy. – Twarz mu znowu sposępniała. – Niestety, nad wszystkimi stale zalegał cień inkwizycji. Podbiwszy równiny, krzyżowcy zwrócili uwagę na niezdobyte twierdze Pirenejów i Montagnes du Sabarthès. W tysiąc dwieście czterdziestym Raymond Trencavel, syn Raymonda Rogera, wrócił z wygnania z zastępem *chevaliers*. Dołączyła do niego arystokracja Corbières. Bez trudu odbił większość miast pomiędzy Limoux a Montagne Noire. Cała kraina sięgnęła po broń: Saissac, Azille, Laure, zamki w Quéribus, Peyrepertuse, Aguilar. Niestety, mimo trwających miesiąc walk nie udało mu się odbić Carcassony. W październiku zawrócił do Montréalu. Nikt nie przyszedł mu z pomocą. W końcu musiał się wycofać do Aragonii. – Audric zamyślił się, nim podjął wątek na nowo. – W kraju zapanował strach. Montréal został zrównany z ziemią, podobnie Montolieu. Limoux i Alet wolały się poddać. Stało się jasne dla wszystkich, iż lud zapłaci za upadek rebelii. – Baillard przerwał niespodziewanie, podniósł na Alice zaciekawione spojrzenie. – Czy byłaś w Montségur, *madomaisèla*? – A gdy pokręciła przecząco głową, podjął: – Jest to miejsce niepowtarzalne. Może święte. Jeszcze teraz, po tylu latach, mieszkają tam duchy przeszłości. Jak skalny stożek wyrasta z poprzerzynanej rozpadlinami niziny. Boża świątynia wznosząca się do nieba.

– Bezpieczna góra – powiedziała Alice odruchowo i spiekła raka, uświadomiwszy sobie, że cytuje Baillardowi jego własne słowa.

– Wiele lat przed początkiem krucjaty katarzy poprosili *seigneur* Montségur, Raymonda de Péreille, by odbudował popadające w ruinę *castellum* i wzmocnił mury obronne. Garnizonem dowodził Pierre Roger de Mirepoix, u którego służył Sajhë. Alaïs, obawiając się o bezpieczeństwo Bertrande i Harifa, uznała, iż nie mogą dłużej pozostawać w Los Seres. Wówczas Sajhë postanowił ich chronić i razem przyłączyli się do tłumów zdążających do Montségur. – Pokiwał głową w zamyśleniu. – W czasie podróży byli bardziej widoczni. Może powinni byli się rozdzielić...? Alaïs znajdowała się na liście sporządzonej przez inkwizytorów...

– Czy należała do katarów? – spytała Alice, uświadomiwszy sobie raptem, że wcale nie była tego pewna.

– Katarzy wierzyli, iż świat, który możemy poznać zmysłami, został stworzony przez diabła, co zaklął czyste duchy królestwa bożego i uwięził je w ludzkich ciałach na ziemi. Ich zdaniem, jeśli człowiek żyje dobrze i dobrze kończy życie, jego dusza zostaje wyzwolona i wraca do Boga. Jeśli nie, w ciągu czterech dni odradza się w nowym ciele i zaczyna kolejną podróż po ziemi.

Alice przypomniała sobie słowa z Biblii.

– Co zrodziło się z ciała, jest ciałem, a to, co zrodzone z ducha – duchem.

Audric pokiwał głową.

– Trzeba zrozumieć, że *bons homes* byli przez ludzi kochani i szanowani. Nie pobierali opłat za zawarcie małżeństwa ani nadanie dziecku imienia czy pochowanie zmarłego. Nie nakładali podatków, nie żądali dziesięciny. Znana jest historia o pewnym *parfait*, który napotkał klęczącego wieśniaka. „Co robisz?", zapytał tego prostego człowieka. „Dziękuję Bogu za obfite plony". *Parfait* uśmiechnął się i pomógł mu wstać. „To nie boża praca, tylko twoja. To ty wiosną przekopałeś ziemię, wsiałeś w nią ziarno i dbałeś o zasiewy aż do zbiorów". – Baillard podniósł spojrzenie na Alice. – Tak właśnie uważali katarzy.

– Tak... chyba rozumiem. Według nich człowiek sam był kowalem swojego losu.

– Tak. Oczywiście uzależniony był także od czasu i okoliczności, w jakich przyszło mu żyć.

– Czy Alaïs utożsamiała się z takim sposobem myślenia? – naciskała Alice.

– Alaïs była jak katarzy. Pomagała ludziom, potrzeby innych stawiała zawsze przed własnymi, robiła to, co uważała za słuszne, niezależnie od tego, co dyktowała tradycja lub obyczaje. – Uśmiechnął się ciepło. – Tak jak i oni wierzyła, iż nie ma Sądu Ostatecznego. Jej zdaniem otaczające ludzi zło nie mogło pochodzić od Boga. Ale... nie. Nie należała do katarów. Bo kochała także świat zmysłów.

– A co z Sajhë?

Audric nie odpowiedział od razu.

– Choć dzisiaj słowa „katar" używa się powszechnie, w czasach Alaïs wierni określali siebie mianem *bons homes*. Łacińskie pisma inkwizycji nazywają ich *albigenses* albo *heretici*.

– Skąd wobec tego wziął się termin „katarzy"?

– Cóż, nie pozwólmy, by zwycięzcy pisali za nas naszą historię... – powiedział. – To termin, który według mnie i innych... – przerwał i uśmiechnął się jakby na wspomnienie dobrego żartu. – Istnieje kilka różnych wyjaśnień. Możliwe, iż oksytańskie słowo *catar* i francuskie *cathare* pochodzą z greki, od greckiego *katharós*, co oznacza czysty, nieskalany. Któż może stwierdzić z całą pewnością, jakie przesłanie miał nieść ze sobą ten termin?

Alice zmarszczyła brwi. Czegoś tu nie rozumiała, ale nawet nie miała pewności czego.

– Skąd wobec tego wzięła się ta religia? – spytała. – Gdzie się zaczęła? Nie we Francji?

– Korzenie europejskiej wiary katarskiej tkwią głęboko w bogomilizmie, wierze opartej na dualizmie, która rozwinęła się w Bułgarii, Macedonii i Dalmacji w dziesiątym wieku. Łączyły się także ze starszymi religiami, jak perski zoroastryzm czy manicheizm. Wyznawcy tych religii także wierzyli w reinkarnację.

W umyśle Alice zaczęła się formować zupełnie nowa myśl. Stanowiąca powiązanie między wszystkim, co usłyszała od Audrica, i tym, co już wiedziała.

Spokojnie, wszystko się ułoży. Cierpliwości.

– W Palais des Arts w Lyonie – podjął – jest przechowywana odręcznie sporządzona kopia katarskiego tekstu Ewangelii świętego Jana. To jeden z nielicznych dokumentów, jaki uniknął zniszczenia przez inkwizycję. Jest napisany w *langue d'oc*, więc posiadanie go w tamtym czasie uważane było za dowód herezji i zasługiwało na karę. Ze wszystkich świętych pism właśnie Ewangelia świętego Jana była dla *bons homes* najważniejsza. To w niej największy nacisk kładzie się na osobisty rozwój człowieka, na zdobywanie wiedzy, *gnosis*. *Bons homes* nie chcieli czcić bóstwa w ludzkiej postaci, krzyża czy ołtarza, przedmiotów stworzonych z kamienia czy drewna, a więc powstałych za sprawą szatana. Za to z najwyższym szacunkiem traktowali słowo boże.

Na początku było Słowo, a Słowo było u Boga, i Bogiem było Słowo.

– Reinkarnacja – rzekła wolno, myśląc na głos. – Nie mogła zostać uznana przez ortodoksyjną wiarę chrześcijańską.

– Najważniejsza w religii chrześcijańskiej jest wiara w życie wieczne dla tych, którzy uwierzą w Chrystusa i zostaną odkupieni poprzez jego poświęcenie na krzyżu. Reinkarnacja to także forma wiecznego życia.

Labirynt. Droga do wiecznego życia.

Audric wstał, otworzył okno. Alice, patrząc na jego wyprostowane plecy, dojrzała zdecydowanie, jakiego wcześniej w nim nie było.

– Powiedz mi, proszę – odezwał się, odwracając do niej – czy wierzysz w przeznaczenie? Czy też sami wybieramy sobie swoją życiową drogę?

– Ja... – Umilkła. Nie miała pewności, co o tym sądzi. Tutaj, w ponadczasowych górach, wysoko tuż pod niebem, gdzie szara codzienność i zwykłe wartości wydawały się nie mieć najmniejszego znaczenia. – Wierzę w swoje sny – powiedziała w końcu.

– Czy wierzysz, że człowiek potrafi zmienić swoje przeznaczenie? – spytał.

Alice odruchowo pokiwała głową.

– W przeciwnym razie, jaki byłby sens życia? Gdybyśmy tylko podążali z góry wyznaczoną drogą, wszystkie przeżycia i doświadczenia, dzięki którym jesteśmy tym, kim jesteśmy... miłość, smutek, radość, nauka i zmiany... wszystko to nie byłoby nic warte.

– Czy odwodziłabyś innego człowieka od podejmowania niezależnych decyzji?

– To by zależało od okoliczności – odparła z namysłem, podenerwowana. – Dlaczego pan pyta?

– Proszę, byś zapamiętała swoją odpowiedź – rzekł cicho. – Nic więcej. Kiedy przyjdzie czas, poproszę, żebyś ją sobie przypomniała. *Si es atal es atal.*

Obce słowa poruszyły w duszy Alice zapomnianą strunę. Z pewnością już gdzieś je słyszała. Nie mogła jednak odszukać tego wspomnienia.

– Co ma być, to będzie – powiedział Audric Baillard.

ROZDZIAŁ 70

– Monsieur Baillard, ja...

Audric uniósł dłoń.

– *Benlèu* – powiedział, wracając do stołu. – Opowiem wszystko, co powinnaś wiedzieć. Daję słowo.

Alice otworzyła usta, ale je zamknęła.

– W twierdzy było tłoczno – podjął – lecz mimo wszystko był to szczęśliwy czas. Po raz pierwszy od lat Alaïs czuła się bezpieczna. Bertrande, teraz już prawie dziesięcioletnia panienka, była lubiana przez inne dzieci. Harif, choć już bardzo stary i kruchy, także czuł się podniesiony na duchu. Cieszył się przemiłym towarzystwem: Bertrande zawsze potrafiła go rozweselić, z „doskonałymi" sprzeczał się o naturę Boga i świata. Sajhë często pojawiał się u boku Alaïs... była wtedy szczęśliwa.

Alice zamknęła oczy, pod jej powiekami ożyła przeszłość.

– Życie nie było wtedy złe i kto wie, jak długo trwałaby taka sytuacja, gdyby nie jeden nierozważny akt zemsty. Dnia dwudziestego ósmego maja tysiąc dwieście czterdziestego drugiego roku Pierre Roger de Mirepoix otrzymał wiadomość, iż do miasta Avignonet przybyło czterech inkwizytorów. Oczywiście wszyscy wiedzieli, że w wyniku tej wizyty kolejni *credentes* i *parfaits* zostaną uwięzieni albo posłani na stos. Postanowił zatem działać. Wbrew radom swoich sierżantów, w tym także Sajhë, zebrał oddział osiemdziesięciu pięciu rycerzy z garnizonu Montségur i wyruszył do Avignonet. *En route* jego oddział rósł w siłę. Sto kilometrów dzielących ich od Avignonet przebyli w jeden dzień i zjawili się w miasteczku na krótko po tym, jak inkwizytor Guillaume Arnaud oraz jego trzej towarzysze udali się na spoczynek. Ktoś otworzył rycerzom drzwi, wpuścił ich do środka. Inkwizytorzy oraz ich asystenci zostali dosłownie posiekani. Siedmiu *chevaliers* przypisywało sobie zadanie pierwszego ciosu. Ludzie powiadali, iż Guillaume Arnaud umarł z „Te Deum" na ustach. Nie ma co do tego pewności, natomiast pewne jest, że jego inkwizycyjne rejestry zostały zabrane i zniszczone.

– Przynajmniej tyle dobrego.

– Zdarzenia w Avignonet okazały się prowokacją. Masakra wywołała szybką reakcję. Król nakazał zburzenie Montségur, katarskiej stolicy, raz na zawsze. U stóp góry stanęła armia baronów Północy, katolickich inkwizytorów oraz najemników. Zaczęło się oblężenie, ale nie było szczególnie skuteczne, ponieważ obrońcy twierdzy pod osłoną nocy wychodzili z warowni i wracali do niej, kiedy chcieli. Po pięciu miesiącach garnizon stracił tylko trzech ludzi. Wszystko wskazywało na to, iż oblężenie się nie powiedzie. Dopiero gdy nadciągnęła ostra górska zima, baskijscy górale, najęci przez Francuzów, wdarli się na występ skalny, tak zwany Roc de la Tour, dosłownie o rzut kamieniem od murów zamku. Tam zbudowano machinę miotającą, by z jej pomocą bombardować pozycje obrońców. W tym samym czasie potężna katapulta atakowała barbakan. W Boże Narodzenie tysiąc dwieście czterdziestego trzeciego Francuzi zdobyli mały barbakan. Znaleźli się bardzo blisko wschodniej ściany fortecy. Zainstalowali kolejne machiny oblężnicze. – Mówiąc, Baillard obracał pierścień na palcu. Usłużna pamięć podsunęła Alice obraz innego mężczyzny, który snując opowieści, obracał pierścień na kciuku. – Wtedy po raz pierwszy – podjął Audric – obrońcy zaczęli brać pod uwagę możliwość, iż warownia zostanie zdobyta. U podnóża stoków powiewały sztandary Kościoła katolickiego oraz *fleur-de-lys**, godło króla Francji. Choć wyblakły od słońca, deszczu i śniegu, ciągle tkwiły w dolinie. Armia krzyżowców, dowodzona przez seneszala Carcassony, Hugona z Arcis, liczyła między sześć a dziesięć tysięcy ludzi. W fortecy było najwyżej stu zbrojnych. Alaïs chciała... – urwał. – Doszło do spotkania przedstawicieli wrogich stron. Katarów reprezentowali biskup Bertrand Marty oraz Raymond Aiguilher.

– Wobec tego prawdziwa jest historia o katarskim skarbie? Rzeczywiście istniał?

– Tak. Do wykonania zadania wybrano dwóch wiernych: Mateusza i Piotra Bonnet. Ubrali się grubo, bo zima była ostra, przypasali skarb na plecach i uciekli z zamku pod osłoną nocy. Ominęli posterunki wystawione na przejściach, przedostali się do miasta, a później na południe, do Montagnes du Sabarthès.

Alice miała oczy jak spodki.

– Na Pic de Soularac.

– Rzeczywiście. Tutaj skarb przejęli inni. Przez góry iść się nie dało, bo śnieg był za głęboki, więc posłańcy skierowali się na brzeg morza, popłynęli do Lombardii, do krainy w północnej Italii, gdzie żyła nienękana tak surowymi prześladowaniami społeczność *bons homes*.

– A co z braćmi Bonnet?

– Mateusz wrócił do twierdzy sam. Pod koniec *janvier*. Straże na drogach zostały zwerbowane spośród miejscowych, z Camon sur l'Hers, niedaleko Mirepoix, więc wartownicy pozwolili mu przejść. Przyniósł wieści o odsieczy. Ponoć sam król Aragonii miał się pojawić wiosną. Były to jednak tylko słowa otuchy. Armia oblegająca dysponowała zbyt wielką potęgą. – Baillard objął Alice spojrzeniem bursztynowych oczu. – Słyszeliśmy też pogłoski, jakoby na Południe zdążała pani Oriane w towarzystwie mę-

---

* kwiat lilii

ża i syna z pomocą dla oblężonych. Mogło to oznaczać tylko jedno: po latach odkryła, iż Alaïs ciągle żyje. Chciała dostać Księgę Słów.

– Przecież Alaïs jej ze sobą nie miała?

Audric nie odpowiedział na pytanie.

– W połowie lutego – podjął – oblegający napierali szczególnie mocno. Pierwszego marca tysiąc dwieście czterdziestego czwartego roku obrońcy fortecy podjęli ostatnią próbę zrzucenia Basków z Roc de la Tour. Wreszcie na wyszczerbionych murach warowni rozbrzmiał pojedynczy głos rogu. – Z trudem przełknął ślinę. – Raymond de Péreille, *seigneur* Montségur oraz Pierre Roger z Mirepoix, dowódca garnizonu, wyszli za wielką bramę i poddali zamek Hugonowi z Arcis. Oblężenie się skończyło. Montségur przegrało.

Alice westchnęła ciężko. Wolałaby, żeby się ta opowieść potoczyła inaczej.

– Zima była tamtego roku wyjątkowo sroga – ciągnął Baillard. – Dokuczała ludziom na górze i w dolinie. Obie strony szybko traciły siły. Negocjacje trwały bardzo krótko. Akt poddania został podpisany następnego dnia przez Piotra Amiela, arcybiskupa Narbonne. Uzgodniono zdumiewająco korzystne dla przegranych warunki. Można by powiedzieć, bezprecedensowe. Ustalono, że forteca przechodzi na własność Kościoła katolickiego i Korony francuskiej, ale wszyscy jej mieszkańcy oddalają się bez przeszkód, uwolnieni od ciężaru win. Nawet zabójcom inkwizytorów w Avignonet wybaczono karygodny czyn. Zbrojni mieli otrzymać jedynie lekką pokutę po wyznaniu win trybunałowi inkwizycyjnemu. Pozostali mieli odejść wolno, pod warunkiem wyparcia się herezji. Karą miało być dla nich jedynie noszenie na ubraniu żółtego krzyża.

– A ci, którzy się nie wyrzekli wiary? – spytała Alice.

– Tych czekała śmierć na stosie. – Baillard pociągnął łyk wina. – Zwyczajowo na koniec oblężenia przypieczętowywano warunki rozejmu poprzez uwolnienie zakładników. Tym razem był to brat biskupa Bertranda, Raymond, stary *chevalier*, Arnald Roger de Mirepoix oraz młodszy syn Raymonda de Péreille. – Umilkł na jakiś czas. – Co natomiast było niezwykłe – podjął cicho – to, że wynegocjowano dwa tygodnie zwłoki przed przekazaniem twierdzy w ręce Kościoła katolickiego. Wódz katarów chciał zostać w warowni jeszcze dwa tygodnie. Uczyniono zadość temu żądaniu.

– Dlaczego? – Serce Alice waliło jak młotem.

– Historycy i teolodzy sprzeczają się o to od setek lat – uśmiechnął się Baillard. – Co takiego trzeba było jeszcze zrobić w Montségur, co do tej pory nie zostało dokonane? Skarb znajdował się w bezpiecznym miejscu. Jakie ważne sprawy kazały katarom zostać w zniszczonym zimnym górskim zamku jeszcze dwa tygodnie, choć i tak już wiele wycierpieli?

– Jakie?

– Była z nimi Alaïs. Potrzebowała czasu. Oriane ze swoimi ludźmi czekała na nią u stóp góry. W twierdzy przebywał także Harif, Sajhë i córka Alaïs. Ryzyko było zbyt wielkie. Gdyby zostali pochwyceni, poświęcenie

Simeona, jej ojca i Esclarmonde, wszystkie wysiłki, by utrzymać tajemnicę, poszłyby na marne.

Wreszcie ostatni fragment układanki znalazł się na miejscu, wyjaśniła się ostatnia zagadka. Alice rozumiała wszystko, miała przed oczami jasny obraz prawdy, choć ledwie potrafiła w nią uwierzyć.

Spojrzała przez okno na niezmieniony od wieków krajobraz. Wyglądał prawie tak samo jak wówczas, gdy mieszkała tutaj Alaïs. To samo słońce, ten sam deszcz, to samo niebo.

– Niech mi pan powie prawdę o Graalu – poprosiła cicho.

ROZDZIAŁ 71
Montségur

MARÇ 1244

Alaïs stała na murach cytadeli Montségur – drobna samotna postać otulona zimowym płaszczem. Jej uroda nie przeminęła z czasem. Była może zbyt szczupła, lecz miała mnóstwo wdzięku i urokliwą twarz. Opuściła wzrok na własne dłonie. W bladym świetle poranka wydawały się błękitnawe, nieomal przezroczyste. Ręce starej kobiety. Uśmiechnęła się do siebie. Nie takiej znowu starej.

Wschodzące słońce miękkim blaskiem wydobywało z nocnych cieni kształty świata. Postrzępione, okryte śniegiem szczyty Pirenejów toczyły się nierówną falą przez blady horyzont. Na wschodnim zboczu góry fioletowiła się gęstwa sosen. Nad stromymi zboczami Pic de Sant-Bartélémy mknęły świeże obłoki. W oddali można się było domyślić zarysu Pic de Soularac.

Wróciła pamięcią do swojego domu, niewyszukanego, lecz gościnnego i serdecznego, usadowionego wygodnie pomiędzy wzgórzami. Oczyma wyobraźni zobaczyła dym unoszący się z komina w chłodne ranki, takie jak ten. Zima była długa i sroga, a wiosna zjawiła się późno, lecz nareszcie czuć ją było w powietrzu. Obietnica zmian objawiała się różową zorzą o zmierzchu. W Los Seres drzewa już z pewnością nabrzmiewały pąkami. Nim nadejdzie kwiecień, górskie pastwiska pokryją się delikatną mgiełką kwiatów. Niebieskich, białych i żółtych.

W dole widać było nieliczne budynki pozostałe po miasteczku Montségur. Długie miesiące oblężenia zrobiły swoje. Zdewastowane domy tkwiły w otoczeniu wypłowiałych namiotów francuskiej armii, poprzetykane sztandarami o wystrzępionych brzegach. Oblegający także mieli za sobą ciężką zimę.

Na zachodnim stoku krzyżowcy zbudowali palisadę z drewnianych słupów. Wczoraj wbili na środku rząd pali, przy każdym położyli hubkę i wiązkę słomy. O zmierzchu rozstawiali pod palisadą drabiny.

Stos dla heretyków.

Zadrżała. Za kilka godzin będzie po wszystkim. Nie bała się śmierci, ale widziała zbyt wielu ludzi spalonych na stosie, by mieć złudzenia, iż wiara obroni ich przed cierpieniem.

Purpurowe stopnie z kamienia powlókł śliski szron. Alaïs czubkiem buta wyrysowała w kruchej bieli znajomy kształt labiryntu. Była zdenerwowana. Jeżeli wybieg się powiedzie, nastanie koniec walki o Księgę Słów. Jeśli natomiast coś się nie uda, stawką będzie życie ludzi, którzy przez wszystkie te lata udzielali jej schronienia, bliskich Esclarmonde i jej ojcu.

A wszystko to w imię Graala.

O skutkach aż strach pomyśleć.

Zamknęła oczy i cofnęła się przez lata do jaskini labiryntu. Harif, Sajhë, ona sama. Delikatna pieszczota powietrza na nagich ramionach, migotanie świec, piękne głosy brzmiące w półmroku. Wspomnienie słów, które wypowiedziała, pamięć tak żywa, iż można je było znów poczuć na języku. I ten moment, gdy wreszcie do końca pojęła znaczenie inkantacji spadającej z jej warg jak za sprawą własnej woli. Ta chwila ekstazy, najprawdziwszego olśnienia, gdy wszystko, co stało się dotąd, i to, co jeszcze nadejdzie, połączyło się w jedność. Wtedy gdy zstąpiła ku niej moc Graala.

A przez jej głos i jej dłonie spłynęła na niego.

By żył i doświadczał.

Przeszkodził jej jakiś hałas. Otworzyła oczy, pozwoliła przeszłości zblednąć. Zobaczyła Bertrande idącą wzdłuż blanków. Uniosła rękę na powitanie.

Córka miała w sobie mniej powagi niż Alaïs w jej wieku. Ale była niezmiernie podobna do matki. Ta sama twarzyczka w kształcie serca, to samo otwarte spojrzenie, długie brązowe włosy. Gdyby nie to, że włosy matki już posiwiały, a wokół jej oczu pojawiły się zmarszczki, wyglądałyby jak siostry.

Na twarzy Bertrande widać było napięcie oczekiwania.

– Sajhë mówi, że żołnierze nadchodzą – odezwała się niepewnie.

Alaïs pokręciła głową.

– Przyjdą dopiero jutro – powiedziała z przekonaniem. – A my mamy jeszcze sporo zajęcia. – Ujęła w ręce zimne dłonie córki. – Ufam, że będziesz pomagała Sajhë i zajmiesz się Rixende. Zwłaszcza dziś w nocy oboje bardzo cię potrzebują.

– Nie chcę cię stracić, *mamà* – powiedziała dziewczynka. Usta wygięły jej się w podkówkę.

– I nie stracisz – zapewniła ją Alaïs z uśmiechem, modląc się o to samo. – Niedługo znowu będziemy razem. Musisz się zdobyć na cierpliwość.

Bertrande uśmiechnęła się blado.

– Tak lepiej – pochwaliła ją matka. – Chodź, *filha*. Czas na nas.

ROZDZIAŁ 72

W środę, szesnastego marca, o świcie, zebrali się przed wielką bramą twierdzy Montségur.

Żołnierze z garnizonu przyglądali się krzyżowcom wysłanym po *bons homes*. Pokonywali oni już ostatni fragment pokrytej lodem skalistej ścieżki. Bertrande stała na froncie, razem z Sajhë i Rixende. Po miesiącach ciągłego bombardowania z katapult, cisza dźwięczała w uszach.

Ostatnie dwa tygodnie minęły spokojnie. Dla wielu był to czas oczekiwania na śmierć. Uczczono nadejście Wielkiej Nocy. *Parfaits* pościli. Choć tym, którzy wyprą się swojej wiary, obiecano amnestię, nieomal połowa mieszkańców cytadeli, między nimi także Rixende, postanowiła przyjąć *consolament*. Woleli umrzeć jako *bons chrétiens* niż żyć pod władaniem Korony francuskiej. Wszelkie dobra tych, którzy mieli ponieść śmierć za wiarę, przekazano tym, którzy zostali skazani na życie bez swoich bliskich. Bertrande pomagała rozdzielać dary: wosk, pieprz i sól, ubrania, buty, sakiewki... Znalazł się między nimi nawet futrzany kapelusz.

Pierre Roger de Mirepoix został obdarowany narzutą pełną monet. Inni oddawali zboże i kaftany, które miał rozdzielić wśród swoich ludzi. Markiza de Lanatar przekazała wszystkie swoje rzeczy wnuczce, żonie pana Mirepoix, Philippie.

Bertrande spoglądała po ludzkich twarzach i w duszy modliła się za matkę. Pomagała jej starannie wybrać najodpowiedniejszy strój dla Rixende: ciemnozieloną suknię i czerwony płaszcz o brzegach obszytych zawiłym wzorem niebieskich i zielonych kwadratów oraz rombów, przetykanych żółtymi kwiatkami. Ponoć był identyczny z tym, jaki Alaïs miała na sobie w dzień ślubu w *capèla* Santa-Maria w *château comtal*. A jej siostra, Oriane, miała go pamiętać mimo upływu lat. Dla większej pewności Alaïs uszyła niewielką sakwę z owczej skóry, doskonale widoczną na tle czerwonego płaszcza, wierną kopię *chemise*, w jakiej przechowywano każdą księgę Trylogii Labiryntu. Bertrande pomagała matce napełnić ją skrawkami tkaniny i ścinkami pergaminu w taki sposób, aby przynajmniej z daleka mogła zmylić obserwatora. Dziewczynka w ogóle nie rozumiała celowości tych zabiegów, wiedziała jednak, iż są ważne. I była zachwycona możliwością pomocy.

Ujęła Sajhë za rękę.

Przywódcy katarów: biskup Bertrand Marty i Raymond Aiguilher, obaj już dość leciwi, stali spokojnie, odziani w granatowe szaty. Od lat służyli wiernym, podróżując po okolicy, niosąc słowo i pocieszenie katarskim *credentes* w odludnych miasteczkach, wioskach i siołach, zagubionych w górach i na nizinach. Teraz gotowi byli poprowadzić wiernych w ogień.

– Mamie nic się nie stanie – powiedziała dziewczynka, uspokajając i siebie, i Sajhë. Poczuła na ramieniu dłoń Rixende. Zwróciła ku niej smutną twarzyczkę. – Wolałabym, żebyś nie...

– Tak zdecydowałam – ucięła Rixende. – Postanowiłam umrzeć za wiarę.

– Co będzie, jeśli mamę złapią? – szepnęła Bertrande.

Rixende pogładziła ją po włosach.

– Możemy się tylko modlić.

Gdy podeszli do nich żołnierze, dziewczynce łzy napłynęły do oczu. Rixende wyciągnęła przed siebie ręce, by dać się zakuć w kajdany, ale krzyżowiec tylko pokręcił głową. Nie spodziewali się, iż tak wielu ludzi zechce oddać życie za swoją wiarę, nie mieli tylu łańcuchów.

Bertrande i Sajhë w milczeniu patrzyli za odchodzącą z innymi Rixende. Po minięciu wielkiej bramy zaczynała się ich ostatnia droga. Czerwony płaszcz Alaïs wyróżniał się na tle przygaszonych brązów i zieleni, odbijał jasno od szarego nieba.

Za przykładem biskupa Marty'ego więźniowie zaczęli śpiewać. Montségur upadło, lecz oni nie zostali pokonani.

Dziewczynka otarła łzy wierzchem dłoni. Obiecała mamie, że będzie dzielna. Chciała dotrzymać słowa.

* * *

Niżej na zboczu wzniesiono trybuny dla widzów. Dawno się zapełniły. Znalazła się na nich nowa arystokracja Południa, francuscy baronowie, kolaboranci, katoliccy legaci oraz inkwizytorzy, zaproszeni przez Hugona z Arcis, seneszala Carcassony. Wszyscy przyszli zobaczyć „sprawiedliwość" wymierzaną po trzydziestu z okładem latach wojny.

Guilhem owinął się płaszczem. Nie chciał być rozpoznany. Po latach walk z Francuzami jego twarz zaczynała być rozpoznawana. Nie mogli go teraz pochwycić.

Rozejrzał się dookoła.

Jego informator miał rację, gdzieś w tym tłumie znajdowała się Oriane. Był zdecydowany nie dopuścić jej do Alaïs. Choć minęło tyle czasu, sama myśl o dawnej kochance budziła w nim gniew. Zacisnął pięści. Wiele by dał za możliwość odwetu. Byłby najszczęśliwszym człowiekiem na świecie, gdyby nie musiał się ukrywać i czaić, tylko zwyczajnie wbić jej nóż w piersi, jak powinien był zrobić trzydzieści lat wcześniej. Musiał się jednak zdobyć na cierpliwość. Gdyby teraz próbował ją zabić, zostałby zaszlachtowany, zanim wyciągnąłby miecz.

Przeszukiwał wzrokiem tłum widzów, aż odnalazł tę twarz. Oriane siedziała pośrodku, w pierwszym rzędzie. Nie pozostało w niej nic z damy Południa. Miała na sobie kosztowny strój w wyszukanym północnym stylu: niebieski aksamitny płaszcz obrębiony złotem, z grubym gronostajowym kołnierzem. Tak samo wykończony był kaptur, z tego samego uszyto rękawiczki. Choć zachowała ślady dawnej urody, na jej twarzy o zwiotczałej skórze malował się utrwalony na stałe szyderczy grymas.

Był z nią jakiś młody człowiek. Niewątpliwe podobieństwo rzucające się w oczy od pierwszego spojrzenia powiedziało Guilhemowi, iż to jeden z jej synów. Podobno Louis, najstarszy. Chłopak miał czarne włosy matki, natomiast po ojcu odziedziczył orli nos.

Guilhem obejrzał się na rząd pojmanych, których właśnie podprowadzano do palisady. Szli spokojnie i z godnością. Śpiewali. Pięknie, jak anielskie chóry.

Widzowie nie byli zadowoleni z takiej oprawy.

Seneszal Carcassony stał tuż obok arcybiskupa Narbonne. Na jego znak podniesiono w górę złoty krzyż, a wtedy czarni bracia oraz kler wysunęli się naprzód i zajęli pozycje przy palisadzie.

Za nimi stanęli żołnierze, z płonącymi pochodniami w dłoniach. Starali się ustawiać tak, by dym nie leciał w stronę trybun. W porywistym wietrze z północy płomienie strzelały iskrami.

Jedno po drugim wyczytywano imiona heretyków. Wymienieni ludzie wspinali się na drabiny i schodzili na ogrodzony plac. Guilhem oniemiał ze zgrozy. Nade wszystko pragnął zatrzymać tę egzekucję, ale nawet gdyby miał ze sobą odpowiednią liczbę wojowników, nie mógłby oswobodzić idących na śmierć wbrew ich woli. Choć bardziej z powodu okoliczności, a nie wiary, to jednak wiele czasu spędzał w towarzystwie *bons homes*. Cenił ich i darzył szacunkiem, mimo że nie do końca ich rozumiał.

Wiązki słomy i cienkich gałązek na rozpałkę unurzano w smole. Kilku żołnierzy weszło w obręb palisady i zaczęło przykuwać *parfaits* łańcuchami do pali na środku ogrodzonego placu.

Biskup Marty rozpoczął modlitwę.

– *Payre sant, Dieu dreiturier dels bons esperits.*

Z wolna dołączały inne głosy. Niepozorny z początku szept urósł szybko w głos potężny niczym grom. Widzowie na podwyższeniu wymieniali zakłopotane spojrzenia, coraz bardziej skrępowani. Nie tego się spodziewali. Nie po to tu przyszli.

Arcybiskup śpiesznie dał znak, a wtedy kler zaczął śpiewać. Szerokie rękawy mnisich habitów łopotały na wietrze, a mnisi zaintonowali pieśń, która stała się hymnem krucjaty. „Veni Spirite Sancti". Wezwanie Ducha Świętego miało zagłuszyć katarską modlitwę.

Biskup wystąpił naprzód i rzucił pierwszą pochodnię. Żołnierze poszli za jego przykładem. Płonące żagwie spadały na podpałkę. Ogień rozchodził się leniwie, lecz wkrótce poszczególne trzaski zmieniły się w ogłuszający ryk. Płomienie wiły się wśród słomy jak węże, to tu, to tam, puchnąc i wzbijając się w górę, wirując jak sitowie okręcane nurtem rzeki.

Nagle Guilhem ujrzał widok, od którego serce zamarło mu w piersiach i krew zakrzepła w żyłach. Czerwony płaszcz ozdobiony haftem, ciemna suknia koloru mchu. Przepchnął się przez tłum.

Nie potrafił... nie chciał uwierzyć własnym oczom.

Czas się cofnął. Zobaczył samego siebie, młodego *chevalier*, dumnego, butnego i pewnego siebie, jak klęczy w *capèla* Santa-Mari. U jego boku znajdowała się Alaïs. Ślub w święto Archaniołów, w szczęśliwy dzień. Gdy wypowiadali słowa przysięgi małżeńskiej, na ołtarzu przybranym głogami migotały świece.

Pobiegł za trybunami, chciał się znaleźć bliżej, udowodnić samemu sobie, że omamiły go zmysły. Ogień pożerał już swoje ofiary. Zaskakująco słodka woń palonego ciała napłynęła do widzów. Żołnierze się cofnęli. Nawet zakonnicy musieli się odsunąć, przegonił ich żar piekła.

Gdy ogień lizał opalone ze skóry stopy, syczała parująca krew. Zwęglone ciało odsłaniało kości, jak w przypalonej na rożnie pieczeni. Modlitwy zamarły, w niebo wzbiły się przerażające krzyki.

Guilhemowi brakowało tchu, lecz nie mógł się zatrzymać. Zasłaniając płaszczem nos i usta, próbował się dostać jak najbliżej palisady, jednak cuchnący zjadliwy dym odpychał go jak ściana i zasłaniał wszystko.

Nagle spomiędzy płomieni w powietrze wzniósł się czysty jasny głos.

– Oriane!

Czy to wołała Alaïs? Nie potrafił zyskać pewności. Osłaniając twarz rękami, brnął w stronę, z której dobiegło wołanie.

– Oriane!

Tym razem na trybunach zabrzmiał wściekły okrzyk. Guilhem obrócił się i przez lukę w czarnym dymie dostrzegł twarz szwagierki wykrzywioną gniewem. Oriane zerwała się na równe nogi, wydawała jakieś rozkazy żołnierzom, podkreślając je gwałtownymi gestami.

Guilhem chciał wołać ukochaną, lecz nie mógł się zdradzić. Przyszedł ją ratować. Tak jak już kiedyś raz wyrwać ją z rąk starszej siostry.

Tamte trzy miesiące po ucieczce z inkwizytorskich lochów w Tolosie były z pewnością najszczęśliwszym czasem w jego życiu. Alaïs nie chciała z nim zostać dłużej, a on nie potrafił jej skłonić do zmiany zdania. Nie dowiedział się nawet, dlaczego musiała odejść. Powiedziała jednak, że pewnego dnia, gdy straszne czasy przeminą, na nowo będą razem. I on jej uwierzył.

– *Mon còr* – szepnął. Z głębi piersi wyrwał mu się szloch.

Tamta obietnica i wspomnienie wspólnych dni podtrzymywały go na duchu przez długie lata wypełnione nicością. Były dla niego jak światło w ciemności.

Serce mu krwawiło.

– Alaïs!

Na tle czerwonego płaszcza zajęła się ogniem niewielka sakiewka wielkości książki. W miejscu dłoni, które ją jeszcze niedawno trzymały, zostały tylko kości powleczone resztkami zwęglonego ciała.

Już po wszystkim.

Cały świat Guilhema powlekła cisza. Nie słyszał hałasu, nie czuł bólu, pozostała tylko biała pustka. Zniknęła góra i niebo, i dym, ucichły krzyki. Nie było już nadziei.

Nogi się pod nim ugięły. Opadł na kolana. Pogrążył się w rozpaczy.

ROZDZIAŁ 73
Montagnes du Sabarthès

PIĄTEK, 8 LIPCA 2005

Ocucił go smród. Mieszanina amoniaku, kozich odchodów, starej podściółki i zimnego pieczonego mięsa. Przykre wonie dławiły go w gardle i paliły w nosie jak sole trzeźwiące trzymane zbyt blisko.

Will leżał na pryczy, niewiele szerszej od ławki, przymocowanej do ściany chaty. Z niemałym trudem podniósł się do pozycji siedzącej i oparł o mur. Ręce nadal miał związane za plecami, liny wrzynały mu się w nadgarstki.

Czuł się jak po paru rundach na ringu. Był posiniaczony od stóp do głów, bo zwłaszcza w czasie podróży po bocznej drodze rzucało nim w twardym plastikowym pudle na prawo i na lewo. W miejscu, gdzie François-Baptiste uderzył go pistoletem, skroń pulsowała nieprzyjemnie. Pod skórą urósł siniak, z wierzchu stwardniał strup.

Nie miał pojęcia, która jest godzina ani jaki dzień. Nadal piątek?

Kiedy wyjeżdżali z Chartres, wstawał świt. Mogła być jakaś piąta rano. Z samochodu wyjęli go po południu, było gorąco, słońce stało jeszcze dość wysoko na niebie. Wykręcił szyję, by spojrzeć na zegarek, ale osiągnął tylko tyle, że opanowały go mdłości.

Przeczekał falę nudności, otworzył oczy i rozejrzał się uważnie dookoła. Znajdował się w czymś, co po namyśle nazwałby pasterską chatą. W maleńkim okienku, nie większym niż przeciętna książka, zamontowano solidne pręty. W kącie przykręcono do ściany coś pomiędzy półką a stołem, obok znajdował się stołek. Nieco dalej – palenisko ze śladami dawno zagasłego ognia. Szary popiół zmieszany był z czarnym zwęglonym drewnem. Nad paleniskiem na umocowanym poprzecznie kiju wisiał potężny kocioł o brzegach obrośniętych zastygłym tłuszczem.

Will opadł na twardy materac. Szorstki koc drażnił mu poobcieraną skórę.

Gdzie jest Alice?

Na zewnątrz rozległy się kroki, potem ktoś przekręcił klucz w zamku. Dał się słyszeć metaliczny brzęk łańcucha spadającego na ziemię, potem skrzypienie drzwi i wreszcie głos, który wydał mu się na wpół znajomy.

– *C'est l'heure*. Czas ruszać. Idziemy.

* * *

Shelagh czuła na nogach i ramionach ruch powietrza. W szumie innych dźwięków rozpoznała głos Paula Authié. Wynosili ją z domu na farmie. Potem charakterystyczny chłód piwnicy, lekka wilgoć, opadające skosem podłoże. Byli tam obaj mężczyźni, którzy ją przetrzymywali. Dawno nauczyła się rozpoznawać ich po zapachu. Tania woda po goleniu i kiepskie papierosy. Męskie atrybuty, od których drętwiała ze strachu.

Ponownie związali jej ręce za plecami i nogi. Spuchnięte oko nie dało się otworzyć. Kręciło jej się w głowie od narkotyków, braku światła i wody, ale wiedziała, gdzie jest.

Authié sprowadził ją z powrotem do jaskini. Czuła zmianę atmosfery, gdy z tunelu weszli do komnaty.

Gdzieś było jakieś źródło światła. Ten, który ją niósł, stanął. Znajdowali się pod prawą ścianą w głębi. Zrzucił ją z ramion prosto na ziemię. Zabolał stłuczony bok. Poza tym właściwie już nic nie czuła.

Nie rozumiała, dlaczego jeszcze jej nie zabili.

Chwycił ją pod ramiona i pociągnął. Ostre kamyki, żwir, większe ziarenka piasku wbijały jej się w łydki. Przywiązał jej ręce do czegoś metalowego, jakiejś obręczy przytwierdzonej do posadzki.

Sądzili, że nadal jest nieprzytomna, więc rozmawiali, nie zważając na słowa.

– Ile ładunków rozłożyłeś?

– Cztery.

– Kiedy wybuchną?

– Po dziesiątej. On sam uruchomi detonator. – W głosie mężczyzny czaił się złośliwy uśmieszek. – Postanowił raz sobie pobrudzić rączki. Naciśnie guzik i bum! Wszystko wyleci w powietrze.

– Nadal nie rozumiem, po jaką cholerę musieliśmy ją tutaj przytaszczyć – poskarżył się drugi. – Nie lepiej było zostawić babę na farmie?

– Nie chciał, żeby ją zidentyfikowali. Za parę godzin połowa tej góry wyleci w powietrze, więc kobita zostanie pod toną kamieni.

Strach dodał jej sił. Pociągnęła więzy, próbowała stanąć, ale nogi nie chciały jej trzymać. Zdawało jej się, że usłyszała ochrypły śmiech, ale nie miała pewności. Nie wiedziała już, co się działo naprawdę, a co było wytworem jej wyobraźni.

– Mamy tu z nią siedzieć?

– Coś ty! – zaśmiał się drugi. – Boisz się, że ucieknie? Człowieku, wystarczy na nią spojrzeć!

Światło zaczęło niknąć.

Kroki mężczyzn oddalały się, aż w końcu zapadła cisza i ciemność.

ROZDZIAŁ 74

– Chcę znać prawdę – powtórzyła Alice. – Chcę wiedzieć, jak są ze sobą powiązane labirynt i Graal. Jeżeli coś je łączy.

– Chcesz, *madomaisèla*, znać prawdę o Graalu. – Spojrzał na nią uważnie. – Powiedz mi, proszę, co wiesz o Graalu?

– To co pewnie większość ludzi – odparła. Nie zamierzała się wdawać w szczegółowe wyjaśnienia.

– Bardzo proszę. Naprawdę chciałbym się dowiedzieć, co ci jest wiadome.

Poprawiła się na krześle.

– Mam w głowie standardowe pojęcie, iż Graal to kielich, zawierający eliksir, dzięki któremu można zyskać bezcenny dar, jakim jest nieśmiertelność. – Przerwała, spojrzała na Baillarda.

– Dar... – powtórzył. Pokręcił głową. – Nie. To nie jest dar. – Westchnął ciężko. – A skąd się biorą te opowieści?

– Przede wszystkim z Biblii. Może ze zwojów znad Morza Martwego? Albo z jakichś innych wczesnych zapisków chrześcijańskich, nie mam pewności. Nigdy do tej pory się nad tym nie zastanawiałam.

– To bardzo powszechne nieporozumienie. W rzeczywistości pierwsze wersje tej historii pochodzą z mniej więcej dwunastego wieku, choć ewidentne podobieństwa można znaleźć w literaturze klasycznej i celtyckiej.

Alice oczyma wyobraźni zobaczyła mapę, którą oglądała w bibliotece w Tuluzie. Zagęszczenie symboli na jednym obszarze.

– Tak jak i labirynt.

Audric Baillard uśmiechnął się, ale nie skomentował jej spostrzeżenia.

– W ostatnim ćwierćwieczu dwunastego wieku żył pewien poeta, zwany Chrétien de Troyes. Jego pierwszą protektorką była Maria, jedna z córek Eleonory Akwitańskiej, żona hrabiego Szampanii. Po jej śmierci, w tysiąc sto osiemdziesiątym pierwszym, rolę tę przejął jeden z kuzynów Marii, Filip, hrabia Flandrii. Chrétien cieszył się ogromną popularnością. Zdobył reputację, tłumacząc klasyczne opowieści z łaciny i greki, dopiero potem wykorzystał talent do stworzenia cyklu romansów rycerskich o Lancelocie, Gawainie i Percevalu. Owe alegoryczne przypowiastki stały się zaczątkiem historii o królu Arturze i jego rycerzach Okrągłego Stołu. – Odchrząknął. – Historia o Percevalu, „Li contes del Graal", jest najwcześniejszą znaną opowieścią o Świętym Graalu.

– Jak to...? – Alice nie mieściło się to w głowie. – Przecież nie mógł zmyślić tej historii. Nie wyssał jej z palca.

Baillard uśmiechnął się lekko.

– Gdy go pytano o źródło opowieści, Chrétien twierdził, iż poznał historię Graala z księgi wręczonej mu przez opiekuna i protektora, hrabiego Filipa. W rzeczy samej, nawet zadedykował ją właśnie Filipowi. Niestety, Filip zmarł podczas oblężenia Acre, w roku tysiąc sto dziewięćdziesiątym pierwszym, w czasie trzeciej krucjaty. W rezultacie wiersz nigdy nie został ukończony.

– A co się stało z Chrétienem?

– Po śmierci Filipa słuch o nim zaginął. Po prostu zniknął.

– Dziwne, przecież był sławny.

– Istnieje możliwość, że jego śmierć nie została odnotowana – rzekł Baillard wolno.

– Ale pan jest innego zdania.

Audric nie odpowiedział.

– Chociaż Chrétien postanowił nie kończyć opowieści – podjął – historie o Świętym Graalu zaczęły żyć własnym życiem. Pojawiły się tłumaczenia ze starofrancuskiego na niemiecki i walijski. Kilka lat później inny poeta, Wolfram von Eschenbach napisał karykaturalną wersję „Parzivala" – około roku tysiąc dwusetnego. Twierdził, że nie posiłkował się twórczością Chrétiena, lecz inną opowieścią, stworzoną przez nieznanego autora.

– A jak właściwie Chrétien opisuje Graala?

– Wyraża się bardzo mgliście. Przedstawia go jako rodzaj naczynia, bardziej talerz lub misę niż kielich, to właśnie określa średniowieczne łacińskie słowo *gradalis*, z którego wywodzi się starofrancuskie *gradal* albo *graal*. Eschenbach jest dokładniejszy. Jego Graal, *gral*, jest kamieniem.

– Skąd więc się wzięło przekonanie, że Święty Graal to kielich, z którego Chrystus pił w czasie Ostatniej Wieczerzy?

– To wymysł jeszcze innego pisarza, Roberta de Borona. Stworzył on poemat pod tytułem „Józef z Arymatei", napisał go pomiędzy „Percevalem" Chrétiena a rokiem tysiąc sto dziewięćdziesiątym dziewiątym. De Boron nie tylko definiuje Graala jako naczynie, jako kielich z Ostatniej Wieczerzy, co zawiera się w słowach *san greal*, ale także napełnia go krwią wypływającą z rany w boku ukrzyżowanego Chrystusa. We współczesnym francuskim *sang real* oznacza prawdziwą lub królewską krew. – Spojrzał na Alice, unosząc brwi. – Dla opiekunów Trylogii Labiryntu owo językowe zamieszanie, *san greal* czy *sang real*, okazało się bardzo wygodne.

– Przecież Święty Graal to tylko mit. W rzeczywistości nie istnieje.

– Święty Graal jest mitem, to prawda – odparł Baillard, nie spuszczając wzroku. – Wyjątkowo atrakcyjną baśnią. Jeśli przyjrzysz się jej uważnie, zauważysz, iż wszystkie opowieści o Graalu są coraz to bogatszymi i piękniej ubarwionymi wersjami tej samej historii. W średniowieczu było to chrześcijańskie wyobrażenie poświęcenia i drogi prowadzącej do odkupienia, a następnie do zbawienia. Święty Graal w pojęciu chrześcijan był duchowym symbolem wiecznego życia. Nie namacalnym przedmiotem, nie dosłowną prawdą. Był obietnicą, że poprzez poświęcenie Chrystusa i dzięki łasce Boga rodzaj ludzki będzie żył wiecznie. – Uśmiechnął się z nostalgią. – Tymczasem jednak Graal istnieje ponad wszelką wątpliwość. Taka właśnie prawda jest ukryta między stronicami Trylogii Labiryntu. A opiekunowie Graala, Noublesso de los Seres, oddawali życie za tę tajemnicę.

Alice kręciła głową z niedowierzaniem.

– Mówi pan, że Graal nie jest tym, za co go uważają chrześcijanie. Że wszystkie mity i legendy na jego temat są wynikiem... nieporozumienia.

– Raczej skutkiem fortelu.

– Od dwóch tysięcy lat toczy się debata na temat istnienia Świętego Graala. Jeśli teraz wyjdzie na jaw, iż nie ma czegoś takiego, a legendy o Graalu, owszem, zawierają ziarno prawdy, ale... – Głos jej się załamał. Nie pojmowała własnych słów. – Nie jest on relikwią chrześcijaństwa... Trudno sobie wyobrazić...

– Graal jest napojem, który ma moc uzdrawiania, i jednocześnie znacznego wydłużania życia. Ale nie bez określonego celu. Został odkryty w starożytnym Egipcie, jakieś cztery tysiące lat temu. Ci, którzy go stworzyli, którzy zdali sobie sprawę z jego mocy, uświadomili sobie, iż należy utrzymywać tę wiedzę w tajemnicy przed innymi, takimi, którzy chcieliby wykorzystać ją tylko dla własnego dobra, a nie dla dobra wszystkich ludzi. Święta wiedza została utrwalona w hieroglifach na trzech oddzielnych arkuszach papirusu. Na jednym zapisano dokładne położenie komnaty Graala, a więc samego labiryntu, na drugim wymieniono składniki konieczne do przygotowania napoju, trzeci zawiera inkantacje niezbędne do przemienienia napoju w Graala. Wszystkie trzy zostały ukryte w jaskiniach w pobliżu starożytnego miasta Avaris.

– Egipt! – wyrwało się Alice. – Kiedy szperałam w różnych informacjach, usiłując zrozumieć to, co tutaj zobaczyłam, szybko zauważyłam, iż Egipt wyłaniał się bardzo często.

– Papirusy zostały spisane w klasycznych hieroglifach. Wyraz „hieroglif" oznacza: „słowo Boga", albo „boską mowę". Gdy wspaniała cywilizacja tego kraju rozpadła się w proch i pył, zniknęła wraz z nią umiejętność odczytywania świętych znaków. Przez długie pokolenia kolejni opiekunowie papirusów przekazywali sobie sedno zawartej na nich wiedzy, jednak umiejętność wypowiedzenia zaklęć i stworzenia Graala przepadła. Taki obrót wypadków dotąd się nie zdarzył, ale też tym lepiej pozwolił ukryć tajemnicę. Tymczasem w dziewiątym wieku nowożytnej ery arabski alchemik, Abu Bakr Ahmad ibn Wahshiyaj odczytał starożytne hieroglify. Szczęściem nasz *navigatairé*, Harif, zdał sobie sprawę z niebezpieczeństwa i zdołał uprzedzić zamiary alchemika. Arab nigdy się z nikim nie podzielił swoją wiedzą. W tamtych czasach istniało na świecie niewiele ośrodków nauki, na powolnych środkach komunikacji nie sposób było polegać. Papirusy zostały przemycone do Jerozolimy i tam ukryte. Przez następnych dziesięć wieków ludzkość nie poczyniła znaczących postępów w rozszyfrowaniu hieroglifów. Nikt ich nie rozumiał. Dopiero gdy w roku tysiąc siedemset dziewięćdziesiątym dziewiątym Napoleon dotarł do Afryki Północnej ze swoją wyprawą militarno-naukową, ich znaczenie zostało wyjaśnione, dzięki odkryciu pełnej szczegółów inskrypcji wykonanej w trzech językach: świętej mowie hieroglifów, w codziennym egipskim oraz starożytnej grece. Słyszałaś o kamieniu z Rosetty?

Alice pokiwała głową.

– Od tej chwili – podjął Baillard – obawialiśmy się, iż odkrycie znaczenia hieroglifów jest już tylko kwestią czasu. I słusznie. Wkrótce Jean-François Champollion, uczony Francuz opętany na punkcie starożytności, rozszyfrował dawne znaki. Wszystkie cuda Egiptu, magia, czary, wszystko – od inskrypcji nagrobnych po „Księgę umarłych" – wszystko stanęło przed ludźmi otworem, mogło zostać przeczytane. – Umilkł, pogrążony w zamyśleniu. – Wówczas fakt, iż dwie księgi z Trylogii Labiryntu znalazły się w rękach ludzi gotowych je wykorzystać do niecnych celów, stał się powodem naszych zmartwień. – W jego głosie zabrzmiały tony grozy.

Alice zadrżała. Nagle zdała sobie sprawę, iż dzień chyli się już w stronę zmierzchu. Słońce za oknem powlokło góry czerwienią, pomarańczem i złotem.

– Skoro ta wiedza jest tak niebezpieczna – zastanowiła się głośno – skoro większa jest groźba, iż zostanie wykorzystana w złym celu, niż nadzieja na to, że przyniesie ludzkości korzyść, to dlaczego Alaïs czy inni opiekunowie nie zniszczyli ksiąg?

Audric znieruchomiał. Najwyraźniej dotknęła sedna sprawy, choć nie bardzo wiedziała, jak do tego doszło.

– Gdyby nie były niezbędne... tak. Może zniszczenie ich byłoby najlepszym wyjściem.

– Niezbędne? Do czego?

– Opiekunowie od zawsze wiedzieli, iż Graal jest źródłem życia. Nazwałaś to, *madomaisèla*, darem... – zaczerpnął tchu. – Rzeczywiście można to tak postrzegać. Ale można też na tę właściwość spojrzeć z innej strony. – Umilkł. Sięgnął po kieliszek, upił kilka łyków wina. – Takie życie musi mieć ściśle określony cel.

– Jaki? – spytała szybko, obawiając się, że starzec przerwie opowieść.

– W ciągu minionych czterech tysięcy lat nieraz sięgano po moc Graala, gdy trzeba było nieść świadectwo. Znamy długowiecznych patriarchów z chrześcijańskiej Biblii, Talmudu czy Koranu. Adama, Jakuba, Mojżesza, Mahometa, Matuzalema. Proroków, których pracy nie dałoby się wykonać w czasie zwyczajnie przeznaczonym człowiekowi. Każdy z nich żył setki lat.

– Ależ to są tylko przypowieści! – zaprotestowała Alice. – Alegorie.

Audric pokręcił głową.

– Ci ludzie rzeczywiście żyli setki lat. Szli przez historię po to, by dawać świadectwo prawdzie swoich czasów. Harif, który przekonał Abu Bakra, by nie zdradzał tajemnic języka starożytnego Egiptu, widział także upadek Montségur.

– Przecież te zdarzenia dzieli prawie pięćset lat!

– To prawda – rzekł Audric Baillard po prostu. – A ileż trwa życie motyla? Jego istnienie, tak jasne i urocze, zachwyca tylko przez jeden ludzki dzień. Dla nas jeden dzień, dla niego – całe życie. Czas ma wiele twarzy.

Alice odsunęła krzesło i wstała od stołu. Nie wiedziała już w co wierzyć.

– Czy labirynt, który widziałam w jaskini – odwróciła się do gospodarza – i na pierścieniu, to symbol prawdziwego Graala?

Audric przytaknął skinieniem głowy.

– Czy Alaïs o tym wiedziała?

– Z początku ona także miała wiele wątpliwości. Trudno jej było uwierzyć w prawdę ukrytą na kartach Trylogii, lecz chroniła księgi z miłości do ojca.

– Uwierzyła, że Harif ma ponad pięćset lat? – naciskała Alice, nie kryjąc sceptycyzmu.

– Z początku nie – przyznał Baillard. – Ale z czasem zaczęła dostrzegać prawdę. A kiedy przyszła jej kolej, przekonała się, że potrafi wymówić słowa i że je rozumie.

Alice na powrót usiadła przy stole.

– A jak papirusy znalazły się akurat we Francji? Dlaczego nie zostawiono ich tam, gdzie były?

– Przez niemal sto lat spoczywały bezpiecznie ukryte pod Jerozolimą, aż do czasu, gdy pod miasto podeszła armia Saladyna. Wówczas Harif wybrał opiekuna Trylogii, młodego chrześcijańskiego *chevalier*, zwanego Bertrandem Pelletier, by zawiózł je do Francji.

Ojciec Alaïs.

Uświadomiła sobie, że uśmiecha się, jakby otrzymała wieści o starym przyjacielu.

– Harif zdał sobie sprawę z dwóch faktów – ciągnął Audric. – Po pierwsze, papirusy będą bezpieczniejsze, mniej narażone na zniszczenie pomiędzy stronicami księgi. Po drugie, skoro na dworach zachodniej Europy zaczęły krążyć pogłoski o Świętym Graalu, trudno o lepsze miejsce do ukrycia prawdy niż pod warstwą bajań i mitów.

– Historie o katarach ukrywających Chrystusowy kielich – powiedziała Alice. Rozumiała coraz więcej.

– Wyznawcy Jezusa z Nazaretu nie spodziewali się, że ich Pan umrze na krzyżu, a jednak tak się stało. Jego śmierć i zmartwychwstanie legły u źródła opowieści o świętym naczyniu, kielichu, Graalu, który ma moc obdarowania wiecznym życiem. Jak rozumiano te wieści w tamtym czasie, nie potrafię powiedzieć, ale jedno jest pewne: ukrzyżowanie Nazarejczyka zrodziło falę prześladowań. Wielu uciekło z Ziemi Świętej, między nimi także Józef z Arymatei oraz Maria Magdalena. Ci dwoje popłynęli do Francji. Mówi się, że zabrali ze sobą wiedzę o starożytnej tajemnicy.

– Papirusy Graala?

– A może skarb? Klejnoty ze świątyni Salomona? Lub też kielich, z którego Jezus Nazarejczyk pił w czasie Ostatniej Wieczerzy, do którego zebrano jego krew, gdy wisiał na krzyżu. A może pergaminy, spisane świadectwa, że Chrystus nie umarł na krzyżu, ale przeżył ukryty w górach na pustyni przez ponad sto lat z wybraną grupą wyznawców?

Alice patrzyła na Baillarda bez słowa. Jego twarz była jak zamknięta księga, nic się z niej nie dało wyczytać.

– Że Chrystus nie umarł na krzyżu...? – powtórzyła niebotycznie zdumiona.

– Albo jakieś inne opowieści – powiedział wolno. – Niektórzy twierdzą, że Maria Magdalena i Józef przybili do Narbonne, a nie do Marsylii. Od wieków ludzie wierzyli, iż w Pirenejach ukryty jest jakiś ogromny skarb.

– Więc to nie katarzy posiadali sekret Graala – myślała Alice na głos – tylko Alaïs. – Kolejny sekret ukryty pod warstwą tajemnic. – A teraz komnata labiryntu została otwarta.

– Po raz pierwszy od blisko ośmiuset lat księgi mogą znów utworzyć Trylogię. I choć ty nie wiesz, czy mi uwierzyć, czy też odrzucić rojenia starego człowieka, są ludzie, którzy nie znają zwątpienia.

Alaïs wierzyła w moc Graala.

Podświadomość podpowiadała Alice, że Audric Baillard mówi prawdę. Natomiast racjonalnie nie potrafiła się z tym pogodzić.

– Marie-Cécile – rzuciła ciężko dwa słowa.

– Dziś w nocy madame de l'Oradore pójdzie do jaskini z labiryntem i spróbuje obudzić moc Graala.

Alice poczuła dziwną obawę.

– Nie da rady – powiedziała szybko. – Nie ma Księgi Słów. Ani pierścienia.

– Zapewne przyjmuje, iż Księga Słów nadal znajduje się w komnacie.

– Tak jest rzeczywiście?

– Nie wiem tego z całą pewnością.

– A pierścień? – Opuściła wzrok na bladą dłoń starca. – Drugiego nie ma.

– Wie, że przyjdę.

– To szaleństwo! – wybuchnęła. – Jak pan może w ogóle rozważać taką ewentualność!

– Dziś w nocy będzie próbowała obudzić moc Graala – powtórzył głosem bez wyrazu – i dlatego wie, że przyjdę. Nie mogę do tego dopuścić.

– A co z Willem? Co z Shelagh? Czy oni się nie liczą? Nic im nie pomoże, jeśli pan także zostanie pojmany.

– Właśnie dlatego, że ich los nie jest mi obojętny, podobnie jak twój los, Alice... Właśnie dlatego tam pójdę. Jestem przekonany, iż Marie-Cécile de l'Oradore zamierza ich zmusić do udziału w ceremonii. Uczestników musi być pięciu: *navigatairé* i czterech innych.

– Marie-Cécile, jej syn, Will, Shelagh i Authié?

– Nie, nie Authié.

– Kto wobec tego?

Znowu nie odpowiedział na pytanie.

– Nie wiem, gdzie Shelagh i Will są w tej chwili – rzekł w zamyśleniu – ale mam powody sądzić, iż z nastaniem zmierzchu znajdą się w jaskini.

– Kim jest ta ostatnia osoba? – naciskała Alice.

Podniósł się, przeszedł do okna i zamknął okiennice.

– Czas ruszać.

Była zdenerwowana, nie potrafiła zebrać myśli, bała się. A jednocześnie wiedziała, czuła, że nie ma wyboru. Pomyślała o Alaïs, o imieniu na drzewie genealogicznym, odległym od niej o osiemset lat. Przed oczami miała symbol labiryntu, wiążący ich ponad czasem i przestrzenią.

Dwie opowieści splecione w jedną.

Wzięła swoje rzeczy i wyszła za Audrikiem w blednący dzień.

ROZDZIAŁ 75
Montségur

MARÇ 1244

U stóp twierdzy Alaïs, ukryta wraz z trzema innymi osobami, usiłowała nie słyszeć przejmujących krzyków ludzi umierających w niewyobrażalnych torturach. Mimo wszystko ich ból i przerażenie docierały do jej uszu, przedzierały się nawet przez skalne ściany. Znaczyły drogę jej ucieczki.

Modliła się za duszę Rixende, za jej drogę do Boga, za wszystkich przyjaciół, za kobiety i mężczyzn, którzy wiedli życie sprawiedliwych. Pozostawało jej tylko mieć nadzieję, iż plan się powiódł, ale jedynie czas mógł przynieść odpowiedź, czy Oriane dała się zwieść, czy uwierzyła, iż jej młodszą siostrę, a razem z nią Księgę Słów strawiły płomienie.

Ogromne ryzyko.

Wraz z Harifem oraz dwoma przewodnikami miała pozostać w skalnym grobowcu aż do zmroku, do zakończenia ewakuacji cytadeli. Następnie, pod osłoną ciemności, czwórka uciekinierów zamierzała wyruszyć stromymi górskimi ścieżkami do Los Seres. Jeśli dopisze im szczęście, powinni się znaleźć w domu następnego dnia o zmierzchu.

Złamali warunki kapitulacji. Jeśli zostaną pochwyceni, kara będzie bez wątpienia szybka i bezlitosna.

Jaskinia, w której się ukryli, była w zasadzie ledwie nieco większym zagłębieniem w skałach. Oby żołnierze nie mieli ochoty przeszukiwać okolicy twierdzy, bo wówczas niechybnie ich znajdą.

Alaïs myślała o córce. Przygryzła wargi.

Poczuła na ręku dłoń Harifa o suchej cienkiej skórze, przypominającej pustynny piasek.

– Bertrande jest dzielna – powiedział, jakby czytał jej w myślach. – Podobna do ciebie, è? Odważna z niej dziewczynka. Nawet się nie obejrzysz, jak znów będziecie razem.

– Jest jeszcze taka młoda... Za młoda, by zostać świadkiem takich zdarzeń. Na pewno przerażona...

– Pamiętaj, że jest silna. I nie została sama. Sajhë nas nie zawiedzie. Chciałabym mieć tę pewność, pomyślała.

Siedziała w półmroku jaskini, ze spojrzeniem szeroko otwartych oczu utkwionym w dali i czekała, aż minie dzień. Najgorsza była niepewność. Wciąż miała w pamięci białą twarzyczkę córki.

A krzyki palonych żywcem *bons homes* rozbrzmiewały jej w głowie na długo po tym, jak zamilkła ostatnia ofiara.

* * *

Nad doliną zawisła smolista chmura gryzącego dymu.

Sajhë mocno trzymał Bertrande za rękę. Razem wychodzili z zamku, który był ich domem przez niemal dwa lata. Mężczyzna ukrył ból głęboko w sercu, w miejscu, do którego nie mogli dotrzeć inkwizytorzy. Nie chciał teraz opłakiwać Rixende. Nie chciał się bać o Alaïs. Musiał się skupić na chronieniu dziewczynki, bezpiecznie dotrzeć z nią do Los Seres.

Stoły dla inkwizytorów zostały ustawione na stoku. Proces miał się zacząć natychmiast, jeszcze w cieniu ogromnego stosu. Sajhë rozpoznał jednego z inkwizytorów, Ferriera, człowieka znienawidzonego w całym regionie za nieugięte przestrzeganie zarówno ducha, jak i litery prawa kościelnego. Na prawo od niego siedział Duranti. Nie lepszy.

Ścisnął rączkę dziewczynki.

W miejscu, gdzie stromizna zbocza nieco łagodniała, dzielono więźniów na dwie grupy: w jednej znajdowali się starcy i chłopcy, a także żołnierze z garnizonu, natomiast w drugiej – kobiety i dzieci. Co oznaczało, iż Bertrande będzie musiała stawić czoło inkwizytorom sama, bez jego pomocy.

Dziewczynka wyczuła niepokój opiekuna, podniosła na niego spojrzenie.

– Co się dzieje? Co z nami teraz będzie?

– *Brava*, będą przesłuchiwać kobiety i mężczyzn oddzielnie – rzekł. – Nie martw się i nie przejmuj. Odpowiadaj na pytania. Bądź dzielna, a potem zostań tam, gdzie się znajdziesz na koniec, aż po ciebie przyjdę. Nie idź nigdzie, z nikim oprócz mnie. Z nikim innym.

– O co będą mnie pytali? – odezwała się zatrwożona.

– O imię i o wiek – odpowiedział Sajhë. Raz jeszcze powtórzyli szczegóły, które powinna mieć w pamięci. – Jestem tu żołnierzem z garnizonu, ale nie ma powodu, by nas połączyli, więc jeśli cię spytają o ojca, powiedz, że nie znasz swojego taty. Podaj jako matkę Rixende i powiedz im, że przez całe życie mieszkałaś w Montségur. Pod żadnym pozorem nie wspominaj Los Seres. Zapamiętasz?

Dziewczyna pokiwała głową.

– Jesteś bardzo mądra – pochwalił ją Sajhë. – Kiedy byłem w twoim wieku, babcia posyłała mnie do różnych osób z wiadomościami. Zanim wyszedłem, kazała mi powtarzać je po kilka razy, aż zyskała pewność, że nie przekręcę ani jednego słowa.

Bertrande uśmiechnęła się łobuzersko.

– *Mamà* mówi, że masz dziurawą pamięć. Jak sito.

– Ma rację. – Sajhë spoważniał. – Mogą cię pytać także o *bons homes* oraz w co wierzą ci ludzie. Odpowiadaj szczerze. W ten sposób nie będziesz zaprzeczała samej sobie. Nie powiesz im nic takiego, czego by nie usłyszeli od innych. – Na koniec dodał ostatnią radę: – Nie wspominaj o Alaïs ani o Harifie, pamiętaj.

Oczy dziewczynki napełniły się łzami.

– A jeśli żołnierze będą ich szukali? Na pewno ich znajdą...

– Nie znajdą – zaprzeczył stanowczo. – I pamiętaj, Bertrande, kiedy inkwizytorzy skończą cię przesłuchiwać, nigdzie nie idź. Przyjdę po ciebie jak najszybciej.

* * *

Ledwo skończył zdanie, gdy strażnik szturchnął go w plecy i skierował w stronę miasta. Bertrande poprowadzono w przeciwnym kierunku.

Zabrano go do drewnianej zagrody, gdzie między innymi znajdował się Pierre Roger de Mirepoix, dowódca garnizonu. Ten przesłuchanie miał już za sobą. Był to, zdaniem Sajhë, dobry znak, wyraźny dowód, iż Francuzi przestrzegali warunków kapitulacji, w związku z czym żołnierze, obrońcy fortecy, traktowani byli jak jeńcy wojenni, a nie przestępcy.

Gdy dołączył do rosnącej grupy oczekujących na przesłuchanie, zsunął z kciuka pierścień i ukrył pod ubraniem. Czuł się bez niego jak nagi. I nic dziwnego, w końcu nosił go nieomal bez przerwy już dwadzieścia lat, bo tyle czasu minęło od chwili, gdy dostał go od Harifa.

Przesłuchania odbywały się w dwóch namiotach. Na boku stali zakonnicy wyposażeni w krzyże z żółtej tkaniny, które przyczepiano na plecach tych, których uznano za winnych sympatyzowania z heretykami. Następnie więzień prowadzony był do kolejnej zagrody, jak zwierzę na targu.

Z pewnością Francuzi nie zamierzali zwolnić nikogo, dopóki nie przesłuchają wszystkich co do jednego, niezależnie od wieku i płci. Wobec czego było pewne, iż proces nie skończy się prędko.

* * *

Gdy przyszła kolej Sajhë, pozwolono mu bez straży przejść do namiotu. Stanął przed Ferrierem i czekał.

Woskowa twarz inkwizytora nie wyrażała nic. Zapytał więźnia o imię, wiek, szarżę oraz miejsce urodzenia.

Gęsie pióro skrzypiało na pergaminie.

– Czy wierzysz w niebo i piekło? – rzucił nagle.

– Wierzę.

– Czy wierzysz w czyściec?

– Wierzę.

– Czy wierzysz, że syn Boga stał się człowiekiem doskonałym?

– Jestem żołnierzem, nie mnichem – odparł ze wzrokiem wbitym w ziemię.

– Czy wierzysz, że ludzka dusza mieszka tylko w jednym ciele, z którym zostanie wskrzeszona?

– Skoro księża tak mówią, to pewnie tak jest.

– Czy słyszałeś, by ktoś twierdził, że składanie przysięgi jest grzechem? Jeśli tak, to kto?

Tym razem Sajhë podniósł wzrok.

– Nie słyszałem – odparł wyzywająco.

– Sierżancie – odezwał się inkwizytor pobłażliwym tonem. – Służyłeś w tym garnizonie ponad rok i nie wiesz, że *heretici* odmawiają składania przysiąg?

– Moim zwierzchnikiem jest Pierre Roger de Mirepoix. Słów innych nie słucham.

Przesłuchanie trwało jakiś czas. Sajhë uparcie trzymał się swojej roli prostego żołnierza, mającego bardzo niewielkie pojęcie o wierze i świętych pismach. Nikogo nie obwiniał. Nikogo nie znał.

W końcu inkwizytor Ferrier stracił nim zainteresowanie i pozwolił mu odejść.

Słońce o tej porze roku wcześnie schodziło za horyzont. Nad świat nadpływał zmierzch, odbierając przedmiotom kształt i powlekając ziemię czarnymi cieniami.

Sajhë odesłano do grupy żołnierzy, którzy zostali już przesłuchani. Każdemu dano pled, pajdę czerstwego chleba i kubek wina. Ze smutkiem stwierdził, iż więźniów cywilnych nie potraktowano z taką uprzejmością.

* * *

Zdawać by się mogło, że im niżej schodziło słońce, tym bardziej Sajhë podupadał na duchu.

Nie wiedział, czy Bertrande została już przesłuchana, nie wiedział nawet, w której części ogromnego obozu znajduje się dziewczynka. Gubił się w domysłach, zjadały go nerwy. Wiedział, że Alaïs także patrzy na zachodzące słońce, z każdą chwilą coraz bardziej niespokojna, tym bardziej że nie mogła nic zrobić.

Nie potrafił usiedzieć w miejscu. Chłód i wilgoć dawały mu się we znaki. Wstał, zrobił kilka kroków.

– *Assis* – warknął strażnik, stukając go włócznią w ramię.

Już miał posłuchać, gdy kątem oka dostrzegł jakiś ruch na stoku w górze. Zorientował się, że to oddział wysłany na przeszukanie zboczy pod cytadelą. Akurat tam, gdzie tkwili w ukryciu Alaïs, Harif i dwaj przewodnicy. Wiatr targał płomieniami pochodni, budząc tańczące cienie w zaroślach.

Sajhë zmartwiał.

Francuzi już wcześniej, w ciągu dnia, przeszukali zamek i nic tam nie znaleźli. Sądził, iż na tym poprzestaną. Najwyraźniej się pomylił. Przeszukiwali także labirynt ścieżek wokół cytadeli. Jeśli pójdą dalej w tym samym kierunku, trafią dokładnie do Alaïs. A przecież było już prawie ciemno! Biegiem ruszył w stronę prowizorycznego ogrodzenia.

– Hej! – krzyknął za nim strażnik. – Nie słyszałeś? *Arrête!*

Nie zwrócił na niego uwagi. Nie myśląc o konsekwencjach, przeskoczył drewniany płot i pognał w górę stoku, w stronę oddziału szukającego zbiegów. Słyszał, jak strażnik wzywa posiłki. Myślał tylko o tym, by odwrócić uwagę szukających od miejsca, gdzie skryła się Alaïs.

Żołnierze zatrzymali się, patrzyli w dół, sprawdzali, co się dzieje. Krzyknął głośno, zaczepnie. Musiał doprowadzić do tego, by z obserwatorów zmienili się w uczestników tej sceny. Udało się. Zamiast zaciekawienia i niepewności pojawiła się na ich twarzach wrogość. Byli zmarznięci, znudzeni i tylko czekali na okazję do bitki.

Sam nie wiedział, kiedy dostał pięścią w brzuch. Stracił oddech, zgiął się w pół. Nieważne, plan się powiódł. Dwóch żołnierzy przytrzymało go za ramiona, reszta zaczęła okładać, czym popadło: walili pięściami, rękojeściami, kopali go bez litości. Czuł, że pękła mu skóra pod okiem. Po języku spływała krew. A oni ciągle bili.

Dopiero wtedy zdał sobie sprawę, że popełnił fatalny błąd. Myślał tylko o odciągnięciu żołnierzy od Alaïs. Zapomniał o Bertrande. Zanim potężny cios w szczękę pozbawił go przytomności, zobaczył jeszcze jej drobną twarzyczkę.

ROZDZIAŁ 76

Oriane poświęciła życie na poszukiwanie Księgi Słów.

Po upadku Carcassony wyjechała do Chartres. Cierpliwość jej męża szybko się skończyła, a ponieważ nigdy nie było między nimi miłości, gdy zgasło pożądanie, wszelkie rozmowy zastąpiła pięść oraz pas. Znosiła bicie, obmyślając tysięczne sposoby rewanżu. W miarę jak powiększało się jego bogactwo i ziemie, rosły też wpływy na francuskiego króla, więc też zaprzątały go coraz to inne cele. Wreszcie zostawił żonę w spokoju. A ona podjęła poszukiwania na własną rękę. Opłaciła informatorów, stworzyła gęstą siatkę szpiegowską.

Jak dotąd tylko raz była bliska pochwycenia Alaïs. W maju 1234 roku, z poczuciem triumfu opuściła Chartres, wybrała się do Tolosy. Gdy przyjechała do katedry Saint-Etienne, odkryła, iż ktoś przekupił wartowników, a jej siostra zniknęła. Rozpłynęła się w powietrzu.

Oriane szybko uczyła się na błędach. Tym razem gdy dotarły do niej pogłoski, że widziano kobietę odpowiadającą opisowi, natychmiast wyruszyła na Południe, zabierając ze sobą jednego ze swych synów.

A dzisiejszego poranka ujrzała księgę płonącą na stosie. Była tak blisko! I poniosła klęskę. Wpadła w taki gniew, że ani jej syn, Louis, ani najwierniejsza służba nie mogli jej uspokoić. Wreszcie czas zrobił swoje i Oriane zaczęła przyglądać się z boku porannym wydarzeniom. Jeżeli faktycznie tą kobietą była Alaïs, a nawet w to należało wątpić, to czy pozwoliłaby, żeby Księga Słów spłonęła na inkwizytorskim stosie?

Na pewno nie.

W ślad za tą myślą Oriane wysłała do obozu więźniów umyślnych na przeszpiegi i wkrótce dowiedziała się, iż Alaïs miała córkę, dziewczynkę dziewięcio-, może dziesięcioletnią, której ojciec służył pod panem de Mirepoix. Szybko doszła do wniosku, iż siostra nie powierzyłaby tak cennego przedmiotu jak Księga Labiryntu żołnierzowi. Poza tym członkowie garnizonu zostali przeszukani. Ale dziecko...?

Zaczekała, aż zapadną ciemności, i wtedy wybrała się do obozu, gdzie przetrzymywano kobiety i dzieci. Włożyła strażnikowi w dłoń monetę i weszła bez przeszkód. Czuła na plecach karcące spojrzenia zakonników, lecz ich ocena nie robiła na niej żadnego wrażenia.

Nagle pojawił się przed nią syn. Twarz mu płonęła. Zawsze robił wszystko, by się przypodobać, zawsze chciał być pierwszy i najlepszy.

– *Ouí*? – burknęła. – *Qu'est-ce que tu veux?*

– *Il y a une fille que vous devez voir, maman**.

Poszła za nim w odległy kraniec obozu, gdzie w pewnym oddaleniu od innych spała mniej więcej dziesięcioletnia dziewczynka.

Fizyczne podobieństwo do Alaïs było wprost uderzające. Gdyby nie różnica wieku, mała mogłaby być bliźniaczką swojej matki. Miała taki sam wyraz twarzy, identyczną cerę.

– Zostaw mnie samą – poleciła Oriane synowi. – Muszę zdobyć jej zaufanie.

Louisowi zrzedła mina, co jeszcze bardziej ją rozeźliło.

– Odejdź – powtórzyła. – Idź przygotować konie. Tutaj nie będzie z ciebie żadnego pożytku.

Gdy wreszcie się oddalił, przykucnęła i lekko potrząsnęła dziewczynkę za ramię.

Mała obudziła się natychmiast, w jej oczach błysnął lęk.

– Kim jesteś, pani?

– *Una amiga* – rzekła Oriane w języku, którego nie używała od trzydziestu lat. Przyjaciółka.

– Jesteś Francuzką – powiedziała Bertrande, szacując wzrokiem ubranie i uczesanie obcej. – I nie było cię w cytadeli.

– Nie było mnie – zgodziła się Oriane cierpliwie – ale urodziłam się w Carcassonie, tak samo jak twoja mama. Razem wychowywałyśmy się w *château comtal*. A nawet znałam twojego dziadka, intendenta Pelletiera. Alaïs na pewno ci o nim często opowiadała.

– Dostałam po nim imię – odparła dziewczynka z prostotą.

Oriane uśmiechnęła się przyjaźnie.

– Bertrande, przyszłam cię stąd zabrać.

Dziewuszka zmarszczyła czoło.

– Ale Sajhë kazał mi czekać. Mam nie iść z nikim innym.

– Tak, wiem – uśmiechnęła się Oriane. – A mnie powiedział, że jesteś mądrą dziewczynką i potrafisz o siebie zadbać. Dlatego pokażę ci coś, co cię przekona, że możesz mi zaufać. – Wyjęła pierścień, który ściągnęła z palca zmarłego ojca. Tak jak przypuszczała, dziewczynka rozpoznała kamienną obrączkę.

Wyciągnęła po nią rękę.

– To pierścień Sajhë?

– Weź, zobacz sama.

Bertrande obejrzała drobiazg z uwagą. Potem wstała.

– Gdzie on jest?

– Nie wiem. – Oriane zmarszczyła brwi. – Ale może...

– Tak?

---

* – Tak? O co chodzi?
Powinnaś, mamo, rzucić okiem na pewną dziewczynkę.

– Powinniście się spotkać w domu?

Bertrande zastanawiała się chwilę.

– Możliwe – odpowiedziała wreszcie.

– Czy to daleko? – rzuciła Oriane od niechcenia.

– Konno o tej porze roku dwa dni, może trochę dłużej.

– Jak się to miejsce nazywa?

– Los Seres – odpowiedziała dziewczynka. – Ale Sajhë zabronił mówić o tym inkwizytorom.

Noublesso de los Seres. Nie tylko imię strażników Graala, lecz także miejsce, gdzie go przechowują. Musiała przygryźć wargi, żeby nie wybuchnąć śmiechem.

– Najpierw pozbędziemy się niepotrzebnych drobiazgów – powiedziała, odrywając od sukienki małej żółty krzyż. – W ten sposób nikt się nie domyśli, że jesteśmy uciekinierkami. Masz coś do zabrania?

Jeśli mała ma księgę ze sobą, poszukiwania skończą się w tej chwili.

Ale Bertrande pokręciła głową.

– Nic.

– Wobec tego chodź za mną. Po cichu. Nie będziemy zwracały na siebie uwagi.

Dziewczynka nadal była nieufna, lecz w miarę jak w drodze przez uśpiony obóz wielka pani opowiadała jej o Alaïs, o *château comtal* i o zmarłym dziadku, słuchała jej z coraz większym zajęciem i coraz bardziej się do niej przekonywała.

Kolejna moneta wsunięta w dłoń strażnika otworzyła przed nimi wyjście. Poszły do Louisa, czekającego przy koniach oraz krytym powozie, w towarzystwie sześciu żołnierzy.

– Oni jadą z nami? – W dziewczynce nagle znów obudziła się podejrzliwość.

Oriane wsadziła małą do *calèche*.

– Potrzebna nam ochrona przed bandytami – wyjaśniła z uśmiechem. – Sajhë by mi nie wybaczył, gdyby coś ci się stało.

– A co ze mną? – upomniał się o swoje prawa Louis.

– Jesteś mi potrzebny tutaj. – Chciała już jechać. – Zapomniałeś, że masz swoją rolę do odegrania? Nie mogę tak po prostu zniknąć. Będzie lepiej dla nas wszystkich, jeśli pojadę sama.

– Ale...

– Rób, co należy – ucięła. – Pilnuj naszych spraw. – Mówiła cicho, żeby Bertrande jej nie usłyszała. – Zajmij się ojcem dziewczyny, tak jak się umawialiśmy. A resztę zostaw mnie.

* * *

Guilhem myślał tylko o odszukaniu Oriane. Przybył do Montségur, by pomóc Alaïs, uchronić ją przed starszą siostrą, tak jak to czynił dyskretnie od trzydziestu lat.

Skoro Alaïs umarła, nie miał już nic do stracenia. Mógł wreszcie zaspokoić pragnienie zemsty, które wzrastało w nim, z roku na rok silniejsze. Powinien był zabić Oriane dawno temu, a skoro tego nie zrobił, nie zamierzał zmarnować drugiej szansy.

Z kapturem naciągniętym na twarz wślizgnął się do obozu krzyżowców i tak długo po nim krążył, aż znalazł zielono-srebrny pawilon, w którym mieszkała dawna kochanka.

Z wnętrza dobiegły go francuskie słowa. Jakiś młody człowiek wydawał rozkazy. Zapewne ten młodzik, który na trybunach siedział przy Oriane. Jeden z jej synów. Guilhem przylgnął do ściany pawilonu i słuchał.

– Był sierżantem w tutejszym garnizonie – mówił Louis d'Evreux aroganckim tonem. – Nazywa się Sajhë de Servian. To on spowodował to zajście na stoku. Tacy właśnie są ci wieśniacy z Południa. Nawet jeśli się ich dobrze traktuje, zachowują się jak zwierzęta. – Zaśmiał się krótko. – Został uwięziony przy pawilonie Hugona z Arcis, na wszelki wypadek osobno, żeby więcej nie siał zamętu. – Louis ściszył głos, Guilhem ledwo go słyszał. – To dla ciebie. – Rozległ się brzęk monet. – Połowa teraz. Jeżeli wieśniak będzie ciągle żywy, kiedy go znajdziesz, zmień ten stan rzeczy. Resztę dostaniesz po robocie.

Guilhem odczekał, aż żołnierz wyszedł, po czym wsunął się do pawilonu.

– Powiedziałem, że masz mi nie przeszkadzać – rzucił Louis rozeźlony, nie odwracając się do wejścia.

Południowiec przyłożył mu nóż do gardła.

– Ani słowa, bo zabiję.

– Bierz, co chcesz – jęknął Louis. – Nie rób mi krzywdy.

Mąż Alaïs rozejrzał się po pawilonie. Bogactwo biło w oczy: puszyste kobierce, ciepłe pledy, cenne ozdoby. Oriane wyraźnie osiągnęła to, czego zawsze chciała. Miał nadzieję, iż bogactwo nie dało jej szczęścia.

– Jak się nazywasz? – spytał cicho, groźnie.

– Louis d'Evreux. Nie wiem, kim jesteś, ale moja matka cię...

Guilhem szarpnął głowę młodzika do tyłu.

– Przestań mi grozić. Odesłałeś strażnika, prawda? Jesteś sam. – Przycisnął ostrze mocniej do bladej szyi chłopaka. Evreux znieruchomiał. – Teraz lepiej. Gdzie jest Oriane? Jeśli mi nie powiesz, poderżnę ci gardło.

Chłopak stężał na dźwięk imienia swojej matki, ale ostrze przy gardle rozwiązało mu język.

– Poszła do kobiecego obozu.

– Po co?

– Szukać dziewczynki.

– Nie marnuj mojego czasu, *nenon* – poprosił grzecznie Guilhem. – Jakiej dziewczynki? Dlaczego jej szuka?

– To dziecko heretyczki. Siostry mojej matki. Mojej... ciotki – wypluł słowo jak truciznę.

– Alaïs – szepnął Guilhem z niedowierzaniem. – Ile lat ma to dziecko?

– Nie wiem – chłopakowi głos drżał ze strachu. – Dziewięć, może dziesięć.

– A ojciec? Też nie żyje?

Evreux próbował się ruszyć, więc Guilhem ścisnął go mocniej i ukłuł czubkiem noża pod lewym uchem. Wystarczyło pociągnąć.

– Jest żołnierzem. Służy dla Pierre'a Rogera de Mirepoix.

Guilhem natychmiast pojął, o co chodzi.

– A ty właśnie wysłałeś swojego człowieka, by nie dożył wschodu słońca.

– Kim jesteś?

Chevalier z Carcassony jakby nie słyszał.

– Gdzie jest pan Evreux? Dlaczego nie z wami?

– Mój ojciec nie żyje – odparł chłopak. W jego głosie nie było śladu żalu, jedynie rodzaj chełpliwej dumy, trudnej do pojęcia. Teraz ja jestem właścicielem majątku.

– A raczej twoja matka – zaśmiał się Guilhem.

Chłopak drgnął, jakby dostał w twarz.

– Powiedz mi, panie Evreux – podjął Guilhem z krzywym uśmiechem – czego twoja matka chce od dziewczynki?

– A co za różnica? To przecież dziecko heretyczki. Powinno się ich wszystkich spalić żywcem. – Natychmiast pożałował braku opanowania, ale było już za późno. Słowa padły.

Guilhem przycisnął nóż mocniej do szyi chłopaka i przeciągnął ostrzem od ucha do ucha.

– *Per lo Mièrgjorn* – powiedział. – Za Południe.

Krew zbryzgała kobiercе. Evreux osunął się na ziemię.

– Jeśli twój sługa szybko wróci, może przeżyjesz. Ale na wszelki wypadek zacznij się modlić o wybaczenie grzechów.

Naciągnął kaptur na twarz i ruszył biegiem. Musiał odnaleźć Sajhë de Servian, zanim to zrobi człowiek Evreux.

* * *

Przez chłodną noc podróżowała niewielka grupa ludzi.

Oriane gorzko żałowała, iż zdecydowała się na *calèche*. W siodle byłoby szybciej. Drewniane koła twardo podskakiwały na wszystkich nierównościach zmarzniętej ziemi.

Unikali głównych dróg, ponieważ przy każdym wjeździe i wyjeździe z doliny nadal znajdowały się blokady. Najpierw jechali na południe. Później, gdy zimowy zmierzch przemienił się w głęboką czarną noc, skręcili na południowy wschód.

Bertrande, przykryta płaszczem, zasnęła. Kąśliwy wiatr wciskał się w każdą szparę, osłona powozu niewiele dawała. Oriane nakarmiła dziewczynkę biszkoptami i ciastem i spoiła korzennym winem, podając dziecku dawkę, po jakiej żołnierz nie ustałby na nogach. Dopiero wtedy skończyły się irytujące pytania o życie w Carcassonie w dawnych czasach, jeszcze przed wojną.

* * *

– Obudź się!

Jakiś głos. Męski. Blisko.

Bolało go wszystko. Przed oczami zapalały mu się niebieskie błyskawice.

– Wstawaj!

Tym razem głos był bardziej alarmujący.

Coś zimnego dotknęło posiniaczonej twarzy Sajhë, chłodząc napuchniętą skórę. Powoli wracała do niego pamięć. Został pobity.

Może umarł?

Przed oczami pojawiały się kolejne obrazy. Gdzieś niżej, na stoku, ktoś krzyknął, kazał żołnierzom przestać bić. Oprawcy odstąpili. Jakiś wódz wydawał rozkazy po francusku. Zabrali Sajhë do obozu.

Więc może jeszcze nie umarł.

Znowu spróbował się ruszyć. Pod plecami miał coś twardego. Aha, pal.

Otworzył oczy, ale posłuchało tylko jedno. Drugie było zapuchnięte. Natomiast pozostałe zmysły miał niezwykle wyostrzone. Słyszał nawet ciche potupywanie koni. A także pogwizdywanie wiatru oraz kozodoja w lesie. I sowę samotnicę. Wszystkie te dźwięki doskonale znał i rozumiał.

– Możesz ruszać nogami? – dopytywał się męski glos.

Ku własnemu zdziwieniu mógł, choć każde poruszenie sprawiało ogromny ból.

– Dasz radę jechać?

Jakiś mężczyzna odciął go od słupa. Wydawał mu się znajomy. Ten głos, to przekrzywienie głowy...

Sajhë z trudem wyprostował nogi.

– Czemu zawdzięczam tę uprzejmość? – spytał, rozcierając nadgarstki.

I nagle go rozpoznał. Widywał go, kiedy był chłopcem, kiedy się wspinał na mury *château comtal*, szukając Alaïs. Gdy słuchał jej śmiechu, niesionego przez wiatr, często słyszał także ten głos.

– Guilhem du Mas – powiedział wolno.

Wybawca spojrzał na niego zdziwiony.

– Czy my się znamy, przyjacielu?

– Nie będziesz mnie pamiętał – odpowiedział, niezdolny spojrzeć mu w twarz otwarcie. – Powiedz, *amic* – przeciągnął słowo – czego się po mnie spodziewasz?

– Przyszedłem... – Guilhem przerwał zdziwiony wrogością nieznajomego. – Czy ty jesteś Sajhë de Servian?

– I co z tego?

– Przez wzgląd na Alaïs, którą obaj... – Przerwał. Wziął się w garść. – Była tutaj jej siostra, Oriane. Przyjechała po księgę.

– Jaką księgę?

– Dowiedziała się, że macie córkę, i porwała małą. Nie wiem, dokąd pojechała, lecz tuż po zmierzchu opuściła obóz. Przyszedłem ofiarować ci pomoc. – Wstał. – Ale jeśli ci ona nie w smak...

436

Sajhë krew odpłynęła z twarzy.

– Czekaj!

– Jeżeli chcesz odzyskać córkę żywą – podjął Guilhem – proponuję, żebyś odsunął od siebie urazę, niezależnie od tego, za co ją do mnie żywisz. – Wyciągnął rękę, by pomóc więźniowi wstać. – Czy domyślasz się, dokąd Oriane zabrała twoją córkę?

Sajhë wieczność całą strawił na smakowanie nienawiści, wreszcie jednak, przez wzgląd na Alaïs i córkę człowieka, którego przeklinał przez większą część swojego życia, przyjął wyciągniętą dłoń.

– Mała ma na imię Bertrande.

ROZDZIAŁ 77
Pic de Soularac

Audric i Alice wspinali się w ciszy.

Zbyt wiele słów już padło, nie pozostało nic do powiedzenia. Audric oddychał z trudem, ale szedł równym krokiem, patrząc uważnie pod nogi.

– Już chyba niedaleko – odezwała się Alice, w równym stopniu do niego, jak do siebie.

– Tak.

Kilka minut później znaleźli się w miejscu niedawnego obozu archeologów, obok parkingu. Namioty zniknęły, o ich niedawnej obecności świadczyła tylko pobrązowiała trawa. Tu i ówdzie pozostał jakiś śmieć. Alice znalazła motyczkę i śledź od naciągu, oba przedmioty zabrała ze sobą.

Wspinali się dalej, skręciwszy nieco w lewo, aż znaleźli się przy głazie strąconym przez Alice. Leżał na boku, poniżej wejścia do jaskini, w tym samym miejscu, gdzie upadł. W budzącym dreszcze sinawym świetle księżyca przypominał głowę obalonego bożka.

Czy to naprawdę zdarzyło się w ten poniedziałek?

Baillard przystanął dla złapania oddechu, oparł się o głaz.

– Już niedaleko – pocieszyła go Alice. – Tak mi przykro... Powinnam była pana uprzedzić, że tu jest tak stromo.

– Pamiętam, pamiętam – rzekł staruszek z uśmiechem. Ujął rękę Alice pergaminową dłonią. – Gdy dotrzemy do jaskini, zaczekasz w ukryciu, póki ci nie powiem, że możesz bezpiecznie wejść. Obiecaj mi to, proszę.

– Moim zdaniem pan także nie powinien tam wchodzić, zwłaszcza sam – przekonywała po raz kolejny. – Nawet jeśli oni rzeczywiście zjawią się później. Może pan wpaść w pułapkę. Chciałabym panu pomóc. We dwoje szybciej znajdziemy księgę. Uwiniemy się w mgnieniu oka, a potem oboje się ukryjemy przed jaskinią i z bezpiecznej odległość będziemy patrzyli, co się dzieje.

– Wybacz mi, ale lepiej, byśmy się rozdzielili.

– Naprawdę nie rozumiem dlaczego. Nikt nie wie, że tu jesteśmy. Wobec tego nic nam nie grozi. – W rzeczywistości wcale nie była tego taka pewna.

– Jesteś bardzo dzielna, *madomaisèla* – rzekł staruszek cicho. – Taka sama jak ona. Alaïs zawsze bardziej troszczyła się o innych niż o siebie. Wiele poświęciła dla tych, których kochała.

– Nie ma mowy o żadnych poświęceniach – odparła Alice ostro. Ze strachu zrobiła się nerwowa. – I nadal nie rozumiem, dlaczego nie przyszliśmy tu wcześniej. Moglibyśmy jeszcze za dnia wejść do jaskini i nie bać się, że ktoś nas złapie.

Wydawało się, że Audric nie usłyszał ani jednego słowa z tej przemowy.

– Zadzwoniłaś do inspektora Noubela? – spytał.

Nie ma sensu się z nim sprzeczać. Przynajmniej teraz.

– Tak. – Westchnęła ciężko. – Zrobiłam to, co pan mi polecił.

– *Ben* – rzekł miękko. – Twoim zdaniem postępuję nierozsądnie, *madomaisèla*, lecz przekonasz się, że racja leży po mojej stronie. Wszystko musi nastąpić we właściwym miejscu i porządku. Inaczej nie poznamy prawdy.

– Nie poznamy prawdy... – powtórzyła Alice. – Przecież powiedział mi pan wszystko, co należy wiedzieć. Znamy całą prawdę. Teraz chodzi tylko o to, żeby uratować Shelagh. I Willa. Żeby stąd uszli z życiem.

– Znamy całą prawdę? – spytał Audric cicho. – Czy to w ogóle możliwe? – Zwrócił wzrok ku wejściu do jaskini, niewielkiemu czarnemu otworowi w skale. – Jedna prawda przeczy drugiej – szepnął. – Teraz jest inaczej niż wtedy. – Ujął Alice pod ramię. – Pokonajmy ostatni etap drogi – rzekł.

Alice spojrzała na niego ze zdziwieniem. Staruszek był w dziwnym nastroju. Spokojny, zamyślony, pogodzony z losem. Podczas gdy ona, zdenerwowana i przestraszona, z obawą patrzyła w przyszłość. Noubel mógł się spóźnić, Baillard może nie miał racji od samego początku...

A jeśli Will i Shelagh już są martwi?

Odpędziła od siebie tę myśl. Nie mogła sobie pozwolić na takie wątpliwości. Musiała wierzyć, że wszystko dobrze się skończy.

W wejściu do jaskini Audric Baillard odwrócił się do niej z uśmiechem na twarzy. Jego bursztynowe oczy poznaczone złotymi plamkami błyszczały podnieceniem.

– Co się dzieje? – spytała Alice. – Coś jest... – Przerwała, bo nie potrafiła ubrać myśli w słowa. – Jakoś...

– Bardzo długo czekałem – rzekł cicho.

– Na co? Na odnalezienie księgi?

Pokręcił głową.

– Na wybawienie.

– Od czego? – Nie wiedzieć czemu, miała łzy w oczach. Zagryzła wargi, inaczej rozpłakałaby się głośno. – Nie rozumiem... – powiedziała łamiącym się głosem.

– *Pas à pas se va luènh* – rzekł Baillard. – Widziałaś te słowa w jaskini, prawda? Na szczycie stopni.

– Tak, ale skąd pan...?

Wyciągnął rękę po latarkę.

– Czas na mnie.

Miotana sprzecznymi uczuciami podała mu żądany przedmiot.

Poszedł korytarzem, wkrótce ciemności pochłonęły i jego, i żółte światło.

Gdzieś niedaleko krzyknęła sowa, Alice aż podskoczyła ze strachu. Najcichszy dźwięk zdawał jej się hałasem, w mroku czaiło się zło, czarne skały przybierały złowieszcze kształty. Zdawało jej się, że usłyszała odległy warkot silnika, ale po chwili znowu świat spowiła cisza.

Spojrzała na zegarek. Wpół do dziesiątej.

* * *

Za piętnaście dziesiąta parking u stóp Pic de Soularac omiotło jasne światło samochodowych reflektorów.

Paul Authié zatrzymał wóz, wyłączył silnik i wysiadł. Dziwne, nie było jeszcze François-Baptiste'a. Zaniepokojony spojrzał w górę, w stronę jaskini. Może już weszli do środka?

Uznał, że niepotrzebnie się martwi. Wszystko to nerwy. Przecież Braissart i Domingo dotarli tutaj przed godziną. Gdyby się pokazała Marie-
-Cécile lub jej syn, z pewnością daliby mu znać.

Odruchowo pomacał niewielkie pudełko ukryte w kieszeni, detonator, który już odmierzał czas. Teraz nie pozostało nic do zrobienia. Wystarczyło czekać. I patrzeć.

Wymacał krzyżyk na szyi i przymknąwszy oczy, zaczął się modlić.

W pewnej chwili przykuł jego uwagę jakiś dziwny dźwięk dobiegający z lasku graniczącego z parkingiem. Otworzył oczy, lecz niewiele zobaczył. Podszedł do samochodu, zapalił reflektory. Z ciemności wyrwały się pozbawione kolorów drzewa.

Osłonił oczy dłonią i przyjrzał się im uważnie. Tym razem dostrzegł jakiś ruch w gęstych krzewach.

– François-Baptiste?

Nikt mu nie odpowiedział.

– Nie czas na podchody – krzyknął w ciemność, pozwalając sobie na nutę irytacji. – Chcesz tę księgę i pierścień? – Zaczynało mu świtać, iż może źle ocenił sytuację. – Czekam! – zawołał głośniej. Powstrzymał uśmiech na widok rysującej się między drzewami postaci.

– Gdzie jest O'Donnell? – spytał François-Baptiste.

Authié mało nie parsknął śmiechem na widok chłopaka. De l'Oradore ubrany był w zbyt obszerną marynarkę i wyglądał żałośnie.

– Sam jesteś? – zapytał.

– Nie twój zasrany interes – prychnął chłopak, zatrzymując się na skraju lasku. – Gdzie jest Shelagh O'Donnell?

– Czeka na miejscu. – Authié ruchem głowy wskazał wejście do jaskini. – Oszczędziłem ci fatygi. – Zaśmiał się krótko. – Nie będzie sprawiała kłopotów.

– A gdzie księga?

– Też w środku. – Poprawił rękawy koszuli. – Podobnie jak pierścień. Przesyłka dostarczona zgodnie z zamówieniem. Na czas.

François-Baptiste roześmiał się głośno.

– I pewnie jeszcze przewiązana wstążeczką? – Spoważniał. – Mam uwierzyć w te bzdury?

Authié zmierzył go pogardliwym spojrzeniem.

– Moje zadanie polegało na dostarczeniu księgi i pierścienia. Wywiązałem się z niego bez zarzutu. Co więcej, przywiozłem tutaj tę... jak ją nazwać? Waszego szpiega. Możesz to uznać za filantropię. – Zmrużył oczy. – A co madame de l'Oradore życzy sobie z nią zrobić, to już nie moja sprawa.

Po twarzy François-Baptiste'a przemknęło zwątpienie.

– I wszystko to z dobroci serca?

– Na chwałę Noublesso Véritable – odparł Authié. – Czyżbyś jeszcze nie został przyłączony do szacownego grona? Przecież chyba nie ma znaczenia, że jesteś zaledwie jej synem? Idź sam zobacz, może twoja matka już się tam przygotowuje do obrzędu?

François-Baptiste zmierzył prawnika uważnym spojrzeniem.

– A co – podjął Authié – myślałeś, że nic nie wiem? Wszystko mi powiedziała! – Wezbrał w nim gniew. – Obserwowałeś ją kiedy uważnie? Widziałeś na jej twarzy ekstazę, gdy wymawia te obsceniczne słowa, gdy rzuca Bogu w twarz bluźniercze wyrazy?!

– Nie waż się tak o niej mówić! – François-Baptiste sięgnął do kieszeni.

– Co, będziesz dzwonił do mamusi? Świetnie, poskarż się! – zaśmiał się Authié. – Mamusia ci powie, co masz robić. Powie ci nawet, co myśleć! – Odwrócił się i chwycił za klamkę.

Dotarł do niego charakterystyczny dźwięk odbezpieczania broni, ale dopiero po sekundzie zorientował się, co usłyszał. Ze zdumieniem odwrócił się do chłopaka.

François-Baptiste strzelił dwa razy, raz za razem. Pierwsza kula chybiła celu. Druga trafiła prawnika w udo. Przeszła na wylot, strzaskała kość. Authié zawył z bólu i padł na ziemię.

De l'Oradore szedł do niego, trzymając broń w obu dłoniach. Prawnik czołgał się, zostawiając na ziemi krwawy ślad. Był za wolny. Chłopak szybko go dogonił.

Na moment ich spojrzenia się spotkały. Wtedy François-Baptiste strzelił po raz trzeci.

* * *

Alice zerwała się na równe nogi.

Głęboką ciszę uśpionych gór przerwał głośny wystrzał, zaraz potem drugi, po chwili trzeci. Długo odbijały się echem pośród skał.

Serce waliło jej jak młotem. Kto strzelał? Dlaczego? Gdyby była w domu, wiedziałaby, że to tylko jakiś farmer przegania króliki albo wrony.

To raczej nie była strzelba. Miękko zeskoczyła ze skały na ziemię i wyjrzała w ciemność, gdzie powinien się znajdować parking. Ktoś zatrzasnął drzwiczki. Dobiegały ją czyjeś głosy.

Co się dzieje z Audrikiem?

Tamci byli jeszcze daleko, ale jednak coraz bliżej. Od czasu do czasu potoczył się jakiś kamyk trącony stopą, zgrzytał żwir pod butami, trzasnęła gałązka.

Podeszła bliżej wejścia, rzucała w stronę jaskini desperackie spojrzenia, jakby mogła siłą woli wyciągnąć starca z ciemności.

Dlaczego nie wraca?

– Monsieur Audric! – syknęła. – Ktoś idzie!

Odpowiedziała jej martwa cisza.

Zerknęła w ciemność korytarza i odwaga ją opuściła.

Musisz go ostrzec.

Modląc się, żeby nie było za późno, wbiegła w skalny korytarz.

ROZDZIAŁ 78
Los Seres

MARÇ 1244

Mimo ran i siniaków Sajhë jechali szybko. Ruszyli wzdłuż rzeki na południe. Gnali co koń wyskoczy, zatrzymując się tylko po to, by dać wierzchowcom odpocząć i napoić je, mieczami wyrąbując przeręble w lodzie. Guilhem szybko się zorientował, że Sajhë lepiej niż on orientuje się w górach.

Nie znał przeszłości tego mężczyzny, nie wiedział, że przez pół życia przekazywał on wiadomości od *parfaits* do odludnych osad w Pirenejach, że szpiegował na rzecz rebelii. Widział jednak, że zna on każde przejście, każdą dolinę i górski grzbiet, odnajduje szlaki pokryte śniegiem, bezbłędnie trafia w przesmyki i na równiny.

Jednocześnie stale czuł jego antypatię, milczącą, lecz wyraźną. Jak palące promienie słońca na karku. Ten mężczyzna, młodszy od niego prawie o pokolenie, cieszył się reputacją wiernego, oddanego i honorowego człowieka, gotowego walczyć i oddać życie w słusznej sprawie. Guilhem rozumiał, jakie przymioty musiały w nim pociągać Alaïs do tego stopnia, że zdecydowała się mieć z nim dziecko. Choć myśl ta bolała go jak cios nożem w serce.

* * *

Szczęście im sprzyjało. Nocą nie padał już śnieg. Następny dzień, siedemnasty marca, wstał jasny i czysty. Lekki wietrzyk gonił po niebie białe obłoczki.

Przybyli do Los Seres o zmierzchu.

Wioska wyrosła w przytulnej dolince, gdzie mimo chłodu pachniało już wiosną. Drzewa przystroiły się w zielone i białe cętki. Wczesne kwiaty wyglądały nieśmiało z żywopłotów. Domów było niewiele, a i te wydawały się opuszczone.

Mężczyźni zsiedli z koni i ostatni fragment drogi pokonali pieszo. Stukot podków na kamieniach budził głośne echo. Z któregoś budynku unosiła się w górę nieśmiała smużka dymu. Ktoś wyjrzał przez szczelinę w okiennicach i szybko się cofnął. Francuscy dezerterzy nie trafiali tak wysoko w góry, ale to nie znaczy, że o nich tu nie słyszano. Zwykle sprowadzali kłopoty.

Sajhë przywiązał konia przy studni. Guilhem poszedł w jego ślady, a następnie ruszył za nim w stronę niewielkiego domku na uboczu. Brakowało dachówek, okiennice stanowczo wymagały naprawy, ale ściany były mocne. Niewiele było trzeba, by go ożywić.

Młodszy mężczyzna pchnął drzwi. Drewno było spaczone od wilgoci, zardzewiałe zawiasy jęknęły głośno. Weszli do środka. Owiało ich powietrze wilgotne jak w grobowcu. Naprzeciwko wejścia osiadła stertka liści i siana przywianych zimowym wiatrem. Z nadproża zwisała firanka sopli.

Nikt nie sprzątnął ze stołu po ostatnim posiłku. Został na nim dzban i talerze, kubki oraz nóż. W dzbanie zakwitł zielony kożuch, jak wodorosty na stawie.

– Czy to twój dom? – spytał Guilhem cicho.

Sajhë skinął głową.

– Kiedy wyjechałeś?

– Przed dwoma laty.

Na środku izby, nad dawno wygasłym paleniskiem, widział zardzewiały kocioł.

Gospodarz niepotrzebnie poprawił pokrywę.

Tył domu odgradzała podarta zasłona. Za nią stał drugi stół, z dwoma krzesłami. Wzdłuż ściany ciągnęły się wąskie, prawie puste półki. Stał tam moździerz z tłuczkiem, dwie miski, duże łyżki i kilka słoików pokrytych kurzem. Z niskiego stropu zwisały zakurzone pęczki ziół. Zmumifikowany płesznik, przymiotno i liście jeżyn.

– Wszyscy przychodzili do niej po radę i leki – odezwał się Sajhë. – Nie tylko kobiety, mężczyźni też. Jeśli ktoś zachorował albo miał zmartwienie... Chciał chronić dzieci przed zimowymi dolegliwościami... Bertrande... pomagała matce przygotowywać leki i zanosiła je ludziom. – Zamilkł.

Guilhem też miał ściśnięte gardło. I on dobrze pamiętał buteleczki i słoje w ich wspólnej komnacie w *château comtal*.

Sajhë wypuścił zasłonę z dłoni. Sprawdził szczeble drabiny i ostrożnie wspiął się na pięterko. Tutaj zostały tylko przegniłe, zabrudzone przez zwierzęta koce i derki, rzucone na skisłą słomę. Jedyne wspomnienie sypiającej tutaj rodziny. Obok posłania tkwił ogarek, który dawno temu osmolił ścianę.

Guilhem nie mógł dłużej znieść smutku gospodarza. Wyszedł na zewnątrz. Nie chciał mu przeszkadzać.

Gdy jakiś czas później Sajhë także wyszedł przed dom, oczy miał zaczerwienione, ale dłonie pewne. Dołączył do Guilhema, który stał w najwyższym punkcie osady, patrząc na zachód.

– Czy wcześnie tutaj wstaje świt?

Mężczyźni byli podobnie zbudowani, tylko zmarszczki na twarzy Guilhema i siwe nitki w jego włosach zdradzały, że był o piętnaście lat starszy.

– O tej porze roku słońce późno wschodzi w górach.

Guilhem milczał czas jakiś.

– Co zamierzasz? – spytał w końcu, przyznając młodszemu prawo do przewodzenia.

– Trzeba zaprowadzić konie do stajni, potem się przespać. Raczej nie dotrą tu przed świtem...

– Nie chcesz chyba...? – Guilhem ruchem głowy wskazał dom.

– Nie – odparł Sajhë szybko. – Jest we wsi kobieta, która użyczy nam dachu nad głową. Jutro pójdziemy dalej w góry, rozłożymy się niedaleko jaskini i zaczekamy.

– Jak sądzisz, czy Oriane przejedzie przez wioskę?

– Nie ma powodu. Na pewno odgadła, gdzie Alaïs ukryła Księgę Słów. Trzydzieści lat to dość czasu, by przestudiować pozostałe dwie.

Guilhem spojrzał na niego kątem oka.

– I co? Ma rację? Księga nadal jest w jaskini?

Sajhë nie odpowiedział na pytanie.

– Nie rozumiem, jak zdobyła zaufanie Bertrande. Powiedziałem małej, żeby się beze mnie nigdzie nie ruszała. Miała czekać, aż wrócę.

Guilhem milczał. Nie znał słów, którymi udałoby się załagodzić niepokój. Gniew musiał się wypalić sam.

– Jak sądzisz – spytał nagle Sajhë – czy Oriane przywiezie ze sobą pozostałe dwie księgi?

Chevalier z Carcassony pokręcił głową.

– Raczej ukryła je w jakimś bezpiecznym miejscu gdzieś w Evreux albo w Chartres. Po co miałaby je tutaj przywozić?

– Kochałeś ją?

Zaskoczył Guilhema tym pytaniem.

– Pożądałem – odparł wolno. – Omotała mnie, byłem egoistą, puchłem z dumy...

– Nie Oriane – przerwał mu Sajhë. – Alaïs.

Guilhemowi ścisnęło się gardło.

– Alaïs – szepnął. Na długą chwilę owładnęły nim wspomnienia, dopiero twarde spojrzenie Sajhë sprowadziło go z powrotem do zimnej teraźniejszości. – Po upadku Carcassony widziałem ją tylko raz. Została ze mną na trzy miesiące. Złapali ją inkwizytorzy i...

– Wiem! – krzyknął Sajhë. I zaraz dodał spokojniej: – Wiem.

Zdumiony reakcją młodszego mężczyzny Guilhem zapatrzył się w dal. Ku własnemu zdziwieniu uświadomił sobie, że się uśmiecha.

– Tak – powiedział cicho, lecz pewnie. – Kochałem ją nad życie. Niestety, nie wiedziałem, jak cenna i jaka krucha jest miłość, dopóki jej nie zniszczyłem.

– Dlatego pozwoliłeś jej odejść?

– Po trzech miesiącach spędzonych razem... Bóg jeden wie, jak trudno mi było trzymać się od niej z daleka. Pragnąłem ją zobaczyć jeszcze chociaż raz... Miałem nadzieję, że kiedy to wszystko się skończy... No, ale znalazła ciebie. A teraz... – Głos mu się załamał, do oczu napłynęły łzy. Na moment zniknęła wrogość i sztywność. – Wybacz mi niegodne zachowanie. – Zaczerpnął głęboko powietrza. – Nagroda, jaką Oriane wyznaczyła za głowę młodszej siostry była znaczna, mogła skusić niejednego, nawet gdy nie miał powodu źle życzyć Alaïs. Opłacałem jej szpiegów za dostarczanie fałszywych informacji. Blisko trzydzieści lat udawało mi się ją chronić. – Umilkł ponownie. W jego umyśle pojawił się, jak nieproszony gość, obraz księgi płonącej na tle poczerniałego płaszcza. – Nie wiedziałem, że Alaïs była aż tak wierząca. – Spojrzał na Sajhë, próbując odczytać prawdę z jego źrenic. – Żałuję, że wybrała śmierć – powiedział zwyczajnie. – Że zostawiła ciebie, mężczyznę, którego wybrała, i mnie, głupca, który stracił jej miłość. – Zająknął się. – Ale najbardziej szkoda mi twojej córki. Trudno mi uwierzyć, że Alaïs...

– Dlaczego nam pomagasz? – przerwał Sajhë. – Po co przyjechałeś?

– Do Montségur?

Sajhë niecierpliwie pokręcił głową.

– Nie do Montségur. Tutaj.

– Przyprowadziła mnie zemsta.

ROZDZIAŁ 79

Alaïs obudziła się zesztywniała i zmarznięta. Świt powlekał szary krajobraz miękkim fioletem, wąwozami podkradała się delikatna biała mgiełka. Świat był jeszcze nieruchomy i milczący.

Spojrzała na Harifa. Owinięty futrzanym płaszczem, zasłonięty po czubek nosa, spał spokojnie. Mieli za sobą trudną podróż.

Cisza spowijała góry jak gruby pled. Mimo chłodu i niewygody Alaïs cieszyła się samotnością, tym cenniejszą po długich miesiącach w przeludnionej warowni. Ostrożnie, żeby nie zbudzić Harifa, wstała, przeciągnęła się i sięgnęła do jednej z sakw po kawałek chleba. Nie mogła go odłamać, bo twardy był jak drewno, więc nalała do kubka gęstego czerwonego wina, zimnego prawie jak lód i rozmoczyła w nim kromkę. Zjadła szybko i zajęła się przygotowaniem śniadania dla pozostałych.

Odsuwała od siebie myśli o Bertrandzie i Sajhë, lecz uparcie wracały. Gdzie oni teraz są? Ciągle w obozie? Razem? Czy rozdzieleni? Nie wiedziała.

W powietrzu rozbrzmiało wołanie sowy wracającej z nocnych łowów. Jak na dany znak świat zaczął się budzić. Niżej w dolinie swoją obecność obwieszczały wilki, a tuż obok, gdzieś w podszycie, odezwało się szuranie drobnych pazurków. Alaïs uśmiechnęła się, słysząc znajome, ukochane dźwięki. Uświadomiła sobie, że świat się nie zmienił, i choć jej tu nie było, żył wierny odwiecznemu cyklowi zmiany pór roku.

Obudziła przewodników, zaprosiła ich do jedzenia, a sama poprowadziła konie do strumienia. Skruszyła lód rękojeścią miecza.

I w końcu, gdy światło spłynęło już na ziemię, obudziła Harifa. Przemówiła do niego cicho, w jego rodzimym języku, łagodnie położyła mu rękę na ramieniu. Ostatnio coraz częściej budził się mało przytomny.

Otworzył oczy i rozejrzał się dookoła niewidzącym wzrokiem.

– Bertrande?

– Alaïs – poprawiła go miękko.

Zamrugał, niepewny, skąd się wziął na szarym zboczu góry.

Zapewne śnił o Jerozolimie, o wielkich kopułach meczetów i melodyjnym głosie, nawołującym wiernych Saracenów do modlitwy lub o podróżach po bezkresnym morzu pustyni.

Podczas wspólnie spędzonych lat opowiadał jej o aromatycznych przyprawach, żywych kolorach i pikantnych potrawach, o oślepiającym blasku krwistoczerwonego słońca. Mówił, jak mijały długie lata życia, o proroku i o swoim pierwszym domu, starożytnym mieście Avaris. O ojcu i o Noublesso.

Jego oliwkowa skóra nabrała z wiekiem szarawego odcienia, czarne niegdyś włosy pobielały, a w sercu zagościło cierpienie. Za stary był na tę walkę. Zbyt wiele widział, zbyt długo niósł świadectwo. Za późno wyruszył w ostatnią drogę. I choć nigdy tego głośno nie powiedział, siłę czerpał już tylko z myśli o Los Seres i Bertrande.

– Alaïs – szepnął, wracając do rzeczywistości. – A, tak.

– Już niedaleko – zapewniła go. – Jesteśmy prawie w domu.

* * *

Guilhem i Sajhë rozmawiali niewiele. Znaleźli sobie w górach kryjówkę osłoniętą od wiatru. I czekali.

Starszy mężczyzna kilka razy próbował nawiązać rozmowę, lecz dostawał tylko krótkie, zdawkowe odpowiedzi, więc w końcu zatonął w myślach.

A Sajhë usiłował dojść do ładu z własnym sumieniem. Najpierw żył, zazdroszcząc Guilhemowi, potem go nienawidził, aż w końcu nauczył się o nim nie pamiętać. Zajął jego miejsce u boku Alaïs, ale nie w sercu. Zawsze wspominała swoją pierwszą miłość. Niezmienną, mimo upływu lat.

Znał odwagę Guilhema, wiedział o jego ciągłych staraniach, by wypędzić krzyżowców z Pays d'Oc, lecz nie chciał go podziwiać ani czuć do niego sympatii. Nie chciał go też żałować ani się nad nim litować. Widział jego żal po stracie Alaïs. Jego twarz wyrażała skruchę. Mimo to Sajhë nie potrafił się zmusić do mówienia, lecz jednocześnie sam siebie za to nienawidził.

Czekali cały dzień, śpiąc na zmianę. Do zmierzchu było już niedaleko, gdy niżej na zboczu wrony gwałtownie poderwały się do lotu. Wzbiły się w niebo jak popiół z zagasłego ogniska. Zatoczyły koło, kracząc głośno, bijąc chłodne powietrze skrzydłami.

– Ktoś się zbliża – oznajmił Sajhë.

Wyjrzał zza głazu tkwiącego na wąskiej półce nad wejściem do jaskini jak klocek postawiony ręką olbrzyma.

Nie dostrzegł nic, żadnego ruchu. Skradając się bardzo ostrożnie, wyszedł z ukrycia. Był obolały i zesztywniały. Ręce mu ścierpły, kłykcie miał poobcierane do krwi i popękane. Na twarzy – wielobarwne siniaki.

Przykucnął na krawędzi skalnej półki i zeskoczył. Wylądował ciężko, zabolała go uszkodzona kostka.

– Podaj miecz – zawołał z cicha, wyciągając rękę.

Guilhem podał mu broń i zeskoczył na dół. Razem patrzyli w dolinę. Z dali dobiegły ich niewyraźne głosy. Wkrótce potem, ledwo widoczna w szarzejącym dniu, uniosła się ku niebu smużka siwego dymu, zakorzeniona między niezbyt gęstymi drzewami. Sajhë powiódł wzrokiem po horyzoncie, gdzie liliowa ziemia łączyła się z ciemniejącym niebem.

– Są na południowo-wschodniej ścieżce – powiedział. – To znaczy, że Oriane postanowiła ominąć wieś. Z tej strony nie podjadą bliżej konno. Za stromo. Resztę drogi będą musieli pokonać pieszo. – Mówił, co widział, ale myślał właściwie tylko o jednym: że Bertrande jest tak blisko. – Idę tam – oznajmił stanowczo.

– Nie! – sprzeciwił się Guilhem ostro, a potem dodał spokojniej. – Nie idź. To zbyt wielkie ryzyko. Jeśli cię zobaczą, narazisz na niebezpieczeństwo życie córki. Przecież wiemy, że Oriane przyjdzie do jaskini. Tutaj po naszej stronie będzie element zaskoczenia. Musimy zaczekać. – Przerwał. – Wiem, jak się czujesz. Nie wiń siebie, przyjacielu. Nie mogłeś temu zapobiec. Pomożesz córce, jeśli będziesz się trzymał naszego planu.

Sajhë strząsnął dłoń towarzysza ze swojego ramienia.

– Nie wiesz, jak się czuję – odparł głosem drżącym z wściekłości. – Jak śmiesz twierdzić, że w ogóle cokolwiek o mnie wiesz?

Guilhem podniósł ręce w geście poddania.

– Wybacz mi.

– To jeszcze dziecko...

– Ile dokładnie ma lat? Dziewięć czy dziesięć?

– Dziewięć.

– Tak czy inaczej swoje już wie – myślał Guilhem na głos. – Wobec czego, jeśli Oriane przekonała ją, a nie zmusiła do opuszczenia obozu, to do tej pory Bertrande zapewne już się zorientowała, że coś jest nie tak. Czy wiedziała, że Oriane jest w obozie? Czy w ogóle zna swoją ciotkę?

– Wie o jej istnieniu i wie, że Oriane nie jest przyjaźnie nastawiona do Alaïs. W życiu by z nią nie poszła.

– Gdyby wiedziała, kim ona jest. A w przeciwnym razie?

Sajhë zastanowił się przez chwilę, po czym bezradnie pokręcił głową.

– Wszystko jedno. Nie pojmuję, jakim cudem poszła z obcą osobą. Umówiliśmy się, że czeka na mnie i wszyscy... – przerwał, uświadomiwszy sobie, że powiedział za dużo, na szczęście Guilhem zatopiony we własnych myślach nie zwrócił na to uwagi.

– Jak uratujemy twoją córkę, będziemy mogli rozprawić się z żołnierzami. To całkiem prawdopodobne. Moim zdaniem Oriane zostawi ich w obozie i pójdzie na górę tylko z Bertrande.

– Mów dalej.

– Oriane czekała na ten dzień trzydzieści lat z okładem. Skrytość jest jej drugą naturą. Nie podejrzewam, by miała ochotę komukolwiek zdradzać położenie jaskini. Nie będzie chciała się z nikim dzielić tajemnicą, a że jest przekonana, iż tylko jej syn zna cel tej podróży, nie spodziewa się tutaj żadnych przeszkód. Oriane jest... – Przerwał. – Wiele zrobiła, by przejąć we władanie Trylogię Labiryntu: kłamała, mordowała, zdradziła ojca i siostrę... Księgi są dla niej najważniejsze na świecie.

– Jest morderczynią?

– Zamordowała swojego pierwszego męża Jehana Congosta, choć nie ona trzymała w ręku nóż.

– François – mruknął Sajhë pod nosem. Pamięć podsunęła mu obraz wierzchowca rozpaczliwie młócącego kopytami grząskie bagno. I przerażone krzyki umierającego człowieka.

– Moim zdaniem jest też odpowiedzialna za śmierć zielarki, która mieszkała w grodzie. Nie pamiętam jej imienia, ale wiem, że to ona nauczyła Alaïs wszystkiego, co sama umiała o medykamentach, leczeniu, o tym, jak dary natury wykorzystywać dla ludzkiego dobra. – Zamilkł. – Alaïs ją kochała – dokończył.

Upór i zawziętość kazały Sajhë ukryć swoją tożsamość. Wsparte zazdrością zabroniły mu zdradzić cokolwiek ze wspólnego życia z Alaïs.

– Esclarmonde nie umarła – powiedział, niezdolny dłużej omijać prawdę.

Guilhem znieruchomiał.

– Jak to? – zdziwił się. – Czy Alaïs o tym wiedziała? – zapytał.

– Wiedziała. Gdy uciekła z *château comtal*, poszła prosto do domu, w którym mieszkała Esclarmonde z wnukiem. Tam szukała pomocy.

Nagle obaj usłyszeli głos Oriane: ostry, zimny, rozkazujący. Padli na ziemię. Bezszelestnie wyciągnęli miecze i przyczaili się niedaleko wejścia do jaskini: Sajhë za skałką tuż poniżej otworu, Guilhem za kępą krzewów głogu o ostrych, groźnych kolcach.

Głosy się zbliżały. Słychać było też chrzęst kamieni. Sajhë miał wrażenie, że krok w krok towarzyszy Bertrande. Każda minuta ciągnęła się przez wieczność. Każdy dźwięk zdawał się zwielokrotniony tysięcznym echem, lecz wcale się nie zbliżał.

Wreszcie spomiędzy drzew wyszły dwie postacie. Oriane i Bertrande. Rzeczywiście, tylko we dwie. Guilhem spojrzał na Sajhë ostrzegawczo, przypominając mu wzrokiem, że muszą zaczekać na odpowiedni moment.

Młodszy mężczyzna zacisnął pięści. Miał ochotę wyć z wściekłości. Twarz mu pobladła, rozcięcia zarysowały się mocniej na pobielałej skórze. Bo i obraz, który zobaczył, mógł wyprowadzić z równowagi. Oriane zawiązała dziewczynce pętlę na szyi, tą samą liną skrępowała jej ręce na plecach, a koniec sznura trzymała w lewej dłoni. W prawej miała sztylet, którym szturchała dziecko w plecy, ilekroć zwolniło kroku.

Bertrande szła powoli i często się potykała. Dopiero gdy znalazła się nieco bliżej, można było dostrzec, iż spod spódnic także wystaje lina. Miała związane nogi, mogła stawiać tylko nieduże kroki.

Sajhë z ogromnym trudem utrzymywał nerwy na wodzy.

– Powiedziałaś, że jest tuż za drzewami! – odezwała się Oriane.

Bertrande odpowiedziała coś cicho.

– Oby to była prawda! Dla twojego własnego dobra!

– To tam – powiedziała dziewczynka. Głos miała spokojny, ale przebijały z niego nutki przestrachu; słuchającemu krajało się serce.

Planowali zaskoczyć Oriane u wejścia do jaskini. On miał się skupić na odciągnięciu dziewczynki, Guilhem rozbroić kobietę, zanim zdoła użyć noża.

Młodszy podniósł wzrok na starszego, ten kiwnął głową, potwierdzając, iż jest gotowy.

– Nie wolno ci tam wejść – powiedziała Bertrande. – To święte miejsce. Wchodzą tam tylko opiekunowie.

– Naprawdę? – zadrwiła Oriane. – A kto mi stanie na drodze? Ty? – Jej twarz przybrała zawzięty wyraz. – Jesteś taka do niej podobna, że aż mi się niedobrze robi! – Szarpnęła liną, dziewczynka krzyknęła z bólu. – Alaïs też wszystkim dyktowała, co mają robić. Zawsze uważała się za lepszą od innych.

– Nieprawda! – zaprotestowała Bertrande, uosobienie dzielności mimo beznadziejnej sytuacji.

Sajhë wolałby, żeby milczała. Ale też wiedział, iż Alaïs byłaby dumna z córki, chwaliłaby ją za odwagę. On także był z niej dumny, co tu kryć. Nieodrodne dziecko swoich rodziców.

– Tak nie można – rozpłakała się dziewczynka. – Nie wolno ci wchodzić. Labirynt ci nie pozwoli! Obroni swoje sekrety przed tobą i przed każdym innym, kto by go zechciał wykorzystać, chociaż nie powinien.

Oriane zaśmiała się krótko.

– To są bajki dla głupich bachorów! Takich jak ty.

– Dalej nie pójdę! – uparła się Bertrande.

Oriane zamachnęła się potężnie i przyłożyła małej w twarz, aż dziewczynka upadła.

Tego już było dla Sajhë za wiele. Czerwona mgła przesłoniła mu oczy. Rzucił się na oprawczynię, rycząc z wściekłości.

Kobieta zareagowała szybko. Jednym szarpnięciem przyciągnęła do siebie dziewczynkę i przystawiła jej nóż do gardła.

– No proszę. A sądziłam, że mój ukochany syn poradzi sobie przynajmniej z tak prostym zadaniem. Przecież już byłeś schwytany! Tak przynajmniej słyszałam... Zresztą wszystko jedno.

Sajhë uśmiechnął się do Bertrande. Chciał jej dodać odwagi.

– Rzuć miecz – powiedziała Oriane cicho. – Albo ją zabiję.

– Przepraszam, że cię nie posłuchałam – powiedziała Bertrande ze skruszoną miną. – Ona miała twój pierścień.

– Nie mój, *brava* – rzekł Sajhë. Wypuścił miecz z dłoni. Metal z brzękiem ciężko upadł na ziemię.

– Tak lepiej. A teraz podejdź bliżej, żebym cię dobrze widziała. Tyle wystarczy. – Uśmiechnęła się. – Sam jesteś?

Sajhë milczał.

Oriane przycisnęła ostrze do szyi dziecka i ukłuła ją za uchem. Bertrande krzyknęła, po białej szyi spłynęła strużka krwi, podobna do czerwonej wstążeczki.

– Puść ją, Oriane. Nie ona ci jest potrzebna, tylko ja.

* * *

Na dźwięk głosu Alaïs chyba nawet góra wstrzymała oddech.

Czy to duch? Guilhem nie miał żadnej pewności. W jego głowie rozpanoszyła się pustka, serce zadrżało nieśmiałą nadzieją. Nie ważył się ruszyć, by zjawa nie zniknęła. Jedynie wzrokiem przeskoczył na twarzyczkę Bertrande, tak podobną do matki, a potem znowu nieco dalej w dół zbocza, gdzie stała Alaïs. Futrzany kaptur skrywał jej twarz, płaszcz podróżny, zabrudzony w czasie długiej drogi, kładł się na oszronionej ziemi. Dłonie miała ukryte w skórzanych rękawicach.

– Puść ją, Oriane – powtórzyła.

– *Mamà!* – krzyknęła Bertrande.

– Niemożliwe...! – Oriane zmrużyła oczy. – Ty żyjesz! Przecież widziałam cię na stosie.

Sajhë skoczył w jej stronę, chciał wyrwać jej z rąk dziewczynkę, ale był zbyt powolny.

– Stój spokojnie! – krzyknęła Oriane, cofając się razem z Bertrande. Ruszyła w stronę jaskini. – Jeszcze jedna taka próba i zabiję smarkulę!

– *Mamà!*

Alaïs postąpiła krok naprzód.

– Puść ją, Oriane. Przecież to z mego powodu ten rwetes.

– Nie o ciebie chodzi, siostrzyczko. Ty masz Księgę Słów, a ja chcę ją dostać. *C'est pas difficile*.

– A kiedy już będziesz ją miała?

Guilhem słuchał, nie wierząc własnym uszom. Oczom także nie wierzył, nie potrafił pojąć, że naprawdę stoi przed nim Alaïs, taka, jaką miał w pamięci, zawsze, i nocą, i za dnia.

Kątem oka dostrzegł jakieś poruszenie. Błysk stali, może hełmu, może broni. Dwóch żołnierzy podkradało się do Alaïs przez gęste krzewy. Z lewej dobiegło go szurnięcie buta na skale.

– Brać ich!

Francuz, który znalazł się najbliżej Sajhë, chwycił go za ramiona od tyłu. Sekundę później wyprysnęli z ukrycia dwaj pozostali. Alaïs, szybka jak błyskawica, dobyła miecza i z półobrotu cięła najbliższego w bok. Upadł.

Zaatakował ją drugi. Z ostrzy mieczy poszły skry. Alaïs miała przewagę, bo stała wyżej, ale też była mniejsza od napastnika i słabsza.

Guilhem wyprysnął z kryjówki, rzucił się jej na pomoc. Akurat w momencie, gdy się potknęła i straciła równowagę. Przeciwnik pchnął, rozcinając jej wewnętrzną stronę ramienia. Krzyknęła i upuściła miecz, zaciskając dłoń na ranie, by zatamować krew.

– *Mamà!*

Guilhem zrobił kilka szybkich kroków i wbił miecz Francuzowi w brzuch. Oczy wyszły żołnierzowi z orbit, z ust popłynęła krew.

– Za tobą! – krzyknęła Alaïs.

Pod górę biegło następnych dwóch żołnierzy. Południowiec ruszył na nich z rykiem, dziko wymachując mieczem. Siekł na prawo i lewo, z góry i od dołu, bezlitośnie, z pasją, z furią.

---

* To proste.

Lepiej niż oni władał bronią, lecz był jeden, a ich dwóch.

Sajhë klęczał. Jeden z Francuzów stał przy nim, z nożem przy jego szyi. Drugi ruszył pomagać w pojmaniu Guilhema. Gdy mijał Alaïs, wyciągnęła nóż zza pasa i zamachnąwszy się z całej siły, wbiła mu ostrze w udo.

Mężczyzna wrzasnął z bólu i odwinął się, trafiając Alaïs potężnym ciosem. Uderzyła głową o skały. Usiłowała się podnieść, ale była zdezorientowana, nogi nie chciały jej słuchać. Osunęła się na ziemię, z rany w głowie popłynęła krew.

Francuz z nożem w udzie szedł na Guilhema, jak rozjuszony niedźwiedź, którego nic nie zatrzyma. Południowiec zrobił krok w bok, żeby mu zejść z drogi, poślizgnął się i zachwiał. Jego dwaj przeciwnicy natychmiast skorzystali z okazji i przygnietli go do ziemi, twarzą w dół.

Trzeci go kopnął. Guilhem poczuł pękające żebro. Jeszcze raz w to samo miejsce. W ustach miał krew.

Alaïs nie dawała znaku życia. Nie ruszała się ani nie odzywała.

Żołnierz pilnujący Sajhë uderzył go rękojeścią miecza. Pozbawił go przytomności.

Oriane zniknęła w wejściu do jaskini, ciągnąc ze sobą Bertrande.

Guilhem ryknął jak ranne zwierzę. Zebrał siły i zerwał się na nogi. Trzymający go żołnierze potoczyli się po zboczu. Chwycił miecz i pchnął w szyję stojącego. W tej samej chwili Alaïs dźwignęła się na kolana i temu, którego wcześniej zraniła w udo, wbiła w plecy jego własny nóż. Zawył z bólu, ale szybko umilkł. Na zawsze.

Góry spowiła cisza.

Guilhem przez dłuższą chwilę patrzył na Alaïs. Nadal nie potrafił uwierzyć własnym oczom, bał się, że go zwodzą. Wreszcie wyciągnął rękę do żony. Splotły się ich palce. Skórę miała szorstką i zniszczoną, tak samo jak on, zmarzniętą, prawdziwą.

– Myślałem...

– Wiem.

Nie chciał od niej odejść, ale Bertrande potrzebowała pomocy.

– Sajhë jest ranny – powiedział, idąc w stronę wejścia. – Pomóż mu, a ja się zajmę Oriane.

Alaïs pochyliła się nad Sajhë i zaraz dogoniła męża.

– Jest tylko nieprzytomny. Zostań z nim. Powiedz mu, co się stało. Ja pójdę po Bertrande.

– Nie, nie. Oriane właśnie tego chce. Zmusi cię do wyjawienia, gdzie ukryłaś księgę, a potem zabije was obie. Ja mam dużo większą szansę uwolnić twoją córkę.

– Naszą córkę.

Guilhem niby usłyszał słowa, lecz wcale ich nie pojął. Serce zabiło mu szybciej.

– To znaczy... – zaczął, lecz Alaïs zanurkowała mu pod ramieniem i wbiegła w ciemność tunelu.

ROZDZIAŁ 80
Ariège

– Poszli do jaskini! – krzyknął Noubel, rzucając słuchawkę na widełki.
– Co za idiotyczne...
– Kto?
– Audric Baillard i Alice Tanner. Ubzdurali sobie, że Shelagh O'Donnell jest przetrzymywana w jaskini na Pic de Soularac i postanowili ją uwolnić. Powiedziała, że jest tam też jakiś Amerykanin, William Franklin.
– Co za „ona"?
– Nie mam pojęcia. – Noubel chwycił marynarkę z haczyka na drzwiach i wypadł na korytarz.
– Kto to dzwonił? – zapytał Moureau, ledwo nadążając za przyjacielem.
– Dyżurka! O dwudziestej pierwszej otrzymali wiadomość od pani Tanner, ale nie chcieli mi przeszkadzać! *N'importe quoi!* * – powtórzył nosowym głosem sierżanta z nocnej zmiany.
Odruchowo spojrzeli na zegar ścienny. Dwudziesta druga piętnaście.
– A co z Braissartem i Domingo? – zapytał Moureau, wskazując głową pokój przesłuchań. Informator Noubela miał rację i dzięki jego podpowiedzi aresztowano ich niedaleko farmy należącej do byłej żony Authiégo. Właśnie jechali na południe, w kierunku Andory.
– Zaczekają. – Noubel pchnął drzwi prowadzące na parking, aż się odbiły od drabinki pożarniczej. Zbiegli po metalowych schodach.
– Wyciągnąłeś z nich cokolwiek?
– Nic. – Szarpnął drzwiczki, rzucił marynarkę na tylne siedzenie. Wcisnął się za kierownicę. – Obaj milczą jak głazy.
– Bardziej się boją szefa niż ciebie – uznał Moureau, zatrzaskując drzwiczki. – A wiadomo coś o tym całym Authié?
– Nic – powtórzył Noubel. – W Carcassonne poszedł na mszę, a potem zniknął.
– Może jest na farmie? – zastanowił się Moureau. Samochód wyprysnął na drogę. – Ci z terenu się już odezwali?

---

* Bez powodu.

– Nie.

Rozległ się dzwonek komórki Noubela. Policjant, prowadząc jedną ręką, drugą sięgnął na tylne siedzenie i chwycił marynarkę. Rzucił ją przyjacielowi na kolana. Moureau wyłowił telefon z kieszeni, podał koledze.

– Noubel, *oui*? – Gwałtownie wcisnął hamulec, Moureau mało nie wypadł z fotela. – *Putain*! Na litość boską, dlaczego mi nikt o tym nie powiedział?! Ktoś tam był? – Słuchał jakiś czas. – Kiedy wybuchł? – Połączenie znacznie się pogorszyło, sygnał zanikał. – Nie, nie! Zostań tam. Dzwoń w razie czego! – Rzucił telefon na deskę rozdzielczą, włączył syrenę i skręcił w stronę autostrady. – Farma się pali – powiedział, wciskając pedał gazu w podłogę.

– Podpalenie?

– Najbliższy sąsiad twierdzi, że słyszał głośne wybuchy, potem zobaczył płomienie. To on wezwał straż. Tyle że zanim przyjechali, już nie było czego ratować.

– Był ktoś w budynkach?

– Jeszcze nie wiedzą – odparł Noubel ponuro.

* * *

Shelagh na przemian traciła i odzyskiwała przytomność.

Nie miała pojęcia, ile czasu upłynęło od wyjścia dwóch mężczyzn. Kolejne zmysły powoli odmawiały jej posłuszeństwa. Już nie bardzo wiedziała, gdzie się znajduje. Miała wrażenie bezcielesności, jakby nic nie ważyła, jakby była zanurzona w wodzie. Nie czuła gorąca ani zimna, nie przeszkadzała jej twarda ziemia ani ostre kamienie. Otulił ją kokon innego świata. Bezpieczeństwo. Wolność.

Nie była sama. Przed oczami pojawiały jej się twarze powracające z przeszłości i obecne w teraźniejszości, przesuwał się rząd niemych obrazów.

Światło chyba znowu rozbłysło mocniej. Gdzieś tuż poza jej polem widzenia objawił się biały strumień jasności, który rozbudził na ścianach i suficie roztańczone cienie.

Wydawało jej się, że widzi mężczyznę. Starca. Poczuła chłodną, suchą dłoń na czole, skórę cienką jak pergamin. Łagodny głos zapewnił ją, że wszystko będzie dobrze. Że już jest bezpieczna. Potem usłyszała inne głosy, szeptały w jej głowie, mruczały, miękko pieściły, przynosząc ukojenie. Czuła pod ramionami czarne skrzydła, obejmujące ją czule, jak dziecko. Niosące do domu. Wtedy rozległ się inny głos, który wszystko zniszczył.

– Obróć się.

* * *

Will zdał sobie sprawę, iż ogłuszający szum rozbrzmiewa tylko w jego głowie, że to ciężkie dudnienie krwi w uszach. Nie mógł wyrzucić z pamięci huku wystrzałów.

Z trudem przełknął ślinę, starał się oddychać, choć ostry smród skóry zatykał mu płuca i przyprawiał o mdłości.

Ile strzałów usłyszał? Dwa? Trzy?

Ci, którzy go wieźli, wysiedli. Kłócili się z kimś. Z François-Baptiste'em? Powoli, ostrożnie, starając się nie przyciągnąć niczyjej uwagi, podniósł się na siedzeniu. W świetle reflektorów zobaczył François-Baptiste'a nad ciałem Authiégo. De l'Oradore miał w ręku broń. Samochód prawnika wyglądał, jak trafiony puszką czerwonej farby. Tyle że na karoserii oprócz krwi były też strzępki tkaniny i odłamki kości. Czaszki prawnika.

Zrobiło mu się niedobrze. François-Baptiste uczynił lekki skłon, jakby się chciał pochylić nad ciałem, ale po chwili wahania podniósł się i od niego odwrócił.

Mimo narkotyku, który obezwładnił mu kończyny, Will zesztywniał. Opadł z powrotem na siedzenie, wdzięczny, że przynajmniej tym razem nie zamknęli go w ciasnym pudle.

Drzwiczki przy jego głowie otwarto gwałtownie, znajome sękate dłonie chwyciły go pod ramiona i wyciągnęły na ziemię.

Noc przyniosła chłód. Czuł to wyraźnie na gołych nogach i ramionach, bo choć dziwaczna szata, w którą go przebrali, była długa, to związana jedynie w pasie. Był ledwo przytomny i słaby. I przerażony.

Widział ciało prawnika. Tuż obok, pod przednim kołem, mrugające czerwone światełko.

– *Portez-le jusqu'à la grotte**.* – Will usłyszał głos François-Baptiste'a. – *Vous nous attendez dehors. En face de l'ouverture***.* – Chwila ciszy. – *Il est dix-heures moins cinq maintenant. Nous allons rentrer dans quarante, peut-être cinquante minutes****.*

Prawie dziesiąta.

Kiedy wzięli go pod ramiona, opuścił bezwładnie głowę. Ciągnęli go w górę, w stronę jaskini, a on zastanawiał się, czy o jedenastej będzie jeszcze żył.

* * *

– Obróć się – powtórzyła Marie-Cécile.

Ma szorstki, arogancki głos, pomyślał Baillard.

Raz jeszcze pogłaskał Shelagh po głowie, potem wolno wstał. W pierwszej chwili ucieszył się, że dziewczyna żyje, ale jego radość nie trwała długo. Shelagh O'Donnell była w bardzo złym stanie. Potrzebowała natychmiastowej pomocy medycznej.

– Zostaw latarkę na ziemi – rozkazała Marie-Cécile. – Podejdź bliżej.

Audric wykonał polecenie i wyszedł zza ołtarza.

---

* Zanieście go do groty.
** Czekajcie na nas na zewnątrz, przed wejściem.
*** Jest za pięć dziesiąta. Wrócimy za jakieś czterdzieści, pięćdziesiąt minut.

Madame de l'Oradore trzymała w jednej dłoni lampę oliwną, a w drugiej pistolet.

Od razu rzuciło mu się w oczy rodzinne podobieństwo. Te same zielone oczy, czarne włosy, okalające lokami piękną wyniosłą twarz. W złotej tiarze na głowie, ze złotymi amuletami wokół ramion, wysoka i smukła, ubrana w białą szatę – wyglądała jak egipska księżniczka.

– Czy przybyłaś, pani, sama?

– Nie czuję potrzeby bezustannego towarzystwa, *monsieur*. A poza tym...

Spuścił wzrok na broń w jej dłoni.

– Nie spodziewasz się żadnych kłopotów z mojej strony. – Pokiwał głową. – W końcu jestem starym człowiekiem, *oc*? – Zamilkł. – A poza tym – podjął po chwili – nie chcesz, by ktokolwiek usłyszał słowa.

Przez usta Marie-Cécile przemknął cień uśmiechu.

– Siła tkwi w tajemnicy.

– Człowiek, który cię wyuczył, pani, już odszedł.

W oczach madame de l'Oradore błysnął smutek.

– Znałeś mojego dziadka?

– Słyszałem o nim.

– Udzielił mi cennych nauk. Nikomu nie ufaj, nikomu nie zawierzaj.

– Idziesz pani przez życie samotnie.

– Nie mam nic przeciwko temu.

Ruszyła dookoła starca, jak drapieżnik okrążający ofiarę, aż stanęła tyłem do ołtarza. Baillard został na środku komnaty, niedaleko wgłębienia w gruncie.

Grób, pomyślał. To tutaj znaleziono ciała.

– Gdzie ona jest? – spytała Marie-Cécile.

Nie odpowiedział na pytanie.

– Jesteś, pani, bardzo podobna do dziadka. Z charakteru i rysów twarzy. Masz tę samą wytrwałość. I tak samo jak on błądzisz.

Twarz kobiety wykrzywił gniew.

– Mój dziadek był wielkim człowiekiem. Czcił Graala. Całe swoje życie poświęcił poszukiwaniu Księgi Słów i prawdy, lepszego zrozumienia.

– Czy rzeczywiście szukał prawdy, pani? Czy też chodziło mu o własne korzyści?

– Nic pan o nim nie wie.

– Ależ wiem, wiem – zaprzeczył cicho. – Ludzie się aż tak znowu bardzo nie zmieniają. – Zawahał się. – Niewiele brakowało, prawda? Raptem kilka kilometrów na zachód i to on odnalazłby jaskinię. Nie pani.

– Teraz to nie ma znaczenia – rzuciła gniewnie. – Teraz Graal należy do nas.

– Graal nie należy do nikogo. Nie sposób go posiąść na własność, manipulować nim ani się z nim układać. – Audric zamilkł. W świetle lampki oliwnej płonącej na ołtarzu spojrzał Marie-Cécile prosto w oczy. – Nawet on by go nie uratował – powiedział. Usłyszał, jak wstrzymała oddech.

– Eliksir przywraca zdrowie i wydłuża życie.

– Nie uratowałby go od choroby, która powodowała, że ciało odpadało mu od kości, pani. I twoich pragnień także nie zaspokoi – przerwał. – Graal nie spełni twoich marzeń.

Podeszła do starca krok bliżej.

– Masz taką nadzieję. Ale żadnej pewności. Choć zdobyłeś ogromną wiedzę, nie masz pojęcia, co się stanie.

– Mylisz się, pani.

– Stoisz przed wielką szansą, Baillard. Po długich latach studiów, badania, rozmyślań. Tak samo jak ja poświęciłeś Graalowi całe życie. I równie mocno chcesz zobaczyć, co się będzie działo.

– A jeśli nie zechcę ci pomóc, pani?

Roześmiała się zgrzytliwie.

– Wolne żarty! Co za pytanie! Mój syn ją zabije, doskonale o tym wiesz. Ale w jaki sposób i jak długo to będzie trwało, zależy tylko od ciebie.

Choć był świadom wszystkich kroków, jakie poczynił, by zapobiec takiemu obrotowi spraw, zadrżał w duchu. Jeśli tylko Alice pozostanie w ukryciu, tak jak obiecała, nie ma powodu do obaw. Była bezpieczna. I wszystko będzie skończone, zanim ktokolwiek zda sobie sprawę, co się dzieje.

W jego pamięci zjawiła się Alaïs. A także Bertrande. Obie zapalczywe, butne, nieroztropnie odważne. Czy Alice była taka sama?

– Wszystko gotowe – podjęła madame de l'Oradore. – Księga Napojów i Księga Liczb są naszykowane. Wobec tego dasz mi teraz pierścień i powiesz, gdzie szukać Księgi Słów.

Audric zmusił się do skupienia na Marie-Cécile, nie na Alice.

– Skąd pewność, że jest w tej komnacie?

– Ponieważ ty tu jesteś – odparła z uśmiechem. – W przeciwnym razie po co byś przyszedł? Chcesz zobaczyć przebieg ceremonii, zdążyć przed śmiercią. Wkładaj szatę! – krzyknęła nagle zniecierpliwiona. Machnęła pistoletem w stronę tkaniny złożonej na szczycie stopni.

Baillard pokręcił głową i przez ułamek sekundy dostrzegł na twarzy kobiety zwątpienie.

– A potem dasz mi księgę – dokończyła.

Spojrzał na trzy niewielkie metalowe koła zatopione w podłodze, w niższej części komnaty. I przypomniał sobie, iż to Alice odkryła szkielety w płytkim grobie.

Uśmiechnął się. Wkrótce pozna odpowiedzi na wszystkie swoje pytania.

* * *

– Monsieur Baillard – szepnęła Alice, idąc po omacku korytarzem. Dlaczego nie odpowiada?

Grunt opadał, tym razem jednak wydało jej się, że schodzi bardziej stromo. Z komnaty wydobywała się słaba, żółtawa poświata.

– Panie Audricu! – zawołała z cicha. Bała się coraz bardziej.

Przyśpieszyła kroku, pod koniec prawie biegła, aż wpadła do komnaty – i tu stanęła jak wryta.

Niemożliwe.

Audric Baillard stał u podnóża schodów. Ubrany był w długą białą szatę.

Ja to pamiętam.

Wyrzuciła z głowy natrętną myśl.

Miał skrępowane ręce, był przywiązany do metalowego koła w podłodze, jak zwierzę. Po drugiej stronie komnaty, oświetlona płomieniem lampy postawionej na ołtarzu, stała Marie-Cécile de l'Oradore.

– W samą porę – powiedziała.

Audric miał smutek w oczach.

– Przepraszam – szepnęła Alice, uświadamiając sobie, że zrujnowała jego plany. – Chciałam pana ostrzec...

Nawet nie zorientowała się, kiedy ktoś ją chwycił od tyłu. Krzyknęła głośno i zaczęła się wyrywać, ale ich było dwóch.

To się już zdarzyło.

Wtedy ktoś ją zawołał po imieniu. Nie Audric.

Zrobiło jej się niedobrze, zaczęła się osuwać na ziemię.

– Trzymać ją, co za osły! – krzyknęła Marie-Cécile.

ROZDZIAŁ 81
Pic de Soularac

Març 1244

Guilhem nie dogonił Alaïs. Tracił siły.

Z trudem brnął ciemnym korytarzem. Ból przewiercał mu bok, nie pozwalał oddychać. Słowa żony rozbrzmiewały mu w głowie ogłuszającym echem, jedynie strach dodawał mu sił.

Im dalej w głąb korytarza, tym chłodniejsze stawało się powietrze, jakby ktoś wysysał z groty życie. Dziwne. Skoro było to miejsce święte, prawdziwa jaskinia labiryntu, to dlaczego czuło się tutaj tak potężną wrogość?

Otworzyła się przed nim pieczara. Prowadziło do niej kilka szerokich niskich stopni. Na kamiennym ołtarzu płonęła *calèlh*. Nie dawała wiele światła, lecz wystarczająco dużo, by ujrzał obie siostry.

Stały naprzeciwko siebie. Oriane nadal trzymała nóż przy gardle Bertrande.

Guilhem pochylił się, modląc się w myślach, by starsza siostra go nie zauważyła. Najciszej jak mógł ruszył wzdłuż ściany, ukryty w cieniu.

Oriane rzuciła coś na ziemię.

– Bierz! – rozkazała. – Otwieraj labirynt. Wiem, że Księga Słów jest w nim ukryta.

Oczy Alaïs rozszerzyły się zdumieniem.

– A co, siostrzyczko – zaśmiała się Oriane – nie miałaś czasu poczytać Księgi Liczb? Niesłychane. Przecież tam znajdują się wszystkie wyjaśnienia dotyczące klucza.

Alaïs wyraźnie się wahała.

– Wiem, kochana, wiem – ciągnęła Oriane. – Pierścień, jeśli osadzić w nim *merel*, zmienia się w klucz otwierający skrytkę w sercu labiryntu. – Szarpnęła głowę Bertrande do tyłu, ostrze noża błysnęło w świetle lampy. – Otwieraj, siostrzyczko.

Alaïs stała nieporuszona, zdrową ręką przyciskała krwawiące ramię do tułowia.

– Najpierw ją puść – zażądała.

Oriane potrząsnęła głową. Włosy opadły jej na ramiona, w oczach błyszczało opętanie. Nie spuszczając wzroku z młodszej siostry, powoli, z rozmysłem, rozcięła skórę na szyi dziewczynki. Bertrande krzyknęła głośno, a jej krzyk zabolał Guilhema jak cios nożem w samo serce.

– Następnym razem przycisnę mocniej – rzekła Oriane głosem nabrzmiałym nienawiścią. – Wyjmuj księgę.

Alaïs pochyliła się i podniosła z ziemi pierścień. Podeszła do labiryntu. Oriane za nią, ciągnąc ze sobą Bertrande. Młodsza siostra słyszała przyśpieszony oddech córki, dziecko potykało się i najwyraźniej było bliskie utraty przytomności.

Stanęła, wracając w myślach do czasu, gdy widziała Harifa wypełniającego to samo zadanie.

Nacisnęła szorstki kamień lewą dłonią. Ból przeszył zranione ramię.

Nie potrzebowała świecy, by widzieć zarys egipskiego symbolu życia, który od Harifa nauczyła się określać mianem *ankh*.

Zasłaniając prawą dłoń ciałem, włożyła pierścień w niewielką szparę u podstawy centralnego koła labiryntu. Modliła się w duchu o powodzenie. Dla dobra Bertrande. Nie wiedziała, czy się jej uda. Nie padły odpowiednie słowa, nic nie zostało przygotowane, jak należy. Trudno wręcz o okoliczności bardziej odmienne od tych, w jakich poprzednim – i jedynym razem – stanęła przed kamiennym labiryntem jako osoba prosząca o moc Graala.

– *Di ankh djet* – szepnęła. Starożytne słowa spadły z jej warg jak płatki popiołu.

Rozległo się ostre kliknięcie, jak to, które towarzyszy przekręceniu klucza w zamku. Po czym zapadła cisza. Nie trwała jednak długo. Gdzieś z głębi ściany dobiegł ciężki pomruk kamienia trącego o kamień. Wtedy odsunęła się od labiryntu, a w przygaszonym świetle lampki odsłoniła się skrytka, w samym sercu labiryntu. W niej leżała księga.

– Połóż ją na ołtarzu – poleciła Oriane.

Alaïs wykonała polecenie, nie spuszczając wzroku z twarzy siostry.

– Puść Bertrande. Już jej nie potrzebujesz.

– Otwórz księgę! – krzyknęła Oriane. – Chcę mieć pewność, że mnie nie oszukujesz.

Guilhem ujrzał w migotliwym świetle lampy złoty znak na pierwszej stronie. Nigdy dotąd takiego nie widział. Był to owal, lub może raczej kształt przypominający łzę, z dołączonym pod spodem krzyżem.

– Przewracaj kartki – nakazała Oriane. – Chcę ją zobaczyć całą.

Alaïs drżały ręce. Stronice pokryte były rzędami zdumiewających rysunków i linii, rząd za rzędem, ciasno wyrysowane symbole pokrywały całe karty.

– Weź księgę, siostro – rzekła Alaïs, sztucznie spokojnym głosem. – Weź ją i oddaj mi córkę.

Guilhem dojrzał błysk noża, który drgnął w dłoniach Oriane. W ułamku sekundy uświadomił sobie, że się nie pomylił. Starsza siostra, zaślepiona zazdrością, miała zamiar odebrać młodszej wszystko, na czym jej zależało. Wszystko, co kochała i co dla niej miało jakąkolwiek wartość.

W ostatniej chwili skoczył, przewrócił ją na ziemię. Połamane żebra zabolały go tak, że omal stracił przytomność, ale przynajmniej odepchnął Oriane od Bertrande. Nóż zniknął gdzieś w cieniach za ołtarzem, dziewczynka, tracąc równowagę, zachwiała się i runęła do przodu, uderzając głową o róg ołtarza. Znieruchomiała.

Guilhem także zastygł w bezruchu, oszołomiony.

– Zabierz Bertrande! – krzyknęła Alaïs. – Uratuj ją i Sajhë. W wiosce jest starzec imieniem Harif, on wam pomoże.

Guilhem nie mógł się zdecydować.

– Proszę cię, ocal Bertrande – powtórzyła Alaïs.

Oriane wstała z wysiłkiem, wspierając się o ołtarz. W dłoni trzymała nóż. Z wyciem ruszyła na siostrę, wbiła jej ostrze w lewe ramię.

Guilhem miał serce rozdarte na dwoje. Nie chciał zostawić Alaïs samą z Oriane, ale też chciał uratować córkę.

– Zabierz ją! Proszę! – usłyszał.

Ostatni raz spojrzał na żonę, wziął dziewczynkę na ręce i ruszył ku wyjściu, usiłując nie patrzeć na krew płynącą z rozcięcia na czole.

Biegnąc niezdarnie, usłyszał stłumiony huk, jak uderzenie gromu uwięzionego we wnętrzu góry. Ledwo trzymał się na nogach. Potknął się i musiał podeprzeć, ale od razu wstał i ruszył schodami. Po chwili znalazł się w tunelu. Ślizgał się na gładkich kamieniach, nogi i ręce paliły go żywym ogniem. Uświadomił sobie, że ziemia drży pod jego stopami.

Tracił siły. Bezwładna dziewczynka ważyła więcej z każdym krokiem. Grzmot dobiegający z wnętrza góry narastał z każdą chwilą. Z sufitu zaczęły spadać odłamki skał.

Chłodne nocne powietrze wyszło mu na spotkanie. Jeszcze kilka kroków i znalazł się na zewnątrz.

* * *

Sajhë nadal był nieprzytomny, ale oddychał równo i głęboko.

Bertrande, powleczona śmiertelną bladością, jęknęła nagle i poruszyła się niespokojnie. Położył ją obok nieprzytomnego, po czym ściągnął płaszcze z martwych żołnierzy i przykrył leżących. Na koniec zerwał własny płaszcz. Brosza przytrzymująca go pod szyją, piękne rękodzieło ze srebra i miedzi, frunęła gdzieś w stronę jaskini. Złożył płaszcz i wsunął córce pod głowę.

Pocałował ją w czoło.

– *Filha* – szepnął.

Był to pierwszy i ostatni ojcowski pocałunek.

Z wnętrza jaskini dobiegł głośny trzask, jak suchy odgłos błyskawicy następującej po warkotliwym grzmocie. Guilhem niezdarnym biegiem wrócił do tunelu. W niewielkiej zamkniętej przestrzeni huk był ogłuszający.

Południowiec uświadomił sobie nagle, iż ktoś pędzi w jego stronę.

– Duch! Twarz! – bredziła Oriane, kobieta oszalała ze strachu. – Twarz w labiryncie!

– Gdzie Alaïs?! – krzyknął, chwytając ją za ramię. – Coś jej zrobiła?!

Starsza siostra była cała pokryta krwią. Miała czerwone ręce, twarz, nawet ubranie.

– Twarze... w labiryncie!

Guilhem obejrzał się przez ramię, ale nic nie zobaczył. Ten moment wykorzystała Oriane.

Wbiła mu nóż w pierś.

Wiedział, że zadała mu śmiertelny cios. Gasnącymi oczami patrzył, jak się oddala w chmurze kamiennego pyłu. Zemsta również w nim umierała. Już nie miała znaczenia.

Po omacku powlókł się do skalnej komnaty do Alaïs, która została gdzieś tam, między spadającymi odłamkami kamieni.

Znalazł ją.

Leżała w niewielkim zagłębieniu, z palcami zaciśniętymi na sakwie, w której niegdyś była Księga Słów, z pierścieniem w dłoni.

– *Mon còr* – szepnął.

Z trudem otworzyła oczy. Uśmiechnęła się do niego, a jemu zrobiło się ciepło na sercu.

– Bertrande? – spytała z trudem.

– Bezpieczna.

– Sajhë?

– Też będzie żył.

Jeszcze raz nabrała powietrza.

– Oriane...?

– Puściłem ją. Nie ujdzie daleko.

Płomyk w lampie na ołtarzu zaiskrzył po raz ostatni i zgasł. Nie zwrócili na to uwagi. Nie zauważyli też, że góra się uspokoiła, że zapadła cisza. Leżeli objęci i myśleli tylko o sobie nawzajem.

ROZDZIAŁ 82
Pic de Soularac

Piątek, 8 lipca 2005

Cienka szata nie chroniła od chłodu ani wilgoci. Alice dygotała. Powoli odwróciła głowę.

Po prawej miała ołtarz. Ciemności rozjaśniała jedna tylko stara lampa oliwna, stojąca na środku podwyższenia. Rzucała cienie na pochyłe ściany, wyłaniała z mroku potężny symbol labiryntu.

Alice czuła obecność innych osób. Spojrzała dalej w prawo i omal nie krzyknęła na widok Shelagh. Przyjaciółka leżała na kamiennej podłodze zwinięta w kłębek, jak zwierzę, wychudzona, pozornie bez życia, pobita i posiniaczona. Nie sposób było odgadnąć, czy oddycha.

Boże, pozwól jej przeżyć.

Z wolna wzrok jej przywykał do migotliwego światła. Powoli obróciła głowę w drugą stronę i dostrzegła Audrica. Stał w tym samym miejscu, co poprzednio, nadal przywiązany liną do pierścienia w podłodze. Białe włosy tworzyły wokół jego głowy świetlistą aureolę. Był nieruchomy, jak pomnik.

Jakby wyczuł jej spojrzenie, podniósł oczy i pokrzepił ją uśmiechem. Zapominając, że zawiodła jego zaufanie, odpowiedziała mu tym samym.

Nagle zdała sobie sprawę, że coś się zmieniło. Przyjrzała się dłoniom Audrica, rozłożonym jak wachlarz na białej szacie.

Pierścień zniknął.

– Jest tu Shelagh – szepnęła. – Miał pan rację.

Baillard tylko pokiwał głową.

– Musimy coś zrobić! – syknęła.

Ledwo dostrzegalnie pokręcił głową i wskazał odległy kąt. Podążyła wzrokiem za jego spojrzeniem.

– Will! – wyrwało jej się z niedowierzaniem. Poczuła ulgę, a jednocześnie serce w niej zadrżało. Jak on wyglądał! Włosy miał zlepione krwią, jedno oko całkiem zapuchnięte, rozcięcia na twarzy i na rękach.

Nieważne. Ważne, że jest tutaj. Ze mną.

Słysząc jej głos, Will otworzył oczy. Wbił spojrzenie w ciemność. Po chwili rozpoznał Alice, wtedy na jego stłuczonych wargach pojawił się ostrożny uśmiech.

Patrzyli na siebie w milczeniu.

Mon còr. Mój ukochany.

Zrozumiała. I wiedza dała jej odwagę.

Złowieszcze zawodzenie wiatru w korytarzu zabrzmiało głośniej, zmieszało się z jakimś głosem. W powietrze wzniosła się monotonna pieśń, nie do końca śpiewana. Alice nie potrafiła określić, skąd dochodzi. Fragmenty dziwnie znajomych słów i zdań budziły echo w jaskini, aż wypełniły ją całkowicie coraz bliższymi wyrazami: *montanhas*, góry, *noblesa*, szlachectwo, *libres*, księgi, *graal*, Graal. Zaczęło jej się kręcić w głowie, słowa ją odurzały, ogłuszały jak dzwony w katedrze.

Gdy zdawało jej się, że dłużej już tego nie zniesie, pieśń nagle ucichła. Melodia uleciała prędko, zostawiając po sobie jedynie wspomnienie.

Wówczas ciszę przeciął kobiecy głos czysty i pewny.

> *Na początku czasu*
> *W ziemi Egiptu*
> *Pan tajemnic*
> *Dał słowo i pismo.*

Alice oderwała wzrok od twarzy Willa i odwróciła spojrzenie w stronę dźwięku. Z cienia za ołtarzem niczym zjawa wyszła Marie-Cécile. Gdy tak stała przed labiryntem, jej zielone oczy podkreślone czernią i złotem, rzucały szmaragdowe błyski. Włosy przytrzymane złotą obręczą z diamentowym motywem na czole lśniły niczym drogocenny klejnot. Smukłe nagie ramiona przyozdabiały złote amulety w kształcie węży.

Trzymała w rękach trzy księgi, ułożone jedna na drugiej. Umieściła je rzędem na ołtarzu, obok zwykłej glinianej miseczki. Gdy sięgnęła do lampy, by ją przesunąć w dogodniejsze miejsce, Alice dostrzegła na jej lewym kciuku pierścień Audrica Baillarda.

W ogóle nie pasuje do niej, pomyślała. Zanurzyła się w przeszłość, której nie pamiętała. Mimo to wiedziała, że pergamin jest kruchy, jak umierające liście na jesiennym drzewie. Czuła między palcami skórzane rzemienie, miękkie i giętkie, chociaż rozum podpowiadał, iż powinny być sztywne, po tylu latach bez ludzkiego dotyku. Wspomnienie było zapisane w jej genach, płynęło razem z krwią w żyłach.

Zaśnił rysunek złotego kielicha, nie większy niż moneta dziesięciopensowa. Rozjarzył się na żółtej stronicy jak klejnot. Przez następne karty wiódł kręty wąż starannie wykaligrafowanych liter.

Marie-Cécile rzucała w półmrok jakieś słowa, a przed oczami Alice pojawiły się czerwone, niebieskie, żółte i złote znaki. Księga Napojów.

Rysunki zwierząt i ptaków ożyły w jej myślach. Widziała arkusz papirusu, grubszy niż pozostałe karty, innego koloru: przejrzyście kremowy. Utkany z liści. Pokryty identycznymi symbolami jak początek księgi, tyle że tutaj między nie wpleciono filigranowe rysunki roślin oraz drobne cyfry.

Myślała o drugiej księdze, o Księdze Liczb. Na pierwszej stronie znajdował się obraz labiryntu. Bezwiednie rozejrzała się po komnacie. Tym razem patrzyła innymi oczami, nieświadomie szacując jej kształt i proporcje. Zwróciła wzrok ku ołtarzowi. Najlepiej pamiętała trzecią księgę. Na pierwszej stronie błyszczał złoty *ankh*, starożytny egipski symbol życia, znany teraz szeroko na całym świecie. Pomiędzy obciągniętymi skórą drewnianymi okładkami Księgi Słów znajdowały się puste stronice, niczym biali strażnicy otaczający papirus umieszczony w samym środku. Hieroglify ciągnęły się na nim rząd za rzędem, utkane gęsto symbole pokrywały równo cały arkusz. Nie było na nim kolorowych zdób, nie sposób się było dopatrzyć jakiejkolwiek wskazówki, gdzie się kończyło jedno słowo, a zaczynało następne.

Pomiędzy nimi ukryta została inkantacja.

Alice otworzyła oczy, wyczuła, że Audric jej się przygląda. Rozumieli się bez słów. Wracały do niej zapomniane wyrazy, sączyły się cicho z odległych zakamarków mózgu. W pewnej chwili znalazła się poza własnym ciałem, z góry objęła spojrzeniem całą scenę.

Osiemset lat wcześniej wypowiedziała te wyrazy Alaïs. A Audric ich wysłuchał.

Prawda nas wyzwoli.

Nic się nie zmieniło, a jednak wyzbyła się strachu.

Jej uwagę przyciągnął jakiś dźwięk dochodzący od ołtarza. Bezruch przeszłości zniknął, obszerną falą nadpłynęła teraźniejszość. A razem z nią wrócił strach.

Marie-Cécile ujęła glinianą miskę, mieszczącą się w obu jej dłoniach. Wzięła też nóż o tępym, zniszczonym ostrzu. Wyciągnęła w górę smukłe białe ramiona.

– *Dintar!* – zawołała. Wejdź.

Z ciemności tunelu wyszedł François-Baptiste. Omiótł komnatę spojrzeniem jak promieniem reflektora: najpierw przesunął wzrokiem po Audricu i Alice, dłużej popatrzył na Willa. Wówczas na jego twarzy pojawił się okrutny wyraz triumfu i Alice natychmiast odgadła, że zadał Willowi ból.

Tym razem nie pozwolę ci go skrzywdzić.

François-Baptiste ujrzał trzy księgi złożone na ołtarzu. Na jego twarzy ulga walczyła o lepsze z zaskoczeniem. Podniósł wzrok na matkę. Alice wyraźnie czuła panujące między nimi napięcie.

Marie-Cécile z lekkim uśmiechem wyszła zza ołtarza. Jej suknia połyskiwała niczym przędza utkana z księżycowych promieni. Za nią drogę znaczyła subtelna woń perfum, ledwo wyczuwalna obok ciężkiego zapachu wonnej oliwy w lampie.

François-Baptiste podszedł do Willa.

Madame de l'Oradore także przed nim stanęła i szepnęła do niego coś, czego Alice nie usłyszała. François-Baptiste nadal się uśmiechał, ale teraz na jego twarzy pojawił się gniewny grymas. Syn podsunął matce ramię ofiary.

Marie-Cécile rozcięła Willowi skórę na wewnętrznej stronie przedramienia. Skrzywił się, ale nie odezwał. Wpuściła do misy pięć kropli krwi. Ten sam rytuał powtórzył się przy Audricu, a potem madame de l'Oradore zatrzymała się przed Alice. Wyraźnie podekscytowana przycisnęła ostrze do przedramienia dziewczyny, tuż obok dawnej rany. A potem, z precyzją chirurga operującego skalpelem, czubkiem noża otworzyła świeżą bliznę.

Ból zaskoczył dziewczynę. Spodziewała się ostrego szczypania, tymczasem poczuła otępiające ciepło, a w następnej chwili chłód i odrętwienie. Jak zahipnotyzowana patrzyła na krople własnej krwi, spływające kolejno do dziwacznie bladej mikstury w misie.

I to wszystko. François-Baptiste puścił jej rękę, poszedł za matką. Przy ołtarzu pięć kropli jego krwi znalazło się w naczyniu.

Madame de l'Oradore stanęła między stołem ofiarnym a labiryntem. Ustawiła misę pośrodku ołtarza i przesunęła nóż po własnej gładkiej skórze, obserwując czerwone krople spadające z przedramienia.

Braterstwo krwi.

Alice nagle pojęła, o co chodzi. Cud należał do wszystkich wierzących: chrześcijan, żydów, muzułmanów. Pięciu strażników Graala wybierano ze względu na ich przymioty, a nie pochodzenie. Wobec świętości wszyscy byli równi.

Marie-Cécile wyjęła z każdej księgi po kolei jedną kartę papirusu. Trzeci podniosła do światła, a wówczas oczom obecnych ukazał się wyraźny wzór splecionych łodyg oraz rysunek.

Ankh, symbol życia.

Podniosła czarę do warg i wypiła. Puste naczynie odstawiła na ołtarz. Przeniosła na Audrica wyzywające spojrzenie. Jakby go prowokowała, by ją spróbował powstrzymać.

Zdjęła pierścień z kciuka i obróciła się do labiryntu. Gdy stojąca za nią lampa rzuciła na ścianę ruchomy cień, Alice dostrzegła wyryte w skale dwa kształty, których wcześniej nie zauważyła. Pomiędzy liniami labiryntu ukazał się cienisty zarys *ankh* i pucharu. Rozległo się głośne stuknięcie, jak przy wsadzaniu klucza w zamek. I nic. Zapadła cisza. Nic się nie działo. Po czym nagle gdzieś z głębi ściany dobiegł chrobotliwy ciężki dźwięk. To kamień przesuwał się po kamieniu.

Marie-Cécile odstąpiła krok do tyłu. Wtedy Alice ujrzała w samym środku labiryntu niewielkie wgłębienie, nieco tylko większe od każdej z ksiąg.

Zakręciło jej się w głowie od pytań i odpowiedzi. Zmieszały się jej własne wątpliwości i wyjaśnienia Audrica.

W środku labiryntu znajdziesz zrozumienie, w środku labiryntu jest światło. Pomyślała o chrześcijańskich pielgrzymkach przemierzających „drogę do Jerozolimy" w głównej nawie katedry w Chartres. O ludziach przemierzających coraz ciaśniejszą spiralę w poszukiwaniu światła.

To tutaj, w jaskini Graala, światło – dosłowne i prawdziwe – miało się znajdować w centrum labiryntu, w sercu wszelkich zdarzeń.

Marie-Cécile wstawiła lampę w otwór na środku symbolu. Pasowała jak ulał. Jaskinia pociemniała.

Madame de l'Oradore obróciła się na pięcie i przyszpiliła wzrokiem Audrica.

– Powiedziałeś, że coś zobaczę! – rzuciła ostro.

Prysnął czar.

Baillard podniósł na nią spojrzenie bursztynowych oczu. Alice ponad wszystko pragnęła, by starzec zachował milczenie, jednak wiedziała, iż to płonna nadzieja. Z przyczyn, których nie rozumiała, Audric Baillard chciał, żeby ceremonia dobiegła końca.

– Właściwa inkantacja widoczna jest dopiero wówczas, gdy papirusy zostaną ułożone jeden przed drugim, we właściwej kolejności. Tylko wtedy gra światła i cienia odsłoni słowa, które należy wypowiedzieć.

Alice zadrżała. Chłód rozpełzał się po jej ciele, nie mogła temu zapobiec.

Marie-Cécile przełożyła kilkakroć papirusy.

– W jakiej kolejności? – spytała.

– Rozwiąż mnie – polecił Audric spokojnym, cichym głosem. – Uwolnij mnie i zajmij miejsce na środku komnaty. A ja zrobię, co należy.

Po chwili wahania madame de l'Oradore skinęła na syna.

– *Maman, je ne pense...**.

– Rób, co każę! – warknęła.

François-Baptiste w milczeniu przeciął linę, którą Audric był przywiązany do koła w podłodze. Jego matka sięgnęła po nóż leżący na ołtarzu.

– Jeśli wykonasz jeden fałszywy ruch – odezwała się – zabiję ją. – Wskazała Alice. – Rozumiesz? A jeśli nie ja, zrobi to mój syn.

– Rozumiem. – Ruszył wolno w stronę ołtarza. Rzucił spojrzenie na Shelagh, leżącą na ziemi bez ruchu. – Czy ja się nie mylę? – szepnął do Alice, raptem pełen wątpliwości. – Czy aby na pewno Graal nie napełni jej siłą?

Dziewczyna miała wrażenie, że pytanie starca zostało skierowane do kogoś innego. Do kogoś, z kim już kiedyś dzielił to doświadczenie.

I ku własnemu zdumieniu stwierdziła, że zna prawdziwą odpowiedź. Bez najmniejszego wątpienia. Uśmiechnęła się do Audrica, dając mu pewność, której tak bardzo teraz potrzebował.

– Graal nie jest jej przeznaczony – tchnęła.

– Na co czekasz! – krzyknęła Marie-Cécile.

Audric Baillard podszedł do ołtarza.

– Papirusy ułożone we właściwej kolejności trzeba ustawić przed płomieniem.

– Zrób to!

---

* Mamo, wydaje mi się...

Ujął w dłonie trzy półprzejrzyste arkusze i umieścił w sercu labiryntu. Płomień jakby przygasł. W jaskini zrobiło się prawie ciemno.

Dopiero po chwili, gdy oczy przywykły do mroku, Alice ujrzała, iż tylko garść hieroglifów dawało się teraz przeczytać. Wpisywały się we wzór linii labiryntu. Pozostałe wzajemnie się zamazały.

Di ankh djet... Zabrzmiały jej w myślach znajome wyrazy.

– *Di ankh djet* – powiedziała głośno, a potem dokończyła zdanie w starożytnym języku. Znała je od zawsze. – Na początku czasu w ziemi Egiptu pan tajemnic dał słowo i pismo. Dał życie.

Marie-Cécile pobladła jak kreda.

– Przeczytałaś hieroglify! – W dwóch krokach znalazła się przy Alice, chwyciła ją za ramię. – Skąd wiesz, co znaczą?!

– Nie wiem... Nie wiem.

Madame de l'Oradore przyłożyła jej nóż do szyi.

Dziewczyna zobaczyła na ostrzu rdzawe plamy. Zamknęła oczy i powtórzyła:

– *Di ankh djet...*

* * *

Potem wszystko potoczyło się bardzo szybko.

Audric rzucił się na Marie-Cécile.

– *Maman!* – krzyknął François-Baptiste.

Will skorzystał z okazji, z całej siły kopnął młodego de l'Oradore. Chłopak, upadając, nacisnął spust, w jaskini zagrzmiał ogłuszający huk wystrzału. Kula odbiła się rykoszetem od stropu.

Marie-Cécile przycisnęła dłoń do skroni. Spomiędzy jej palców wypłynęła krew. Zachwiała się, nogi się pod nią ugięły, osunęła się na ziemię.

– *Maman!* – François-Baptiste poderwał się i ruszył do matki, wypuszczona z ręki broń przesunęła się w stronę ołtarza. Audric chwycił nóż Marie-Cécile i z zadziwiającą siłą przeciął więzy Willa, następnie wcisnął mu narzędzie w dłoń.

– Uwolnij Alice – polecił.

Młody człowiek zignorował jego słowa. Skoczył do François-Baptiste'a, który klęczał na ziemi, trzymając w ramionach Marie-Cécile.

– *Non, maman. Ne t'en vas pas. Ecoute-moi, maman, réveille-toi**.

Will złapał chłopaka za kołnierz zbyt luźnej marynarki i wyrżnął jego głową o kamienną posadzkę. Wtedy dopiero podbiegł do Alice i zajął się przecinaniem jej więzów.

– Czy Shelagh żyje? – spytała.

– Nie wiem.

– A co z...

_____

* Nie, mamo. Nie umieraj. Mamo, otwórz oczy.

Pocałował ją szybko i zaborczo w usta, ściągnął z jej nadgarstków linę.

– François-Baptiste na pewno będzie nieprzytomny na tyle długo, że zdążymy się wynieść stąd do diabła – powiedział.

– Weź Shelagh – poprosiła. – Ja pomogę Audricowi.

Will podniósł nieprzytomną dziewczynę i ruszył do tunelu. Alice podbiegła do Audrica.

– Księgi! – rzuciła w pośpiechu. – Trzeba je zabrać, zanim przyjdą.

Audric Baillard stał bez ruchu, patrząc na bezwładne ciała Marie--Cécile de l'Oradore i jej syna.

– Prędzej! Musimy uciekać!

– Nie powinienem był cię w to wciągać – powiedział miękko. – Chciałem wiedzieć, pragnąłem nareszcie wypełnić obietnicę, której swego czasu nie dotrzymałem, i okazałem się ślepy na wszystko inne. Jestem egoistą. Myślałem tylko o sobie. – Położył dłoń na jednej z ksiąg. – Pytałaś, dlaczego Alaïs jej nie zniszczyła. – Uśmiechnął się niewesoło. – Otóż ja jej na to nie pozwoliłem. Razem obmyśliliśmy, jak wprowadzić w błąd Oriane. Właśnie z tego powodu wróciliśmy do jaskini. By nie przerwać cyklu umierania i poświęcenia. Gdyby nie to, wówczas może... – Podszedł do Alice, która usiłowała wyjąć papirusy z otworu w sercu labiryntu. – Ona by tego nie chciała. Zbyt wiele istnień straconych...

– Porozmawiamy później – rzuciła Alice śpiesznie. – Teraz trzeba zabrać stąd pergaminy. Przecież na to pan czekał! Na ponowne zjednoczenie Trylogii. Nie możemy zostawić ksiąg madame de l'Oradore.

– A ja nadal nie wiem – powiedział, zniżając głos – co jej się w końcu przytrafiło.

Oliwa w lampie się kończyła, ale w jaskini robiło się jaśniej, gdy Alice wyjęła najpierw jeden, potem drugi i w końcu ostatni papirus.

– Mam! – powiedziała, obracając się na pięcie. Chwyciła księgi z ołtarza, wcisnęła je w ręce Baillardowi. – Chodźmy!

Nieomal ciągnąc go za sobą, ruszyła przez mroczną komnatę do tunelu. Potknęli się o płytki grób na środku. Właśnie w tej samej chwili rozległ się huk, a potem odgłos spadających kamieni. Potem jeszcze dwa stłumione wybuchy, szybko jeden po drugim.

* * *

Alice rzuciła się na ziemię. Tym razem nie był to huk pistoletu, a zupełnie inny dźwięk. Potoczysty grzmot dochodzący w wnętrza ziemi.

Adrenalina zrobiła swoje. Dziewczyna brnęła na czworakach, trzymając papirusy w zębach i modląc się, by Audric Baillard podążał za nią. Długa szata krępowała jej ruchy. Z przedramienia coraz obficiej płynęła krew, w końcu już nie mogła się na nim oprzeć, ale jakoś dotarła do podnóża schodów.

Gdy wymacała napis na najwyższym stopniu, odezwał się za nią mocny głos.

– Nie ruszaj się, bo go zastrzelę.

Zamarła w bezruchu.

Niemożliwe. To nie może być ona. Przecież nie żyje. Sama widziałam.

– Odwróć się. Powoli.

Usłuchała polecenia.

Marie-Cécile była przed ołtarzem. Ledwo stała na nogach, szatę miała poplamioną krwią, włosy w nieładzie. W ręku trzymała pistolet syna. Celowała w Audrica.

– Bądź uprzejma wolniutko do mnie podejść.

Grunt zadrżał im pod nogami. Tym razem wstrząs był długi i stopniowo narastał. Na twarzy madame de l'Oradore pojawiło się niezdecydowanie. Kolejne drżenie wstrząsnęło komnatą. To były eksplozje, bez wątpienia. Fala zimnego powietrza wtargnęła do jaskini, lampa za plecami Marie-Cécile stukała dźwięcznie o kamień, labirynt, rozdarty coraz większymi szczelinami, rozpadał się na części.

Alice podbiegła do Baillarda. Podłoga jaskini pękła na dwoje, trzeba było omijać coraz większe dziury. Ze wszystkich stron spadały skalne odłamki.

– Oddaj papirusy! – krzyknęła madame de l'Oradore, celując w dziewczynę. – Nie dam ich sobie odebrać!

Jej słowa zagłuszył potężny grzmot, górska komnata zaczęła się walić.

– Rzeczywiście – odezwał się Audric Baillard – Alice ich nie zabierze.

Marie-Cécile de l'Oradore podążyła wzrokiem za jego spojrzeniem. Krzyknęła przeraźliwie.

Z półmroku wyłoniła się rozjarzona blaskiem biała twarz.

Marie-Cécile zamarła. Tylko na chwilę. Pociągnęła za spust. Ta chwila jednak wystarczyła, by Audric Baillard znalazł się między lufą a celem pocisku – Alice.

∗ ∗ ∗

Widziała zdarzenia jak film puszczany w zwolnionym tempie.

Krzyknęła. Audric upadł na kolana. Marie-Cécile pchnięta odrzutem straciła równowagę. Desperacko szukała jakiegoś oparcia, ale go nie znalazła i orząc powietrze palcami zakrzywionymi jak szpony, runęła w otchłań.

Baillard leżał na ziemi, z rany pośrodku klatki piersiowej płynęła krew. Twarz miał bladą jak papier, spod pergaminowej skóry przeświecała niebieska siatka żył.

– Musimy się stąd wydostać! – krzyknęła Alice. – Nie wiadomo, czy to koniec wybuchów!

Audric uśmiechnął się bursztynowymi oczami.

– To już koniec, Alice – rzekł miękko. – *A la perfin*. Graal obronił swoje tajemnice, tak jak i poprzednio. Sprawił, że nie spełniło się jej pragnienie.

Alice pokręciła głową.

– To nie tak. Po prostu jaskinia była zaminowana. I trudno powiedzieć, czy wszystkie ładunki już wybuchły. Musimy uciekać.

– Wybuchy się skończyły – powiedział Baillard. Nie było w jego głosie zwątpienia. – To echo przeszłości. – Mówienie wyraźnie sprawiało mu ból. Z piersi dobiegało dziwaczne bulgotanie, oddech miał szybki i płytki.

Alice próbowała zatamować krwawienie, ale były to próby daremne.

– Chciałem wiedzieć – podjął Baillard – jak wyglądały jej ostatnie chwile. Rozumiesz mnie, prawda? Nie zdołałem jej ocalić, nie miałem sposobu... Została w środku, uwięziona w pułapce, nie mogłem się do niej dostać. – Zagryzł wargi z bólu. Z trudem zaczerpnął powietrza. – Tym razem jednak...

Wreszcie pogodziła się w pełni z tym, co instynktownie pojęła w chwili, gdy zobaczyła go stojącego w progu domu w Los Seres. Opowiadał jej historię swojego życia. Przekazywał własne wspomnienia. Oczyma wyobraźni zobaczyła drzewo genealogiczne wyrysowane z takim oddaniem.

– Sajhë – powiedziała cicho.

Na moment życie znów rozbłysło w jego źrenicach. Zalśniły złotem bursztynowe oczy. Twarz mu się rozpromieniła. Umierał szczęśliwy.

– Gdy odzyskałem przytomność, przy moim boku leżała Bertrande, ktoś przykrył nas oboje płaszczem...

– Guilhem – rzekła Alice z całkowitą pewnością.

– Usłyszałem potworny huk. Urwał się skalny występ, ogromny głaz zagrodził wyjście z jaskini, zamknął Alaïs w pułapce. Nie mogłem się do niej dostać – powtórzył drżącym głosem. – Do nich. – Umilkł na długo. Świat także zamarł w ciszy. – Nie wiedziałem, co robić – podjął w końcu rozdrażnionym głosem. – Obiecałem jej, że zadbam o bezpieczeństwo Księgi Słów, a nie wiedziałem nawet, gdzie jest Oriane, ani nie miałem pewności, czy księga znajduje się w jej rękach. – Jego głos przeszedł w szept. – Nie wiedziałem nic.

– Więc znalazłam tutaj Alaïs i Guilhema – powiedziała Alice.

Sajhë lekko kiwnął głową.

– Potem zobaczyłem ciało Oriane leżące nieco niżej na stoku. Ale księgi przy nim nie było.

– Poświęcili życie w obronie pergaminu. Alaïs chciała, żebyś żył. Żebyś opiekował się Bertrande, którą kochałeś jak własną córkę.

– Wiedziałem, że zrozumiesz – uśmiechnął się Sajhë. Słowa wydostały się spomiędzy jego warg jak westchnienie. – Zbyt długo bez niej żyłem. Dzień w dzień za nią tęskniłem i boleśnie czułem jej nieobecność. Każdego dnia od nowa przeklinałem siłę trzymającą mnie przy życiu. Wszyscy, których kochałem, starzeli się i umierali. Alaïs, Bertrande... – Głos mu się załamał.

– Nie masz powodu siebie winić, Sajhë. Teraz, skoro nareszcie wiesz, co się wydarzyło, musisz sobie wybaczyć. – Alice czuła, że stary człowiek odchodzi do lepszego świata.

Trzeba do niego mówić, pomyślała. Byle nie zamknął oczu, nie zasnął.

– Znano wówczas przepowiednię – odezwał się jeszcze – wedle której w naszym czasie narodzi się w Pays d'Oc człowiek, który poniesie przez czas świadectwo tragedii. Jak wielu przed nim: Abraham, Matuzalem, Harif... ja tego nie chciałem. Ale pogodziłem się z przeznaczeniem. – Walczył o każdy oddech.

Alice ułożyła sobie jego głowę na kolanach.

– Kiedy to się stało? – zapytała. – W jaki sposób?

– Alaïs wezwała moc Graala. W tej kamiennej komnacie. Miałem wtedy dwadzieścia sześć lat. Wróciłem do Los Seres z nadzieją, że moje życie się odmieni. Chciałem wierzyć, iż złożę przysięgę Alaïs i zyskam jej miłość.

– Ona cię kochała! – zapewniła go Alice żarliwie.

– Harif nauczył ją pradawnego języka Egipcjan – ciągnął z uśmiechem. – Najwyraźniej ślad tej wiedzy przejęłaś i ty. Dzięki jego naukom i wskazówkom zawartym w papirusach dotarliśmy we właściwe miejsce. I jak ty dzisiaj, tak i ona wtedy wiedziała, co powiedzieć. Graal za jej pośrednictwem wylał na mnie swoją moc.

– Ale jak... – zająknęła się Alice. – Jak to się stało?

– Pamiętam gładki dotyk powietrza, iskrzące płomienie świec, piękne głosy rozbrzmiewające w półmroku. Słowa zdawały się płynąć z jej ust, nie tyle wypowiadane, ile ożywiane własną wolą. Alaïs i Harif stali przed ołtarzem.

– Na pewno byli jeszcze inni.

– Tak, byli, ale... może to dziwne, lecz ledwo ich pamiętam. We wspomnieniach widzę tylko Alaïs. Jej skupioną twarz, lekko zmarszczone brwi, włosy spływające falą na plecy... Tylko ją widziałem, tylko na nią patrzyłem. Trzymała w dłoniach misę i wypowiadała słowa. W kulminacyjnym momencie spojrzała przed siebie szeroko otwartymi oczami. Podała mi naczynie, a ja wypiłem. – Powieki mu zatrzepotały jak skrzydła motyla.

– Skoro życie bez niej było dla ciebie takim ciężarem, dlaczego borykałeś się z nim tak długo?

– *Perqué*? – powtórzył zdumiony. – Dlatego, że ona tego właśnie chciała. Musiałem żyć, by opowiadać historię ludu tych ziem, tych, którzy tutaj żyli, w górach i na nizinach. Pilnować, by nie umarła prawda. Taki jest sens istnienia Graala. Pomoc tym, którzy niosą ciężar świadectwa. Historię piszą zwycięzcy i kłamcy. Najsilniejsi i najbardziej zdeterminowani. A prawda pozostaje w milczeniu, ukryta w ciszy.

Alice pokiwała głową.

– Dokonałeś tego, po co zostałeś na ziemi, Sajhë.

– Pierwszym wielkim kłamcą był Guilhem de Tudela, trubadur, który napisał pieśń zatytułowaną „La chanson de la croisade". Po jego śmierci pewien anonimowy poeta, rozumiejący lepiej wydarzenia z Pays d'Oc ukończył jego pieśń.

Alice nie mogła powstrzymać uśmiechu.

– *Los mots vivents* – szepnął Baillard. – Żywe słowa. Taki był początek. Przysiągłem Alaïs, że będę mówił i pisał prawdę, by przyszłe pokolenia poznały spustoszenie, jakie zostało dokonane w jej imieniu. By lud naszych ziem nie został zapomniany.

Pokiwała głową ze zrozumieniem.

– Harif także wiedział, o co chodzi. On przede mną kroczył samotną ścieżką. Podróżując przez świat, widział, jak ludzie przeinaczają słowa, zmieniają prawdę w kłamstwo. On także niósł świadectwo przez wieki. – Sajhë z trudem wciągnął powietrze. – Odszedł wkrótce po śmierci Alaïs, miał ponad osiemset lat. Umarł tutaj, w Los Seres. Żegnaliśmy go oboje z Bertrande.

– Gdzie żyłeś przez te wszystkie lata? Jak żyłeś?

– Patrzyłem, jak wiosenna zieleń ustępuje przed złotem pełni lata, jak miedziana jesień usuwa się przed bielą zimy. Siedziałem i czekałem, aż zblednie światło. Ciągle na nowo zadawałem sobie pytanie o przyczynę. Gdybym wiedział, jak się żyje z samotnością, jaki jest los jedynego świadka nieskończonego cyklu narodzin i śmierci, czy postąpiłbym tak samo? Tak długo żyłem z pustką w sercu, iż chyba już nie mam serca.

– Sajhë, ona cię kochała – rzekła Alice cicho. – Inaczej niż ty ją, ale głęboko i szczerze.

Na starca spłynęło ukojenie.

– *Es vertat*. Teraz o tym wiem.

– Gdyby...

Rozkaszlał się, w kącikach jego ust wykwitły plamki krwi. Dziewczyna otarła je rąbkiem szaty. Próbował usiąść.

– Spisałem to wszystko dla ciebie – rzekł. – Przekazałem ci w testamencie. Znajdziesz go w Los Seres, w domu, w którym mieszkałem z Alaïs. Teraz należy on do ciebie.

Spokojną noc rozdarł odległy dźwięk syren.

– Zaraz tu będą – powiedziała sztucznie wesołym głosem. – Mówiłam, że zdążą. Zbierz siły. Nie poddawaj się.

Sajhë ledwo dostrzegalnie pokręcił głową.

– To już koniec. Moja podróż dobiegła końca. Twoja się rozpoczyna.

Odgarnęła mu z czoła siwe włosy.

– Ja nie jestem nią – rzekła miękko. – Nie jestem Alaïs.

Westchnął głęboko.

– Wiem. Ale ona żyje w tobie. – Zamilkł. Każde słowo kosztowało go wiele wysiłku. – Żałuję, że znaliśmy się tak krótko. Ale też każda spędzona z tobą godzina dała mi więcej, niż śmiałem marzyć. – Umilkł. Ostatni cień koloru odpłynął z jego twarzy. Dłonie pobielały. Jakby wyciekła z niego ostatnia kropla krwi.

W głowie Alice narodziła się modlitwa, którą ktoś odmawiał bardzo dawno temu.

– *Payre sant, Dieu dreyturier de bons speritz*. – Niegdyś dobrze znane słowa swobodnie padały z jej ust. – Ojcze święty, prawdziwy Boże ducha, pozwól nam posiąść Twoją wiedzę i kochać to, co Ty obdarzasz miłością.

Powstrzymując łzy, tuliła go w ramionach i słuchała coraz słabszego oddechu. W końcu zapadła cisza.

Epilog
Los Seres

Jest ósma wieczór. Kolejny idealny dzień lata chyli się ku końcowi. Alice podchodzi do szerokiego okna i otwiera okiennice, by wpuścić do środka ukośne pomarańczowe promienie słońca. Lekka bryza owiewa jej nagie ramiona. Skórę ma koloru orzechów laskowych, włosy splecione w warkocz spływający na plecy.

Słońce, doskonały czerwony krąg na różowobiałym niebie, wisi już nisko nad horyzontem. Kładzie na ziemię długie cienie wierzchołków Montagnes du Sabarthès, jak płachty schnącej tkaniny. Z okna doskonale widać Col des Sept-Frères, niedaleko za wąwozem Pic de St Bartélémy.

To już dwa lata od śmierci Sajhë.

Z początku Alice trudno było żyć z tym wspomnieniem. Huk wystrzału w zamkniętej przestrzeni, drżenie ziemi, świetlista twarz w półmroku, spojrzenie Willa, który wpadł do komnaty z inspektorem Noubelem.

A przede wszystkim gasnące światło w oczach Audrica. W źrenicach Sajhë . Na końcu pozostał w nich spokój wolny od smutku, lecz przez to jej ból wcale nie był mniejszy.

Tymczasem im więcej się dowiadywała, im więcej umiała, tym bardziej bladł strach tamtych chwil. Przeszłość traciła złowieszczą moc, już nie mogła jej zranić.

Marie-Cécile oraz jej syn zginęli pod skałami; drgania ziemi pogrzebały ich we wnętrzu góry. Paul Authié został odnaleziony tam, gdzie go zastrzelił François-Baptiste. Detonator mający uaktywnić cztery ładunki niezmordowanie tykał obok trupa, aż dotarł do zera. Armageddon w wykonaniu prawnika.

Gdy lato ustępowało miejsca jesieni, a ona przemieniała się w zimę, Alice, z pomocą Willa, zaczęła dochodzić do siebie. Czas robił swoje. Czas i obietnica nowego życia. Stopniowo bladły bolesne wspomnienia. Jak na starych fotografiach osiada kurz, tak i w nich rosło zapomnienie.

Alice sprzedała mieszkanie w Anglii oraz dom ciotki w Sallèles d'Aude i razem z Willem zamieszkała w Los Seres, tam, gdzie dawniej żyli Alaïs, Sajhë, Bertrande oraz Harif. Wprowadzili kilka udogodnień, by korzystać ze zdobyczy współczesności, ale duch tego miejsca pozostał bez zmian.

Sekret Graala jest bezpieczny, tak jak chciała Alaïs, ukryty w górach, których nie ima się czas. Trzy papirusy wydarte ze średniowiecznych ksiąg leżą pogrzebane pod skałami.

Alice rozumie, że została wyznaczona do zamknięcia tego, co nie zostało ukończone przed ośmiuset laty. Wie także, podobnie jak Alaïs, że prawdziwy Graal kryje się w miłości przelewanej z pokolenia na pokolenie, w słowach, którymi ojciec zwraca się do syna, a matka do córki. Prawda jest wszędzie. W kamieniach i skałach, w słońcu i wietrze, w rytmicznym wzorze pór roku.

Zachowujemy życie w opowieściach z przeszłości.

Alice nie potrafi tego ująć w słowa. Nie jest bajarzem, pisarzem, jak Sajhë. Czasem wydaje jej się, że prawda jest ponad wszelkimi słowami. Można ją nazwać Bogiem albo wiarą. Może Graal jest zbyt potężny, by go krępować słowami, przypisywać do jakiegoś miejsca, czasu i znaczenia za pomocą środka tak niezdarnego jak język.

Kładzie dłonie na wewnętrznym parapecie, wdycha głęboko subtelne zapachy wieczoru. Dziki tymianek i janowiec, połyskliwe wspomnienie skwaru na kamieniach, górska zielona pietruszka i mięta, szałwia. Woń ogrodowych ziół.

Alice stała się sławna. Z początku pomogła temu czy owemu, potem dostarczała przyprawy do pobliskich restauracyjek, aż wreszcie sąsiedzkie przysługi zmieniły się w kwitnący interes. Teraz większość sklepów i hoteli w okolicy, nawet we Foix i Mirepoix korzysta z szerokiej gamy jej produktów, oznaczonych dumną etykietą *„Epice Pelletier et Fille"*. Nazwisko przodka przyjęte za własne.

Hameau Los Seres jeszcze nie istnieje na mapach. Jest na to za mała. Ale już wkrótce się to zmieni. *Benlèu.*

W pracowni na parterze zamilkło pianino. Will przeszedł do kuchni, wyjął talerze z szafki i chleb ze spiżarni. Alice zaraz pójdzie na dół. Will otworzy butelkę wina i zajmie się gotowaniem, będą ze smakiem popijali trunek.

Jutro zajrzy Jeanne Giraud, ujmująca starsza pani, szczera przyjaciółka. Po południu wybiorą się do pobliskiego miasteczka i złożą kwiaty u stóp pomnika stojącego na rynku, upamiętniającego sławnego katarskiego historyka i bojownika o wolność, Audrica S. Baillarda. Na płycie znajduje się oksytańskie przysłowie, wybrane przez Alice.

„Pas à pas se va luènh".

Później Alice sama pójdzie w góry. Tam inna tablica znaczy miejsce, gdzie on spoczął na zboczu, tak jak zawsze chciał. Na kamieniu widnieje tylko jedno słowo.

SAJHË

Tyle wystarczy, by go otoczyć pełną szacunku pamięcią.

Drzewo genealogiczne, pierwszy prezent Sajhë dla Alice, wisi na ścianie w pracowni. Zaprowadziła w nim trzy zmiany. Najpierw dodała daty śmierci Alaïs i Sajhë, odległe o osiemset lat. Potem zapisała imię Willa obok swojego oraz datę ślubu.

A w końcu, w zgodzie z tokiem zdarzeń dodała kolejną linijkę:
SAJHËSSE GRACE FARMER PELLETIER, 28 luty 2007 –
Alice uśmiecha się i podchodzi do kołyski, gdzie budzi się jej córeczka.
Maleńkie białe paluszki prostują się rozbrajająco niezdarnie. Dziewuszka
otwiera oczka, a Alice całuje dzieciątko w czółko i w pradawnym języku
śpiewa kołysankę przekazywaną z pokolenia na pokolenie.

> *Bona nuèit, bona nuèit...*
> *Braves amics, pica mièja-nuèit*
> *Cal finir velhada*
> *E jos la flassada*

Któregoś dnia, myśli Alice, Sajhësse zaśpiewa ją swojemu dziecku.
Bierze córeczkę na ręce i wraca do okna. Myśli o wszystkim, czego ją
nauczy. O historiach, które jej opowie. O przeszłości, z którą ją zapozna.
I o przyszłości, która dopiero nadejdzie.

Alaïs już nie pojawia się w jej snach. Ale kiedy Alice tak stoi w gasnącym świetle dnia, patrząc na odwieczne szczyty i doliny, ciągnące się dalej,
niż sięga wzrok, czuje wokół siebie kokon przeszłości. Duchy wyciągają do
niej ręce i szepcą o swoich losach, dzielą się z nią tajemnicami. Łączą ją ze
wszystkimi, którzy tu stali wcześniej i którzy jeszcze staną, marząc o tym,
co może przynieść życie.

Na niebo wschodzi biały księżyc, obiecując jutro kolejny piękny dzień.

PODZIĘKOWANIA

Wiele osób, znajomych i przyjaciół wspierało mnie radą i pomocą w czasie pisania „Labiryntu". Należy też przyjąć za pewnik, iż wszelkie błędy dotyczące faktów, czy też ich interpretacji, powstały wyłącznie z mojej winy.

Mój agent, Mark Lucas, był wzorem do naśladowania przez cały czas powstawania powieści, zapewniał mi nie tylko niezastąpione wsparcie wydawnicze, ale także niewyczerpane ilości żółtych karteczek samoprzylepnych. Podziękowania kieruję także pod adresem wszystkich pracowników LAW oraz ILA*, a zwłaszcza Nicki Kennedy, która okazała się uosobieniem cierpliwości i sprawiła, że praca była przyjemnością.

W wydawnictwie „Orion" miałam szczęście zetknąć się z Kate Mills, która zredagowała mój tekst skutecznie i z głową na karku, dzięki czemu świetnie się on czyta. Dziękuję także Geneviève Pegg. Nie mogę nie wspomnieć o Malcolmie Edwardsie i Suzan Lamb, od których wszystko się zaczęło. Pomagał mi też entuzjazm, energia oraz ciężka praca członków działów marketingu, reklamy i sprzedaży, między nimi szczególnie Victoria Singer, Emma Noble i Jo Carpenter.

Od Boba Elliotta i Boba Clacka z chichesterskiego Rifle Club uzyskałam fascynujące rady i niezastąpione informacje dotyczące broni palnej, a ze średniowieczną sztuką wojenną zapoznał mnie profesor Anthony Moss.

Bezcenne wiadomości na temat średniowiecznych rękopisów, pergaminów i powstawania ksiąg w trzynastym wieku uzyskałam od Michelle Brown, zatrudnionej w londyńskiej British Library, jako kurator działu Illuminated Manuscripts. Dr Jonathan Phillips, wykładowca na wydziale historii średniowiecza Royal Holloway na University of London, zechciał przeczytać maszynopis i wesprzeć mnie swoimi nieocenionymi radami.

Dziękuję wszystkim tym, którzy pomogli mi w Bibliothèque de Toulouse oraz w Centre National d'Etudes Cathares w Carcassonne.

Chcę podziękować osobom, które przez kilka minionych lat pracowały z nami w ramach kreatywnego czytania i pisania na stronie internetowej www. mosselabyrinth. co. uk, bazującej na historycznych odkryciach. Wśród nich szczególnie wyróżniły się dwie: Nat Price i Jòn Hörôdal.

---

* Institut Linguistique Adenet

Jestem ogromnie wdzięczna przyjaciołom za tolerowanie mojej długotrwałej obsesji na punkcie katarów oraz legend dotyczących Świętego Graala. W Carcassonne bardzo mi pomogli Yves i Lydia Guyou: zapoznali mnie z oksytańską muzyką i poezją oraz przedstawili pisarzom i kompozytorom, których prace dały mi zapał twórczy oraz natchnienie. Pierre i Chantal Sanchez wspierają mnie swoją przyjaźnią już od wielu lat.

Jeśli chodzi o ludzi, którzy pomagali mi w Anglii, nie sposób nie wspomnieć Jane Gregory, której entuzjazm od początku tego projektu był tak szalenie ważny, oraz Marii Rejt, nieocenionej nauczycielki. W mojej wdzięcznej pamięci na zawsze pozostaną Jon Evans, Lucinda Montefiore, Robert Dye, Sarah Mansell, Tim Bouquet, Ali Perrotto, Malcolm Wills, Kate i Bob Hingston oraz Robert i Maria Pulley.

Największe podziękowania należą się jednak mojej rodzinie. Teściowa, Rosie Turner, nie tylko zaznajomiła nas z Carcassonne, lecz pomagała mi w czasie pisania dzień w dzień. Zapewniła mi nie tylko praktyczną pomoc w codziennych obowiązkach wykraczającą daleko poza jakiekolwiek zobowiązania, ale też nieocenione towarzystwo. Dziękuję rodzicom, Richardowi i Barbarze Mosse, za niezłomną wiarę w moje osiągnięcia oraz siostrom: Caroline Matthews i Beth Huxley oraz jej mężowi Markowi za wszelką pomoc.

Ogromne podziękowania za niezawodne wsparcie należą się moim dzieciom; Martha i Felix nigdy mnie nie zawiedli. Ona, zawsze pełna optymizmu, dodawała mi odwagi, nigdy nie wątpiła, że dotrę do końca powieści. On nie tylko dzielił ze mną fascynację historią średniowiecza, ale też z pasją wprowadzał mnie w tajniki budowy średniowiecznych machin oblężniczych i podsuwał bardzo rozsądne sugestie. Nigdy im się nie wywdzięczę.

I wreszcie – Greg. Dziękuję mu za miłość i wsparcie, nie wspominając już o pomocy intelektualnej, praktycznej i wydawniczej. Bez niego pewnie nie dałabym rady. Na szczęście zawsze mogę na niego liczyć.

SKOROWIDZ WYBRANYCH
SŁÓW OKSYTAŃSKICH